# BONJOUR, LE MONDE !

## DU MÊME AUTEUR

Autour des trois Amériques (Beauchemin)      Montréal 1948
Autour de l'Afrique (Fides)      Montréal 1950
Aïcha l'Africaine, contes (Fides)      Montréal 1950
Aventures autour du monde (Fides)      Montréal 1952
Nouvelle aventure en Afrique (Fides)      Montréal 1953
Coffin était innocent (Éditions de l'Homme)      Montréal 1958
Scandale à Bordeaux (Éditions de l'Homme)      Montréal 1959
Deux innocents en Chine rouge — en collaboration avec
  Pierre Elliott Trudeau (Éditions de l'Homme)      Montréal 1960
J'accuse les assassins de Coffin (Éditions du Jour)      Montréal 1963
Trois jours en prison (Club du Livre du Québec)      Montréal 1965
Les Écoeurants, roman (Éditions du Jour)      Montréal 1966
Ah ! mes Aïeux ! (Éditions du Jour)      Montréal 1968
Obscénité et Liberté (Éditions du Jour)      Montréal 1970
Blablabla du bout du monde (Éditions du Jour)      Montréal 1971
La terre est ronde (Fides)      Montréal 1976
Faites-leur bâtir une tour ensemble (Éditions Héritage)      Montréal 1979
L'Affaire Coffin (Domino)      Montréal 1980
Le Grand Branle-bas —
  en collaboration avec Maurice-F. Strong (Les Quinze)      Montréal 1980
La jeunesse des années 80 :
  état d'urgence (Éditions Héritage)      Montréal 1982
Voyager en pays tropical (Boréal Express)      Montréal 1984
Trois semaines dans le hall du Sénat (Éditions de l'Homme)      Montréal 1986
Yémen — Invitation au voyage
  en Arabie heureuse (Éditions Héritage)      Montréal 1989
Deux innocents dans un igloo (Héritage Jeunesse)      Montréal 1990
Deux innocents au Mexique (Héritage Jeunesse)      Montréal 1990
Deux innocents au Guatemala (Héritage Jeunesse)      Montréal 1990
Deux innocents en Amérique centrale (Héritage Jeunesse)      Montréal 1991

### *En anglais :*

I Accuse the Assassins of Coffin (Éditions du Jour)      Montréal 1964
The Temple on the River, roman (Harvest House)      Montréal 1967
Two Innocents in Red China — en collaboration avec
  Pierre Elliott Trudeau (Oxford University Press)      Toronto 1968
The World is Round (McClelland & Stewart)      Toronto 1976
Have Them Build a Tower Together (McClelland & Stewart)      Toronto 1979
The Great Building-Bee — en collaboration avec Maurice F. Strong
  (General Publishing)      Don Mills 1980
The Coffin Affair (General Publishing)      Don Mills 1981
21 Days — One Man's Fight for Canada's Youth (Optimum Publishing)      Montréal 1986
Travelling in Tropical Countries (Hurtig Publishers)      Edmonton 1986
Yemen — An Invitation to a Voyage in Arabia Felix (Heritage Publishing)      Montréal 1989
Hello, World ! (Robert Davies Publishing–Talonbooks)      Montréal/Vancouver 1996

### *En allemand :*

Jemen — Einladung zu einer Reise nach Arabia felix(Azal Publishing)      Ottawa 1989

Jacques Hébert

# BONJOUR, LE MONDE !

*Où il est question de la Jeunesse,
du Canada et du Monde*

Préface de Michael Oliver

*Éditions Robert Davies*

MONTRÉAL–TORONTO–PARIS

Les droits d'auteur provenant de la vente de cet ouvrage seront entièrement versés à
Jeunesse Canada Monde.
Le catalogue complet de l'éditeur est désormais consultable sur l'Internet,
via notre site: http://www.rdppub.com
Courrier électronique: rdppub@vir.com

## DIFFUSION

*Canada*
Dimédia : 539, boulevard Lebeau,
Saint- Laurent (Québec) H4N 1S2
☎514-336-3941/📠 331- 3916

*France*
C.E.D. Diffusion : 73, quai Auguste-Deshaies
94854 Ivry-sur-Seine
☎1-46-58-38-40/📠 46-71-25-59

*Suisse*
Diffulivre : 39-41, rue des Jordils,
1025 Saint-Sulpice
☎21-691-5331/📠 691- 5330

*Belgique*
Vander Diffusion : 321, ave. des Volontaires
B-1150 Bruxelles
☎ 322.762.98.04 / 📠 322.762.06.62

L'éditeur remercie le Conseil des Arts du Canada
et le ministère de la Culture du Québec
pour leurs programmes de soutien à l'édition.

Dépôts légaux, 1er trimestre 1996,
Bibliothèques nationales du Québec, du Canada, de France et de Belgique

À PIERRE ELLIOTT TRUDEAU,
NOBLE ET FIDÈLE AMI, SANS QUI
JEUNESSE CANADA MONDE
N'AURAIT JAMAIS EXISTÉ

(Sans moi non plus, d'ailleurs !)

# PRÉFACE

*DE QUEL TYPE DE JEUNES GENS AVONS-NOUS BESOIN POUR BIEN AMORCER le 21ᵉ siècle ? La réponse est simple : des jeunes capables d'affronter le changement à tous les niveaux et sous toutes ses formes, que celui-ci touche l'environnement, les relations interpersonnelles, ou encore les notions de carrière et de vocation. Mais surtout, des jeunes convaincus de pouvoir être des artisans du changement. Dès lors, leur faudra-t-il se révéler profondément différents ? J'en doute. En effet, il ne s'agit pas de reléguer aux oubliettes les vertus sacrées qui nous ont guidés jusqu'ici, à savoir l'intégrité, la sincérité, le courage, ainsi que toutes les autres. Pour «être de son temps», c'est-à-dire s'engager sans trop de heurts dans le prochain millénaire, il importera, plutôt que de se mettre en quête d'autres valeurs, d'être à l'affût des nouvelles significations à conférer aux qualités dites traditionnelles.*

*C'est avant tout une question de contexte. C'est grâce à l'expérience vécue que nous pouvons le mieux réaliser combien nous sommes semblables les uns aux autres, tout en reconnaissant l'importance des différences entre nous — vous savez, ces choses qui font de chacun de nous un être unique. Si elle ne s'appuie pas sur des rencontres, des dialogues et des échanges véritables, même la lecture la plus attentive de tout ce qui peut s'écrire sur le multiculturalisme, ou encore sur l'identité et l'authenticité, risque de déboucher sur des connaissances superficielles et mal intégrées.*

*Mieux nous savons élargir nos horizons en entrant un petit peu dans la vie d'autres personnes plutôt que de nous contenter de les regarder, plus il y a de chances que nous arrivions à substituer compréhension et affection à la peur et à la haine. Nous commençons péniblement à nous rendre compte qu'un avenir sûr pour quiconque d'entre nous passe nécessairement par une sécurité commune, par une compréhension commune.*

*Jacques Hébert, lui, a commencé jeune à voir les choses avec les yeux d'autrui. De se voir transplanter du Québec à l'Île-du-Prince-Édouard afin de poursuivre son éducation dans une autre langue, voilà qui a certes favorisé chez lui un changement de perspective somme toute assez peu différent de ceux qui ont pu s'opérer plus tard lors de ses rencontres avec des gens d'Amérique latine, d'Afrique ou de Chine. Il en est venu à croire qu'il était des plus excitant et des plus trans-formateur de se retrouver au sein d'une autre culture, ne fût-ce que durant une brève période. Et, une des meilleures façons que Jacques ait trouvée d'exprimer cette conviction, ce fut de fonder, puis de guider Jeunesse Canada Monde : toute une idée !*

*Je reconnais que j'avais oublié en grande partie ce que furent les débuts de Jeunesse Canada Monde. Dans la première partie de ce livre, Jacques, avec sa générosité coutumière, grossit le rôle de figurant que j'ai joué alors; mais, il y a une chose dont je me souviens très bien, et c'est cette entrevue décisive avec le ministre des Affaires extérieures de l'époque, Mitchell Sharp, à l'heure où l'ensemble de notre financement se trouvait menacé... oui, je me souviens du sentiment de victoire qui m'avait envahi en sortant de ses bureaux. Et comment oublier ces fameux coups de téléphone de minuit qu'il m'avait fallu donner — Jacques se trouvant alors dans quelque coin reculé du globe — pour tenter de joindre le président de l'ACDI, Paul Gérin-Lajoie, histoire de l'amener à intervenir personnellement pour «débloquer» un chèque et ainsi permettre à tout un contingent de participants d'embarquer pour le Sénégal dès le lendemain matin ? Ouais ! il y a eu de ces journées mouvementées ! Mais, avec Jacques, il y avait toujours du plaisir à en tirer. Mes souvenirs sont en effet ponctués d'éclats de rire et bien entretenus par ce pétillement éternel dans le regard de Jacques.*

*Ce plaisir fou qu'ensemble nous avons pris à «faire bouger les choses» ne représente pourtant qu'une infime portion de ce qu'il y a à retenir de tout ça. Jacques Hébert a trouvé un moyen pour permettre à des milliers de jeunes gens d'embrasser sa vision d'un développement partagé. Imaginez l'audace qu'il fallait pour croire que le Canada pouvait devenir la conscience des pays riches en même temps que le catalyseur du dialogue Nord-Sud, pour amener une multitude de jeunes à vivre leur foi dans cette vision, une vision qu'ils avaient faite leur. En lisant la deuxième partie, vous serez à même de constater comment se sont opérées les transformations chez ces jeunes. Ce qui me plaît dans ces comptes rendus d'expériences individuelles rassemblés par Jacques Hébert, c'est la progression dans la démarche de prise de conscience : pas de conversions instantanées ni de révélations soudaines. En effet, ce qu'on y remarque, c'est une compréhension grandissante du fait qu'il soit possible d'être très riche même dans le dénuement complet, bien qu'il se révèle vital d'éliminer cette pauvreté matérielle. En outre, il apparaît évident que ces gens qui ont vécu l'expérience Jeunesse Canada Monde savent désormais à combien de déformations donne lieu toute évaluation que l'on fait d'autrui et, inversement, combien d'erreurs peuvent faire les autres dans les jugements qu'ils portent sur soi.*

*Dans leur jeunesse, la plupart de mes enfants ont fréquenté chaque été le Camp Minogami, camp où tout se passait en français. Une des activités qu'ils m'ont décrite consistait à escalader des murs, à franchir des obstacles, à courir et à sauter, dans l'intention non pas de finir premier, mais simplement d'effectuer tout le parcours, en faisant de son mieux et en s'amusant. On appelait ça faire de l'«hébertisme». Un nom parfait qui, selon moi, s'appliquait on ne peut mieux à l'expérience Jeunesse Canada Monde : le «Jacques-Hébertisme».*

*Oui, Jeunesse Canada Monde, c'était et ça demeure du «Jacques-Hébertisme», et bien davantage encore. Les pages qui suivent sauront vous en convaincre, j'en suis sûr.*

Michael Oliver

# *PRÉAMBULE* [1]

Il faudrait une loi pour protéger les populations contre la publication d'autobiographies, mémoires et autres radotages, qui ne peuvent intéresser vraiment que les auteurs eux-mêmes et leur maman. À moins d'être Stendhal, Neruda ou Churchill.

Non, mais quel culot il faut avoir pour oser parler de sa scarlatine à des gens qui ne vous demandent rien ! Pour écrire des horreurs du genre : «Je suis un Montréalais pur laine, né rue Saint-Denis, angle Sherbrooke. (Faut le faire !) Mon père était médecin et ma mère était belle. Mon souvenir le plus ancien remonte à la scarlatine, que j'avais eue mauvaise. *Et caetera...*»

Décidément, il faudrait une loi !

Si je me sens immunisé contre le virus autobiographique, c'est que le passé m'ennuie prodigieusement : je ne peux rien changer à cette nuit-là, alors que l'instant présent, lumineux et frémissant comme un oiseau des îles, m'étonne toujours. Oui, en ce moment même, je cajole les secondes fragiles qui s'égrainent, alors que mon stylo (*Pilot fineliner*) glisse sur le papier avec la douceur du sable qui s'écoule dans le sablier. (Oeuf mollet : trois minutes.)

De l'instant présent, on est le maître. On peut lui donner des ailes et le laisser s'envoler comme une hirondelle qui traverse le ciel sans laisser de trace. Ou on peut le saisir par la main pour qu'il nous entraîne vers la grâce !

Depuis un quart de siècle, les instants les plus exaltants que j'ai vécus, je les dois aux jeunes participants de Jeunesse Canada Monde, aux chaleureuses conversations que nous avons eues, à l'ombre d'un manguier, quelque part dans l'île de Sumatra, sous un frêle abri de paille en Casamance, autour d'un feu dans les Andes frileuses. À Vancouver, à Vegreville, à Toronto, à l'île Perrot, à Saint-Georges-de-Beauce, à Halifax et, tout récemment encore, dans un humble village de l'Île-du-Prince-Édouard. Des heures exquises, les seules de mon passé, pourtant fort encombré d'événements divers, qu'il m'arrive d'évoquer sans effort.

Assis à l'indienne sur le sable chaud ou sur une natte de feuilles de palmier tressées, me voilà entouré par une douzaine de filles et de garçons venus de tous les coins du Canada et de tous les coins du pays où nous nous trouvons. Ensemble, ils ont déjà vécu des expériences humaines uniques, des mois de dur labeur sous des climats extrêmes, ils ne sont plus les mêmes, ils ne seront plus jamais les mêmes. Cela se lit dans leur

---

1    Du latin *praembulare* (*prae*, en avant, et *ambulare*, aller).

regard intense, cela s'entend dans leurs propos graves sur l'avenir du monde, ce qui d'ordinaire n'est pas le premier souci des jeunes de leur âge. (Tout cela n'empêche pas de prendre le temps de rire, bien au contraire !)

Hélas ! Il y toujours un petit malin de Terre-Neuve ou une grande blonde de Calgary qui pose la question redoutée, la seule à laquelle je n'ai jamais envie de répondre :

«Dites-nous, s'il vous plaît, dites-nous comment tout cela a commencé ? Qui vous a *donné l'idée* de Jeunesse Canada Monde ?»

Quand j'ai de la veine, la question arrive en fin de session, au moment des adieux :

«Ah ! quel dommage que vous ne m'ayez pas demandé cela plus tôt ! Pour vous répondre convenablement, il me faudrait une bonne heure... Déjà, je suis en retard, l'autre groupe m'attend à cent kilomètres d'ici... Vous comprenez ? Mais la prochaine fois que nous nous verrons, c'est promis : je vous raconterai tout !»

Sauvé par la cloche !

Parfois, un participant plus malin que les autres pose la question en temps utile. J'hésite, je tergiverse, je bafouille devant cette bande de filles et de garçons que j'aime, que je ne voudrais pas décevoir. Leurs grands yeux inquisiteurs me terrifient littéralement. Ils attendent une belle histoire, un foutu «message», merde ! comme si j'étais Gândhi... ou Baden-Powell !

Je tente alors de m'en tirer avec une blague :

«Un jour, je me trouvai seul, sous un vieil érable, au sommet du Mont Saint-Hilaire, près de Montréal. Je rêvassais en mâchouillant un brin d'herbe quand, tout à coup, un ange m'apparut : "Jacques, me dit-il, d'une voix ferme mais douce, il faut que tu fondes..."»

Mon petit auditoire éclate de rire et, généralement, n'insiste pas d'avantage.

Ce pourquoi je répugne à répondre à une question pourtant bien normale, c'est qu'il me faudrait chercher la réponse dans le tréfonds de mes souvenirs, opération que j'abhorre par-dessus tout. Je n'ai pas de mémoire, je n'ai pas d'archives, ce serait infernal !

Et pourtant, cent fois j'ai promis que «la prochaine fois, je raconterai tout !»

Dans la première partie de cet ouvrage, je m'y résigne enfin.

* * *

Au cours des années, mes rencontres avec les participants de Jeunesse Canada Monde furent nombreuses mais toujours brèves, trop brèves. À une exception près.

À l'occasion de l'Année internationale de la jeunesse, en 1985, Jeunesse Canada Monde lança un projet spécial, original, audacieux, confié à des jeunes qui avaient *déjà* vécu le programme ordinaire dans onze pays différents du Tiers-Monde. Le projet devait se réaliser pour la moitié au Zaïre et, pour l'autre moitié, au Canada.

Je pris alors la décision de suivre de très près cette expérience nouvelle, de participer au camp d'orientation des dix-huit participants canadiens, d'apprendre à les connaître un peu, d'aller les retrouver dans les villages perdus du Kasaï oriental où les s'attendait la reconstruction de deux hôpitaux en ruine et, enfin, de les revoir au

Canada où, en compagnie de leurs camarades zaïrois, ils devaient partager le fruit de leurs expériences avec des dizaines de milliers de Canadiens, de Halifax à Vancouver.

Une belle histoire d'amour que je raconte dans la deuxième partie de ce livre. Ou, plus précisément, que les jeunes participants nous racontent.

* * *

J'aime les livres comme j'aime les pays, ces grands livres illustrés. Souvent dix fois plutôt qu'une, j'ai lu tous les pays du monde sauf la Mongolie (peut-être !) et sans doute quelques bricoles comme le Tonga et le Surinam. Je ne suis pas rassasié pour autant, et je résiste mal à l'attrait d'un coin du monde où je n'ai encore jamais mis les pieds. («Surinam, j'arrive !») J'éprouve une joie d'enfant dès que s'ouvre la porte de l'inconnu. La joie devient exaltation quand je découvre un joyau oublié et rare, comme le rude Yémen, ou la fière et mélancolique Albanie, navrant témoin de la Grande Bêtise du XXe siècle.

C'est entre l'âge de 22 et 30 ans que j'ai fait mes grands voyages, sillonné d'un bout à l'autre les Amériques, l'Afrique et l'Asie. Par la suite, mes obligations de famille et l'exigence de mes divers métiers m'ont interdit les voyages de plus de quelques semaines par année, rarement d'un mois.

À partir de la fondation de Jeunesse Canada Monde, en 1971, je dus souvent aller en mission aux quatre coins du Tiers-Monde pour inciter des pays à se joindre au mouvement, négocier des protocoles d'entente et, éventuellement, passer un jour ou deux avec les jeunes participants dans quelque petit village du Pérou, du Togo ou des Philippines. Depuis, ce sont les seuls voyages qui m'intéressent vraiment, et auxquels je consacre mes vacances des fêtes depuis près de vingt-cinq ans.

Au retour de chacune de ces missions, je rédige un compte-rendu à l'intention du conseil d'administration, du personnel et de quelques amis de Jeunesse Canada Monde. Je tente de faire revivre mes rencontres privilégiées avec les participants, mais aussi d'apporter des suggestions susceptibles d'améliorer le programme, d'une année à l'autre.

Je ne suis pas sans savoir qu'on lit rarement les rapports et presque jamais jusqu'au bout. J'ai donc eu recours à une astuce : au lieu d'être des rapports conventionnels, les miens prendraient la forme d'un carnet de route, farci d'anecdotes parfois émouvantes, souvent cocasses. Le lecteur se laisserait peut-être prendre au jeu... et avalerait tout le reste de peur de rater un moment plus palpitant ou un incident drôle !

L'ensemble de ces comptes-rendus de mission doit bien faire plus de mille pages... à jamais enfouies dans les archives de Jeunesse Canada Monde. En troisième partie de cet ouvrage, j'en citerai quelque bribes, une manière de dire bonjour, encore un fois, à une douzaine de pays du monde.

# PREMIÈRE PARTIE

## «La prochaine fois, je vous raconterai tout !»

> *Il se tire une merveilleuse clarté pour le jugement humain de la fréquentation du monde. Nous sommes tous contraints et amoncelés en nous, et nous avons la vue raccourcie à la longueur de notre nez. On demandait à Socrate d'où il était. Il ne répondit pas «d'Athènes», mais «du monde».*
>
> Montaigne

> *The world is so full of a number of things,*
> *I'm sure we should all be as happy as kings.*
>
> Robert Louis Stevenson

# 1.
# Un drôle de laïque chez les jésuites

*J'ai enfin trouvé ce que je voulais devenir plus tard : un petit garçon.*

Joseph Heller

Hervé Benoist discutant avec un jeune scout au camp du lac Simon.

L'amitié a toujours beaucoup compté pour moi. Depuis l'enfance. Je rêvais d'avoir des tas de camarades, un jour de vrais amis, à la vie à la mort.

À treize ans, longtemps après la scarlatine, j'entrais au Collège Sainte-Marie de Montréal, en éléments latins, comme on disait à la belle époque où nous avions encore un système d'éducation. Chez les Pères jésuites, dont on affirmait qu'il leur fallait — *après* le baccalauréat — quatorze ans d'études avant d'être vraiment jésuite. (À l'occasion, ils ne se privaient pas de nous le rappeler !) Ça m'impressionnait très fort. Quatorze ans ! Plus que mon âge !

J'ai plutôt aimé les jésuites, sauf quand ils nous empoisonnaient avec leur foutue Laurentie catholique et française ! Ou qu'ils nous proposaient, au chapitre des grands hommes, les deux bons dictateurs catholiques de l'heure : Salazar et Franco. Même l'épais Mussolini leur paraissait un gars bien à cause du Concordat et des saloperies de Marais pontins, qu'il avait asséchés, parait-il, à la petite cuillère !

Ce qui devait me sauver de toute cette affligeante merdouille, c'est la présence au collège d'un laïque merveilleux, Hervé Benoist, et aussi d'un jésuite inattendu, le père Thomas Mignault : immense, déluré, étonnant, fantaisiste, joyeux, un peu fou, peut-être un saint.

Quand le père Mignault nous rencontrait dans un couloir du collège, il nous saisissait par les épaules, nous secouait assez rudement et, ses grands yeux gris et rieurs nous inondant de tendresse virile, il nous servait quelque invraisemblable tirade : «Petit, la patrie a besoin de toi. Petit, il faut que tu deviennes un homme. *Esto vir* ! Fort et brave. Dévoué et franc. Débrouillard et compétent. *Esto vir* ! Un chef ! Dis, petit, tu veux bien devenir un chef ?»

On disait oui, naturellement, sans rien comprendre de ces propos étranges.

À l'heure du lunch, au réfectoire, pendant que nous mangions des fèves au lard bien grasses, arrosées d'un *ginger ale* bien sucré, le père Mignault nous faisait d'interminables et frémissants discours, non pas sur les nobles vertus d'Ignace de Loyola, mais sur celles des crudités. Sans les fruits et les légumes crus, nous étions, disait-il, foutus !

Une autre fois, il partait en guerre contre les «bouches molles». Sur ce thème, il devenait intarissable : «AR-TI-CU-LEZ ! AR-TI-CU-LEZ ! AR-TI-CU-LEZ !» nous criait-il, sans se lasser. Un jour, il avait introduit au collège une femme — quelle horreur ! — une Française bien en chair qui, curieusement, s'appelait madame MacDonald. Elle nous enseignait la diction au moyen de petites boules de caoutchouc qu'elle nous faisait mettre dans la bouche : d'abord deux, puis quatre, et même six... Les «bouches molles» en prenaient un sacré coup !

Les élèves, bien qu'externes, n'avaient pas le droit de fréquenter les cinémas, ces antres du démon. Plusieurs s'étaient fait surprendre à la sortie de l'*Impérial* ou du *Loews* par quelque pion ensoutané qui gagnait son ciel en faisant le guet, souvent par des froids sibériens. Les mécréants se méritaient alors plusieurs solides coups de *shlague* dans chaque main, ce qui était plus humiliant que douloureux.

Contrairement à ses collègues, le père Mignault croyait au cinéma et acceptait mal qu'on en prive des adolescents... destinés à devenir des chefs ! À Montréal, il connaissait tous les gens qui comptaient, dont Alexandre de Sèvres, président de France-Film et propriétaire du cinéma Saint-Denis. Il réussit à le convaincre de présenter un film, gratuitement, à tous les élèves du collège, certains samedis matins. C'est donc grâce au père Mignault que j'ai vu mon premier film, *Michel Strogoff*, avec l'extraordinaire Harry Baur... et que je suis tombé amoureux de la superbe Anabella, vedette de *L'Appel du silence*. En fait, la belle actrice française enchanta longtemps les rêves de tous les élèves du collège, sans exception.

L'incroyable père Mignault avait bien d'autres obsessions, dont la gymnastique, la vie en plein air, la flore et la faune du Québec, l'initiation à tous les arts et, bien sûr, le «dépassement de soi» et la «formation du caractère». *Esto vir !* Tout cela devait l'amener à organiser la troupe scoute du Collège Sainte-Marie, avec l'essentielle collaboration d'Hervé Benoist, laïque dans la trentaine, lui aussi éducateur hors de l'ordinaire.

Très tôt, cet homme devait exercer sur les jeunes scouts une influence plus profonde, plus définitive encore que celle de son ami et complice, le père Mignault. Un des rares professeurs laïques du collège, Franco-Manitobain, plus ou moins architecte, grand humaniste et esprit universel, il enseignait l'anglais et les mathématiques pour gagner son sel, mais sa véritable mission était de diriger la troupe scoute, qui ne devait être à nulle autre pareille.

Hervé Benoist fut un maître, comme on rêve d'en rencontrer au moins un dans sa vie. Et celui-là, j'ai eu le bonheur incomparable de le connaître dès l'âge de treize ans. Aucun homme ne m'a autant marqué. Et sans lui, j'en suis absolument persuadé, Jeunesse Canada Monde n'aurait jamais vu le jour. Alors, faut bien que j'en parle un peu...

Je faisais donc partie de cette singulière troupe scoute, si singulière en effet que les autres scouts de l'époque nous regardaient avec une certaine méfiance, peut-être avec envie. En rigolant, ils nous appelaient les «scouts à Benoist» !

Pour cet éducateur exceptionnel, le scoutisme était un prétexte. Sans en renier les grands principes, il en avait changé plusieurs des méthodes. Au lieu de nous faire perdre du temps à apprendre à «faire des noeuds» (ce que nous avions tout de même appris), il nous passionnait pour les arts, surtout la musique, pour les sciences, toutes les sciences. À une époque où les sciences étaient encore plus ou moins tenues pur suspectes par les jésuites et autres sulpiciens, Hervé Benoist avait transformé notre vieux local scout, logé dans les poussiéreuses et sombres caves du Collège Sainte-Marie, en un véritable laboratoire où, à l'occasion, se produisaient des explosions épouvantables qui contribuaient à notre inquiétante réputation : laboratoire de chimie, de physique, de radiophonie, de biologie, d'astronomie, etc. Il y avait aussi une chambre noire pour les amateurs de photographie et, dans tous les coins, de petits appareils ingénieux que Hervé Benoist fabriquait de ses gros doigts habiles, pour nous aider à comprendre les mystères des ondes hertziennes et du moteur à combustion interne, ou le miracle des constellations.

De sa belle écriture ronde, Hervé Benoist avait même écrit un manuel de *théorie atomique*, illustré d'une centaine de dessins merveilleux. En 1936 ! Un trésor que nous vénérions d'autant plus qu'il n'en existait qu'un seul exemplaire. Quand nous avions été «bons scouts», selon sa définition à lui, nous méritions le privilège insigne d'emprunter le fameux cahier vert pendant quelques jours... et quelques nuits au cours desquelles nous en recopiions, éperdument, de larges tranches.

Cependant, il ne faut pas croire que nous formions une bande de sérieux petits bonshommes, seulement préoccupés par les sciences et les arts. Au contraire, nous étions de joyeux lurons, à l'occasion capables de coups pendables. (N'est-ce pas, Gilles Lefebvre ?) Ah ! j'ai bien rigolé et je me suis bien amusé pendant ces années-là !

Alors que les autres scouts gueulaient les plates chansons des Éclaireurs de France, nous chantions en *quatre parties* les plus belles balades du folklore français, quand ce n'était pas du Mozart ou du Mendelssohn. Alors que les autres scouts étaient chamarrés de badges sans grande signification, nous avions droit d'arborer, sur une manche de nos chemises bleu azur, un seul badge, universellement reconnu, celui de la *Royal Life Saving Society*.

L'été, nous faisions du camping sauvage au bord du très beau lac Simon, dans les Laurentides. Nos excursions prenaient l'allure de véritables expéditions, à pied en pleine forêt, ou de longs périlleux voyages en canots d'écorce (fabriqués par les Amérindiens de la région) sur des lacs et des rivières perdues.

Mais tout cela concerne-t-il vraiment Jeunesse Canada Monde ? Plus que ma scarlatine ? Entre autres choses, c'est avec ces drôles de scouts que j'ai appris les mérites de la vie de groupe, des échanges entre des garçons (les filles viendraient plus tard) qui n'avaient souvent rien en commun, des amitiés solides qui malgré tout se nouaient et dont certaines durent toujours : Gabriel Phaneuf, Jean-Louis Roux, quelques autres encore. On dit d'un homme qu'il est riche si, à la fin de sa vie, il a su garder deux ou trois vrais amis. À ce compte-là, je suis un dégueulasse de millionnaire !

Le père Thomas Mignault occupait la fonction de préfet du Collège Sainte-Marie, mais pour les scouts, il était d'abord l'aumônier de la troupe, le puissant allié de Hervé Benoist. Avant tout le monde, ce bien bizarre jésuite avait compris que l'hégémonie du clergé sur notre système d'éducation ne durerait pas toujours. Avec l'aide d'éminentes personnalités laïques, dont quelques riches hommes d'affaires, il avait participé à un complot ultra-secret : la fondation du premier collège laïque du Québec, un lycée dont Hervé Benoist serait naturellement le directeur, et nous les scouts, les premiers élèves. Des intellectuels de renom avaient accepté, pour l'heure sous le sceau du secret, d'enseigner au futur lycée, dont André Laurendeau, son père Arthur, musicologue réputé, etc.

Quand le provincial des jésuites découvrit le pot aux roses, le très naïf et très magnifique père Mignault se retrouva, du jour au lendemain, en exil au collège des jésuites d'Edmonton, en Alberta. Le lycée était mort.

Comptant alors près de quatre-vingt élèves, la troupe scoute avait survécu tant bien que mal à cette catastrophe. Pour les jésuites du collège, nous constituions toujours un «État dans l'État». Sauf rares exceptions, ils en étaient malades. Comment tolérer que Hervé Benoist, un simple laïque, qui n'avait pas fait quatorze ans d'études avant de l'être, puisse continuer d'exercer une si grande emprise sur un si grand nombre d'élèves ?

Alors, à la rentrée de septembre 1938, sauf les scouts, personne ne fut vraiment étonné d'apprendre que Hervé Benoist n'était plus professeur au collège et que, par conséquent, il n'était plus scoutmestre de la troupe. Il avait transporté ses pénates au Corps école d'officiers canadiens, où les étudiants qui le souhaitaient suivaient des cours pour devenir officiers d'infanterie.

Hervé Benoist *savait* que nous serions bientôt en guerre et, contrairement à l'opinion générale au Québec, empoisonnée par les élites nationalistes, *Le Devoir* en tête, il avait compris que la liberté et la démocratie seraient l'enjeu de l'éventuel conflit.

Il disait à ses *gars* : «Un jour ou l'autre, que vous le vouliez ou non, vous devrez aller à la guerre. Au moins, allez-y comme officier».

En devenant capitaine et quartier-maître du Corps école d'officiers canadiens, Hervé Benoist continuerait d'aider ses anciens scouts en les encourageant à devenir officiers.

Dès que le Canada se joignit aux Alliés en déclarant la guerre à l'Axe, le gouvernement invita les étudiants à poursuivre leurs études jusqu'à l'obtention de leur diplôme, à condition de suivre les cours du soir donnés par le Corps école d'officiers canadiens, et de participer aux camps militaires de Farnham, durant les vacances d'été.

Plusieurs «scouts à Benoist» devinrent officiers. Pour ma part, à la fin de mes études universitaires, j'avais le grade de lieutenant d'infanterie et, comme mes camarades de promotion, je m'apprêtais à passer de l'armée de réserve à l'armée active. Je m'étonne encore d'avoir aussi sereinement envisagé cette perspective, alors que presque toute l'intelligentsia du Québec boudait cette «sale guerre», dans laquelle nous avait entraînés «l'impérialisme britannique».

Par exemple, à partir de 1941, la grande majorité des Québécois francophones étaient convaincus que Pétain était l'homme de la situation, et De Gaulle un factieux, sinon un traître. C'est ce que je lisais dans *Le Devoir* et ailleurs, c'est ce que nous disaient les professeurs à l'université, certains allant même jusqu'à prétendre que les camps de concentration nazis étaient pure invention de la propagande alliée. Dieu merci, dans le vieil immeuble du Corps école d'officiers canadiens, rue Sherbrooke angle Berri, il y avait un capitaine Benoist qui pensait autrement.

Quoi qu'il en soit, je ne fis pas cette guerre : elle devait prendre fin quelques semaines avant la date où j'aurais dû m'engager dans l'armée active.

Revenons donc à cette rentrée de septembre 1938, particulièrement éprouvante pour les quelques quatre-vingt scouts du Collège Sainte-Marie : un an après avoir perdu l'irremplaçable père Mignault, ils se voyaient privés de leur bien-aimé Hervé Benoist. À tort ou à raison, ils ont cru que les jésuites l'avaient brutalement mis à la porte du collège parce que l'extraordinaire influence de ce laïque sur les élèves en général et sur les scouts en particulier leur était devenue insupportable.

Révoltés par ce qui leur parut être la plus grande injustice du siècle, les «scouts à Benoist» démissionnèrent en bloc de la «nouvelle» troupe, et décidèrent de continuer à se réunir clandestinement ce qui, bien entendu, avait été interdit sous peine de renvoi immédiat du collège.

La menace ajoutait au piquant de l'affaire. Rue Saint-Hubert, nous avions trouvé un local discret, derrière la grande maison de Louis Dupire, alors secrétaire de la rédaction du journal *Le Devoir*, et dont trois des fils étaient des «scouts à Benoist». Nous y accédions par une sombre ruelle, la ruelle Saint-Christophe, peu fréquentée par les espions des jésuites.

Dix ans plus tard, à peu près tous à l'université, nous nous réunissions toujours, un soir par semaine, et passions ensemble la meilleure partie de nos vacances, entreprenant des voyages de plus en plus longs, à pied, à bicyclette ou en canots d'écorce.

Chaque année, le 8 août, nous organisions une grande fête de l'amitié à l'occasion de l'anniversaire de naissance de notre très cher Hervé Benoist. La dernière eut lieu en 1979, le jour de ses 80 ans.

La vie de groupe, la camaraderie, l'amitié, un mode de vie spartiate, les voyages : Jeunesse Canada Monde, Katimavik...

# 2.
# «Tu y découvriras la liberté !»
# avait dit mon père

*Il faut apprendre à vivre ensemble comme des
frères, sinon nous allons mourir ensemble comme
des idiots.*

Martin Luther King

Le *Dalton Hall*, pavillon du *Collège Saint Dunstan's* à Charlottetown, Île-du-Prince-Edouard.

Retour en arrière. Encore une fois, allons arracher à mes souvenirs un lambeau qui concerne peut-être Jeunesse Canada Monde et la réponse réclamée par les participants aux grands yeux...

En 1939, adolescent boutonneux et rêveur, passionné par tout ce qui n'était pas le latin et le grec, j'avais *coulé* mes examens de méthode. Horreur ! Mon père, comme tous les pères de cette époque, ne pouvait admettre que son fils, par surcroît son fils aîné, redouble une classe. Impensable ! La solution habituelle : changer de collège. Comme tous les pères de l'époque, le mien souhaitait que j'apprenne l'anglais. Et c'est pourquoi il m'envoya, dare-dare, poursuivre mes études classiques dans un petit collège à Charlottetown, Île-du-Prince-Édouard, le *Saint Dunstan's College*, catholique bien entendu, mais dirigé par des prêtres séculiers tellement différents de mes jésuites qu'on pouvait se demander s'ils appartenaient à la même religion.

Punition ? Pas du tout. Un quart de siècle plus tôt, mon grand-père avait, lui aussi, envoyé son fils étudier dans ce collège du bout du monde. «Tu verras, m'avait dit mon père, tu aimeras *Saint Dunstan's*. Tu y découvriras la liberté !» Paroles pleines de mystère pour un petit Canadien français de seize ans, qui ne parlait pas un mot d'anglais, qui croyait vraiment que la province de Québec était le nombril du monde, que nous avions «une mission en terre d'Amérique» et que les *Anglais* étaient tous, plus ou moins, des mécréants.

Au début de septembre 1939, mes parents me reconduisaient à la sinistre gare Bonaventure de Montréal, avec une énorme malle contenant tout ce qui était nécessaire pour survivre dix mois dans cette île inconnue.

Un très long voyage jusqu'à Moncton, au Nouveau-Brunswick, qui me sembla un bien étrange pays. De là, un autre train m'emmena à Cape Tormentine. Transfert dans un bateau, une importante chose qui n'avait rien à voir avec les traversiers de Lévis, les seuls bateaux que je connaissais. Je n'ai aucun souvenir du temps qu'il a fallu pour franchir le détroit de Northumberland, par une mauvaise mer. Mais je garde en mémoire l'éblouissant spectacle des falaises de terre rouge de l'île. «Si la terre est rouge, ça doit être un autre pays !» Encore un train pour l'étape finale : Borden-Charlotte-town. En fait, le train gentil s'arrêtait trois kilomètres avant la capitale, au milieu d'un champ où se trouvait le collège.

Un élève, anglophone bien sûr, attendait au bord de la voie ferrée pour m'accueillir et m'aider à transporter ma grosse malle. Le premier *Anglais* en chair et en os que je rencontrais dans ma vie. Je ne comprenais pas un mot de ce qu'il me racontait, mais il souriait et, avec moult gestes, blaguait à propos du poids de ma sacrée malle. Et je me disais que si les autres *Anglais* étaient aussi sympas, ça devrait aller. Mais au fond de mon cœur, comme un oiseau pris au piège, s'agitait une fébrile angoisse...

Pensionnaire, je m'attendais naturellement à habiter un immense et austère dortoir avec une centaine d'autres collégiens, comme cela se passait dans les pensionnats du Québec. Mais non ! Parce que j'étais dans la classe des *Freshmen*, qui correspondait plus ou moins à la classe de belles-lettres, j'avais droit à une chambre au *Dalton Hall*, un joli pavillon en briques rouges, comme la terre de l'île. Je partageais ma chambre avec un rude gaillard, un colosse vraiment, étoile de l'équipe de football, fils de fermier : Larry Landrigan.

Je vivrais mille ans que je n'oublierais jamais ce garçon de deux ou trois ans mon aîné, toujours un peu bourru, comme pour cacher qu'il était un tendre, et qui me traitait plus ou moins comme si j'avais été son fils. Mon premier ami *anglais* me fit vite savoir qu'il était *irlandais*. Au début, bien sûr, nous nous parlions par signes. À Jeunesse Canada Monde, on appelle ça le «langage non verbal». *Wow !*

Pendant les premières semaines, les premiers mois même, j'allais de «choc culturel» en «choc culturel», pour utiliser le jargon d'aujourd'hui. Je ne comprenais plus rien ! Je remettais en question toutes les valeurs québécoises (on disait alors canadiennes-françaises), notre belle «mission historique», toutes les balivernes de l'abbé Groulx et de mes jésuites *laurentiens*. Et je remerciais le ciel d'avoir *coulé* ma méthode, ce qui me permettait, à seize ans, de m'ouvrir enfin sur le monde et d'apprendre à aimer les autres, en l'occurrence les *Anglais*. À partir de ce moment-là, j'étais à jamais perdu pour la «cause de l'indépendance», pour laquelle tant de mes camarades devaient gaspiller des mégatonnes d'énergie.

«Tu y découvriras la liberté», avait dit mon père, qui parlait toujours avec une certaine emphase. Mais, sur le fond, comme il avait raison !

Bien sûr, le Collège Sainte-Marie, un externat, n'avait rien à voir avec les prisons moyenâgeuses qui s'appelaient alors Séminaire de Lévis, Collège de Sainte-Anne-de-la-Pocatière, Séminaire de Trois-Rivières, où une multitude de gardes chiourme en soutane épiaient sans cesse les élèves, jour et nuit, jusque dans les cabinets à cause des «péchés d'impureté».

Cependant, même au doux Sainte-Marie, on nous forçait à «passer à confesse» au moins une fois par mois, et à faire signer un *billet de confession*, sans lequel on ne nous remettait pas nos bulletins mensuels.

Chaque élève devait avoir un directeur spirituel qui lui parlait surtout de la pureté, comme s'il n'y avait pas de plus importante vertu. On se racontait la vieille blague du père spirituel qui commençait toujours ses entretiens de la même manière : «Et alors, mon fils, comment va la pureté ?» Un élève lui aurait rétorqué : «Et comment va la vôtre, mon père ?»

À Charlottetown, ce fut un sérieux «choc culturel» de rencontrer enfin des prêtres qui ne nous parlaient jamais de la pureté, qui avaient l'air bien dans leur peau, catholiques sûrement, mais sportifs, détendus, rieurs, presque des copains.

La messe quotidienne était-elle obligatoire ? Pas sûr. On s'attendait à ce que des jeunes gens, tous pratiquants, y assistent mais si, un bon matin, ils n'en avaient pas envie, ils pouvaient faire la grasse matinée. Préposé à cet effet, un élève — pas un professeur ! — notait à la chapelle les noms des absents, automatiquement considérés comme «malades». À chaque étage du *Dalton Hall*, un élève avait la fonction d'infirmier qui consistait essentiellement à apporter aux «malades» de l'étage un panier contenant un plantureux petit déjeuner à l'anglaise : gruau d'avoine, oeufs, bacon, toasts, café, etc. L'infirmier de mon étage, c'était mon propre *roommate*, Larry Landrigan, catholique très pratiquant, mais plein de sollicitude pour son petit Canadien français, souvent «malade». Quand je manquais la messe trois jours d'affilée, il commençait à grogner : «Mais enfin, Jacques, tu te fous de ma gueule ou quoi ? Tu me prends pour ton esclave ? Le petit déjeuner au lit, ça fera !» Mais le lendemain, il me l'apportait encore, jusqu'à ce que, vraiment honteux d'abuser de la liberté que ce collège nous offrait sur un plateau d'argent, — ou dans un panier d'osier ! — je recommençais à aller à la messe. Pas à cause des prêtres, qui ne contrôlaient rien, mais à cause de mon vieux Larry. «Tu apprendras la liberté.»

Au Collège Saint-Marie, les jésuites nous avaient enseigné qu'il n'était pas convenable de «sortir avec les filles». Ça dérangeait les études et, surtout, la femme, instrument du démon, ne pouvait qu'entraîner au péché, en l'occurrence le pire de tous. Une autre «vérité tranquille» que nous acceptions sans trop protester.

Il n'en allait pas de même à *Saint Dunstan's*. Décidément, ces prêtres complaisants devaient être d'une autre religion : ils trouvaient normal que des garçons de seize ans puissent avoir envie de fréquenter des filles de leur âge !

Une semaine après le début des classes, arriva un événement pour moi inconcevable, mais qui était déjà une vieille tradition à *Saint Dunstan's*. Tous les garçons du collège, de seize ans et plus, recevaient une invitation à prendre le thé avec les élèves du couvent catholique de Charlottetown. Les petits biscuits avaient été confectionnés avec amour par ces filles de notre âge, aussi atrocement timides que nous, avec lesquelles nous allions amorcer des flirts innocents. Sans doute, le recteur du collège et la supérieure du couvent se disaient que, puisque les garçons devaient «sortir avec les filles», mieux valait que cela se fasse «entre catholiques». Oh ! il était amusant de les voir rigoler tous les deux, en grignotant leur biscuit : «Regardez, devait dire le recteur à la mère supérieure, regardez comme John et Suzannah ont l'air de bien s'entendre ! N'est-ce pas qu'ils font un sacré beau couple ?...»

J'hésite un peu à l'avouer, mais l'ingénieux manège ne m'empêcha pas de devenir amoureux d'une troublante Josephine, protestante, et par surcroît d'origine allemande. Hélas ! elle était frivole et me *trompait* avec Robert Cliche[2]. Il avait deux ans de plus que moi et un charme du tonnerre de Dieu : «*He speaks English like Charles Boyer...*» roucoulait Josephine, qui m'accordait ses discrètes faveurs quand Robert était occupé ailleurs. Je croyais souffrir...

Les jésuites m'avaient convaincu que, si les Canadiens français étaient pauvres, c'est parce que, avec juste raison, ils plaçaient les valeurs spirituelles au-dessus de tout, alors que les *Anglais*, ces matérialistes sordides, s'enrichissaient à nos dépens. J'ai cru

---

2    Cette année-là, nous étions huit Canadiens français à *Saint Dunstan's*, dont le merveilleux Robert Cliche, qui devint plus tard chef du Nouveau Parti Démocratique au Québec et président de la fameuse Commission Cliche.

ça, aussi, avec tout le reste : quand on a quinze ans, quand ils ont quatorze ans d'études par-dessus leur cours classique...

À *Saint Dunstan's*, les *Anglais*, d'ailleurs presque tous irlandais ou écossais, étaient pauvres. De riches, il n'y avait que les huit Canadiens français ! Par exemple, mon cher Larry Landrigan possédait, en tout et partout, deux pantalons, un pour la semaine, un pour le dimanche, deux chemises blanches, deux paires de chaussettes, un chandail rapiécé, trois fois rien. Son costume de joueur de football lui avait été discrètement donné par le recteur parce qu'il était un des meilleurs joueurs du collège, ce qui devenait très important quand il fallait affronter la redoutable équipe de *Mount Allison*. Il servait la messe tous les matins et réussissait ainsi à gagner 35 cents par semaine... alors que, tous les lundis, mon père m'envoyait un dollar, une petite fortune. À Charlottetown, le cinéma coûtait 25 cents. Donc 50 cents quand j'y emmenais Josephine, ce qui n'arrivait pas toutes les semaines à cause du sacré Cliche ! Le prix d'entrée à la salle des Chevaliers de Colomb où nous allions danser certains samedis soirs : 10 cents ! Et quand on y avait fait une conquête qui méritait un *sundae* au chocolat, les meilleurs coûtaient 10 cents au chic *Old Spain*. Avec mon dollar par semaine, j'étais riche. Et je m'amusais ferme pendant que Larry piochait sa philosophie dans notre petite chambre. Entre deux parties de football. Ses parents étaient pauvres comme Job, la culture des pommes de terre ne rapportant pas gros, ces années-là. Il ne me regardait pas avec envie : parce que j'étais un Canadien français, il trouvait normal que je fusse riche. Ah oui ! encore un «choc culturel» !

Dans cet humble collège, où on faisait vraiment confiance aux élèves, où, par conséquent, rien n'était tout à fait interdit, j'ai vécu mon premier apprentissage de la liberté. De 1939 à 1941.

À *Saint Dunstan's*, j'ai aussi compris qu'on découvre tout sur soi-même et sur les autres quand on est confronté avec une autre culture, d'autres valeurs. *Nous y voilà !*

Un jour, bien des années plus tard, je présidais à Charlottetown une audience publique du comité Appelbaum-Hébert[3]. Dans un moment d'envol, j'avais déclaré au petit auditoire ébahi : «C'est ici, dans votre ville, à *Saint Dunstan's*, que j'ai appris la liberté !» Et poussant encore, j'aurais pu ajouter : «Et c'est ici, peut-être, qu'est né Jeunesse Canada Monde !»

---

3   *Comité d'études de la politique culturelle fédérale*, mis sur pied sous le gouvernement Trudeau et qui publia un rapport en novembre 1982.

# 3.
## Le Tiers-Monde dans son cœur

*Ma patrie est le monde,*
*mes frères, tous les hommes.*
Thomas Paine

À Saïgon avec le Dr Jean Phaneuf, la *Jeep* et deux charmantes Vietnamiennes (octobre 1950).

près deux années heureuses chez les *Anglais*, je devais rentrer à Montréal pour m'inscrire, *of all places*, à l'École des hautes études commerciales. Je n'éprouvais aucune attirance pour les affaires et encore moins pour la comptabilité. Mais comme je ne voulais être ni médecin comme mon père, ni avocat, ni jésuite, j'avais choisi cette école, surtout parce qu'on y trouvait un certain nombre des maîtres à penser de ces années-là : Victor Barbeau, Édouard Montpetit, Esdras Minville.

Au cours de mes études universitaires, j'ai continué d'explorer le Québec jusque dans ses moindre recoins, toujours avec les vieux «scouts à Benoist». Maintenant convaincu que des Larry Landrigan m'attendaient partout, je poussai mes explorations du côté des États-Unis, et vers l'ouest, jusqu'aux Rocheuses.

En 1945, je reçus une «licence en sciences commerciales» — la belle affaire ! — mais avant de m'installer dans la vie, je voulais aller voir, jusqu'au bout du monde, comment les autres hommes vivent. Le plus simple, c'était de commencer par l'Amérique latine : comme j'étais à peu près sans ressources, ce continent me parut le plus accessible et le moins coûteux à visiter puisqu'on pouvait le parcourir en automobile. Enfin, presque...

Juin 1946 : en compagnie de trois camarades, dans une petite *Chevrolet* 1931 qui avait connu de meilleurs jours, je partis à la découverte de tous ces fabuleux pays dont les seuls noms me faisaient rêver depuis l'enfance : Mexique, Guatemala, Panama, Équateur, Pérou, Brésil...

Un rude voyage de quatorze mois sur la route dite «panaméricaine», à laquelle il manquait alors de grands bouts. Pour nous aider à survivre, je rédigeais un article hebdomadaire sur nos aventures pour un grand journal de Montréal, *La Patrie du dimanche*... qui me payait 10 $ l'article ! On n'a pas mangé beaucoup au cours de ces quatorze mois, mais les *tortillas* et les bananes étaient nourrissantes et ne coûtaient pas cher. J'ai raconté ailleurs cette première grande aventure de ma vie.[4] À l'instar des participants de Jeunesse Canada Monde, je dirai au moins ceci : «À mon retour, j'avais changé en profondeur. Je savais que je ne serais plus jamais le même !». À jamais, je porterais l'Amérique latine dans mon coeur...[5]

---

4    *Autour des trois Amériques*, Beauchemin, Montréal, 1948.
5    Phrase empruntée à la lettre d'un participant de Jeunesse Canada Monde, Stéphane Lamer, à son retour de Somalie en 1985. À la fin de sa bouleversante épître, il avait écrit: «Je vous remercie d'avoir, à jamais, mis le Tiers-Monde dans mon coeur». Après avoir travaillé à des projets de développement dans plusieurs pays du monde (de l'Azerbaïdjan au Burkina Faso en passant par le Zaïre), Stéphane est aujourd'hui au Burundi où il porte le titre impressionnant de Coordonnateur humanitaire des activités opérationnelles du système des Nations Unies au Burundi.

Après une année au Canada, nécessaire pour refaire ma santé et rétablir mes finances (conférences, articles, livre), je décidai de m'attaquer à l'Afrique.[6] En 1948, pratiquement tout le continent était sous le régime colonial... dont j'allais apprécier les vertus !

Parmi les «scouts à Benoist», je trouvai sans peine un bon compagnon de voyage, Jacques Dupire. Après avoir débarqué à Alger avec une autre *Chevrolet*, hélas ! bien mal en point, déjà foutue, il avait fallu l'abandonner quelques mois plus tard au milieu du Sahara. La mort dans l'âme. Mais comme nous avions décidé de faire le «tour de l'Afrique», il n'était pas question de rebrousser chemin. L'objectif fut atteint : traverser le continent d'Alger jusqu'à Capetown et de Capetown jusqu'au Caire. Un voyage plus difficile que le premier car nous devions compter sur les moyens de transport locaux : vieux camions, autobus brinquebalants, trains de 3$^e$ classe, barges de rivière, etc. Mais au bout d'un an, à jamais nous avions l'Afrique dans nos coeurs.

1950 : l'Asie[7], un long tour du monde en *Jeep* avec Jean Phaneuf, un autre «scout à Benoist». Déjà, le système colonial commençait à craquer de partout. L'Inde et toutes les anciennes *possessions* britanniques, sauf Hong-Kong, avaient obtenu leur indépendance ou presque. Plus lents à la détente, si j'ose dire, les Français s'accrochaient à *leur* Indochine, mais ce n'était plus qu'avec l'énergie du désespoir. Il faut bien le mentionner : mes récits de voyage connaissaient au Québec une grande popularité. À telle enseigne que Gérard Filion, alors directeur du *Devoir*, peut-être dans l'espoir de faire grimper le maigre tirage de son journal, avait réussi à me débaucher... en payant 17,50 $ les articles *quotidiens* que je m'engageais à lui transmettre pendant un an. Un sérieux boulot car, avant de raconter ses aventures, il faut tout de même les vivre.

Sans doute parce que j'étais moins jeune, plus «conscientisé» comme on dirait aujourd'hui, l'Asie eut sur moi une influence plus déterminante que les deux autres continents. Je commençais à comprendre les incommensurables problèmes auxquels les Asiatiques devaient faire face pour assurer leur développement, qui n'avait pas été le premier souci de leurs anciens maîtres européens. Je me passionnais pour le Tiers-Monde, alors que le nom n'avait pas encore été inventé. Jeunesse Canada Monde a-t-elle quelques racines asiatiques ? Très certainement.

1951. Une grande année, celle où j'épousai une jeune femme merveilleuse dont j'étais amoureux fou. Nous rêvions d'une petite maison à la campagne où s'épanouiraient une ribambelle d'enfants. Mais je ne pouvais imaginer cela avant que Thérèse ne partage avec moi au moins un de ces grands voyages qui m'avaient si vivement marqué.

Comme les continents commençaient à manquer, nous avions décidé de retourner en Afrique[8] et d'en faire le tour en suivant un itinéraire différent et plus difficile. Dans une *Jeep Station Wagon* toute neuve, nous irions d'Alger à Dakar, ensuite de Dakar à Addis-Abeba, traversant l'Afrique dans sa plus grande largeur, pour aboutir à Port-Soudan, sur la mer Rouge, avant de nous embarquer pour l'Europe et de rentrer au

---

6    *Autour de l'Afrique*, Fides, Montréal, 1950.
7    *Aventure autour du monde*, Fides, Montréal, 1952.
8    *Nouvelle aventure en Afrique*, Fides, Montréal, 1953.

pays. Plus de dix mois de route... et plus de 260 articles pour *Le Devoir* ! L'époque était passionnante et nous avons été témoins des premiers grands soubresauts des mouvements d'indépendance, au Maroc et ailleurs.

De retour au Canada, un peu comme les participants de Jeunesse Canada Monde, je faisais mes petites «présentations». En fait, cette année-là, je prononçai près de trois cents conférences, avec film en couleur et tout, partageant nos réflexions africaines avec des milliers de Canadiens du Québec, du Nouveau-Brunswick et du Nord de l'Ontario.

Les années qui suivirent ne concernent pas vraiment l'histoire de Jeunesse Canada Monde. Réalisant le rêve de tout journaliste, j'ai fondé et dirigé pendant cinq ans un petit hebdomadaire de combat[9] au cours des années rageuses où il fallait bien combattre les excès du régime Duplessis, qui n'en finissait plus de se décomposer. J'ai écrit et publié quelques livres avant de conclure qu'il était plus exaltant de publier les autres, tous ces jeunes écrivains québécois qui surgissaient de partout, de nulle part. Autre rêve réalisé : ma propre maison d'éditions, le *Jour*, qui devait lancer une centaine de romanciers et de poètes, publier de nombreux livres-chocs dont quelques-uns, paraît-il, auraient contribué à la Révolution tranquille.

Pendant ces années d'activité intense, je gardais une nostalgie certaine pour tous ces pays d'Amérique latine, d'Afrique et d'Asie que je portais dans mon coeur comme un trésor, avec l'envie de le partager. J'y suis retourné à l'occasion, mais ces courts voyages me désespéraient parce qu'ils ne contribuaient en rien à améliorer les choses dans ce Tiers-Monde «mal parti».

Tout doucement, je commençais à me convaincre que, s'il le voulait, le Canada pourrait devenir la conscience des pays riches, le catalyseur du dialogue Nord-Sud. Nous n'avions pas de passé colonial à nous reprocher (les autochtones auraient-ils été d'accord ?), pas d'ambition de domination; nous n'étions pas racistes (l'Histoire ne nous en avait pas encore donné l'occasion !) et nous avions (sans l'avoir mérité) la cote d'amour, tant chez les pays riches que chez les pays pauvres. N'étions-nous pas alors, pour ainsi dire, *prédestinés* à jouer un rôle majeur dans ce dialogue Nord-Sud, sans lequel l'humanité toute entière n'avait pas d'avenir ? Quelles que soient les bonnes dispositions de nos gouvernements, rien ne se passerait avant que la population du Canada ne soit sensibilisée aux problèmes du développement international. Mais c'était là une tâche énorme, et il me parut que le plus simple, le plus sûr serait de commencer avec la jeunesse; avec elle bâtir l'avenir, bâtir la paix du monde... (Excusez du peu !)

Au milieu de 1970, ou peut-être au début de 1971, — je n'ai pas la mémoire des dates, ces pierres tombales du passé — je me mis à rêver à un grand projet encore un peu flou. Mes rêves, même les plus extravagants, je les soumettais à l'auditoire le plus critique du monde : mes cinq enfants et leurs amis qui, au cours des repas de famille, devaient subir mes interminables divagations : «Essayez d'imaginer un groupe de jeunes de votre âge qui, pendant trois ou quatre mois iraient vivre dans un petit village de Côte d'Ivoire, en compagnie de jeunes Ivoiriens avec lesquels ils auraient d'abord

---

9    **VRAI**, Montréal, 1954 à 1959.

vécu quatre mois au Canada. Là-bas, travailler avec la population au développement communautaire, découvrir une autre culture, s'intégrer à elle autant que faire se peut, comprendre les besoins de ces femmes et de ces hommes, nos soeurs et nos frères les plus démunis, ensemble trouver ce que chacun peut faire pour que les choses changent».

L'idée de Jeunesse Canada Monde prenait forme et ne devait plus me laisser de repos jusqu'à ce qu'elle devienne réalité. Et même après...

Bien entendu, j'avais tenu compte des remarques et des critiques de ces conseillers privilégiés qu'étaient mes enfants et leurs camarades[10]. Mais il me fallait bien soumettre la belle idée folle à des adultes plus sages et plus expérimentés que moi.

Dès le départ, je devais trouver, chez les *Anglais*, un allié prestigieux et sûr. Depuis toujours, j'éprouvais pour Frank Scott une très vive admiration, qui frisait la vénération. Pendant les années noires du duplessisme, quand les droits de la personne étaient brimés de façon trop criante, le premier qu'on trouvait aux barricades c'était toujours Frank Scott. Occupés ailleurs, nos grands avocats canadiens-français abandonnaient souvent à ce passionné de liberté et de justice la défense des causes les plus difficiles, c'est-à-dire celles qui impliquaient le Premier ministre Duplessis lui-même : l'Affaire Roncarelli, l'Affaire Guindon et combien d'autres. Doyen de la faculté de Droit de l'Université McGill, cet *Anglais*, fils d'archidiacre anglican, était un authentique Québécois, Montréalais bilingue, avec une petite tendresse pour les Cantons de l'Est. Idéaliste et généreux, il se disait «socialiste» et fut un temps président national du CCF, ancêtre du Nouveau Parti Démocratique. Mais plus encore qu'un socialiste, Frank Scott était un poète, dont la poésie demeure un des trésors de notre littérature. Il avait aussi traduit en anglais les poèmes de poètes canadiens-français, dont ceux de ma belle et illustre cousine, Anne Hébert. À la fondation de la Ligue des Droits de l'homme en 1963, il était là, naturellement, avec Pierre Trudeau, Gérard Pelletier, Jean Marchand, Pierre Dansereau, J.-Z.-Léon Patenaude et les autres. Quand je fus élu président de la Ligue, il en devint le vice-président. Le contraire aurait été plus raisonnable, mais Frank Scott n'acceptait pas que le président de la Ligue des Droits de l'homme puisse être un anglophone, même parfaitement bilingue.

On comprend maintenant pourquoi j'avais d'abord soumis le projet de Jeunesse Canada Monde à cet homme exceptionnel. Comment pourrai-je jamais oublier le jour où je déjeunai avec Frank Scott au Cercle universitaire de Montréal, alors logé dans une belle vieille maison de la rue Sherbrooke, aujourd'hui démolie, la maison natale de la magnifique Thérèse Casgrain ? Fébrile, enthousiaste, inquiet, tant bien que mal je décrivis à Frank Scott un Jeunesse Canada Monde un peu ébouriffé et qui n'avait pas encore de nom. Il m'écoutait, intéressé sûrement, mais sans trop réagir. Un *Anglais*,

---

10   L'un d'eux, René Dagenais, participa au projet-pilote avec la Tunisie en 1972-1973. L'année suivante, il vécut le programme de l'an I avec le Cameroun. Par la suite, pendant cinq ans, il fut un pilier de Katimavik dans la région de l'Atlantique. Plus récemment, je l'ai retrouvé au Pakistan, où il était coordonnateur du programme de Jeunesse Canada Monde, organisme qu'il sert toujours, au bureau régional de Halifax.

quoi ! À la fin du repas, il avança sa longue main fine et me serra l'avant-bras : «Jacques, voilà une belle et noble idée. Tu peux compter sur moi.»

À partir de cet instant même, j'ai su que Jeunesse Canada Monde existait.

«Et quand nous aurons besoin d'un autre *Anglais*, demandai-je à Frank Scott, qui suggérerez-vous ?

— Michael Oliver ! répondit-il, sans l'ombre d'une hésitation. Tu sais, je vieillis tout doucement. Un jour prochain, Michael devra me remplacer...»

Michael Oliver était une manière de Frank Scott en plus jeune. Montréalais. Bilingue. Ligue des Droits de l'homme. Commission Laurendeau-Dunton. CCF. Tiers-Monde. Il n'était pas poète, mais il avait la passion des oiseaux, ce qui revient au même.

Avant d'embrigader Michael Oliver, en toute justice il me fallait pressentir un Canadien français, si possible aussi prestigieux que Frank Scott. Bien entendu, c'est Pierre Dansereau que j'invitai à déjeuner au Cercle universitaire. Un autre personnage hors de l'ordinaire, merveilleux humaniste, homme de sciences, notre premier grand écologiste, sensible aux droits de la personne, aux problèmes du Tiers-Monde, généreux de son temps dès qu'une noble cause le sollicitait. Au café, il me déclara sans ambages que Jeunesse Canada Monde serait dorénavant une de ces causes.

Et de deux ! Puis vint le tour de Michael Oliver qui, pendant de longues années, allait jouer un rôle prépondérant à Jeunesse Canada Monde, dont il fut président et, plus important encore, *la conscience*. Chaque fois que des membres du conseil d'administration ou du personnel semblaient vouloir dévier des grands objectifs, Michael Oliver était là, vigilant, prêt à écouter mais aussi à protester et, en fin de compte, toujours capable de convaincre.

Je ne sais plus dans quel ordre j'ai sollicité l'appui des autres Canadiens éminents invités à faire partie du premier conseil d'administration. Mais je me souviens d'un long dîner au Cercle universitaire où, pour la première fois, j'avais réuni six ou sept personnes. En plus de Frank Scott, Pierre Dansereau et Michael Olivier, je croit qu'il y avait Léon Dion, le politologue de l'Université Laval, Rhéal Bérubé, notre cher Acadien de Moncton, peut-être Gertrude Laing de Calgary, et Maurice Champagne, le directeur général pressenti. J'en oublie sûrement.

À la fin d'une discussion animée et très enthousiaste, je demande :

«Alors, maintenant, qu'est-ce qu'on fait ?

— Mais on fonde ! s'écria Frank Scott.

— D'accord. Mais on fonde quoi ? Faudrait un nom...

— Il est question de la jeunesse, du Canada, du monde, dit quelqu'un. Alors pourquoi pas Canada Jeunesse Monde ou Jeunesse Canada Monde ?

— *How does it sound in English* ?

— *Canada World Youth* ? *Not bad at all...*»

Je voulais que ça aboutisse. Tout de suite. Ce soir-là même. Je me tournai vers Frank Scott, le seul avocat du groupe :

«Alors, monsieur l'avocat, dites-nous comment on fonde ?

— Si nous sommes d'accord, tous ensemble, c'est chose faite. Après, on rédigera une charte, des règlements...

—Simple comme ça ?

— Hé oui ! Alors, dit Frank, je propose que Jacques Hébert devienne le premier président du conseil d'administration.

— À l'unanimité !»

Je protestai, pour la forme, mais au fond, j'étais plutôt fier. Et je proposai Frank Scott au poste de vice-président... comme d'habitude !

Ça y était ! Jeunesse Canada Monde avait vu le jour. Mais nous n'étions pas au bout de nos peines...

Organisme non-gouvernemental, Jeunesse Canada Monde avait évidemment besoin d'un appui financier du gouvernement. Chaque pays du Tiers-Monde invité à participer payerait sa part, mais en toute justice celle du Canada devait être plus importante.

Je ne connaissais rien à la politique fédérale et encore moins aux complexes rouages de l'administration. Des amis mieux informés m'assurèrent que le Secrétariat d'État serait le ministère tout indiqué pour financer un tel projet. Le ministre était alors Gérard Pelletier, un vieil ami. Cela devait-il faciliter les choses ? Oui et non, comme on le verra.

À ce propos, je voudrais essayer de détruire un mythe, sans trop d'espoir de réussite. On a souvent répété que si Jeunesse Canada Monde avait si *facilement* reçu l'appui du gouvernement, c'est parce que le Premier ministre du temps, Pierre Elliot Trudeau, et le Secrétaire d'État, Gérard Pelletier, étaient tous deux mes amis. Il aurait été plus juste de dire que ces deux hommes politiques avaient toujours été particulièrement sensibles aux problèmes du Tiers-Monde et que, par conséquent, ils ne pouvaient rejeter du revers de la main un programme dont l'objectif était la sensibilisation des jeune Canadiens à ces problèmes et, par eux, de notre société toute entière. Quoi qu'on en pense, j'affirme que rien n'a été *facile*, et justement parce que Pierre Trudeau et Gérard Pelletier étaient mes amis, ils agirent avec la plus grande circonspection pour éviter, par la suite, d'être accusés de complaisance, bien que je n'allais retirer aucun bénéfice de l'organisme, au titre de président bénévole.

Ah ! je me souviendrai longtemps de ces longues discussions avec Gérard Pelletier, le dimanche après-midi, dans sa belle maison de la rue Elm, semaine après semaine... Ses objections étaient souvent justes et me forçaient à préciser ma pensée, la fois suivante àapporter les réponses susceptibles de le convaincre. Si je n'avais pas été un vieil ami, sans doute les choses auraient-elles marché plus rondement. Mais il me connaissait trop bien, il se méfiait avec raison de mes débordements d'enthousiasme, de mes idées parfois farfelues, dont il avait été depuis tant d'années le premier confident. Je trépignais d'impatience, d'un dimanche à l'autre... Mais Gérard Pelletier résistait ferme, car il était sage. Et comment aurais-je pu lui en vouloir alors que sa sagesse même, dont j'avais si souvent profité, était une des qualités que j'admirais le plus en lui ? «Alors, à dimanche prochain !»

Au cours de la semaine, sans doute abordait-il la question avec ses principaux fonctionnaires, dont les objections alimenteraient notre prochaine rencontre dominicale. Sans qu'il le dise en autant de mots, je devinais que, au fond de son coeur, Gérard Pelletier souhaitait que son ministère accueille Jeunesse Canada Monde, lui permette de prouver que le programme, même s'il n'en existait aucun de semblable ailleurs au monde, méritait considération. Mais il n'était pas homme à imposer ses vues à ses fonctionnaires : il voulait d'abord les convaincre.

Un jour, il me téléphona d'Ottawa : «Le week-end prochain, je réunis mes chefs de service dans un hôtel des Laurentides. Une session de travail. Viens faire un tour et prends le temps de leur expliquer ton projet».

Je fus drôlement intimidé par tout ces personnages cravatés, munis d'impressionnantes mallettes de cuir noir, sans aucun doute des gens puissants que, sauf rares exceptions, je rencontrais pour la première fois de ma vie.

L'un d'eux m'avait franchement poussé à bout : «Jamais, m'affirmait-il, la population d'un village d'Afrique, d'Asie ou d'ailleurs n'acceptera en son sein une bande de nos jeunes Canadiens aux cheveux longs et aux *jeans* rapiécés. Ils seront rejetés en moins de trois jours ! Vous imaginez les complications diplomatiques et blablabla...»

J'avais répondu que je connaissais un peu les pays du Tiers-Monde, que j'y avais vécu sans problèmes près de quatre années de ma vie, que l'hospitalité des villageois maliens ou thaïlandais était tellement extraordinaire qu'on ne pouvait même s'en faire une idée, dans nos mesquines sociétés occidentales.

Le fonctionnaire ne démordait pas : «Admettons, par hypothèse, que vos jeunes Canadiens ne soient pas rejetés... Étant donné les climats malsains et les conditions d'hygiène déplorable de ces pays, les fragiles petits Canadiens crèveront tous de la malaria, du choléra ou du typhus. À moins qu'ils ne soient bouffés par des lions ! Vous imaginez le scandale dans les journaux, les questions en Chambre, etc.»

Le fait que j'aie survécu à mes quatre longs voyages en ces terres «malsaines» n'impressionnait en aucune manière mon fonctionnaire timoré qui, sans doute, n'avait jamais mis les pieds dans un seul village du Tiers-Monde.

Exaspéré, je finis par lui dire : «Puisque vous ne me croyez pas, il n'y a qu'un moyen de trancher la question. Que votre ministère subventionne un tout petit projet-pilote. Par exemple, on pourrait envoyer trois ou quatre jeunes Canadiens en Afrique, autant en Asie et en Amérique latine, avec pour mission de vivre et de travailler dans un village pendant trois ou quatre mois. S'ils n'allaient pas survivre, les pertes seraient tout de même limitées !»

Je revins des Laurentides la mort dans l'âme, loin de me douter que l'idée lancée à mon interlocuteur à la mallette noire, dans un moment de suprême impatience, allait faire son petit bonhomme de chemin.

Quelque temps plus tard, je fus invité à un dîner offert en l'honneur d'une personnalité africaine, de passage à Ottawa. Cela n'avait rien à voir avec Jeunesse Canada Monde, mais sans doute au fait que je connaissais le pays de l'invité en question. Par hasard, j'étais assis à la droite de Jules Léger, alors sous-secrétaire d'État, c'est-à-dire le sous-ministre de Gérard Pelletier. De réputation, je connaissais ce prince des fonctionnaires et je lui avais serré la main une fois ou deux, au cours de quelque réception à l'ambassade du Canada à Paris, où il avait été plusieurs années ambassadeur. Chose certaine, ce n'était pas un ami, du moins pas encore. Pendant tout le dîner, le pauvre, il avait dû subir mon inévitable baratin sur Jeunesse Canada Monde. Du genre torrentiel ! De temps en temps, Jules Léger réussissait à poser une question, toujours intelligente. Finalement, il m'arrête : «N'insistez pas davantage. Vous m'avez convaincu et je ferai l'impossible pour que ça marche...» Venant d'un homme aussi respecté et aussi prestigieux que Jules Léger, cette promesse permettait tous les espoirs. Enfin, j'avais un allié puissant chez les hauts fonctionnaires. Plus important encore, Gérard Pelletier avait un allié puissant, capable de vaincre les plus tenaces résistances des autres fonctionnaires.

À partir de ce moment-là, les événements se précipitèrent. Jeunesse Canada Monde reçut une première subvention lui permettant de réaliser le mini-projet-pilote, imaginé quelque part dans les Laurentides. On forma quatre équipes de quatre jeunes Canadiens : un coordonnateur (30 ans), un chef de groupe (25 ans) et *deux* participants entre 17 et 20 ans : un garçon et une fille, l'un francophone, l'autre anglophone. Destination des équipes : la Tunisie, le Cameroun, le Mexique et la Malaysia. Mission : vivre trois mois dans un village, s'y intégrer le mieux possible, travailler avec la population à des petits projets de développement et, *surtout*, survivre !

Eh oui ! Nos jeunes furent accueillis à bras ouverts par les villageois, aucun ne mourût du choléra, ni ne fut dévoré par un fauve. La preuve était faite, Jeunesse Canada Monde devenait possible. Dans notre jargon interne, on a appelé ça l'*an Zéro*.

L'an I, c'était déjà plus sérieux : un budget d'un million et demi de dollars, près de quatre cents participants et jeunes encadreurs, divisés entre quatre pays où nous avions vécu une première expérience. D'une année à l'autre, les subventions se firent plus généreuses, le nombre de pays doublait, triplait, quadruplait, le programme finissant par être offert à environ cinq cents jeunes Canadiens chaque année, et à autant de jeunes du Tiers-Monde. Ce chiffre, hélas ! n'a jamais été dépassé depuis. Bien au contraire : à partir de 1985, le budget de Jeunesse Canada Monde s'est mis à fondre à vue d'oeil. Mais les temps changent, les beaux jours finiront bien par revenir...

Pour sa part, Jules Léger voulait que *le plus grand nombre* possible de jeunes Canadiens et de jeunes des pays en voie de développement profitent de l'expérience unique offerte par Jeunesse Canada Monde. Un jour, sauf erreur à la fin de l'an II, il me dit en confidence : «Vous savez que je suis un ami de Jeunesse Canada Monde, et fier qu'il relève de mon ministère aux fins du financement. Cependant, je vous donne ce conseil : au plus tôt, quittez le Secrétariat d'État et rattachez-vous à l'ACDI.[11] Ce serait tout naturel puisque votre action contribue efficacement à sensibiliser les jeunes et la population en général aux problèmes du développement. Il y a une autre raison plus importante : Jeunesse Canada Monde doit grandir et le plus vite serait le mieux. Mais le Secrétariat d'État est un ministère à petit budget et, déjà, aux yeux de nos fonctionnaires, votre subvention actuelle paraît énorme. Tandis qu'à l'ACDI, les millions supplémentaires dont vous aurez besoin ne seront jamais qu'une goutte d'eau dans l'océan ! Et surtout, à l'ACDI, vous serez un peu plus loin de la politique. Les ministres, les sous-ministres changent, les gouvernements aussi...»

Inutile de dire que cet étonnant conseil venant du plus habile des hauts fonctionnaires, du sage entre les sages, me fit une forte impression. Quelques mois

---

11    Agence canadienne de Développement international.

plus tard, nous «passions à l'ACDI», alors présidée par Paul Gérin-Lajoie, que je connaissais assez bien. Il n'en demeurait pas moins que, dans une large mesure, l'ACDI relevait du ministère des Affaires extérieures, pour moi une terre inconnue.

À l'ACDI, il serait exagéré de dire que Jeunesse Canada Monde ait été accueillie avec un enthousiasme délirant. Les autres organisations non-gouvernementales qu'elle finançait enviaient notre subvention relativement élevée et croyaient que, si nous n'avions pas existé, elles auraient pu se partager nos millions.

Depuis, les choses ont bien changé. Jeunesse Canada Monde fait partie à part entière de la grande famille de l'ACDI, les ONG, comme on dit dans le milieu, ont appris à connaître et à apprécier notre programme au point, souvent, de recruter leurs cadres chez nos anciens participants.

Je ne garde aucune amertume de la méfiance dans laquelle on nous a tenus au cours des première années, alors que Jeunesse Canada Monde était loin d'être l'organisation efficace et bien rôdée que nous connaissons aujourd'hui. Terribles et laborieuses années que je ne voudrais pas revivre ! Notre programme étant unique au monde, nous ne pouvions profiter de l'expérience d'une organisation similaire. Il a fallu improviser, risquer des expériences pas toujours heureuses, inventer de toutes pièces un programme tellement ambitieux, exigeant et complexe que, en théorie du moins, il paraissait carrément irréaliste et irréalisable.

Imaginons un peu... Chaque groupe de participants canadiens, âgés de 17 à 20 ans, est composé d'un éventail aussi parfait que possible de la population. Une juste proportion d'anglophones et de francophones, au début le plus souvent unilingues, un nombre égal de garçons et de filles, venus de toutes les couches de la société : urbains sophistiqués, ruraux de Terre-Neuve ou de la Beauce, chômeurs, étudiants, décrocheurs... Comment s'attendre à ce que des groupes de jeunes aussi différents par la culture, les antécédents, les valeurs, la langue puissent vivre en harmonie pendant sept ou huit mois ? Et pour encore compliquer les choses, chaque groupe de jeunes Canadiens est dès le début jumelé à un nombre égal de jeunes venus du bout du monde, apportant dans leurs bagages une autre culture, une autre religion, une autre langue. Comment un pareil mélange ne finirait-il pas par exploser bien avant la fin des huit mois ? D'autant plus que le programme exige énormément de chacun des partici-pants : travailler fort à des projets de développement, d'abord pendant quatre mois dans une communauté canadienne et ensuite pendant quatre autres mois sous le rude climat du Mali, de l'Indonésie ou de la Bolivie.

En théorie, donc, un programme impossible. En pratique, ça fonctionne ! Mer-veilleusement bien. Depuis la fondation en 1971, plus de 20 000 participants et encadreurs, la moitié des jeunes Canadiens, l'autre moitié des jeunes venus d'une quarantaine de pays du Tiers-Monde, ont donné la preuve éclatante que Jeunesse Canada Monde était possible... et que l'humanité avait peut-être un avenir !

Après cette envolée triomphale, revenons sur terre, revenons en arrière : il ne serait pas très honnête de sauter les bouts moins drôles. Alors, je le répète encore une fois : les trois premières années de Jeunesse Canada Monde furent *très* difficiles. Il n'y eut pas de scandale car cela se serait su. Mais il y eut des erreurs de parcours, des maladresses, quelques sottises, bref de quoi justifier les critiques des autres ONG plus expérimentées, des fonctionnaires, et même des milieux politiques.

Au cours de ces premières années, à l'ACDI autant qu'au Secrétariat d'État, Jeunesse Canada Monde était considéré comme un simple projet-pilote dont, par conséquent, l'existence était remise en question chaque année. Il fallait vivre dans une angoisse constante, sans cesse recommencer les négociations avec l'ACDI, les interminables démarches.

Sans avoir accès aux secrets du cabinet ( où nous n'avions pas que des amis), je savais que Jeunesse Canada Monde, à l'occasion, y faisait l'objet de critiques plus au moins justifiées. Certes, le Premier ministre, Pierre Trudeau, nous aimait bien et ne le cachait pas. D'un  geste, il aurait pu faire taire nos adversaires mais, contrairement à une légende tenace, Pierre Trudeau répugnait à imposer brutalement sa volonté à ses ministres, autant que Gérard Pelletier à ses fonctionnaires. La preuve m'en fut donnée à la fin de l'an III...

Chaque année, à la période des fêtes, abandonnant ma famille et les Éditions du Jour à leur sort, j'allais visiter nos groupes dans un coin du monde, vivre la réalité du programme pendant quelques semaines, discuter à loisir avec les participants, négocier avec les autorités gouvernementales le protocole d'entente de l'année suivante... sans vraiment savoir s'il y aurait une année suivante !

Cette fois-là, je me trouvais en Côte d'Ivoire quand je reçus un appel téléphonique du Canada, chose inattendue et de mauvais augure. Au bout du fil, le directeur général de l'époque, un Pierre Bourdon décomposé, alors qu'il était d'ordinaire le plus serein et le plus joyeux des hommes : «Vous venez de recevoir une lettre du ministre des Affaires extérieures», m'annonça-t-il d'une voix blanche. Il me lut la lettre de Mitchell Sharp, nous félicitant du bon travail accompli par Jeunesse Canada Monde au cours des années et blablabla. «But»... Dorénavant, l'ACDI ne serait plus en mesure d'assurer notre financement. «Sincerely ...»

Je venais de comprendre que Pierre Trudeau, à son coeur défendant je n'en doute pas, nous avait abandonnés au bon vouloir de son ministre. Il m'avait d'ailleurs prévenu : «Tu sais que je crois en Jeunesse Canada Monde, ce qui n'est pas le cas de tous les ministres. Mais le fait que tu sois mon ami complique vraiment les choses. Assure-toi des appuis auprès de mes ministres. Débrouille-toi !» Ce soir-là, à Abidjan, je regrettais amèrement de n'avoir pas suivi ce conseil. Je ne connaissais pas Mitchell Sharp, ministre des Affaires extérieures et responsable de l'ACDI. Il m'intimidait à mort ! (Il m'intimide encore !) Alors, je l'avais négligé comme les autres, pour dire le moins.

Pierre Bourdon avait encore une nouvelle à m'annoncer, à me crier plutôt, tellement la communication était mauvaise : «J'apprends que Paul Gérin-Lajoie, le président de l'ACDI, se trouve actuellement à Dakar, en visite officielle. J'ai pensé que, peut-être...»

Cher Pierre Bourdon ! Il n'avait pas à me faire un dessin. De toute manière, je devais passer par Dakar avant de rentrer au Canada puisque nous avions un programme au Sénégal. Je bâclai mes affaires à Abidjan et, dès le lendemain, je sirotais une bière avec Paul Gérin-Lajoie. Oui, il avait reçu copie de la lettre du ministre. Oui, il avait foi en Jeunesse Canada Monde. Oui, il parlerait au ministre dès son retour à Ottawa.

Tout cela me rassurait un peu, mais pas complètement. Certes, je savais que Paul Gérin-Lajoie était un ami sincère de Jeunesse Canada Monde, qu'il le défendrait de son mieux, mais ce qui m'inquiétait c'est que, jusqu'à ce jour, il ne l'avait jamais vue dans sa bouleversante et merveilleuse réalité. Nous avions un programme en marche, ici même au Sénégal, hélas ! dans la lointaine province de la Casamance. Je le suppliai avec l'énergie d'un désespéré : «Oui, j'en suis convaincu, tu crois dans le concept de Jeunesse Canada Monde. Malgré tout, je t'en prie, viens en Casamance voir de tes yeux ce qui se passe vraiment. Je te jure que tu ne le regretteras pas...»

Paul Gérin-Lajoie est un homme de coeur; visiblement ému par mon angoisse, il voulait bien aller en Casamance, mais ses fonctionnaires demeuraient inflexibles : «Voyez le programme de votre visite. C'est ab-so-lu-ment impossible !»

Je ne lâchais pas : «Mais le dernier jour, Paul, tu n'as presque rien à faire !

— Comment, rien ? répliqua avec impatience un de ses conseillers. Dans l'avant-midi : inauguration officielle d'un important projet de l'ACDI. Dans l'après-midi, le président *doit* se reposer car le soir même il prend l'avion *pour le Chili* !»

J'insistais toujours. Paul Gérin-Lajoie commençait à fléchir : «Si on faisait l'inauguration la veille ? suggéra-t-il à son conseiller.

— Absolument hors de question : les invitations sont déjà parties. Et d'ailleurs, il n'y a pas d'avion pour la Casamance.»

J'avais prévu le coup. Grâce à la complicité de mes amis au ministère de la Jeunesse du Sénégal, je savais que le gouvernement sénégalais était prêt à mettre à la disposition du président de l'ACDI un petit avion *Twin Otter*, d'ailleurs cadeau du Canada.

«Alors, déclara Paul Gérin-Lajoie, nous irons en Casamance. Tant pis pour l'après-midi de repos !»

Il ne se doutait pas de l'accueil délirant qui l'attendait. À l'entrée du village, où vivaient nos jeunes participants depuis deux mois, les villageois avaient dressé une manière d'arc-de-triomphe à la gloire de Paul Gérin-Lajoie. (Et peut-être aussi un peu à la mienne, sait-on jamais ?) Des milliers de villageois formaient une haie d'honneur. Des fleurs partout, des drapeaux, des tam-tam en furie, une allégresse très, très sénégalaise.

Dès qu'un éclaireur annonce l'arrivée des visiteurs du Canada, musiciens et danseurs se déchaînent, ils envahissent toute la rue, soulevant un interminable nuage de poussière rouge.

Accompagné du préfet en uniforme de gala, du chef du village, magnifique dans son boubou bleu, du représentant du ministre, Paul Gérin-Lajoie fait une entrée solennelle, à pied, au milieu des cris stridents des femmes et des acclamations d'une foule en joie. Jamais le président de l'ACDI n'avait été l'objet d'un pareil accueil, même lorsqu'il était allé inaugurer, au Sénégal ou ailleurs, des routes, des ponts ou des édifices publics, qui avaient peut-être coûté des millions au Canada.

Le cortège se rend jusqu'à l'abri en feuilles de palmier, érigé pour la circonstance. Le préfet, le maire, le représentant du ministre et enfin Paul Gérin-Lajoie feront à la foule rassemblée de vibrants discours où il est beaucoup question de l'action modeste mais tellement importante de Jeunesse Canada Monde en ce pays. «Sans doute, dit Paul Gérin-Lajoie, le Canada vous a apporté dans le passé des avions, des moteurs, des matériaux de toutes sortes. Mais dans l'avenir, ce qui sera plus important que tout cela, c'est de travailler *ensemble* au développement de votre beau pays.» Il donne l'exemple de Jeunesse Canada Monde grâce à qui des jeunes Sénégalais et des jeunes Canadiens font précisément cela : ils travaillent *ensemble* à l'amélioration de la qualité de la vie dans ce village. Les applaudissements qui ponctuent chaque envolée des discours indiquent que l'action de l'ACDI est très bien perçue, même dans ce village reculé. Quant à celle de Jeunesse Canada Monde, il est clair qu'elle touche profondément les coeurs. Les Sénégalais ont très bien compris l'esprit qui nous anime et qui ne ressemble en rien à toutes les formes d'aide connues jusqu'à ce jour. «Ce qui nous émeut dans votre démarche, nous confie un haut fonctionnaire sénégalais, c'est que pour la première fois, des Européens (terme qui englobe tous les Occidentaux) ne font pas que nous apporter une aide réelle, nécessaire bien que modeste en apparence. Ce qui nous touche surtout c'est que vos jeunes s'intéressent vraiment à notre pays et à notre culture. Ils viennent s'enrichir au Sénégal comme nos jeunes sont allés s'enrichir au Canada. En partageant la vie simple de nos villageois, ils aident à convaincre nos jeunes, attirés par les grandes villes, qu'il y a des valeurs très hautes dans la vie des villages, des valeurs que découvrent avec une joie évidente des garçons et des filles du Canada, qui pourraient sans doute vivre plus confortablement à Vancouver, à Toronto ou à Montréal. Jeunesse Canada Monde est une noble et grande idée, à l'avant-garde de ce que devra être la coopération entre vos pays riches et nos pays en voie de développement. Vraiment, seul un pays comme le Canada était capable d'imaginer une chose pareille.» L'émotion me gagne, et je suis reconnaissant au danseur qui vient tourbillonner devant moi et m'abriter sous un épais manteau de poussière...

Après les discours, les meilleurs danseurs du village nous présentent un spectacle extraordinaire au cours duquel l'un d'entre eux, enfoui sous un énorme costume de feuilles de palmier, roule littéralement sous nos yeux comme une balle sans que jamais n'apparaisse une partie quelconque de son corps. C'était hallucinant.

Paul Gérin-Lajoie s'arrache non sans peine à la fête pour aller visiter notre chantier, un petit centre pour les jeunes, encore à ciel ouvert. Le soleil tape dur, mais le chef du village insiste pour décrire chaque *pièce* : «Ici la bibliothèque, ici la salle de danse, ici le petit café...» Nos participants suivent à distance, un peu intimidés mais fiers de l'importance que prend soudain cet humble bâtiment qu'ils contribueront à bâtir, dans toute la mesure de leurs forces. Je ne puis m'empêcher de dire à Paul Gérin-Lajoie : «N'est-ce pas là l'illustration même du thème de ton discours : maintenant il faut bâtir *ensemble* ?» Il n'a pas le temps de répondre, entraîné par un groupe de femmes qui ont préparé pour lui une potée de canard, mets typique du village.

Le seul inconvénient de cette hospitalité exubérante, c'est qu'il restera bien peu de temps à Paul Gérin-Lajoie pour discuter avec les participants canadiens et sénégalais. Malgré tout, il a été fort impressionné par ce qu'il a vu et entendu. Il se dit convaincu que cette forme nouvelle de coopération entre le Canada et les pays en voie de développement est très efficace et il souhaite sincèrement qu'elle puisse se développer dans l'avenir.

Mon seul regret, c'est que ceux qui mettraient en doute la nécessité de soutenir Jeunesse Canada Monde n'aient pu vivre aujourd'hui, dans la chaleur fraternelle de ce beau village sénégalais, cette fête vibrante de l'amitié entre le Canada et le Sénégal.

Ils auraient compris que l'avenir de la coopération, et sans doute de la paix dans le monde, passe par le chemin poussiéreux qui mène au village de Kagnobon.

Dans le petit *Twin Otter*, ballotté par le vent, qui nous ramène à Dakar, Paul Gérin-Lajoie me dit simplement : «Tu avais raison, Jacques. Ça valait le coup !»

J'en étais sûr, comme je suis sûr que si, par miracle, tous les ministres canadiens avaient une seule fois l'occasion de vivre un moment pareil, ils supplieraient Jeunesse Canada Monde de multiplier son action jusqu'aux limites du possible !

Quelque temps plus tard, j'assistais à Ottawa à une réunion du Comité parlementaire des Affaires extérieures et de la Défense nationale, où Paul Gérin-Lajoie comparaissait comme témoin. Bien entendu, il eut à répondre à des questions sur Jeunesse Canada Monde, questions parfois insidieuses, posées par des députés de *tous* les partis. Ah ! quelle belle assurance il avait ! Quel pouvoir de conviction !

«Il y a quelques semaines, dit-il en substance, *j'étais en Casamance*, j'ai vu de mes propres yeux ce qu'avaient accompli les jeunes participants de Jeunesse Canada Monde : ils donnent enfin un visage humain à nos efforts de coopération dans ce pays, etc.»

J'étais ravi, mais non sans me dire que la vie ou la mort de Jeunesse Canada Monde ne dépendait pas des députés, ni même du président de l'ACDI, mais d'un ministre du gouvernement Trudeau, le très important ministre des Affaires extérieures qui m'avait écrit la lettre que l'on sait.

Je finis par obtenir un rendez-vous avec Mitchell Sharp : je serais accompagné du vice-président de Jeunesse Canada Monde, Michael Oliver, qui venait de remplacer Frank Scott.

Le jour convenu, Michael et moi nous étions retrouvés dans un hôtel d'Ottawa pour préparer avec minutie le scénario de cette rencontre dont dépendait la survie même de Jeunesse Canada Monde : je viserais le coeur, il viserait la tête. Ben alors ! J'étais le *Français*, lui l'*Anglais*...

Après nous avoir fait asseoir, le ministre eut cette petite phrase de glace : «*This time, the Prime Minister asked* me *to decide*». Sacré Pierre Trudeau, il m'avait vraiment lâché !

Le scénario se déroula tel que prévu : Michael la tête, moi le coeur. Comme à une partie de ping-pong, le ministre tournait la tête à gauche, à droite, Oliver, Hébert, Oliver, Hébert... Plutôt éberlué, il était, le ministre.

À la fin, il prononça cette phrase historique, dont je dus attendre que Michael Oliver m'explique le sens exact : «*Gentlemen, all I can say is that I will reconsider my decision.*»

«Qu'est-ce que ça veut dire, au juste ? demandai-je à Michael, à peine sorti du grand impressionnant bureau.

— Ça veut dire que nous avons gagné ! s'écria-t-il, triomphant. Hourra pour nous autres !»

Ma foi ! Mitchell Sharp, ce ne serait peut-être pas un mauvais gars !

«Je pense, me dit Michael, que nous méritons un cognac. Et c'est moi qui paye !»

Dans quelque petit bar d'Ottawa, nous avons levé nos verres à Jeunesse Canada Monde, dont l'avenir nous paraissait assuré pour mille ans.

L'an IV (1975-1976). J'étais toujours président du conseil d'administration de Jeunesse Canada Monde, mais il fallait bien que je consacre la majeure partie de mon temps aux Éditions du Jour. Les romanciers, les poètes, la Révolution tranquille, c'était important, aussi. Élever mes enfants, gagner ma vie, payer mes hypothèques. Et, avouons-le, j'avais une sorte de passion pour le métier d'éditeur, noble entre tous. Pour moi, chaque lancement d'un jeune auteur était une fête, une joie que je voulais partager avec tout le Québec, tout le Canada et, si possible, avec le monde entier, ce qui arriva presque, grâce à Marie-Claire Blais et à quelques autres.

Mais Jeunesse Canada Monde... À condition d'éviter une gaffe magistrale, l'avenir nous appartenait. Or, je me sentais trop loin de l'action pour être efficace, trop loin des participants que je rencontrais à la sauvette, sans jamais avoir le temps de les connaître, ni de comprendre pourquoi Jeunesse Canada Monde avait une telle importance dans leur vie. Presque chaque jour, je discutais avec le directeur général, je présidais les quatre réunions annuelles du conseil d'administration, je participais aux travaux de presque tous les comités, mais je sentais que *ce n'était pas assez*.

Un jour, je me trouvai dans un avion, survolant l'interminable prairie canadienne en compagnie d'une femme admirable, Gertrude Laing de Calgary. Elle parlait merveilleusement le français, elle avait fait partie de la fameuse Commission Laurendeau-Dunton, elle était alors vice-présidente de Jeunesse Canada Monde.

Nous étions dans les nuages, au-dessus de la Saskatchewan : «Gertrude, j'ai une folle envie de renoncer aux Éditions du Jour et, pendant quelques années, de consacrer *toutes* mes énergies à Jeunesse Canada Monde. Qu'en pensez-vous ? Bien sûr, il me faudrait un modeste salaire, de quoi assurer la subsistance de ma femme et de mes enfants. Mais si je devenais une sorte de président à temps plein, j'irais sans peine chercher dans le secteur privé trois, quatre fois mon salaire...»

Gertrude Laing n'hésita pas une seconde : elle était parfaitement d'accord. Merveilleux ! Adieu, chères Éditions du Jour...

L'An IV fut d'abord marquée par l'arrivée d'un nouveau directeur général, Pierre Dionne, tout jeune encore, mais qui se vieillissait en portant une barbe sévère, impressionnante. À peine avait-il été choisi qu'il apprenait l'insolite nouvelle : le président du conseil d'administration devient le président tout court. Oui, il relèvera du conseil. Non, il n'aura pas réellement d'autorité sur le directeur général. Mais il sera là, présent, tous les jours. Comme une teigne !

Dans l'organisation, bien entendu, je jouissais de quelque prestige. Mais je ne songeais surtout pas à en abuser et, sous aucun prétexte, je n'aurais voulu nuire à l'autorité de Pierre Dionne. Je m'occuperais des seuls dossiers que lui ou le conseil d'administration voudraient bien me confier, entre autres la collecte de fonds auprès des grandes entreprises, cette innommable corvée ! Peut-être les relations avec la presse et les gouvernements, la négociation de certains protocoles d'entente avec les pays étrangers, etc.

Pierre Dionne avait un bon sens de l'humour. Quand on lui demandait, en confidence, quels étaient les rapports d'autorité entre lui et moi, il avait l'habitude de répondre : «Jacques Hébert, c'est le gouverneur général. Moi, je suis le premier ministre !» Dans cette boutade, il y avait beaucoup de vrai : je n'avais pas de pouvoir mais une certaine influence.

Avec Pierre Dionne, j'ai vécu des années heureuses, sans heurts, sans l'ombre d'un problème. Ensemble, nous avions installé Jeunesse Canada Monde dans cette invraisemblable *block house* de la Cité du Havre, le Labyrinthe, pavillon de l'Office national du film pendant l'Expo 67. Extraordinaire et noble édifice, abandonné après l'exposition, jugé inutilisable. Jeunesse Canada Monde y a vécu sept ans dans des espaces insolites et fous, imaginés à des fins très particulières par les poètes de l'ONF.

Non sans effort, nous avions réussi à y aménager une auberge de jeunesse, disponible en priorité aux groupes de Jeunesse Canada Monde, mais aussi à tous les jeunes qui nous arrivaient du reste du Canada, des États-Unis, d'Europe et d'ailleurs. Une piscine, une cafétéria, une galerie de photographies, une grande salle de spectacle ou de conférence, bref, le luxe ! Tout cela contre un loyer de 1 $ par année, payable à la Société centrale d'hypothèque et de logement. L'aubaine du siècle !

Hélas ! la crise du pétrole aidant, «l'aubaine du siècle» nous coûta de plus en plus cher, les frais de chauffage devinrent exorbitants. J'aimais avec passion notre vieux Labyrinthe, et l'idée de peut-être le quitter un jour me brisait le coeur.

Attiré par de nouveaux défis, le directeur général, le «premier ministre» Pierre Dionne, nous remit sa démission. Après sept ans d'excellent travail. De façon provisoire, il fut remplacé par Ross Bannerman, admirable et loyal coéquipier, absolument unique en son genre, adoré par tout le personnel, sans parler des participants, notre *Anglais* de prédilection... au demeurant *très* écossais.

Arriva ensuite André Legault, un directeur général sans doute plus directif que ses prédécesseurs, mais cette caractéristique convenait aux besoins de l'heure. Des réformes administratives urgentes s'imposaient, des décisions difficiles, entre autres celle d'abandonner notre beau Labyrinthe...

Par la suite, Jeunesse Canada Monde occupa des locaux plus conventionnels, chemin de la Côte-des-Neiges, devant le cimetière où je reposerai un jour, plus tard, on a le temps ! Après quelques années, comme ces grandes familles ruinées qui passent discrètement du prestigieux Westmount au quartier Notre-Dame-de-Grâce avant d'aboutir à Saint-Henri, Jeunesse Canada Monde s'installa rue Notre-Dame, près d'Atwater, où il est toujours.

À l'occasion, Pierre Trudeau et moi aimions bien partager un repas chinois, nous rappeler quelques bonnes blagues de notre voyage en Chine... et discuter de la conjoncture !

Un jour du printemps 1983, j'avais commandé chez moi, rue Prud'homme, quelques plats d'un restaurateur fameux pour sa cuisine du Hunan, qui nous plaisait assez. Tout à coup, en sirotant son thé vert, mon ami me dit : «Comme tu sais, je dois bientôt quitter... les Affaires, comme disait De Gaulle. Pelletier et Marchand sont déjà partis... et j'aimerais bien qu'il reste encore au Parlement quelques gars et quelques filles qui partagent nos convictions profondes. Je voudrais te nommer au Sénat».

Je fus littéralement estomaqué.

«Pas question, lui répondis-je, Jeunesse Canada Monde, c'est toute ma vie !

— Mais l'un n'empêche pas l'autre, dit tranquillement Pierre Trudeau. Même sénateur, tu pourras continuer de servir le mouvement. Plus efficacement, peut-être, puisque tu te rapprocheras du gouvernement, des parlementaires, des fonctionnaires...»

Bon. Alors, pourquoi pas ?

Mieux que quiconque, Pierre Trudeau savait que je m'étais soigneusement tenu à l'écart de la politique partisane, que je n'avais jamais milité dans un parti fédéral ou provincial. Avec l'infinie délicatesse qui (presque toujours !) le caractérise, il ajouta doucement : «Je sais, tu n'est pas un Libéral. Alors, j'imagine que tu voudras siéger comme sénateur indépendant. Cela ne me gène en aucune manière.»

J'hésitai l'espace de quelques secondes.

«De toute façon, à cause de mes compromettantes amitiés, j'ai toujours passé pour un Libéral. Personne ne croira à mon *indépendance*. Alors, tant pis, je deviendrai un Libéral !»

Le Premier ministre du Canada eut un petit sourire moqueur...

Après avoir été huit ans président à temps plein, je remis donc ma démission au conseil d'administration de Jeunesse Canada Monde. Pour me consoler, on créa un nouveau poste, celui de président fondateur. À vie ! Comme Papa Doc ! Je redevenais un bénévole, je continuerais de siéger au conseil d'administration, de participer aux travaux des comités, je garderais même un petit bureau, chemin de la Côte-des-Neiges. Mon activité parlementaire ne me permettrait pas de consacrer autant d'énergie à Jeunesse Canada Monde mais, heureusement, ma présence n'y était plus vraiment nécessaire. L'organisation était bien rodée et j'avais une entière confiance dans le nouveau directeur général, Jacques Jobin, bon administrateur, ancien coopérant du SUCO au Burundi. Depuis longtemps, il avait le Tiers-Monde dans son coeur.

Au bout de huit ans, en 1992, Jacques Jobin choisit de quitter Jeunesse Canada Monde pour d'autres cieux. Une fois de plus, le conseil d'administration s'attela à la tâche ingrate et périlleuse de trouver un nouveau directeur général. On fit appel à une importante firme  spécialisée dans la recherche de candidats à des postes de cette importance. Plus de *trois cents* candidatures nous arrivèrent de tout le pays, certaines fort prestigieuses. Après un long processus et des heures de discussion, le conseil arrêta son choix sur un jeune homme de 35 ans, Paul Shay.

L'une des raisons qui justifiaient ce choix était évidemment la très longue association de Paul Shay avec Jeunesse Canada Monde : dès 1975, il avait été participant dans le programme avec la Tunisie. Il devait ensuite poursuivre des études universitaires, mais jamais il ne réussit à s'arracher à Jeunesse Canada Monde. En 1980, il est agent de groupe dans le programme avec la Colombie, puis il occupe diverses fonctions au bureau régional de l'Ontario avant d'en faire autant au bureau national à Montréal. En 1990, il devenait directeur du Service de recherches.

Bref, le 5^e directeur général de Jeunesse Canada Monde sortait de ses propres rangs.

* * *

Bon. Voilà. Ça y est, chers participants aux grands yeux inquisiteurs. J'avais promis. C'est fait. Je vous ai tout dit. Ou presque...

# DEUXIÈME PARTIE

## Annik, Scott, Carole, Ian et les autres

*La jeunesse est, dans ses jugements, presque
toujours excessive. Il faut qu'elle le soit, car de
ce «trop», elle ne tardera pas à laisser tant de
toison accrochée aux buissons de la route que si,
à vingt ans, elle possédait déjà la mesure, elle
serait tondue avant trente; et le conformisme,
plat et ras, la guette, au tournant.*

Romain Rolland

# Avertissement

Jusqu'ici, hélas ! j'ai beaucoup parlé de moi, en particulier des moments de ma vie qui me semblaient concerner Jeunesse Canada Monde et ses origines. Il est temps de donner la parole aux jeunes participants eux-mêmes, sans qui tout le reste ne serait que littérature et blablabla.

Au cours du dernier quart de siècle, j'ai eu l'occasion de rencontrer des centaines, sinon des milliers de participants canadiens ou étrangers. Presque toujours, il s'agissait de contacts trop brefs, bien que certains me laissent de bons souvenirs. Une seul fois, en 1985, j'ai pris le temps de suivre un groupe d'assez près, de causer à loisir avec chacun des dix-huit participants, de les rencontrer avant, pendant et après le programme.

Mille neuf cent quatre-vingt-cinq était l'Année internationale de la Jeunesse, que devait suivre, en 1986, l'Année internationale de la paix. Pour célébrer ces deux années, Jeunesse Canada Monde, avec la coopération de Katimavik alors dans toute sa gloire, avait conçu un programme assez différent du programme habituel. Il serait confié à dix-huit jeunes Canadiens qui avaient déjà vécu l'expérience de Jeunesse Canada Monde; il se déroulerait d'abord au Zaïre, pendant trois mois, et ensuite au Canada.

Ces dix-huit participants nous parleront donc du Zaïre, mais aussi de leur premier contact avec un autre pays du Tiers-Monde. Leurs expériences combinées s'étendent au Mali, au Togo, à la Bolivie, au Costa Rica, à l'Équateur, à la Jamaïque, à la république Dominicaine, au Bangladesh, à l'Inde, au Pakistan et au Sri Lanka. Un passionnant tour du monde en perspective !

Cette double expérience devait les aider à atteindre le premier objectif de ce programme spécial soit, à leur retour du Zaïre, de communiquer le fruit de leurs réflexions au plus grand nombre possible de Canadiens, dans toutes les régions de notre pays.

Pourquoi le Zaïre ? D'abord, pourquoi pas ? Le Zaïre est un vaste et fabuleux pays, l'immense coeur frémissant de l'Afrique noire. Des richesses naturelles considérables, une population composée de plus de deux cents ethnies, d'autant de langues, de traditions, de cultures. Mais aussi, hélas ! un pays aux prises avec d'énormes problèmes de développement, aujourd'hui compliqués par la désintégration des institutions politiques et sociales, moins évidente en 1985.

Enfin, Jeunesse Canada Monde avait trouvé au Zaïre un interlocuteur valable, la *Fondation Mama Mobutu*, préoccupée par les problèmes de la jeunesse et du développement. Sa présidente, Mama Mpinga, était une femme étonnante, d'un dynamisme hors de l'ordinaire.

Dans un premier temps, les participants canadiens (et leurs camarades zaïrois) vivraient un programme conventionnel de trois mois dans deux villages du Kasaï oriental. En plus de réaliser des projets de développement communautaire (remise en état de deux hôpitaux en ruine, construction de réservoirs d'eau filtrée, etc.), les participants canadiens et zaïrois prépareraient des documents audiovisuels, pour éventuellement les présenter à travers le Canada dans les écoles, les *high schools*, les cégeps, les clubs sociaux, à la radio, àla télévision, etc. Au départ, ils pouvaient compter sur plus de *sept cents* engagements fermes ! Cette vaste opération avait été rendue possible grâce à la collaboration de Katimavik qui, cette année-là, était présent dans plus de trois cents communautés, parfaitement bien distribuées dans les dix provinces canadiennes, les Territoires du Nord-Ouest et le Yukon.

À leur retour au Canada, divisés en petites équipes de trois (un Zaïrois et deux Canadiens), les participants seraient accueillis par des groupes de participants de Katimavik, avec lesquels ils logeraient pendant quelques jours, ce qui leur permettrait de faire leurs présentations dans les environs immédiats. Chaque équipe serait ensuite accueillie par un autre groupe de Katimavik, et ainsi de suite pendant six semaines, le temps de transmettre un message de paix et de coopération universelle à des dizaines de milliers de Canadiens.

On comprendra que je me sois vivement intéressé au programme spécial avec le Zaïre, bien sûr par intermittence, du premier au dernier jour.

En septembre 1985, je prenais un premier contact avec les dix-huit participants du groupe, au cours de leur camp d'orientation à Saint-Liguori, au Québec. Dès le premier coup d'oeil, j'ai compris que ces jeunes n'étaient pas des participants comme les autres : ils avaient *déjà* le Tiers-Monde dans leur coeur et, avec un bel enthousiasme, ils se préparaient à mener à bien la nouvelle mission que, par exception, Jeunesse Canada Monde leur avait impartie. J'en connaissais peut-être deux ou trois, mais très vite je me suis senti à l'aise au milieu de ce groupe que, pour ainsi dire, j'allais adopter.

Depuis les origines mêmes de Jeunesse Canada Monde, chaque année, pendant les vacances des fêtes, je consacre quelques semaines au voyage, dit «officiel», que l'organisation choisit de me confier. Cette année-là, Dieu soit loué ! on m'envoya au Zaïre...

Parti de Montréal le soir du 20 décembre 1985, j'arrive à Kinshasa, capitale du Zaïre, le 22 décembre vers minuit. Vingt-sept heures de voyage, dont la moitié dans les airs, et l'autre moitié à languir dans des aéroports. Six heures de décalage horaire...

Fourbu, hagard, presque dans un état second, je serre la main aux représentants de la *Fondation Mama Mobutu*, venus m'accueillir sur la piste même; je serre la main à l'ambassadeur du Canada, M. Ewan Nigel Hare, à Adam Blackwell, lui aussi de l'ambassade[1]; je serre d'autres mains encore, des blanches, des noires, en automate...

Le 24 décembre, je m'envole vers Mbuji Mayi, capitale de la province du Kasaï oriental, où m'attendait le coordonnateur canadien du projet, Philippe Mougeot, vieil ami, déjà véritable institution à Jeunesse Canada Monde, adoré par tous les participants qui ont eu le bonheur de l'avoir connu, comme agent de projet ou comme coordonnateur, un passionné comme je les aime.

---

1    Par la suite, le jeune diplomate m'apprenait qu'il était lui-même ancien participant de Jeunesse
     Canada Monde (Sri Lanka 1975-1976).

Deux heures de route jusqu'à Mwene Ditu, où nous accueille un des deux groupes de participants. Pauline, Scott, Yvonne, Paul-André et les autres, sans parler de Sylvie Thériault, l'agent de projet. Belles joyeuses retrouvailles ! On reprend bientôt la route en direction du village de Kalenda, où vit l'autre groupe, sous la houlette de Daniel Renaud. Tous ensemble, nous y célébrerons la Noël : messe de minuit, plantureux réveillon, échange de petits cadeaux, etc.

Holà ! Oh ! Stop ! Ça suffit comme ça ! J'ai commencé en disant que je laisserais la parole, enfin, aux participants. Et voilà que je retombe dans mon petit travers : je bavarde, je papote, je raconte, raconte... Certes, il ne manquerait pas de choses à raconter, d'anecdotes attendrissantes à faire pleurer les populations, d'incidents bizarres ou marrants (n'importe qui n'a pas mangé des fourmis en compagnie du gouverneur d'une province zaïroise !) Bon. Ça suffit comme ça. Trop c'est trop. Ce qui s'est passé à Mwene Ditu et à Kalenda, vous l'apprendrez, par bribes, en lisant les dix-huit interviews qui suivent.

J'ai passé une vingtaine d'heures à enregistrer des conversations à bâtons rompus avec chacun des participants. Je vous les propose en vrac, pour ainsi dire en direct, bien que chaque participant ait eu l'occasion d'apporter les corrections ou les suppressions jugées utiles.

Voilà ! Je me tais. C'est pas trop tôt !

# I. Le groupe de Kalenda

*Never doubt that a small group of thoughtful commited citizens can change the world. Indeed it's the only thing that ever has.*

Margaret Mead

# 1.
# Michael Smith

*De la Colombie-Britannique au Sri Lanka*

Michael Smith avec des amis zaïrois.

*Michael* — Je suis né à Vancouver en 1962 et j'ai maintenant 23 ans. J'ai été élevé sur la côte de la Colombie-Britannique, à Prince-Rupert et à Bella-Coola, un village amérindien. J'ai fait mes études primaires et secondaires en Colombie-Britannique, mais, jusqu'à ce jour, aucune étude universitaire. J'ai un diplôme en premiers soins industriels ! Au milieu de ma dernière année de *high school*, j'ai décidé de consacrer un an à voyager à travers le Canada, en faisant de petites *jobs*, ici et là. J'ai aussi étudié le piano et pris des leçons de chant. Au bout d'un an, je suis revenu terminer mes études secondaires. Une fois mon diplôme en main, je ne savais plus quoi faire, je ne savais plus dans quelle direction aller. Bref, je suis un jeune Canadien typique ! Je ne savais vraiment pas de quelle manière je voulais participer à la société... ni même si je voulais y participer du tout ! J'étais plutôt désillusionné pas la façon dont allaient les choses dans le monde...

*J.H.* — Par exemple ?

*Michael* — Toute cette pauvreté... Il me semblait qu'il y avait beaucoup d'injustice dans le monde, beaucoup de guerres, beaucoup de gaspillage. À ce moment-là, j'étais déjà un brin «environnementaliste». J'avais fait beaucoup de camping avec mes parents, beaucoup d'excursions, sac au dos. J'étais conscient du problème de la pollution, de tous les produits chimiques qu'on met dans les aliments. Bref, j'étais assez perturbé par la condition dans laquelle se trouvait notre monde et par la façon dont on le traitait. Un jour, j'ai entendu parler du programme pour les jeunes appelé Katimavik. Je voulais apprendre le français. J'avais été frustré par l'enseignement du français qu'on nous donnait au *high school* : il est très difficile d'apprendre une langue avec deux ou trois heures de cours par semaine.

*J.H.* — Et la Colombie-Britannique n'est peut-être pas le meilleur endroit pour pratiquer le français...

*Michael* — C'est juste. Alors, j'ai pensé que Katimavik me donnerait l'occasion à la fois de découvrir mon pays et d'apprendre le français. À ce moment-là, je n'avais encore aucune idée des autres objectifs éducatifs du programme. Essentiellement, je voulais voir le Canada, apprendre le français, rencontrer des gens et acquérir des techniques de travail. Alors, j'ai soumis ma candidature à Katimavik, j'ai été accepté et hop ! me voilà en route. Les trois stages de trois mois se trouvaient dans des régions francophones, ce qui était inusité.

*J.H.* — Inusité, en effet ! Généralement, les participants de Katimavik vivent et travaillent pendant trois mois dans une région francophone du pays. Les deux autres stages de trois mois se déroulent dans des provinces anglophones.

*Michael* — Quoi qu'il en soit, mon groupe s'est retrouvé au Nouveau-Brunswick (dans la région de Charlot-Campbelton), en Ontario (dans la région de Penetanguishene-Lafontaine) et, enfin, en Alberta (dans la région de Girouxville-Falher, près de Peace River).

*J.H.* — Pour le moins des régions bilingues.

*Michael* — Oui, bien sûr. Mais j'ai eu la chance de travailler avec des Canadiens français.

*J.H.* — Tu as donc, enfin, appris le français ?

*Michael* — Ce fut un bon départ et j'ai continué à me perfectionner par la suite.

L'apprentissage d'une langue est un processus qui ne s'arrête jamais. On ne cesse pas d'apprendre.

*J.H.* — Parle-moi un peu de Katimavik. Tu as aimé ?

*Michael* — Ah ! Katimavik a vraiment donné un sens à ma vie. Sans m'apporter une orientation spécifique, il m'a apporté des tas d'idées, surtout dans le domaine de l'environnement, de la technologie appropriée... Nous avons eu aussi beaucoup de discussions sur les relations internationales, sur la politique internationale. J'ai commencé à comprendre un peu le monde et, bien sur, mon propre pays. Oui, Katimavik m'a donné des tas d'idées nouvelles mais aussi des techniques de travail, ce qui était fort intéressant. Et il m'a apporté beaucoup d'énergie, de motivation.

*J.H.* — Tu parles de techniques de travail... Par exemple ?

*Michael* — Bon. Au Nouveau-Brunswick, nous avons travaillé en forêt à la rénovation d'un vieux camp de bûcherons et à la construction de toilettes extérieures. Nous n'avions ni électricité, ni eau courante, ni téléphone, ni radio. Nous étions très, très isolés. Alors, les ressources du groupe devenaient extrêmement importantes. Ce fût le point de départ de mon intérêt pour le travail de groupe. J'ai aussi fait l'apprentissage de la menuiserie et de la maçonnerie. En Ontario, pendant quelque temps, j'ai conduit un *skidoo* dans un centre de ski de randonnée, mais mon travail principal était au Centre de Santé mentale de Penetanguishene, où j'ai agi comme animateur en sociothérapie, une excellente occasion d'apprendre. On nous donnait beaucoup de responsabilités. Enfin, en Alberta pendant trois mois, j'ai travaillé dans une petite école élémentaire de langue française où je faisais de la dactylo. En même temps, je travaillais sur une ferme. À la fin du programme de Katimavik, je suis revenu dans ma famille d'accueil en Alberta pour travailler avec mes «parents» sur leur ferme.

*J.H.* — Tu avais donc établi de très bonnes relations avec ta famille d'accueil. Où habitait-elle ?

*Michael* — Dans une petite communauté rurale appelée Jean-Côté, près de Peace River. Le cultivateur avec qui je travaillais était un Canadien français et possédait une ferme immense. Il élevait des bovins et des chevaux de trait Percheron. Nous allions chercher du bois en forêt avec les chevaux. Un travail pénible mais super. En fait, à ce moment là, je voulais devenir cultivateur, mais j'ai décidé que j'avais encore trop de choses à faire avant de m'établir. Mon patron m'avait même offert 160 acres de terre si je voulais rester et continuer à travailler avec lui. Mais j'ai décidé que je n'étais pas encore prêt à accepter une telle responsabilité.

*J.H.* — Tu avais quel âge ?

*Michael* — Dix-neuf ans, je crois. Dix-neuf ou vingt ans.

*J.H.* — En effet, tu n'étais pas vieux ! Qu'as-tu fait après cette expérience agricole ?

*Michael* — À Noël, je suis revenu à la maison et, peu après, j'étais invité à assister à une conférence à Détroit, Michigan, une conférence appelée *Young Christians For Global Justice*. Là, mes yeux se sont réellement ouverts sur le monde. Il y avait des gens de l'Argentine et du Sud Pacifique, une femme du Pérou, des Sud-Africains, tous venus pour discuter des problèmes de leur pays et de leur région. C'est à se moment-là que j'ai commencé à travailler avec le mouvement pour le désarmement nucléaire. En revenant de la conférence de Détroit, avec l'aide d'un ami, j'ai établi un réseau dans le *Lower Mainland* de la Colombie-Britannique pour tenter d'engager les jeunes dans la question du désarmement. Oh ! j'oubliais : j'ai aussi travaillé comme acteur pendant environ cinq mois, avec des troupes de théâtre. Je commençais à envisager une carrière dans le théâtre ou la musique. D'autant plus que mon action pour le désarmement ne me satisfaisait pas vraiment. Je me rendais compte que c'était important, mais il me semblait que nous passions à côté de la réalité du militarisme. Nous ne nous attaquions pas à la racine du mal. Alors, je me suis dit : «J'ai besoin de plus d'expérience. Pour mettre les choses en perspective, j'ai besoin d'en connaître un peu plus sur ce qui se passe dans le monde». Et c'est alors que j'ai soumis ma candidature à Jeunesse Canada Monde !

*J.H.* — Pas une vilaine idée !

*Michael* — Non ! Ainsi, un an plus tard, presque jour pour jour, commençait mon programme d'échange qui devait se dérouler pour la moitié en Ontario et pour l'autre moitié au Sri Lanka. Je me souviens du coup de téléphone de Jeunesse Canada Monde... Je crois qu'il y avait une grève postale et qu'on avait dû me téléphoner. Ce fut la même chose dans le cas de Katimavik : notre grève de la poste annuelle ! Alors, j'ai dit : «D'accord !» Pour ensuite courir jusqu'à mon atlas pour savoir où se trouvait le Sri Lanka : je n'en avais pas la moindre idée ! En fait, mon premier choix avait été l'Afrique, ensuite l'Asie et ensuite l'Amérique latine. J'avais obtenu mon deuxième choix mais, une fois sur place, j'ai compris que le Sri Lanka aurait dû être mon premier choix. Pour toutes sortes de raisons, c'était le pays parfait. Très, très lointain, très isolé. Si j'avais voyagé seul, il est peu probable que j'aurais eu envie d'aller là. Et le Sri Lanka est un si beau pays ! Et tellement intéressant...

*J.H.* — Mais avant le merveilleux Sri Lanka, tu as bien vécu plusieurs mois en Ontario, avec ton groupe. Faudrait en parler un peu...

*Michael* — Nous étions dans une petite communauté appelée Binbrook, dans le comté de Hamilton-Wentworth. Elle accueillait un groupe de Jeunesse Canada Monde pour la deuxième année consécutive.

*J.H.* — Un groupe du Sri Lanka ?

*Michael* — Exactement.

*J.H.* — Comme tu sais, c'est la politique de Jeunesse Canada Monde d'être deux ans dans la même communauté : l'impact est beaucoup plus fort...

*Michael* — Il y avait donc à Binbrook un groupe de familles déjà très intéressées et, par conséquent, très intéressantes pour nous. J'ai eu la chance d'être accueilli par une jeune famille, sur une ferme porcine. Elle occupait deux maisons où pouvaient loger le père, la mère, les deux enfants, les grands-parents. C'était particulièrement intéressant pour mon homologue sri lankais, Sunil Jayamaha. Il était vraiment très petit et cela avait quelque importance car nous étions toujours ensemble... et que moi je suis grand ! Sunil est très actif dans les mouvements de jeunesse de son pays, le Sri Lanka, ce qui m'intéressait au plus haut point. Notre famille d'accueil (qui en était à sa deuxième expérience) avait beaucoup d'activités dans la communauté. Ensemble, nous travaillions sur la ferme porcine et aussi au *Binbrook Fairground*.

*J.H.* — Les travaux de la ferme n'avaient déjà plus de secrets pour toi...

*Michael* — C'était quand même intéressant car il s'agissait d'une ferme porcine et je n'avais jamais travaillé avec les porcs jusque là, ce qui m'a permis de beaucoup apprendre. Comme je le disais, nos «parents» étaient jeunes, actifs et très intéressés par le programme. À tel point que, au lendemain de notre départ pour le Sri Lanka, ils se sont joints à un groupe de familles d'accueil de la région qui confièrent leur ferme à d'autres pendant un mois — rare audace pour un cultivateur ! — afin d'aller rendre visite à*leurs* participants au Sri Lanka.

*J.H.* — Voilà quelque chose d'étonnant ! On y reviendra plus tard. D'abord, parle-moi un peu de Sunil Jayamaya, ton homologue sri lankais ?

*Michael* — Ah ! oui, mon homologue. Bien, au départ nous n'avions pas de langue commune pour communiquer. Il ne parlait ni l'anglais ni le français et je ne parlais pas le *singhala*. Alors, très lentement, peu à peu, nous avons appris quelques mots, une sorte de langage minimum, mais je n'ai vraiment pu le connaître avant la fin des premiers quatre mois, c'est-à-dire avant d'arriver au Sri Lanka. C'est seulement alors que nous avons pu communiquer un peu mieux, faire vraiment connaissance... et être confrontés avec quelques conflits majeurs, qu'il a fallu vite régler pour aller de l'avant. On se rendit compte que nous avions assez d'expériences et d'idées en commun pour nous entendre. Et nous sommes devenus de bons amis.

*J.H.* — Quelle fut ta première impression en arrivant au Sri Lanka, ce lointain pays qui, sans ton atlas, tu n'aurais pu situer dans le monde ?

*Michael* — Le Sri Lanka ! La première heure, je ne pourrai jamais l'oublier. En descendant de l'avion, nous avons aperçu une haute clôture grillagée derrière laquelle se pressait une foule de Sri Lankais qui nous criaient de leur lancer des choses. Tel qu'entendu, nos homologues nous laissèrent pour aller passer quelques jours dans leur famille dont ils avaient été séparés depuis quatre mois. Les participants canadiens se retrouvèrent donc seuls, entassés dans un minibus avec un chauffeur sri lankais. Nous avons traversé Colombo, la capitale, à une vitesse folle, en doublant dans les courbes, ce qui est normal dans ce pays. Je n'avais jamais rien vu de pareil. Durant ma première demi-heure au Sri Lanka, je crois que j'ai vu et senti et touché et entendu plus de choses étranges que pendant les premières vingt années de ma vie ! Au cours des deux premiers jours, j'étais dans une sorte d'euphorie : je pensais, je me promenais au hasard, j'écoutais, je regardais les choses. Ma première impression fut que, sur le plan de la nature, de la faune, des arbres, des fleurs, le Sri Lanka était un pays d'une extrême beauté. Mais aussi j'ai remarqué partout la destruction causée par les conflits raciaux qui ont éclaté peu avant notre arrivée. À Montréal, à Jeunesse Canada Monde, on s'est même demandé si on devait nous laisser partir. À ce moment-là, je ne savais vraiment pas ce qui se passait. Et enfin, bien sûr, j'ai été frappé par le niveau de vie : dans beaucoup d'endroits c'était sale et les gens avaient faim, une image typique du Tiers-Monde... Mais en même temps, je remarquais que les gens causaient entre eux, qu'ils souriaient, riaient, faisaient des blagues. Tout semblait simple, merveilleusement simple. Dans les villages, dans les familles, dans le *Boys town* où nous nous sommes retrouvés pour le camp d'orientation, il n'y avait pas de luxe, pour dire le moins. Mais nous avions l'essentiel et les besoins de base étaient comblés.

*J.H.* — Parle-moi un peu de ta famille d'accueil ?

*Michael* — J'ai vécu dans deux familles, dont un mois avec la première, jusqu'à ce que la mère tombe malade, dans l'autre pendant le reste de mon séjour. Notre petit village, Arawawela, est situé dans la province centrale de Kandi. Notre projet de travail consistait à construire un terrain de jeu pour la minuscule école du village. Au Sri Lanka, un terrain de jeu c'est un simple espace plat. Dans les montagnes, il est difficile de trouver un terrain plat et dénudé, dont on peut se servir pour organiser des jeux, des spectacles de théâtre, des événements culturels. Selon les standards sri lankais, ma première famille d'accueil était relativement à l'aise. De l'électricité, un toit solide, une maison de bonne taille. Le père était un principal d'école à la retraite. La famille comptait un agent de police et sa femme, un autre fils qui avait travaillé en Arabie saoudite, ainsi que sa femme et son enfant, deux autres fils. L'un enseignait la musique et l'autre allait encore à l'école. Le revenu global de la famille lui permettait de vivre raisonnablement bien.

*J.H.* — Et ta deuxième famille d'accueil ?

*Michael* — Elle était beaucoup plus pauvre. Le maître de la maison mort environ deux semaines avant notre arrivée. Ce qui nous a valu d'apprécier l'attitude des Sri Lankais devant la vie et la mort. Mais ça, c'est une autre histoire. Plusieurs enfants allaient et venaient, passant d'une famille à l'autre parce que leurs parents étaient morts à la suite d'un accident ou d'une maladie. Alors, on les envoyait dans une famille en mesure de les nourrir. À cause du modeste subside que ma famille d'accueil recevait pour ma subsistance et celle de mon homologue, elle avait plus de nourriture que nécessaire. En conséquence, il y avait toujours beaucoup d'enfants à la maison. Un des fils travaillait dans une rizière et l'autre dans un chantier de construction.

*J.H.* — Te sentais-tu à l'aise dans cette famille ?

*Michael* — C'était des gens très généreux. Ce qui m'était difficile à accepter, c'est qu'ils se privaient eux-mêmes pour assurer mon bien-être, en dépit de toutes mes protestations. Finalement, ils ont consenti à manger avec moi, à la même table. Les enfants dormaient à même le sol pour que je puisse avoir un lit. Il y avait certaines choses contre lesquelles je ne pouvais rien, tant ils voulaient que je sois confortable. Je me suis interdit d'utiliser ma caméra pendant le premier mois parce que cela aurait accrédité l'image qu'ils se faisaient des Nord-Américains, des Blancs, image sortie de films comme *L'Amant de Lady Chatterley*, les *James Bond*, etc. Image encore déformée par les touristes qui viennent au Sri Lanka et sont responsables de l'augmentation de la prostitution et du commerce de la drogue. C'est bien là l'image que se font les Sri Lankais des Blancs. J'ai fait un très grand effort pour changer cette image et pour leur expliquer que je voulais faire les choses comme eux, que je voulais vivre comme eux, apprendre leur mode de vie, en faire l'expérience personnelle. Et, peu à peu, ils ont commencé à le comprendre et à me traiter comme un membre ordinaire de la famille... au point de me sermonner sérieusement si je rentrais trop tard à la maison le soir ! Au début, je ne pouvais même pas me rendre seul aux toilettes extérieures. Quelqu'un devait m'accompagner pour me montrer où elles se trouvaient et pour m'expliquer comment prendre mon bain ! J'ai appris assez vite, mais quand même, c'était un peu humiliant. Une nuit, je devais aller aux toilettes alors qu'il pleuvait à boire debout. Je me suis dit : «J'irai seul ! J'irai seul !» Non, non et non : quelqu'un devait absolument m'accompagner. Pas une mauvaise idée considérant que j'ai glissé sur le flanc d'une colline pour aboutir dans une mare de boue. Tout le monde a bien ri : j'étais littéralement couvert de boue ! Bref, j'ai vraiment été bien accepté par ma famille d'accueil.

*J.H.* — Comment communiquiez-vous ? On parlait un peu anglais ?

*Michael* — En fait, j'ai fini par me débrouiller assez bien en *singhala* et j'ai même appris à l'écrire un peu, grâce à un livre.

*J.H.* — C'est pourtant une écriture bien étrange...

*Michael* — Oui, mais comme elle est belle ! Toute en rondeurs, en volutes. D'autres part, mon homologue Sunil m'expliquait les coutumes locales, entre autres celles, même insignifiantes, qui auraient pu me mettre dans l'embarras. Ainsi, on ne doit manger qu'avec sa main droite. Quand on nous offre un verre d'eau avant un repas, il ne faut surtout pas le boire : on doit se contenter de le toucher et ensuite d'aller se mettre à table. Sunil me renseignait bien sur ce genre de choses. Sur les attitudes à prendre. À cause de son expérience canadienne, il comprenait mes difficultés et cela comptait beaucoup dans notre relation d'homologues. Durant notre séjour au Canada, il m'est arrivé de forcer un peu les règlements de Jeunesse Canada Monde...

*J.H.* — Oh !

*Michael* — ... et de disparaître avec mon homologue pour aller rendre visite à des parents dans une autre région du pays. Je voulais faire le plus de choses possible avec Sunil et il en fut de même pour lui au Sri Lanka. C'était fort intéressant. Même quand il m'arrivait d'être vraiment fatigué, il insistait toujours pour que je l'accompagne quelque part. Je faisais de même pour lui au Canada...

*J.H.* — Es-tu resté en contact avec Sunil ?

*Michael* — Oui, nous nous écrivons. Mais son anglais s'est un peu détérioré, alors je suis en train de perfectionner mon *singhala*. Au moins je pourrai lui écrire une lettre qu'il pourra comprendre.

*J.H.* — Plus tôt, tu as mentionné la visite que vous ont faite au Sri Lanka quelques unes de vos familles d'accueil d'Ontario. Tu veux m'en dire davantage ?

*Michael* — Ma famille d'accueil — de simples cultivateurs — a investi toutes ses économies dans ce voyage au Sri Lanka.

*J.H.* — Voilà qui est extraordinaire, bien que cela se soit produit quelques fois dans l'histoire de Jeunesse Canada Monde. Combien de personnes ont participé au voyage ?

*Michael* — Environ une douzaine. Un plein minibus.

*J.H.* — On peut présumer que c'était leur premier voyage du genre ?

*Michael* — La plupart n'avaient jamais voyagé, surtout pas dans un pays comme le Sri Lanka. Quelques-uns étaient allés aux États-Unis, parfois jusqu'en Floride, ils avaient un peu voyagé au Canada, mais aucun n'avait fait un si long voyage.

*J.H.* — Et leur objectif était vraiment d'aller revoir *leurs* participants ?

*Michael* — Oui, mais ils voulaient aussi essayer de mieux comprendre le Sri Lanka. Bien sûr, ils se sont rendu compte des limites de ce qu'on peut faire en un mois, par exemple qu'ils ne pourraient vivre dans une famille. Cependant, ils ont visité toutes les familles des participants. Quelques-uns ont même quitté le groupe pour aller passer une nuit dans une famille d'accueil. Mes «parents» de Binbrook, Ontario, sont venus dans notre village et ont partagé un repas avec ma famille sri lankaise. Ils sont restés une journée. Mais ils ont passé très peu de temps à la plage, peut-être deux ou trois jours. Je pense qu'ils voulaient vraiment voir où et comment vivaient ici les participants qu'ils avaient connus au Canada, le sentir de plus près. Pour la plupart de ces gens, ce fut l'expérience de leur vie. Je suis convaincu qu'ils ne pourront la refaire. Et pourtant, quelques-uns de ces cultivateurs canadiens à qui j'ai parlé voulaient trouver un projet de travail ici, peut-être grâce à l'ACDI ou à un autre organisme, si par leurs connaissances ils pouvaient être utiles dans ce pays.

*J.H.* — Voilà qui est assez nouveau à Jeunesse Canada Monde. Mais cela arrive de plus en plus. Ce qui témoigne de l'impact de la présence des participants dans les communautés.

*Michael* — Je crois que c'est un facteur important pour un grand nombre de gens. De façon générale, les Canadiens sont plus ou moins au courant de ce qui se passe dans le monde. Grâce à Jeunesse Canada Monde, des gens sont mis en contact direct avec les problèmes, de façon sensible, ce qui est très motivant. Quand vous écoutez les nouvelles, toujours brèves, vous recevez une certaine information, mais c'est très décourageant. Ça vous fige, ça vous démobilise. Mais quand vous être placé dans une situation où vous voyez vous-même les choses, quand vous pouvez toucher les gens, alors vous vous rendez compte qu'ils sont des êtres humains, qui ont des valeurs humaines semblables aux nôtres et vous pouvez commencer à vivre avec cette réalité. Alors, cela devient partie intégrante de votre vie, ce n'est plus une chose extérieure que vous ne comprenez pas vraiment et pour laquelle vous ne pouvez rien. La réalité devient ainsi moins difficile à accepter et à comprendre.

*J.H.* — Et toi, Michael, qu'as-tu vraiment appris au Sri Lanka ?

*Michael* — Bien, comme je viens de le dire, je crois que le monde est devenu une partie de moi-même. Façon de parler. Le monde est maintenant intégré à ma vie. Je crois cependant que les connaissances vraiment concrètes que je dois à Jeunesse Canada Monde me sont venues après le programme. J'ai acquis de l'expérience, de la perspicacité, une nouvelle motivation. Jeunesse Canada Monde a vraiment été un point de départ. J'ai surtout appris en réfléchissant et en approfondissant quelques-unes des idées fraîchement acquises.

*J.H.* — Et après le séjour au Sri Lanka...

*Michael* — Après une expérience en Amérique latine, j'avais décidé de poursuivre mes études au *Fraser Valley College*, en Colombie-Britannique, et de faire un programme de transition avant de passer au *International Development Studies* de l'Université de Toronto. Mon inscription était faite...

*J.H.* — Une faculté qui attire beaucoup d'anciens participants...

*Michael* — Oui, il y a beaucoup d'anciens de Jeunesse Canada Monde qui y étudient. Après enquête, j'ai compris que c'était ce que je pouvais trouver de mieux — un heureux mélange de connaissances pratiques et théoriques. Je m'étais donc inscrit pour étudier l'économie, les sciences politiques, la biologie, le français et une autre langue, en un mot un bel éventail. Malgré tout, je n'étais pas absolument sûr que c'est ce que je voulais faire... Et alors, je reçu ce coup de téléphone fatidique : on me demandait si j'étais intéressé à poser ma candidature comme participant au Zaïre. J'ai mis vingt secondes, je crois, à me décider. En fait, ça ne pouvait tomber mieux puisque j'avais déjà l'expérience de l'Asie et de l'Amérique latine : avec l'Afrique, je bouclais la boucle. Je pourrais alors avoir une petite idée de chaque région, quitte ensuite à me spécialiser. Voilà qui tombait pile. Sans doute, il me faudrait retarder mes études d'une autre année, mais j'étais déjà en retard de deux ou trois ans. Et pour moi, l'expérience pratique reste la plus valable. Alors, oui monsieur, je soumettrai ma candidature. Et j'ai vécu dans les limbes pendant un mois, en attendant de savoir si Jeunesse Canada Monde m'avait choisi. Ce qui m'intéressait particulièrement dans ce projet c'est qu'il avait pour objectif de sensibiliser les Canadiens au développement, ma préoccupation majeure.

*J.H.* — Tu as finalement été accepté et, peu après, tu arrivais à Kinshasa, la grouillante capitale du Zaïre. Quelle fut ta première impression ?

*Michael* — Au début, je me suis senti intimidé d'être au Zaïre, en Afrique... L'intégration me paraissait difficile. Je pense que je sentais très fort ma «blancheur», j'avais l'impression que j'étais un «colonisateur» blanc, ce qui me donnait un sentiment de culpabilité.

*J.H.* — Alors, parle-moi de Kalenda, le village où nous nous trouvons en ce moment.

*Michael* — Oui, Kalenda. Un petit village très isolé. Sur le plan du niveau de vie, je crois que c'est le lieu le plus démuni que j'ai connu, où j'ai vécu.

*J.H.* — Un village de paillotes...

*Michael* — Oui, des paillottes. Mais on a une bonne source d'eau, bien qu'il faille un grand effort pour apporter l'eau du puits. La qualité de l'alimentation est discutable. Bien que les terres soient fertiles, les gens on tendance à vendre les meilleurs produits de leurs récoltes. Et pourtant, le Zaïre est un pays merveilleux. Très riche. On trouve tout dans ce pays plein de ressources naturelles, une terre fertile qui donne de bonnes récoltes...

*J.H.* — Mais il y a la question du transport...

*Michael* — Oui, le transport est au coeur de tous les problèmes. La grande difficulté, c'est de transporter les produits agricoles d'un point à un autre.

*J.H.* — Maintenant, Michael, parle-moi un peu de ce gigantesque hôpital en ruine que vous deviez remettre en état ?

*Michael* — Oui, cet hôpital est un énorme complexe de bâtiments construits par les Belges. Le village de Kalenda est un bon exemple de ce qu'a laissé le colonialisme en Afrique, dans ces régions rurales où habitent entre 75 et 80 p. cent de la population. Après l'indépendance du Zaïre, l'hôpital a été abandonné, puis vandalisé pendant les cinq années d'insurrection qui ont suivi l'indépendance en 1960. Le projet de travail de Jeunesse Canada Monde consistait surtout à refaire le toit de ce qui restait de l'hôpital.

*J.H.* — On a grand besoin d'un hôpital dans la région...

*Michael* — Oui, en effet. Peu après notre arrivée, plus d'une centaine de malades sont arrivés à l'hôpital, croyant que nous étions des médecins. On s'est alors rendu compte que notre objectif n'était pas d'abord de nous intégrer dans le village, mais de reconstruire l'hôpital.

*J.H.* — En conséquence, vous avez dû faire un effort particulier pour aller dans le village, pour parler avec les gens ?

*Michael* — Oui, parfois la motivation faisait défaut. De plus, parce que nous vivions en groupe dans une aile de l'énorme édifice de l'hôpital, les gens du village étaient un peu intimidés. Ils hésitaient à nous rendre visite. Il y avait une barrière entre l'hôpital et le village. Mon opinion personnelle, c'est que, pour que ce genre de projet devienne une ressource éducative, il faut que les participants vivent dans des familles.

*J.H.* — Ah ! Michael, comme je suis d'accord avec toi !

*Michael* — C'est la situation idéale. Nous avons du faire un grand effort. Malheureusement, nous n'avions que neuf semaines. Il nous a fallu beaucoup de temps pour que les gens du village nous acceptent, comme il nous en a fallu pour apprendre à les connaître. Je ne sais pas si on vous a raconté cette histoire ?... Une nuit, un groupe de participants partirent à la chasse... aux termites ! Quelques villageois nous surprirent et crurent que nous étions... des cannibales ! À cause d'incidents passés où des Blancs de la région auraient été impliqués dans des actes de cannibalisme. À un moment donné, un homme fut bien près de nous attaquer avec sa machette. Heureusement, les gens ont eu l'idée d'aller voir nos amies les sœurs zaïroises : ils ont réveillé les bonnes sœurs au lieu de nous attaquer, nous les cannibales dont ils avaient peur...

*J.H.* — Et pendant ce temps-là, vous faisiez la chasse aux termites !

*Michael* — Oui, aux termites. On ne peut les chasser que pendant la pleine lune et, bien sûr, très tard dans la nuit quand la lune est au zénith et que la luminosité est à son meilleur. On allume un petit feu et on creuse un grand trou entre la termitière et le feu. Alors, l'odeur du feu de bois de palmier attire les insectes. Ils tombent dans le trou et on les ramasse dans un sceau pour les faire cuire le lendemain.

*J.H.* — C'est bon ?

*Michael* — Oui. On les mange même crues. Vous devez essayer ça !

*J.H.* — Ah ! si ta mère t'avait vu !

*Michael* — J'en ai mangé un peu trop... et j'ai eu la diarrhée le lendemain !

*J.H.* — Ça ressemble à quoi, les termites, comme goût ?

*Michael* — Un peu le goût du pain. Assez croustillant. Cela parait étonnant, mais ce n'est pas mauvais du tout.

*J.H.* — Mais enfin, Michael, comment as-tu appris à faire la chasse aux termites ?

*Michael* — Nous sommes devenus copains avec un jeune du village, Eelunga, qui nous a invité à venir voir comment cela se passait...

*J.H.* — Mais puisque vous aviez un Zaïrois du village avec vous, pourquoi les autres avaient-ils peur de vous ?

*Michael* — Fergus, un des participants canadiens, demanda à Eelunga, le gars du village, si les villageois que nous avions rencontrés «en avait pris» (des termites). Il posa la question en français : «Est-ce qu'ils en ont attrapé ?» Les villageois comprirent : «Eelunga, attrape-les !» Ils se sont vite sauvés !

*J.H.* — Cet incident a-t-il eu quelque conséquence sur votre intégration dans le village ?

*Michael* — Non, non. Mais c'était une indication des diverses barrières que nous avions à surmonter. Comme je vous le disais au sujet du Sri Lanka, nous avions à lutter contre l'image du riche et blanc colonisateur, venu pour leur enseigner comment faire les choses.

*J.H.* — Revenons à la question de votre intégration dans la village...

*Michael* — D'accord. Je m'y suis fait quelques amis, à qui je continue d'écrire. Graduellement, nous nous sommes intégrés dans le village. Maintenant, après neuf semaines, nous avons plein de contacts. On nous invite à faire des tours en pirogue sur la rivière, et mille choses ensemble. Nous commençons à connaître les gens. Si nous avions encore deux ou trois semaines, quatre semaines, un peu plus, nous pourrions vraiment réussir. Cela prend du temps.

*J.H.* — Je suis bien d'accord : il faut du temps... Et vous aviez aussi à préparer votre présentation audiovisuelle pour la grande tournée au Canada ?

*Michael* — Oui, la grande tournée au Canada... Ce fut la préoccupation majeure de notre groupe, depuis le premier jour. Ce projet m'excite au plus haut point et j'en rêve. Pour moi ce sera une nouvelle expérience. Essayer des choses et voir si ça marche. Tout ne sera pas décidé avant le départ. Ce sera, je l'espère, un processus qui évoluera avec le temps.

*J.H.* — À nouveau, tout le long de la tournée, tu auras des contacts avec des groupes de Katimavik.

*Michael* — Je crois que nous aurons un impact surtout sur les participants de Katimavik, les seuls groupes avec lesquels nous passerons un peu de temps. En ce qui à trait à ma présentation, j'ai l'intention d'y intégrer un ou deux participants de Katimavik, surtout dans les écoles et dans les communautés. Naturellement, quand nous vivrons avec un groupe de Katimavik, nous aurons le temps de parler ensemble. C'est là, je crois, que nous aurons le plus d'impact. Avec les écoles, j'en suis moins sûr. À mon retour du Sri Lanka, j'ai travaillé avec les écoles. Je l'ai fait aussi en revenant d'Amérique latine...

*J.H.* — En mars prochain, après le programme, je présume que tu n'attendras pas encore un autre coup de téléphone de Jeunesse Canada Monde ?

*Michael* — Ce serait merveilleux !

*J.H.* — Bien sûr. Mais au cas où ça ne se produirait pas, que feras-tu, Michael ?

*Michael* — Bon. J'ai changé mes plans : je ne m'inscris pas au *Development program*. Je songe à quelque chose qui soit un peu plus général, plus ouvert. Je compte faire une année à l'Université Concordia à Montréal. Je suis intéressé à étudier les langues, pas au point de vue strictement linguistique, mais davantage comme une technique de communication pratique.

*J.H.* — Quand tu parles de langues, je présume que cela inclut le français ?

*Michael* — Le français et des langues africaines. Et l'espagnol. Des langues universelles, parlées par la majorité des peuples de la terre : le français et l'espagnol. Mais il y aussi des langues asiatiques qui sont parlées par des millions d'hommes, il y a aussi en Afrique un certain nombre de langues de base. Tout en apprenant des langues, je m'inscrirai en sociologie, en histoire, en sciences politiques, et le reste. Je ne suis pas encore sûr de la direction que je vais prendre. Je veux aussi étudier à l'étranger, pas seulement au Canada. J'ai à l'idée quelques autres projets : travailler avec Katimavik, travailler dans des écoles au Canada. Et aussi je voudrais travailler comme agent de groupe à Jeunesse Canada Monde.

*J.H.* — Tu as déjà tout un bagage de connaissances...

*Michael* — Mais je crois que je dois me reposer un peu de Jeunesse Canada Monde et de Katimavik. Je crois que je devrais entreprendre d'autres études avant de devenir agent de groupe. Il me reste plus de choses à faire qu'il ne me reste de temps pour les faire!

*J.H.* — Je vois ça. On se retrouvera peut-être un jour, quelque part dans le monde, quand tu seras agent de groupe...

*Michael* — Même avant, j'espère...

## Commentaires de Michael Smith sur la tournée canadienne

Notre grande tournée du Canada s'est déroulée au cours des mois de janvier et février 1986. Nous étions neuf participants divisés en trois sous-groupes de trois accompagnés du coordonnateur de la tournée. Tout le monde s'est empilé dans un minibus avec trois projecteurs, des écrans, des stéréos portatifs, des cartes, des artefacts et nos bagages. Pendant six semaines, nous avons parcouru un vaste territoire allant de l'île de Vancouver jusqu'à Thunder Bay en Ontario. Passant du climat printanier de la Colombie-Britannique à une température de -49$^0$C dans le nord de la Saskatchewan, nous avons fait nos présentations audiovisuelles sur notre expérience zaïroise dans des écoles élémentaires, des *high schools*, des collèges, des universités, des groupes de femmes, des ONG, des groupes de Katimavik et d'anciens participants de Jeunesse Canada Monde et, enfin, nous avons atteint le grand public par la télévision, la radio et les journaux.

Nous avons fait le plus grand nombre de présentations dans les *high schools*, aux élèves de 10$^e$, 11$^e$ et 12$^e$ années, particulièrement réceptifs. Nous étions bien accueillis par les élèves et les instituteurs, dont plusieurs nous dirent jusqu'à quel point ils avaient besoin de ce genre de présentation. Les élèves semblaient apprécier particulièrement notre style : «C'est la première fois que je trouve l'Histoire intéressante! » «Je pourrais vraiment aimer la sociologie si c'était comme ça !» «Vous autres, les gars, vous devriez être des instituteurs !»

La tournée a été pour moi personnellement une remarquable expérience. Un travail de groupe intense et l'occasion d'apprendre à m'exprimer clairement et efficacement, à mettre de l'ordre dans mes propres idées avant d'en discuter avec des groupes. Une expérience d'une valeur incalculable. Il était également passionnant de découvrir ce qui se passe à l'intérieur des écoles du pays.

Après la tournée, chacun a repris sa longue marche à travers le monde, par les sentiers qui nous conduiront dans la jungle de la société. Après avoir fait du camping pendant quelques mois, je devrais acquérir enfin une éducation plus formelle. Et à mesure que mon sac à dos se remplit d'expériences et de souvenirs, s'agrandit ma vaste famille à l'échelle du monde, une famille vraiment élargie avec qui partager mes peines et mes joies.

## Michael Smith dix ans après

*Moins d'un an après le projet au Zaïre, Michael s'est inscrit au Programme d'études en développement international à l'Université de Guelph. Il a poursuivi ses études de maîtrise en développement économique communautaire à la* Graduate School of Business *du* New Hampshire College. *Pour son projet de mémoire, il a fondé une coopérative de travailleurs dans les quartiers du sud-ouest de Montréal avec l'aide des groupes communautaires locaux. La COOP avait pour but la réinsertion sociale et économique des jeunes adultes fortement défavorisés, de 18 à 30 ans.*

*Il a quitté le projet de réinsertion après trois ans pour poursuivre des études en musique et en technologie. Après avoir obtenu un diplôme en conception sonore assistée par ordinateur à Musitechnic à Montréal, il a enseigné à ce collège pendant un an et demi. Durant la même période, il a produit un spectacle multimédia avec deux autres artistes. La pièce comprend de la danse contemporaine, du vidéo, de l'animation 3-D et de l'audio multicanal.*

*En ce moment, Michael travaille à temps plein au Service de recherche et de développement à Softimage, à Montréal.*

# 2.
# Josée Galipeau

*Du Québec au Pakistan*

Josée et son homologue pakistanaise.

*Josée* — Je viens de la campagne, de Lac-Mégantic. Nous étions huit enfants, et la famille n'était pas riche. Notre père devait travailler de nuit, ce qui fait que je ne l'ai pas vraiment connu. Mais il y avait ma mère. J'ai eu une mère, ça c'est sûr... Sur le plan des études, je n'ai pas fait grand-chose ! Je suis allée à l'école jusqu'à l'âge de 16 ans. Alors, j'en ai eu assez et j'ai décidé d'aller voir ailleurs. Une de mes amies travaillait dans l'Ouest, au Manitoba, où elle gardait des enfants chez une dame. Un jour, elle m'a offert sa place. J'ai dit oui sans hésiter une seconde et je me suis bientôt retrouvée au Manitoba.

*J.H.* — Tu parlais un peu l'anglais ?

*Josée* — Non, pas un mot. Mais j'avais bien l'intention de l'apprendre. Par malheur, la dame chez qui je travaillais était une Québécoise... qui refusait de me parler en anglais ! Pas très pratique. Mais, avec le temps, j'ai fini par me débrouiller un peu. À mon retour à Lac-Mégantic, j'ai finalement terminé mes études secondaires dans une école pour adultes.

*J.H.* — Et un jour, tu as entendu parler de Jeunesse Canada Monde...

*Josée* — Je suis allée au Centre de main-d'oeuvre du Canada. Je me suis informée, tant bien que mal, mais personne ne semblait savoir ce qu'était Jeunesse Canada Monde. Quelqu'un m'a dit que ça ressemblait vaguement à Carrefour international, que je connaissais un peu. De toute manière, le projet m'intéressait.

*J.H.* — Rêvais-tu d'aller dans un pays en particulier ?

*Josée* — J'avais bien mentionné quelques pays dans ma demande, mais quand on m'a proposé le Pakistan, j'étais tout à fait d'accord. Même après qu'on m'eut appris que c'était la première expérience de Jeunesse Canada Monde dans ce pays. On m'avait prévenue que le programme serait sûrement difficile, comme tous les nouveaux projets. Cela ne m'inquiétait pas vraiment.

*J.H.* — En somme, tu n'avais peur de rien !

*Josée* — C'est ça. J'aime l'aventure... Pendant la partie canadienne du programme, je me suis encore retrouvée dans l'Ouest, mais cette fois en Saskatchewan, à Prince-Albert. Nous avions le choix entre plusieurs projets de travail, quelques-uns avec les Métis. J'ai choisi de travailler dans une garderie, ce que je rêvais de faire depuis longtemps.

*J.H.* — Tu vivais dans une famille d'accueil avec ton homologue...

*Josée* — Nos «parents» étaient vraiment jeunes: le père devait avoir 26 ou 28 ans. Ils avaient deux enfants. Comme ils étaient propriétaires d'une épicerie, nous avons pu un peu découvrir ce monde-là. Plus important, nous avons beaucoup appris sur les Métis et les Amérindiens de Prince-Albert, dont j'ignorais tout jusque-là. Je me suis fait un ami amérindien avec qui je discutais longuement des problèmes de son peuple. Avec les autres participants, j'ai participé à des cérémonies à la réserve indienne. Ah ! j'ai vraiment aimé la partie canadienne du programme en raison de tout ce que j'ai appris sur mon propre pays. Mon grand problème, c'est que je ne connaissais pas assez bien l'anglais. Heureusement, mon homologue pakistanaise parlait fort bien cette langue, et c'est grâce à elle que j'ai fini par l'apprendre.

*J.H.* — Ainsi tu as appris l'anglais au Canada avec une fille venue du Pakistan...

*Josée* — Incroyable ! Il faut dire que dès le premier jour, je réussissais à la comprendre beaucoup mieux que les participants anglophones. Elle parlait plus net, plus lentement, et elle s'occupait beaucoup de moi. Nous avons vraiment eu une belle relation. C'était un amour !

*J.H.* — Un jour, vous arrivez donc au Pakistan où, comme prévu, le programme a été très difficile à cause de l'inexpérience de nos interlocuteurs.

*Josée* — Ce qui m'a frappé, c'est qu'on a immédiatement séparé les filles des garçons.

*J.H.* — Cela fait partie des coutumes de ce pays foncièrement musulman. Nous n'avions pas à lui imposer les nôtres...

*Josée* — Pour plus de sûreté, on a laissé les garçons en ville et on a envoyé les filles à la campagne !

*J.H.* — Vous alliez découvrir le monde fermé des femmes pakistanaises, alors que les garçons vivraient dans le monde plus ouvert des hommes, mais néanmoins fermé aux femmes. Cela aurait dû donner lieu à d'intéressants *debriefings* au retour !

*Josée* — À cause d'un manque d'organisation, j'ai vécu brièvement dans deux familles pakistanaises avant d'aboutir dans une troisième, une famille vraiment typique avec cinq enfants ainsi qu'une belle-soeur et son fils. On manquait un peu de place dans la maison ! Mais c'était une merveilleuse famille. Bien sûr, il y avait un problème de langue, et je devais sans cesse compter sur mon homologue. Nous vivions à côté de la mosquée, ce qui fait que nous avons beaucoup discuté de religion. Mon homologue était très pratiquante et se levait au milieu de la nuit pour faire ses prières. Mais de politique, on ne parlait jamais. À ce sujet, les Pakistanais ne peuvent pas vraiment dire ce qu'ils pensent. Alors, on n'en parlait tout simplement pas.

*J.H.* — Et quel genre de travail as-tu fait ?

*Josée* — Là encore, l'organisation fit défaut. Par exemple, au début, on nous a fait travailler dans un parc public, ce que les femmes ici ne font jamais. Les garçons pakistanais venaient nous importuner jusqu'à ce qu'on se rende compte que les femmes n'avaient pas d'affaire à travailler dans un parc. Finalement, on m'a trouvé du travail dans une école pour handicapés physiques. C'était vraiment pénible de voir ces malheureux enfants, certains affligés de dystrophie musculaire. Ils avaient du mal à se tenir debout et, quand ils tombaient, ils ne pouvaient se relever sans notre aide. Nous savions que plusieurs ne vivraient pas longtemps. Ils s'attachaient à nous, alors que nous allions bientôt partir... La communication verbale était difficile, car les enfants ne parlaient que le *punjabi*... alors que nous commencions à apprendre l'*ourdou* ! Mais on s'amusait bien avec eux. À l'heure du lunch, tous les enfants mettaient en commun la nourriture que leur avait préparée leurs parents. Ça devenait un buffet aux plats très variés. Ils s'entraidaient beaucoup.

*J.H.* — En deux mots, qu'as-tu surtout rapporté du Pakistan ?

*Josée* — Toute une question ! Quand j'étais jeune, je me demandais toujours pourquoi il y avait d'un côté les riches, et d'un côté les pauvres. Je n'ai pas vraiment trouvé la réponse que j'attendais au Pakistan. Au moins, je me suis demandé comment, moi, je pourrais aider les pays pauvres. Même avant le programme, j'étais déjà très «écologique», j'évitais tout gaspillage. À mon retour, j'ai lu *L'utopie ou la mort* de René Dumont. Ce livre m'a aidée à comprendre que ce sont les pauvres du Tiers-Monde qui payent pour le gaspillage des pays riches. Je voulais changer les choses, pas dans un autre pays, mais dans le mien. Un peu chaque jour, dans ma vie quotidienne. Un projet à long terme...

*J.H.* — À ton retour au Canada, quelle est la première chose que tu aies faite ?

*Josée* — Je me suis inscrite à un cours d'infirmière. Je ne suis pas encore sûre que ce soit ma voie, mais je me dis que ce sera toujours utile, où que j'aille, quoi que je fasse. En attendant, comme j'ai beaucoup d'énergie à dépenser, j'ai travaillé auprès de personnes âgées handicapées, et auprès d'enfants dans une garderie. C'était bien, mais pas assez. Quoi ? Je voulais sauver le monde !

*J.H.* — Il n'y a que ça: sauver le monde !

*Josée* — Alors, quand Jeunesse Canada Monde m'a offert le programme au Zaïre, j'y ai vu une occasion d'apprendre encore. Cette fois, ce serait plus facile puisqu'on parle français dans ce pays. Et quel plaisir de se retrouver avec d'autres anciens participants au camp d'orientation de Saint-Liguori. Comme nous avons vécu une expérience semblable, il devient très facile de communiquer entre nous. Chacun a mille choses à nous apprendre sur un pays ou sur un autre. André, par exemple, qui arrivait de la république Dominicaine, en avait beaucoup à dire sur la misère des coupeurs de canne à sucre...

*J.H.* — Et quelques semaines plus tard, on vous plonge en plein Zaïre...

*Josée* — Au début, à Kinshasa, j'ai vraiment eu beaucoup de mal à m'adapter aux Zaïrois, tellement différents des Pakistanais. Par exemple, au Pakistan, les gens ne se touchent jamais, les filles ne regardent même pas un homme dans les yeux. Alors qu'ici les hommes et les femmes s'interpellent continuellement.

*J.H.* — Les Zaïrois sont évidemment plus détendus, plus chaleureux...

*Josée* — Oui, dans un sens. Ils sont plus directs, plus francs, alors que les Pakistanais sont, disons, plus discrets. Bah ! Cessons de comparer l'Afrique et l'Asie ! Ici, dans le village de Kalenda, je me suis tout de suite bien entendue avec les enfants, très nombreux. Dès le premier jour, je me suis retrouvée entourée d'une cinquantaine d'enfants. J'ai même réussi à en endormir un dans mes bras. Grâce aux enfants, j'ai pu m'intégrer dans la communauté.

*J.H.* — J'ai constaté que les enfants t'adorent.

*Josée* — Ah oui ! Ils connaissent tous mon nom. Quand je vais à la source chercher de l'eau, tout le long du chemin, je les entends crier: «Josée ! Josée ! Josée !» Il est vrai que je m'occupe beaucoup d'eux. Dès que j'en vois un avec une culotte déchirée, je cours chercher mon fil et mon aiguille... Je suis une mère-poule...

*J.H.* — Ça ne manque pas de petits poulets à Kalenda !

*Josée* — Quand les femmes du village se sont rendu compte que j'aimais vraiment les enfants, elles m'ont prise en amitié, car pour elles rien n'est plus important que les enfants. Quand je passe devant une case, la femme me donne aussitôt son bébé que je berce pendant qu'on bavarde. On se sourit, on se parle par gestes, car ces femmes ne parlent pas français.

*J.H.* — En quoi les enfants d'ici sont-ils différents des nôtres ?

*Josée* — Nos enfants sont trop gâtés; on leur donne tout ce qu'ils veulent. Parce qu'ils n'ont rien, les enfants zaïrois sont extrêmement ingénieux. Je ne sais pas si tu as vu les petits sifflets qu'ils fabriquent eux-mêmes ? Ils découpent de vieilles boîte de sardines, ils y fixent deux pièces de *kalbas*, et ils introduisent une petite boule à l'intérieur. Et voilà un joli sifflet qui fonctionne très bien. Oui, les enfants sont ingénieux et débrouillards. Ils fabriquent toutes sortes d'objets qu'ils essayent de vendre pour se faire quelques sous. Les frères et les soeurs s'entraident et se protègent. Ils sont très attachés les uns aux autres. Ils se tiennent toujours par groupes de deux ou trois. Ah ! et puis, ils sont tellement beaux ! Mon meilleur ami s'appelle Ishiama. Il est souvent avec moi à l'hôpital, mais je vais aussi le voir chez lui, au village, où je suis toujours bien accueillie. Les gens sont généralement dehors, devant leur case. Souvent, ils m'invitent à m'asseoir avec eux et me traitent comme si j'étais de la famille. S'ils sont en train de préparer de la nourriture, ils continuent tout en me parlant. Quand elle est prête, ils m'en offrent aussitôt. Les enfants viennent s'asseoir et on mange en famille. Quand ils me voient arriver, les enfants m'entourent et attendent que je fasse quelque chose pour les amuser. Je leur ai appris une chanson, *Frère Jacques*, avec les gestes du sonneur et tout.

*J.H.* — Que mangez-vous dans ces repas de famille ?

*Josée* — Presque toujours du *fufu* et des feuilles de manioc. Toujours la même chose. Une seule fois, j'ai mangé de la poule. Une autre fois, tout ce qu'on avait à m'offrir, c'était des arachides, cuites dans l'eau salée, avec l'écale. Alors, on a mangé des arachides toute la soirée au clair de la lune.

*J.H.* — Tu t'es habituée à manger du *fufu* et des feuilles de manioc tous les jours ?

*Josée* — Au début, c'est un peu monotone, mais on finit par s'y faire. Ce n'est pas une alimentation très équilibrée. Le *fufu* est fait avec de la farine de maïs et du manioc. Le maïs c'est bien, mais le manioc, ça ne vaut pas grand-chose sur le plan nutritif. Les feuilles sont plus nourrissantes que les racines. Les gens mangent aussi des fruits. Les bananes poussent à longueur d'année. Les ananas aussi. Dans le village, les gens ont toujours une mangue à la main. Les manguiers appartiennent à tout le monde, et chacun cueille des mangues à sa guise.

*J.H.* — Mais tu ne passes pas tout ton temps à jouer avec les enfants et à manger du *fufu*...

*Josée* — J'ai évidemment contribué à la reconstruction de l'hôpital. L'après-midi, je travaillais sur le toit, en plein soleil. Dans l'après-midi, il y avait la corvée de l'eau: dix minutes de marche pour aller à la source... et vingt minutes pour revenir avec nos seaux d'eau ! Mais souvent, il fallait faire la queue avec les *mamous*.

*J.H.* — Donc, il n'y a pas d'eau courante dans ce grand hôpital ?

*Josée* — Non. Il fallait aller chercher de l'eau pour la cuisine, pour laver le linge. Dans les hautes herbes, il y a un coin où les femmes peuvent se laver pendant la journée.

*J.H.* — Et les garçons ?

*Josée* — Ils y allaient le soir.

*J.H.* — Au cours de votre séjour à Kalenda, les participants ont-ils eu des problèmes de santé ?

*Josée* — Très peu. En ce moment, il en a deux ou trois qui ont mal à l'estomac. Ils ont probablement mangé trop de viande lors du réveillon de Noël.

*J.H.* — J'y étais aussi. On avait tué un veau pour la circonstance: il était certainement frais...

*Josée* — Il y avait aussi du porc, dont les gens se méfient avec raison. Nos malades ont dû en manger... Et puis, il y avait la fatigue, l'émotion de devoir bientôt quitter nos amis de Kalenda...

*J.H.* — Ce fut quand même un beau réveillon.

*Josée* — Avec notre arbre de Noël fait avec un bananier... Mais aujourd'hui, tout le monde est vraiment triste à l'idée du départ imminent. Nos amis du village ont passé presque toute la journée avec nous.

*J.H.* — Et dans quelques semaines, la grande tournée du Canada. Es-tu bien préparée ?

*Josée* — Dans mon équipe, certains ont réalisé des diaporamas, alors que je travaillais à la présentation orale avec Michael, Todd et Nkoy. Une sorte de pièce de théâtre. Pendant dix minutes, c'est très formel, presque ennuyeux, avec des tas de chiffres sur le Zaïre. Tout à coup, Todd surgit sur la scène en courant tout essoufflé et en faisant beaucoup de bruit. C'est l'élève qui arrive en retard. Il s'excuse et dérange tout le monde. La présentation formelle reprend, mais Todd l'interrompt sans cesse en disant ne rien comprendre. Il faut lui expliquer le moindre mot. «Qu'est-ce que vous voulez dire avec votre développement ?» «C'est quoi, ça, l'interdépendance ?» etc. Michael fait semblant de réfléchir un moment, puis il s'efforce d'expliquer tout très clairement... ce qui devrait convenir à nos auditoires du Canada. On l'a présenté en avant-première à Mwene Ditu. On nous a dit que nous allions trop loin, que nos auditoires canadiens auraient du mal à comprendre nos histoires de bananes et de multinationales. Nous avons donc décidé de simplifier notre pièce, quitte à servir les bananes et les multinationales aux groupes de Katimavik, sûrement plus aptes à nous comprendre. Nous fondons beaucoup d'espoir sur les participants de Katimavik avec lesquels nous passerons plus de temps puisque nous habiterons avec eux.

*J.H.* — Quelle région canadienne aura le privilège de voir votre grand spectacle, avec ou sans les bananes ?

*Josée* — Les provinces de l'Atlantique. Trois semaines en anglais et trois semaines en français. J'espère que nous aurons un impact sur les gens, au moins sur les jeunes. Les plus vieux ont déjà leurs habitudes, leurs préjugés... Difficile d'en changer. Tandis que les jeunes, comme les participants de Katimavik, seront plus ouverts. Un jour, ils auront des enfants et leur donneront une meilleure compréhension des choses. Nous sommes des mutants...

*J.H.* — Et que feras-tu après la tournée ?

*Josée* — Mon cours d'infirmière, mais aussi des cours de sociologie. Je veux m'engager davantage sur le plan international. Avant Jeunesse Canada Monde, je préférais ne pas trop penser aux misères du monde, surtout à celles des enfants. Ça me rendait vraiment triste. Surtout le soir... Maintenant, je me rends compte que chacun de nous peut fournir sa petite part d'efforts pour changer le cours des choses, améliorer le monde...

*J.H.* — Ensemble, chère Josée, nous allons changer le monde !

*Josée* — J'en suis sûre !

## Commentaires de Josée Galipeau
## sur la tournée canadienne

À cause de l'énorme travail accompli pour la préparation de la tournée canadienne, il n'y eut guère de problèmes de logistique. Nous avons été généralement bien accueillis. La vie dans les groupes de Katimavik m'a plu particulièrement. J'y retrouvais le Canada en plus petit, avec les mêmes barrières et les mêmes imperfections, mais aussi avec la même fougue.

J'ai trouvé un peu difficile de présenter le Zaïre, un pays que je n'avais pas assez connu, pas assez vécu. Pas facile, non plus, de danser sur le même pied que mon coéquipier Steven (Gwynne Vaughan). Mes connaissances en développement international étaient très limitées, comparées à celles de Steven. Il m'a donc appris beaucoup.

Plus encore qu'au développement international, je m'intéresse au développement au niveau local, voire même familial.

Cependant, j'ose espérer que notre présence, partout au Canada, a suffi à ouvrir le coeur d'un certain nombre de gens, et à faire comprendre que le développement international commence localement. Ici même ! Aujourd'hui !

## Josée Galipeau dix ans après

*Après la tournée canadienne, Josée est allée travailler avec une autre participante, Pauline McKenna, dans un camp d'été pour les enfants atteints du cancer et qui y vivent en compagnie de leurs frères et soeurs (le camp Trillium). Une expérience humaine qui a contribué à son orientation. De retour chez elle, à Lac-Mégantic (Québec), elle a continué de travailler auprès des enfants à la garderie Coco-Soleil où elle est toujours. Elle a compris qu'elle ne pouvait changer le monde toute seule et qu'il était plus efficace d'éduquer les enfants. Ensuite, le monde changerait de lui-même...*

*Josée a eu quatre enfants : Raïssa (8 ans), Hansé (6 ans), Maïlé (5 ans) et Youri (3 ans). Elle les élève à la campagne, dans une maison centenaire, entourée d'un vaste jardin. «À tout ce petit monde, dit-elle, j'apprends l'ouverture au vaste monde, le partage, le respect, l'acceptation de la différence. Et, surtout, je leur apprends à aimer...»*

# 3.
## Todd Repushka

*De la Saskatchewan en Inde*

Todd au cours de son programme en Inde. (1985)

*Todd* — Je suis né à Regina, en Saskatchewan. À l'âge de 11 ans, j'ai déménagé en Ontario, où j'ai vécu à Toronto et à London pendant deux ans et demi avec ma mère et ma soeur. À 15 ans, je suis retourné à Regina, où j'ai vécu avec mon père; j'ai terminé là mes études secondaires et fait un an d'université. J'ai ensuite songé à aller poursuivre mes études au *College for Translators and Interpretors* à Sudbury, en Ontario.

*J.H.* — Tu avais déjà des notions de français ?

*Todd* — Ce fut mon sujet *major* durant ma première année à l'université.

*J.H.* — Tu voulais donc devenir traducteur ?

*Todd* — Enfin, je le croyais... Cependant, après un an au *College for Translators and Interpretors,* mon orientation a bifurqué vers l'étude du français pour les non-francophones, parce que j'avais conscience de ne pas encore vraiment posséder la langue. C'est au cours de ma période d'immersion en français que j'ai entendu parler de Jeunesse Canada Monde par une étudiante qui avait fait le programme avec le Bangladesh. Un jour, elle nous a raconté ses expériences en classe. Je me suis dit : «*Wow* ! Ça a l'air drôlement intéressant !» Et j'ai aussitôt soumis ma candidature. Quelque temps après le week-end d'évaluation en Ontario, j'ai reçu un coup de fil de Jeunesse Canada Monde : «Aimerais-tu aller en Inde ?» J'ai répondu : «Donnez-moi une seconde pour y réfléchir !» Et avant même de me rendre vraiment compte de ce qui m'arrivait... j'étais en route pour l'Inde !

*J.H.* — Mais ne deviez-vous pas commencer le programme au Canada, en Colombie-Britannique ?

*Todd* — Originairement, oui. Mais tout a coup on a décidé de faire un programme inversé, c'est-à-dire de commencer en Inde.

*J.H.* — Oui, ça me revient... Le programme inversé... Les autorités de l'Inde ont cru que leurs participants pourraient ne pas être en sécurité en Colombie-Britannique à ce moment-là, à cause de l'agitation d'un petit groupe de Sikhs. Je ne crois pas qu'on avait raison de s'inquiéter, mais nous devons toujours respecter le point de vue de notre interlocuteur étranger. En conséquence, vous êtes d'abord allés en Inde. À froid...

*Todd* — Pas vraiment. Avant le départ, nous avons eu un camp d'orientation de deux semaines et demie. Un des avantages pour les participants canadiens, c'est que nous avons pu établir des contacts avec les familles d'accueil où, dans quatre mois, nous allions vivre avec nos homologues. Ainsi, pendant le séjour en Inde, nous pouvions les tenir informés de notre activité, ces familles devenant encore davantage partie intégrante du programme.

*J.H.* — Dis-moi, Todd, tes premières impressions de l'Inde ?

*Todd* — Il était minuit. Il faisait 30° Celsius. L'humidité, les odeurs, le remue-ménage, tant de choses à voir. On avait du mal à tout avaler ! De la Nouvelle-Delhi, nous sommes allés dans le Sud, dans l'état de Karnataka, où nous avons vécu dans un petit village de 3 000 habitants. J'ai travaillé dans une ferme familiale : dans le vignoble, la rizière, le champ de *ragi*, le jardin potager et, par-dessus le marché, je lavais les vaches une fois par semaine. Je participais également au projet du groupe : la construction d'un petit centre communautaire.

*J.H.* — Et ta famille d'accueil ?

*Todd* — Elle était absolument unique ! Ce n'était pas la famille élargie habituelle :

seulement le père, la mère et les enfants. Le père n'était pas riche selon nos standards, mais il jouissait d'une certaine aisance, il était très considéré dans la communauté. En incluant mon homologue et moi, nous étions sept dans la famille.

*J.H.* — Tu te sentais vraiment un membre de la famille ?

*Todd* — Ah oui !

*J.H.* — Tu appelais tes «parents» comment ?

*Todd* — Papa, maman... Ils faisaient de même et ils appelaient mon homologue et moi leurs fils. Ils nous ont même emmené au village de la mère pour nous *montrer* au reste de la famille ! On a donc pu s'intégrer à la famille entière. Nous avons établi une excellente relation qui dure toujours, par correspondance.

*J.H.* — Peut-être iras-tu la revoir un jour...

*Todd* — Je l'espère bien !

*J.H.* — Parle-moi de ton homologue.

*Todd* — Mon frère.

*J.H.* — Ton frère ?

*Todd* — Oui, mon petit frère. Il venait de Bombay. Un étudiant de deuxième année au *Sydenham College* de Bombay. Il faisait partie des cadets du *National Cadet Corps*. Entre nous, cela a «cliqué» très vite, surtout en Inde, bien qu'il nous ait fallu un certain temps avant de nous connaître vraiment.

*J.H.* — Il avait plus ou moins ton âge ?

*Todd* — Non. Il avait 17 ans alors que j'en avais 21.

*J.H.* — C'est pourquoi tu l'appelles ton petit frère...

*Todd* — Une façon de parler. Je n'ai jamais senti qu'il avait 17 ans et moi 21 ans. Parfois, c'est comme s'il avait 30 ans... et moi 17 ans ! Il m'a beaucoup aidé à comprendre la culture, les traditions, les choses qu'il faut faire et celles qu'il ne faut pas faire. Plusieurs fois, cependant, il était aussi étonné que moi parce qu'il venait d'une autre région de l'Inde. La nourriture, la langue, les vêtement n'étaient pas les mêmes. Alors, ça devenait une expérience nouvelle pour lui autant que pour moi.

*J.H.* — Tu avais des contacts avec d'autres gens dans le village ?

*Todd* — Nous habitions le village de Jakkur, mais le projet de travail du groupe se trouvait à Srirampur, à trois kilomètres. Alors, on avait des contacts avec les familles d'accueil des autres participants, avec les travailleurs, avec les enfants, surtout les enfants. J'adore les enfants !

*J.H.* — Tu as mentionné que votre projet de travail collectif était situé à trois kilomètres. Vous y alliez comment ?

*Todd* — À pied.

*J.H.* — Sous un soleil brûlant...

*Todd* — Nous partions tôt le matin et nous suivions la voie ferrée. On se retrouvait tous, on sautillait sur les rails, discutant de ce que nous avions fait la veille, rencontrant les femmes qui transportaient de l'eau, les paysans en route vers leur champs...

*J.H.* — Qu'est-ce que l'Inde t'a appris de plus important ?

*Todd* — J'ai appris beaucoup et je continue d'apprendre. Mais la plus grande chose que j'aie découverte en Inde, c'est la belle intimité de la famille, l'importance des liens familiaux, qu'on tient pour acquise au Canada. Cela m'a fait une impression profonde.

*J.H.* — As-tu découvert d'autres valeurs, qui étaient aussi les nôtres jadis, et que nous aurions perdues ?

*Todd* — L'importance de la religion dans la vie quotidienne. Ma famille était hindoue. Je faisais le *pooja* avec eux.

*J.H.* — C'est quoi, le *pooja* ?

*Todd* — La prière.

*J.H.* — Tu as appris un peu l'*hindi* ?

*Todd* — Un peu. Cependant, la langue qu'on parlait dans mon village, ce n'était pas l'*hindi*, mais le *kannada*. Bien que l'*hindi* soit la langue nationale, on ne la parle guère dans cette région. Seulement dans l'administration et, encore là, on utilise beaucoup le *kannada*.

*J.H.* — Et un jour, vous êtes tous revenus au Canada pour la deuxième phase du programme, qui devait se dérouler en Colombie-Britannique.

*Todd* — Nous nous sommes retrouvés à Nelson, en pleine région des Kootenay, dans nos familles d'accueil, que les participants canadiens connaissaient déjà. Nous devions travailler dans le cadre du programme *Early Childhood Education*, ce qui était intéressant parce qu'il y avait cinq projets de travail. Nous passions de l'un à l'autre, travaillant à la bibliothèque qui venait d'ouvrir, à une garderie, la *Nelson Childhood World*, à l'école primaire comme instituteurs adjoints, au *Taking Action For Special Kids*, un programme pour les enfants qui avaient des besoins particuliers, ainsi que dans une autre garderie affiliée au *Nelson Daycare Family Society*.

*J.H.* — Et comment a réagi ton homologue devant tout cela ?

*Todd* — À toute chose, il s'adaptait à son rythme. Même la neige ne l'a pas étonné. Il avait déjà vu de la neige en Inde, dans les montagnes. Il adorait la neige, il adorait le ski. Il s'est adapté aussi bien que les Canadiens, sinon mieux.

*J.H.* — Comme il s'agissait d'un programme inversé, était-il moins intéressant pour les Canadiens de se retrouver au Canada pour la deuxième phase ?

*Todd* — J'ai cru que ce pourrait être moins intéressant, mais bien à tort. En fait, nous allions découvrir une autre région de notre pays, une nouvelle communauté, une nouvelle famille. Et découvrir tout cela en compagnie de mon homologue... Je me souviens d'en avoir discuté avec d'autres participants qui songeaient à rentrer chez eux. Pour ma part, j'aurais souhaité que cette phase dure encore plus longtemps.

*J.H.* — Après le programme, quels étaient tes plans personnels ?

*Todd* — Ah ! ils étaient dispersés aux quatre vents ! J'ai songé à rester à Vancouver, à gagner un peu d'argent pour retourner en Inde, ou à entreprendre des études. Au bout de cinq jours à Vancouver, j'ai pris une décision : «Bah ! À ce moment-ci, je dois rentrer à la maison». Je suis donc retourné à Regina, où j'ai travaillé dans un restaurant coopératif et comme directeur des activités à l'école élémentaire de *Parks and Recreation*. En fin de compte, je n'étais ni à Vancouver, ni en Inde, ni aux études ! Et c'est alors, en septembre, que je reçus l'appel de Jeunesse Canada Monde au sujet du programme au Zaïre. Comme je n'avais aucun plan précis en tête, je me suis dit : «L'occasion frappe... je vais ouvrir la porte !» Avant même de me rendre compte de ce qui m'arrivait, je me suis retrouvé en plein camp d'orientation, à Saint-Liguori...

*J.H.* — ... avec une bande de participants qui, comme toi, avaient vécu le programme dans un pays ou un autre.

*Todd* — C'était vraiment emballant. Il y avait beaucoup d'énergie dans l'air, et nous étions tous impatients de passer à l'action.

*J.H.* — Et d'arriver au Zaïre...

*Todd* — Ah ! Kinshasa... Je me suis tout de suite senti à l'aise en mettant le pied à l'aéroport. Il y avait beaucoup de chaleur... et je ne parle pas de la température ! Les gens étaient extrêmement accueillants et gentils, et sans doute curieux de voir une vingtaine de *Bandelés* (Blancs) traverser la ville en camion à une heure du matin. Avec quelques autres, j'étais assis sur un monceau de bagages à l'arrière du camion de trois tonnes. La musique s'échappait encore de tous les bars, des groupes de promeneurs bavardaient et riaient, nous saluant avec des geste ou des cris. J'étais bouleversé par l'esprit de solidarité de ces gens. Après quelques jours à Kinshasa, nous prenions la route de Kalenda, «*my home away from home.*»

*J.H.* — Un humble village de paillotes...

*Todd* — Mais avec d'impressionnants vestiges de l'époque coloniale. D'énormes édifices abandonnés...

*J.H.* — ...que vous essayez désespérément de rénover !

*Todd* — Oui, par exemple en changeant les gouttières de métal de certains pavillons de l'hôpital, en rénovant de fond en comble la maison destinée au médecin : des carreaux des fenêtres aux tuiles du toit, de la peinture intérieure à la finition extérieure.

*J.H.* — Et la vie en groupe, c'était comment ?

*Todd* — Un défi ! Surtout si l'on considère qu'il fallait travailler à la fois à la reconstruction de l'hôpital et à nos présentations. Nous avons bien travaillé ensemble aux présentations audiovisuelles. Cependant, la vie en groupe, pendant trois mois... Pour ma part, j'ai besoin d'un peu de solitude à l'occasion. Ici, on était soit avec les participants, soit avec les gens du village. Il était très, très difficile de se retrouver seul. Sauf aux toilettes ! C'est surtout le soir que j'avais des contacts avec les enfants et les gens du village. Quand on travaillait à l'hôpital, on était plutôt séparés d'eux, qui vaquaient à leurs occupations de leur côté. Après le travail, quand nous allions nous laver près du puits du village, nous y retrouvions les femmes dont c'était le point de ralliement puisqu'il n'y avait pas d'autre source d'eau.

*J.H.* — Les participants avaient donc les mêmes corvées quotidiennes que les femmes ?

*Todd* — Ah oui ! Plusieurs de ces femmes avaient des parents malades qui se trouvaient à l'hôpital, où elles venaient leur rendre visite. Très vite, elles ont appris à nous connaître et nous appelaient par nos noms... ou nos sobriquets.

*J.H.* — Tu avais un sobriquet ?

*Todd* — Les gens m'appelaient Mario ou... Citoyen Mbuyi.

*J.H.* — *Mbuyi*, qu'est-ce que ça signifie ?

*Todd* — Je crois que ça veut dire jumeau. Ici, à l'Institut médical du village, j'avais un ami qui s'appelait Mbuyi. C'est peut-être pour ça qu'on m'appelait Citoyen Mbuyi. Je fréquentais l'Institut pour connaître les étudiants, me familiariser avec leur mode de vie, comprendre le point de vue des jeunes.

*J.H.* — Il était facile de communiquer avec les gens ?

*Todd* — Très facile. Les villageois étaient des plus chaleureux; ils nous offraient à boire, ils nous invitaient à danser.

*J.H.* — Des danses traditionnelles ?

*Todd* — Des danses traditionnelles, mais aussi des danses populaires.

*J.H.* — Tu es bon danseur ?

*Todd* — Je fais mon possible !

*J.H.* — Peu de villageois parlent le français. C'était un problème?

*Todd* — Non pas tant un problème qu'une occasion d'apprendre leur langue. Un soir, je me souviens que j'étais assis à même le sol avec quelques personnes qui ne savaient pas un mot de français, sauf «Bonjour ! Comment ça va ?» À force de signes, en imitant parfois le cri d'un animal, ils m'ont enseigné un peu de *tshiluba*, la langue de la région.

*J.H.* — Votre séjour en Afrique tire à sa fin... Que t'aura-t-il appris de plus important ?

*Todd* — Comme l'Inde, l'Afrique m'a appris l'importance de la famille. Et comment l'esprit de solidarité, de partage, de communication franche passe de la famille à la communauté. J'ai appris la joie, le bonheur qui émane d'une vie très simple, mais combien satisfaisante. J'ai aussi appris la patience, essentielle pour s'adapter au rythme de la vie d'ici. Je suis devenu plus sensible, plus conscient.

*J.H.* — Tes vues sur le développement ont-elles changé ?

*Todd* — Je ne sais pas si elles ont changé vraiment. Peut-être se sont-elles élargies, mettant les choses dans leur contexte. Je me suis initié aux problèmes de développement de façon pratique, à travers l'agriculture, l'éducation, la santé, l'économie, les structures sociales...

*J.H.* — Cela devrait t'aider, dans les mois qui viennent, à communiquer avec des centaines, des milliers de Canadiens.

*Todd* — Cette tournée du Canada me parait être la phase la plus importante de notre programme. C'est alors que notre grand objectif sera mis en oeuvre : sensibiliser les jeunes Canadiens, les Canadiens en général, transmettre notre message. Je suis loin d'être un expert en développement, mais c'est justement ce que je voudrais qu'on comprenne. Vous n'avez pas besoin d'être un expert, un professionnel ou un fonctionnaire : il vous suffit de réagir à votre propre niveau, dans votre propre communauté. Vous n'avez pas besoin d'aller dans un pays étranger pour pouvoir dire ensuite : «O.K., me voilà ! Je me suis littéralement plongé dans la question du développement !» Quoi qu'il en soit, je m'engage dans cette tournée avec une grande motivation. Je suis sûr que nous réussirons à sensibiliser les gens sur le Zaïre, sur l'Afrique, sur les autres cultures et sur les questions de développement.

*J.H.* — Après la tournée canadienne, qu'as-tu l'intention de faire?

*Todd* — J'ai une vague idée. Avant le Zaïre, je songeais à faire des études en éducation. Le programme m'a confirmé dans mon projet. Comme j'aime beaucoup travailler avec les jeunes enfants, j'étudierai l'éducation primaire. J'espère mettre au point un programme d'éducation au développement adapté aux élèves du primaire. J'aimerais travailler au Canada, pour qu'on profite de mes expériences à l'étranger, mais également à l'étranger afin de partager notre culture, notre mode de vie, notre éducation.

*J.H.* — Si tu le veux vraiment, Todd, cela va arriver !

## Commentaires de Todd Repushka
## sur la tournée canadienne

«Qu'est-ce qui vous vient à l'esprit quand vous entendez le mot Afrique ?» C'est avec cette question que nous interpellions nos auditoires durant notre tournée de six semaines dans l'ouest du Canada. De Vancouver jusqu'à Portage-La-Prairie, au Manitoba, la réponse des Canadiens de tous âges était sensiblement la même : «La famine, l'apartheid, le désert, la jungle, Tarzan...»

De bonnes réponses, sans doute, mais il n'était jamais question des Africains, des gens semblables à eux, avec leur propre culture, leur religion, leurs joies, leurs peines, leurs ambitions et leurs réalisations. Non seulement nos auditoires oubliaient les gens, mais la plupart ne se rendaient même pas compte que l'Afrique n'était pas un pays mais un continent.

Notre objectif, c'est-à-dire la sensibilisation des Canadiens aux questions de développement à travers le Zaïre, a été atteint avec succès. Nous avons réussi à toucher les gens de tous les groupes d'âge et des milieux les plus divers : étudiants, instituteurs, membres de groupes communautaires et d'églises, participants de Katimavik avec lesquels nous habitions. Nous avons discuté, nous avons échangé et partagé des idées avec nos interlocuteurs. Souvent, nous avons été étonnés de la similitude de nos vues... et toujours nous avons accueilli nos divergences avec joie.

Après cette tournée de six semaines, j'ai un immense désir d'en apprendre davantage sur les autres, non seulement à l'étranger, mais aussi au Canada. Je crois important d'abolir la barrière des stéréotypes et du sensationnalisme qui nous éloigne les uns des autres. Regarder au-delà des différences et apprécier les similitudes n'est qu'un premier pas. Mais c'est un bon moyen d'aller plus loin !

## Todd Repushka dix ans après

*Inspiré par la tournée canadienne dans le cadre du programme Zaïre, Todd a poursuivi des études en pédagogie des langues. Francophile enthousiaste, il s'est établi au Québec, où il a travaillé comme professeur d'anglais et coordonnateur d'un programme d'échange linguistique. Son désir d'œuvrer dans le contexte interculturel a ramené Todd au bercail de Jeunesse Canada Monde. Cette fois, il a participé en tant qu'agent de projet aux programmes avec le Rwanda et le Togo (1990 et 1991).*

*Todd, toujours assoiffé d'aventures et de nouveaux défis, est reparti à l'étranger (en Pologne) au début de 1993. Pendant deux ans et demi, il a enseigné aux futurs professeurs d'anglais au Collège de formation de maîtres de langues étrangères à Rzeszow. À son retour de Pologne, Todd s'est établi dans la Vallée de la Matapédia, au Québec, où il travaille comme professeur d'anglais itinérant au niveau primaire. Mais, déjà, il rêve à de nouveaux projets...*

# 4.
# Susan Machum

## *Du Nouveau-Brunswick à la Bolivie*

«La vie est belle !» semble dire Susan...

*Sue* — Ma famille habite une ferme dans une région rurale du Nouveau-Brunswick, à Hampstead. Quand j'étais jeune, mon père faisait l'élevage des porcs, mais maintenant la ferme est réduite à sa plus simple expression. Mes parents élèvent des poules et des canards et ils cultivent des fruits et des légumes destinés à notre propre consommation. J'ai trois frères et une soeur. J'ai terminé ma troisième année au *St. Thomas University* à Fredericton, où j'ai fait de la sociologie en orientant mes études sur les femmes et le développement, les femmes et la religion. J'ai aussi pris des cours d'espagnol, mais pour l'instant, j'ai mis l'espagnol de côté, le temps que j'apprenne le français. J'ai cessé de prendre des cours de français en 10$^e$ année : c'est un grand défi que de m'y remettre aujourd'hui.

*J.H.* — Comment t'est venue l'idée de te joindre à Jeunesse Canada Monde ?

*Sue* — J'étais en 10$^e$ année au *St. John High School*, où je prenais un cours de géographie. Des participants de Jeunesse Canada Monde sont venus parler dans notre classe. J'ai aussitôt noté l'adresse du bureau régional de l'Atlantique. Mais je n'avais que 15 ans, et j'étais trop jeune pour soumettre ma candidature. J'ai donc oublié tout cela. Plus tard, à la fin de ma première année d'université, deux de mes très bons amis devinrent participants : Peter Thomas est allé en Jamaïque, et Sally Dibblee en Indonésie. Au cours de l'été, ils se préparaient à partir. Je travaillais dans un camp d'été avec Peter, et c'est alors que je me suis souvenue de la visite des participants dans ma classe. Mais je n'y pensais pas sérieusement. Je faisais alors ma deuxième année à l'université, sans être vraiment satisfaite de mes études parce que je commençais à voir les choses sur un plan plus large que mes camarades d'université. Mes amis s'intéressaient surtout aux *parties* du prochain week-end. Parce que j'habitais hors campus, j'ai commencé à me rendre compte qu'il y avait une ville tout autour, une ville qui avait beaucoup plus à offrir que le campus. C'est alors que j'ai compris qu'il y avait une sorte de mur autour de l'université et que les étudiants ne voyaient pas ce qui se passait de l'autre côté. Au cours des vacances de Noël, j'ai soumis ma candidature à Jeunesse Canada Monde. J'ai bientôt reçu une lettre qui m'apprenait que ma demande, hélas ! avait été rejetée... et merci beaucoup ! Et je me suis dit : «Bah ! Tant pis !» Je m'apprêtais à reprendre mes études quand, en février, je reçois un coup de téléphone de Jeunesse Canada Monde : un participant ne s'était pas présenté, et on m'offrait sa place, à condition bien sûr de me soumettre à une interview à Moncton. Cela dura une journée entière. Enfin, à la mi-avril, j'appris que j'avais été choisie pour le programme avec la Bolivie.

*J.H.* — Avais-tu indiqué ta préférence pour l'Amérique latine ?

*Sue* — Oui, bien sûr, parce que j'étudiais l'espagnol. Je voulais me perfectionner dans cette langue, mais, de toute manière, j'étais intéressée à travailler dans un projet de développement en Amérique du Sud. La partie canadienne du programme s'est déroulée en Nouvelle-Écosse et à l'Île-du-Prince-Édouard. Pour ma part, j'ai vécu dans une ferme où on élevait des bovins, dans la région de Wallace-Pugwash, en Nouvelle-Écosse. Ma famille d'accueil élevait cinquante têtes de bétail, ce qui m'intéressait vivement. Bien que mes propres parents possèdent une petite ferme, je ne m'y étais jamais vraiment intéressée. Pendant l'été, je disparaissais de la ferme pour m'occuper d'autre chose, et je n'y étais jamais au moment des semailles. C'était vraiment bien de me retrouver dans une ferme dans les Maritimes : cela m'a permis d'apprécier davantage le mode vie de mes parents.

*J.H.* — Parle-moi un peu de ta famille d'accueil ?

*Sue* — Ah ! Je me suis très bien amusée avec Eden et Marita McDonald. Ils avaient moins de 30 ans, et leur unique enfant en avait cinq. Ensemble, nous cultivions un petit jardin de légumes. Comme c'était l'été, le bétail était au pâturage. Alors, en plus du jardinage, nous nous occupions à de menus travaux, comme la réparation des clôtures. Ce n'était pas un grand projet.

*J.H.* — Tu n'as pas encore dit un mot de ton homologue bolivien...

*Sue* — Mon homologue venait du village de Tomayapom, en Bolivie, et il s'appelait... Concepcion ! Mais au Canada, nous l'appelions Sandy. C'était plus facile pour la famille. Il était content d'être au Canada, mais il trouvait difficile d'avoir pour homologue une fille qui avait son franc-parler. Je ne crois pas qu'il avait l'habitude de ce type de relations ! De plus, il est arrivé avec des idées préconçues quant à ce qu'il allait apprendre, et il était désappointé qu'il en soit autrement. Plusieurs des Boliviens de notre groupe s'attendaient à faire des études intensives en agriculture, alors que l'agriculture n'est pas la même dans les deux pays. Il a appris à conduire un tracteur, mais dans sa région, en Bolivie, il n'y a pas de tracteurs.

*J.H.* — De toute évidence, les participants boliviens avaient été mal informés au départ. Mais t'entendais-tu bien avec Concepcion... pardon, Sandy ?

*Sue* — Oui. Nous étudiions l'espagnol et l'anglais tous les deux et nous avions d'intéressantes discussions sur les différences entre les cultures. En Bolivie, j'ai demeuré dans sa famille de cultivateurs. Sandy avait une soeur et trois frères. La famille cultivait les pêches et élevait des chèvres qui nous donnaient du lait, mais surtout du fromage qu'on allait vendre au marché. Comparée aux autres familles de la région, la mienne était plutôt à l'aise.

*J.H.* — Qu'est-ce qui t'a le plus impressionnée en arrivant en Bolivie ?

*Sue* — Je me souviens des premières images : la terre très sèche, toute craquelée, traversée de crevasses profondes. Je me souviens d'avoir pensé que c'étaient là les cicatrices d'une terre exploitée sans ménagement. Une terre désherbée, assoiffée. Une autre image frappante : celle des femmes marchant avec d'énormes seaux d'eau sur la tête, un bébé accroché à leur dos et suivies d'une ribambelle d'enfants. Je me souviens de ces centaines de femmes aux robes multicolores lavant leur linge au bord de la rivière. Je me souviens des odeurs de la rue, des marchés. J'ai passé ma première journée à me promener et à regarder, à essayer d'absorber tout cela. Plus tard, on s'habitue, tout fait partie intégrante de votre milieu...

*J.H.* — Il est très étonnant que ta famille d'accueil ait été la propre famille de ton homologue. C'est contraire à la politique de Jeunesse Canada Monde.

*Sue* — Dans notre programme, c'est arrivé dans une dizaine de cas. L'aspect négatif de la chose, c'est qu'en revenant chez lui, mon homologue a retrouvé ses obligations sociales et familiales. Par contre, parce qu'il a vécu trois mois à mes côtés, il était en mesure d'expliquer à ses parents son attitude à mon égard. Cela m'a aidée à établir rapidement de bonnes relations avec tous les membres de la famille. J'ai eu beaucoup de plaisir à partager leur vie et, au moment de mon départ, nous avions tissé des liens solides.

*J.H.* — À quelle tâche t'es-tu consacrée pendant ton séjour ?

*Sue* — J'ai travaillé à la cuisine presque tout le temps ! J'ai un peu participé aux travaux des champs, à leur irrigation. Au début, je me suis sentie un peu frustrée de passer tant de temps dans la cuisine, alors que je croyais être dans un programme axé sur l'agriculture. Peu à peu, je me suis rendu compte que je jouais un rôle très important dans la famille, et qu'il concernait tout à fait l'agriculture : j'étais à une extrémité de la chaîne alimentaire ! J'avais prévu de travailler à l'autre extrémité, mais c'était bien comme ça.

*J.H.* — Tu aimais la cuisine bolivienne ?

*Sue* — Oui. J'adore les *empanados*. En Bolivie, ce qui est intéressant, c'est qu'on doit changer complètement de régime. On mange légèrement le matin et le soir : pain, café, ou pain et fromage. Le gros repas se prend à midi, ce qui n'est guère dans nos habitudes. Mais je me suis vite adaptée. Je me couchais très tôt le soir, vers 19 heures. Et le matin, j'étais debout vers 7 ou 8 heures. Comme nous étions dans une région rurale, il n'y avait ni magasins, ni endroits où les gens auraient pu se rencontrer, ni *plaza* pour se promener le soir. Malgré tout, ce genre de vie me plaisait. Au milieu de mon séjour, mon homologue et moi sommes allés rendre visite à la famille de son frère, à Tarija. Les parents et les trois enfants dans une pièce d'environ 10 pieds sur 10 étaient déjà à l'étroit. Il y avait trois lits, une table, un réchaud. Nous sommes tout de même restés trois jours...

*J.H.* — Et le problème de la langue ?

*Sue* — Bien, on finit toujours par dire ce qu'on veut dire. Mais il faut accepter qu'on ne sera pas toujours compris. Il faut en rire ! En fait, je pouvais fonctionner en espagnol, mais je ne pouvais participer aux discussions autant que je l'aurais voulu. Par exemple, je n'étais pas très à l'aise dans les discussions d'ordre politique. J'ai continué à étudier l'espagnol. Bien sûr, j'avais une base, mais elle s'est consolidée et maintenant je peux aller plus loin.

*J.H.* — Pendant ton séjour en Bolivie, as-tu acquis des connaissances nouvelles sur le développement, les problèmes du Tiers-Monde ?

*Sue* — Certainement. À mon retour au Canada, j'ai repris mes études, ce qui me paraissait le meilleur moyen d'approfondir ce que j'avais appris en Bolivie. J'ai mis mes expériences sur papier. Je me suis davantage intéressée à la question des femmes et du développement en Bolivie, parce que j'ai eu beaucoup de contacts avec les femmes de ma famille d'accueil, avec leur style de vie. Une chose qui m'avait particulièrement frappée, c'est la façon dont la religion était intimement liée à la vie quotidienne des Boliviens. Selon moi, le développement devrait viser à l'épanouissent de l'individu plutôt qu'au simple développement économique, mais je me suis vite rendu compte que ce n'était pas possible. Les gens ne peuvent atteindre à un bien-être spirituel si leurs besoins économiques ne sont pas comblés. Ils doivent pouvoir se procurer la nourriture et les vêtements et les autres nécessités de la vie, comme les soins médicaux et l'éducation. Tout cela fait partie du développement, et le développement spirituel ne peut arriver sans le développement économique. C'est durant le programme que j'ai commencé à comprendre ces choses. C'est un champ immense, et j'ai encore beaucoup à apprendre !

*J.H.* — Tu es donc retournée à l'université... jusqu'à ce que Jeunesse Canada Monde viennent encore te distraire !

*Sue* — C'est ça. À la fin de l'année universitaire, j'ai trouvé un travail pour l'été. C'est alors que je reçus un coup de téléphone de Norma Scott du bureau régional de l'Atlantique. Elle voulait savoir si j'étais intéressée à aller au Zaïre. Bien sûr que je l'étais... mais je m'étais inscrite à l'université ! Alors, j'ai fait la liste des avantages et des désavantages d'un départ pour le Zaïre. Les *pour* et les *contre*. Je voulais terminer mon premier cycle universitaire en 1986, et il me fallait donc sacrifier encore une année. Mais j'ai toujours voulu voyager et, avec Jeunesse Canada Monde, on a tellement plus d'occasions d'apprendre tout en voyageant. Et je voulais apprendre le français, ce que je pourrais faire au cours du programme. Un autre *pour*. Bref, la liste des *pour* s'allongeait plus vite que celle des *contre*. Alors, je me suis rendue à l'interview, toute confiante. Je voulais vraiment me familiariser avec les techniques de communication et découvrir un autre partie du monde, l'Afrique, avec Jeunesse Canada Monde. J'ai eu un mois pour préparer mon départ, car, parce que j'étais une participante anglophone, il me fallait passer une semaine d'immersion en français, à Québec, dans la famille de Carole Godin, une participante francophone.

*J.H.* — À ce moment-là, tu ne parlais pas un mot de français ?

*Sue* — Pas un mot. Quand je suis arrivée à l'aéroport de Montréal, je n'étais même pas capable de dire «Bonjour ! Comment ça va ?» Je pouvais parler un peu avec Sylvie, une participante qui connaissait l'espagnol. Je parlais anglais avec Carole, qui était parfaitement bilingue, ce qui m'a beaucoup aidée pendant mon séjour dans sa famille. Nous étudiions la grammaire française tous les jours. Au camp d'orientation, à Saint-Liguori, on a eu des cours de langue vraiment super. Cela m'a donné une base qui allait m'être très utile au Zaïre.

*J.H.* — Oui, un jour, le Zaïre...

*Sue* — En arrivant à Kinshasa, je me souviens qu'il faisait très chaud. Il était très tard le soir, et l'air était rempli d'une lourde odeur de fumée provenant des réchauds au charbon de bois. Nous étions morts de fatigue, mais c'était grouillant d'activité dans l'aérogare, où nous attendaient des personnages politiques, avec les caméras de télévision. Il n'y avait rien eu de semblable en Bolivie, et nous ne nous attendions certes pas à un tel accueil. Quand nous sommes enfin arrivés à Niganda, le centre où nous devions rester quelques jours, les participants zaïrois dormaient déjà. Nous les avons réveillés, car nous savions qu'il est très important pour les Zaïrois de bien accueillir les visiteurs. Les jours suivants, nous avons visité Kinshasa, exploré ses marchés, parlé avec les gens et, surtout, avec nos homologues, à qui nous avons fait une présentation sur le Canada, en leur expliquant notre intention de préparer avec eux des présentations audiovisuelles sur le Zaïre, technique qui ne leur était pas encore très familière.

*J.H.* — Après une semaine à Kinshasa, ton groupe s'est installé à Kalenda, quelque part dans le Kasaï oriental ?

*Sue* — Kalenda est un endroit fort intéressant en raison de ses vestiges de l'époque coloniale. On y trouve encore des édifices énormes construits par les Belges dans les années 1940. La plupart de ces édifices font partie d'un immense complexe hospitalier qui a ouvert ses portes en 1952. Quand le Zaïre devint indépendant en 1960, la plupart des médecins retournèrent en Belgique, laissant un hôpital démuni de personnel et qui a finalement été abandonné pendant les désordres que le Zaïre a connus entre 1960 et 1966. La section la plus bizarre de cet hôpital vide est celle qui a été bombardée : plein d'arbres ont poussé à l'intérieur des murs. Quand on explore ce lieu étrange, on trouve toujours quelque chose de nouveau. Comme nous devions travailler à la reconstruction de l'hôpital, il a été décidé que nous vivrions en groupe, sur place, dans une des grosses maisons abandonnées par les Belges. Ce qui fut à la fois bon et mauvais. Les Belges avaient construit cette section de Kalenda, *leur* section, à quelque distance du vieux village zaïrois, ce qui rendait très difficile l'intégration des deux sections. C'est encore vrai aujourd'hui, et nous nous rendons compte qu'une journée entière peut se passer sans que nous allions au village lui-même. Les Belges avaient fait en sorte qu'il existe deux modes de vie à Kalenda, sans communication entre eux. Cette situation physique nous rendait difficile l'intégration avec les villageois. Heureusement, nous avons avec nous notre *mama* qui fait la cuisine et qui nous facilite les communications avec les Zaïrois. Au début, je me souviens qu'elle était très mal à l'aise avec nous. Et maintenant... elle nous dit qu'elle va pleurer quand nous allons partir ! Nous ne parlons pas sa langue, le *tshiluba*, mais nous nous parlons tout de même, avec des gestes, des expressions. Cela nous a donné une bonne leçon en communication : apprendre à transmettre une idée par des gestes, des dessins, réussir ainsi à parler de choses et d'autres.

*J.H.* — Et vous aviez un projet de travail énorme.

*Sue* — Ah oui ! Cela faisait partie du problème : l'énormité de la tâche à accomplir. Avant de quitter le Canada, nous croyions que nous allions travailler à la reconstruction du pavillon central et d'un pavillon latéral de l'hôpital de Kalenda. Hélas ! les matériaux de construction dont nous avions besoin sont arrivés trois semaines en retard, ce qui a retardé d'autant le début des travaux. Nous avons utilisé ce temps à faire des choses moins essentielles : nettoyer la résidence de l'éventuel médecin, en chauler les murs. Comme le toit de la maternité coulait, nous avons essayé tant bien que mal de le réparer.

*J.H.* — Avez-vous le temps de communiquer un peu avec les gens du village ?

*Sue* — Un peu, mais je trouvais cela difficile à cause de mon français encore hésitant. Nous avons été capables de nous intégrer grâce à des présentations sur le Canada dans les écoles. D'ailleurs, les enfants du village sont très ouverts; ils viennent nous voir à la maison, nous bavardons avec eux, nous jouons aux cartes.

*J.H.* — À l'hôpital, on trouve des religieuses zaïroises. Vous vous entendez bien avec elles ?

*Sue* — Elles sont entièrement dévouées à la cause de l'hôpital, ce qui est un grand avantage pour Kalenda et le développement de la région. Il leur arrivait parfois de nous irriter parce qu'elles n'aimaient jamais la façon dont on s'habillait... par exemple quand nos pagnes ne nous couvraient que les trois quarts de la jambe ! Alors, les soeurs tiraient sur notre pagne jusqu'à ce qu'il cache nos chevilles. Ce n'était pas facile à accepter.

*J.H.* — Selon leurs traditions, c'était normal...

*Sue* — Une des choses à laquelle j'ai eu du mal à m'adapter, c'est le côté direct des Zaïrois. Dès le début, alors que je ne connaissais pas encore les gens, ils étaient très directifs. Ce fut un choc. Ça fait partie du choc culturel, quelque chose auquel il faut s'habituer. Dans un premier temps, j'ai eu du mal à ne pas me sentir personnellement visée, jusqu'à ce que je me rende compte que les Zaïrois parlaient de cette façon à tout le monde, pas seulement à moi.

*J.H.* — Vous étiez donc habillés comme les gens du village ?

*Sue* — Oui. Ils aimaient ça. Le pagne est un très beau vêtement, aux couleurs vives, très confortable. De plus, il se lave facilement et sèche vite.

*J.H.* — En plus de reconstruire une partie de l'hôpital, vous deviez évidemment travailler à vos présentations ?

*Sue* — Pour ma part, je préparais des sketches sur différents thèmes touchant au développement, par exemple le colonialisme. Faire comprendre comment ce système continue encore aujourd'hui d'influencer la situation économique du Zaïre. C'est particulièrement évident à Kalenda : partout, tous les jours, on voit ce qu'ont laissé les Belges. On est frappé par le contraste entre le village de paillotes et les énormes maisons des Belges. Il me semble important que nous soyons très *visuels* dans nos présentations. Nous aurons beaucoup plus d'impact au Canada si nous réussissons à rendre *visibles* certains concepts, par exemple que 20 p. cent de la population du monde consomme 80 p. cent de ses ressources. Quand les gens entendent le mot développement, ils se rebiffent, cela leur paraît trop énorme, trop vaste, ils n'ont aucune envie de s'en approcher. Et puis, il y a trop de définitions du développement. Personne ne s'en fait une idée juste. J'espère au moins que nous saurons faire comprendre aux gens que le développement peut commencer au niveau local, dans leur communauté. Il existe beaucoup d'organisations au Canada, mais il faut commencer par développer sa propre communauté avant de pouvoir avoir une action globale. Dans notre société, la multiplicité des messages des médias nous immunise contre ce que nous voyons. Les images projetées par la télévision ont perdu tout impact. Il s'agit toujours d'images négatives : l'Éthiopie, l'Afrique du Sud... Seules les nouvelles à sensation se vendent. Je ne crois vraiment pas que les Canadiens soient conscients qu'ils pourraient avoir accès à d'autres sources d'information. Les gens ont besoin d'être touchés personnellement avant de pouvoir commencer à toucher les autres. Quant à moi, je crois que je suis maintenant plus sensibilisée aux questions de développement, mais c'est un processus constant. Je dois donc continuer de travailler pour que ça ne s'arrête pas. Cette fois, à mon retour chez moi, je veux vraiment retourner à l'université et terminer mes études en sociologie. Dans ce domaine, il est très important de voyager pour étudier le mode de vie des gens. De plus, en multipliant les contacts avec d'autres cultures, je serai mieux en mesure de comprendre la culture du Canada. Je songe à faire ma maîtrise en sociologie, peut-être à l'université de Toronto. Je ne sais pas encore si je me concentrerai sur la question des femmes et du développement, des femmes et de la religion. Chose certaine, je ferai des choses que j'aime.

*J.H.* — Tu as un mot de la fin ?

*Sue* — J'ai eu des expériences intéressantes et éducatives, mais peut-être n'ai-je pas appris toutes les choses que je croyais pouvoir apprendre. Quoi qu'il en soit, ce que j'ai appris m'aidera à devenir une meilleure personne.

## Commentaires de Susan Machum
## sur la tournée canadienne

C'est après y avoir longuement réfléchi que j'ai pu apprécier le succès de la tournée canadienne. Quand nous voyagions d'une communauté à l'autre et que nous passions d'une présentation à l'autre, nous étions trop pris dans l'action immédiate pour voir l'ampleur de l'impact que nous avions.

Miango, le participant zaïrois, prenait tout le monde au dépourvu en saluant l'auditoire dans sa langue, le *lingala*. Parfois les étudiants semblaient pris de panique en se demandant comment se passerait le reste de l'heure !

Mais bientôt tout le monde éclatait de rire en voyant les étudiantes essayer les pagnes, et les étudiants les boubous. À mesure que notre «sac à surprises» circulait, les gens commençaient à se détendre. C'était alors le moment de la présentation audiovisuelle. Puis venait la période des questions : nous essayions de provoquer les gens au sujet de leurs positions, d'établir un parallèle entre la vie au Zaïre et au Canada.

C'est toujours un défi que d'essayer d'expliquer l'inconcevable. Par exemple, comment décrire les transports publics au Zaïre ? Cela n'a rien à voir avec l'heure de pointe à Toronto (bien que cela pourrait se discuter !). Finalement, je décrivais la chose en parlant d'une boîte de sardines dans laquelle on aurait fourré le contenu de trois ou quatre autres boîtes !

J'ai particulièrement aimé travailler auprès des enfants des écoles élémentaires. J'adorais les voir sautiller entre les pupitres, leurs livres de maths en équilibre sur leur tête, prétendant qu'ils transportaient de l'eau. Leur curiosité de l'inconnu est incommensurable; ils sont prêts à tout remettre en question, à pousser les limites de leur imagination, parce qu'ils ne sont pas encore intimidés par les normes de la société.

Au cours de la tournée, j'ai eu l'occasion de faire une présentation dans ma propre communauté. Les petites filles (*Brownies*) s'émerveillaient de la bonne santé de Miango, le participant zaïrois. «Il n'a pas l'air de crever de faim, il n'est pas décharné !» «Il est comme nous !» «Ses habits sont comme ceux des Canadiens !» «Mais ses cheveux sont différents — pas comme les miens !» (Alors, on laissait les enfants glisser leurs doigts dans la chevelure crépue de Miango, pour qu'ils aient un contact personnel.) «Il peut parler...même en anglais !» Ce n'est là que quelques-uns des commentaires que j'ai entendus, mais je sais que, simplement par notre présence, nous avons réussi à créer une impression durable.

Bien qu'il soit impossible de mesurer l'effet que nous avons produit, on peut être sûr que les gens vont se souvenir de notre brève visite. Sans doute, notre présentation s'est déjà effacée dans l'esprit de plusieurs personnes de nos auditoires, mais on ne sait jamais quand un concept ou un autre resurgira, quel événement fera rejaillir les souvenirs.

Personnellement, j'ai beaucoup appris au cours de la tournée. Sur moi-même, sur mes habiletés. Je crois avoir acquis une confiance tranquille en moi; je suis maintenant capable de me lever devant un auditoire et de présenter mes idées et mes expériences en les adaptant à cet auditoire.

Je suis sûre que toute l'ampleur de ce que j'ai appris ne se révélera qu'avec le temps. Je compte maintenant un grand nombre de nouveaux amis à qui je pense souvent. J'ai accumulé une infinité de souvenirs... qui me permettent d'éclater de rire, tout à coup, dans les endroits les plus inattendus !

Je serai à jamais reconnaissante à Jeunesse Canada Monde de m'avoir donné cette seconde chance.

## *Susan Machum dix ans après*

*Après l'Opération Zaïre, Susan a joué un rôle très actif à Jeunesse Canada Monde. Elle a été participante en 1989 au programme CO-OP entre le Québec et le Costa Rica, agent de projet du programme Ontario-Costa Rica en 1990, agent de projet du programme Colombie-Britannique-Uruguay, coordonnatrice de projet pour le programme spécial CO-OP entre la Nouvelle-Écosse et l'Amérique centrale, coordonnatrice du programme spécial de leadership en environnement avec la Nouvelle-Écosse, Terre-Neuve et le Costa Rica en 1993 et en 1994.*

*Susan a obtenu un baccalauréat en sociologie à l'Université St. Thomas en 1987, et une maîtrise en sociologie à l'Université Dalhousie, grâce à la prestigieuse bourse Issak Walton Killiani en 1992. Elle a travaillé dans divers autres secteurs, notamment comme directrice des communications du Ecology Action Centre à Halifax en 1988 et 1989, avant d'être directrice générale du Conservation Council du Nouveau-Brunswick en 1991-1992.*

*Après avoir donné des cours de sociologie à l'Université du Nouveau-Brunswick et à l'Université St. Thomas en 1994, elle commença ses études de doctorat au Department of Sociology à l'Université d'Édimbourg, en Écosse, en 1994, grâce à diverses bourses (SSHRCC Doctoral Fellowship, Overseas Research Student Award du British Council et le New Brunswick Women's Doctoral Scholarship).*

*Susan poursuit actuellement ses études sur le terrain — études dont le sujet est le travail des femmes de cultivateurs au Nouveau-Brunswick, — tout en donnant des cours à l'Université du Nouveau-Brunswick. En 1991, elle épousait le Dr Michael Clow, sociologue et professeur associé à l'Université St. Thomas à Fredericton.*

# 5.
# André Charlebois

*Du Québec à la République Dominicaine*

André Charlebois en pirogue avec des amis zaïrois de Kalenda.

*André* — Je m'appelle André Charlebois et je suis originaire de Hull. J'ai l'avantage d'avoir eu une famille plutôt à l'aise : mon père travaille pour le gouvernement, où il occupe une bonne situation.

*J.H.* — En somme, tu es un petit bourgeois !

*André* — Oui, un petit bourgeois, très exactement ! J'ai même fait mes études secondaires dans un collège privé, le Collège Saint-Alexandre. J'avoue ne pas avoir été un élève modèle. Sans être porté vers la délinquance, j'étais très turbulent, j'ai fait beaucoup de *niaiseries* avec mes amis. En conséquence, je n'ai pas vraiment bien réussi mes études. Sûrement pas aussi bien que j'aurais pu, compte tenu de mes capacités. Après le secondaire, le cégep, en sciences sociales. Une institution qui ne m'a pas beaucoup motivé, où j'ai eu du mal à m'intégrer. Je trouvais souvent sans intérêt ce qu'on nous enseignait. Et, enfin, je n'étais vraiment pas certain de ce que je voulais faire dans la vie. C'est alors que j'ai décidé de partir avec Katimavik. Mes amis continuaient au cégep, d'autres s'en allaient à l'université, alors que moi je partais à l'aventure, sans trop savoir ce qui m'attendait, seul...

*J.H.* — Seul ? Mais il y avait plein de jeunes à Katimavik !

*André* — Oui, il y avait les autres participants qui eux aussi étaient partis seuls... pour se retrouver ensemble et vivre une expérience intéressante. Katimavik m'a beaucoup appris et m'a fait découvrir le Canada.

*J.H.* — Quelles régions en particulier ?

*André* — J'ai d'abord découvert la Beauce. Alors que je n'avais jamais connu que la ville, je devais vivre et travailler pendant trois mois dans un petit village de 3000 habitants, Sainte-Claire. Dans une ferme. C'est là que j'ai compris qu'il existait des différences culturelles importantes, même à l'intérieur de notre propre pays. De la Beauce, je suis allé à l'autre bout du Canada, dans l'île de Vancouver, à la base navale d'Esquimalt. Pendant trois mois, nous avons fait l'expérience de la vie militaire... contre laquelle je ne manquais pas de préjugés ! J'ai tout de même compris qu'on pouvait faire une carrière intéressante dans l'armée, y acquérir une formation. Mais je ne pouvais oublier l'aspect négatif de l'armée... Ensuite, je suis allé travailler trois mois avec mon groupe de Katimavik en Ontario, plus précisément à Peterborough. Une ville intéressante où il y a beaucoup d'organisations engagées dans le développement, qui font la lutte contre les pluies acides, les armements nucléaires; il y a le projet Plowshares, etc. À Peterborough, j'ai enseigné le français dans une petite école d'immersion. Et cela m'a donné l'idée de m'inscrire, là-même, à l'Université de Toronto, en éducation. Ça m'intéressait vraiment, mais quand je n'ai pu obtenir une bourse de moniteur d'études en langue seconde, ma motivation en a pris un coup. Bref, après Katimavik, je suis allé terminer mes études collégiales à Hull. C'était plus intéressant, surtout parce que j'ai fait du théâtre. J'ai joué dans *Les fourberies de Scapin* ! Je ne me sentais pas encore prêt pour l'université, mais j'ai tout de même envoyé des demandes à des facultés de géographie : j'ai été accepté à la fois par l'Université de Montréal, l'Université d'Ottawa et l'Université du Québec à Montréal !

*J.H.* — Tu avais l'embarras du choix !

*André* — Oui, mais entre-temps, j'ai fait la connaissance de Jean Chatelain, un bon copain qui avait été participant de Jeunesse Canada Monde en Indonésie. Un jour, il m'a dit : «Si tu veux voyager, inscris-toi à Jeunesse Canada Monde, qui peut t'offrir beaucoup, t'apprendre énormément de choses». Deux mois plus tard, j'étais dans un camp d'orientation au Québec.

*J.H.* — C'était, je crois, le programme avec la république Dominicaine ?

*André* — C'est ça. Inutile de dire que, sur le plan du développement international, j'étais un parfait ignorant. Je le suis toujours... mais beaucoup moins ! Peu après l'arrivée des Dominicains, mon groupe de sept Canadiens et de sept Dominicains s'est rendu à Alma pour s'installer dans les familles d'accueil et s'attaquer aux projets de travail.

*J.H.* — Ton homologue s'appelait comment ?

*André* — José Demorici. Son père était pêcheur et commerçant. Sa famille travaillait à la *Oficina de Desarollo de la Communidad*, l'organisme parrain de Jeunesse Canada Monde en république Dominicaine. Donc, José avait des contacts... ce qui l'a sans doute aidé à devenir participant ! C'est souvent comme ça que ça se passe dans ce pays...

*J.H.* — Parle-moi de ta famille d'accueil à Alma ?

*André* — Marjolaine et Jules Gaudreau ! Jules s'intéressait à la politique munici-pale et régionale. Il avait été échevin et continuait de s'engager dans les affaires régionales. Quant à Marjolaine, elle s'occupait beaucoup du mouvement des femmes. Un contact très amical. Vraiment bien. On discutait beaucoup, même avec José, mon homologue. Marjolaine et Jules, c'étaient notre mère et notre père, autant pour José que pour moi. Ils nous traitaient comme des parents traitent leurs fils de 18 ans. C'était bien. Mais on ne se voyait pas autant que nous l'aurions voulu, parce qu'ils étaient tous les deux très occupés... comme d'ailleurs José et moi l'étions de notre côté. Notre projet de travail, c'était la télévision communautaire. Il nous fallait tout apprendre, mais c'était particulièrement nouveau pour José : dans un pays en voie de développe-ment comme la république Dominicaine, il n'avait guère accès à ce genre de choses. C'était vraiment extraordinaire pour lui de pouvoir manipuler l'équipement de télévision, de travailler en studio avec des caméras. Chez lui, il n'y avait que la télévision nationale, accessible aux seuls professionnels. Pour faire mieux connaître Jeunesse Canada Monde aux gens d'Alma, j'avais interviewé Philippe, notre coordonnateur[2]. C'était ma première entrevue télévisée, et j'étais passablement nerveux... Nous en avons profité pour expliquer la présence dans cette petite ville de sept jeunes venus de tous les coins du Canada, et d'autant d'un petit pays appelé la république Dominicaine. C'était aussi une façon d'inciter les jeunes de la région à participer à notre programme.

*J.H.* — Après Hull, après la Beauce, tu découvrais encore une région du Québec.

*André* — On n'en finira jamais de découvrir toutes les régions du Québec, du Canada ! C'est tellement différent d'un endroit à l'autre. Les mentalités, la langue. On parle le français à Hull, on parle le français au Lac-Saint-Jean : la même langue, mais

---

2    Philippe Mougeot, par la suite devenu coordonnateur du programme spécial avec le Zaïre.

pas le même langage. Chez moi, à Hull, on parle français, mais aussi l'anglais; tout le monde est bilingue. Au Lac Saint-Jean, personne ne parle l'anglais. Ici, je retrouve intacte ma propre culture québécoise, alors que dans ma région elle en a perdu au profit de l'anglais. J'ai eu la même impression dans la Beauce. Pour ces gens-là, Hull et Ottawa, c'est bien loin, le Parlement, une chose abstraite sur laquelle ils n'ont aucun contrôle. Et pourtant, il y a beaucoup d'avantages à vivre dans ma région, sur le plan du travail, des études, des contacts avec le gouvernement, etc. Nous avons tout.

*J.H.* — Et un jour, la république Dominicaine...

*André* — En descendant de l'avion à Santo Domingo, on se rend compte que tout le monde, absolument tout le monde parle espagnol. Tu ne comprends rien, tu n'es plus chez toi; du jour au lendemain tu es devenu un étranger. Il faut donc se mettre à observer les gens, à agir comme eux pour éviter de les choquer par notre comportement. À Santo Domingo, il faut cesser d'être québécois et devenir dominicain. Pour apprendre à connaître les gens, il faut s'intégrer à leur société. C'est ce que je pense.

*J.H.* — Qu'est ce qui t'a frappé ensuite ?

*André* — La misère, le sous-développement, les petites cases, les huttes minuscules... Nous avons eu notre camp d'orientation à Jarabacoa, un petit village. On était plongé dans la dure réalité rurale. Pour les Canadiens, les pauvres ce sont les *robineux* de la rue, les gens de certains quartiers défavorisés, comme Saint-Henri à Montréal. Ici, c'est la société entière qui est pauvre. Ça, ça porte à réfléchir... Après le court séjour à Jarabacoa, le temps était venu de nous installer dans *notre* village, encore plus loin dans la montagne, près de la frontière d'Haïti. Il compte environ 7 000 habitants et s'appelle Loma de Cabrera. Accueil officiel au centre communautaire. De grands discours : «Bienvenue chez nous à cette jeunesse canadienne qui vient en amie pour travailler avec nous, pour connaître notre pays... Nos jeunes Dominicains ont déjà été reçus en amis au Canada... Nous espérons que vous aurez tous un heureux séjour à Loma de Cabrera».

*J.H.* — Et après les beaux discours, la réalité de la famille d'accueil...

*André* — Par hasard, mon «père» était lui aussi un homme politique, comme celui de la Beauce. Mais il ne faisait guère de politique parce que son parti était dans l'opposition. Il s'occupait du secrétariat à l'hôtel de ville. Une famille relativement à l'aise, installée dans une solide maison de béton, avec électricité et eau courante. Côté confort, c'était super. Bien sûr, les toilettes étaient à l'extérieur, la cuisine était à l'extérieur, mais... on vivait à l'extérieur ! Dans le village, il y avait évidemment beaucoup de gens qui ne vivaient pas aussi bien, qui étaient vraiment pauvres. J'imagine qu'on s'est arrangé pour nous loger dans les meilleures maisons...

*J.H.* — À cause de vos petites santés !

*André* — Sans doute ! Comme ma famille d'accueil connaissait tout le monde, je fus très vite accepté dans le village, puisque j'étais le «fils canadien» de cette famille. Les gens nous aimaient bien, ils nous accueillaient, nous invitaient dans leur maison, on parlait, on discutait et on apprenait à connaître les gens. Même s'il n'y avait que cela, le programme serait une réussite. Ce que nous avons vécu ici, ça vaut de l'or. Vivre avec les gens, c'est absolument la seule façon de toucher aux racines de leur culture. D'ailleurs, je trouve que trois mois, ce n'est pas assez. J'aurais facilement vécu un an dans ce village.

*J.H.* — Et votre projet de travail ?

*André* — Le Centre agricole de technologie appropriée, hélas ! situé à Caotaco, à 18 kilomètres de notre village, ce qui nous compliquait drôlement la vie. Ici, on ne peut pas téléphoner et dire : «Je serai chez vous dans dix minutes !» Il n'y a pas de téléphone. Quant aux moyens de transport... Alors, on apprend la patience, on se met à «l'heure dominicaine», au temps «élastique». Mais quand on finissait par arriver au Centre, c'était intéressant. J'ai cultivé la terre avec les travailleurs, j'ai labouré avec une charrue tirée par des boeufs. Il y avait un système d'irrigation très au point et on faisait un réel effort sur le plan du développement. Mais ce qui m'a le plus frappé en république Dominicaine, ce sont les gens, leur façon de voir la vie, de subsister avec ce qu'ils ont, ce qui est souvent très peu. Ils ont des valeurs que nous avons depuis longtemps perdues en Amérique du Nord. Les liens qui unissent les familles, la capacité de donner, même quand on ne possède rien. Les gens les plus pauvres t'invitent chez eux, t'offrent une chaise et te servent quelque chose à boire ou à manger. Ça, ça m'a profondément touché.

*J.H.* — Vous parliez de quoi ?

*André* — De tout, mais souvent de politique, car les Dominicains sont assez politisés. Ils comprennent leur système de gouvernement et ne manquent pas de reproches à lui faire. Souvent, le gouvernement doit augmenter le prix de certaines denrées de base pour satisfaire aux exigences du Fonds Monétaire International. Le gouvernement y est pratiquement forcé pour augmenter le revenu intérieur, de manière à accélérer le remboursement de la dette extérieure. Quand cela se produit, les gens ne sont pas contents, les étudiants manifestent dans la capitale; cela se répercute dans les régions. Alors, le gouvernement mobilise l'armée pour empêcher la violence. Souvent, il y a des morts. Mais il y a bien d'autres problèmes en république Dominicaine, parce qu'on importe trop. Bien sûr, on exporte beaucoup de sucre, mais il y a à peine le cinquième des terres qui sont en culture. Un autre pays victime de la monoculture imposée par les multinationales. Ici, c'est la canne à sucre. Les meilleures terres appartiennent à une élite de gens de pouvoir : ils les sacrifient à la canne à sucre ou au développement domiciliaire, ou à la construction d'aéroports pour accueillir encore plus de touristes. Alors, il faut importer beaucoup de choses, surtout pour satisfaire aux besoins d'une élite de privilégiés.

*J.H.* — Je croyais les Dominicains plutôt autosuffisants sur le plan alimentaire ?

*André* — Ils le sont passablement. On produit du riz, on élève beaucoup de poulets, on se nourrit assez bien. Mais il y a de la sous-alimentation, des problèmes de santé, de transport, d'éducation. Cependant, ce n'est pas l'extrême misère qu'on trouve tout à côté, en Haïti. En république Dominicaine, je me suis rendu compte dans quel pétrin se trouve le monde. Il y a mille choses à faire, des changements profonds à apporter à l'échelle globale. Oui, on parle un peu de désarmement nucléaire, de la pollution, des problèmes des pays en voie de développement, mais la grosse machine continue à tourner. Elle tourne, mais c'est au profit de quelques-uns et au détriment du grand nombre. Il y a des gens qui souffrent. Tant pis ! On continue à s'enrichir à leurs dépens. En république Dominicaine, je me suis rendu compte de la chance inouïe que j'ai eue d'être né dans un milieu aisé, d'avoir une bonne santé, de pouvoir aller jusqu'au bout de mes possibilités, ce qui n'est pas le cas de la plupart des jeunes Dominicains. Bien sûr, par contre, ils possèdent des valeurs spirituelles que nous avons perdues...

*J.H.* — Comme tu ne pouvais passer un an dans ton village dominicain, tu as fini par revenir à la maison...

*André* — Je commençais à m'intéresser sérieusement aux problèmes de développement. Alors je me suis inscrit au programme d'*International Development Studies* de l'Université de Toronto. Comme, j'avais quelques mois devant moi avant le début des cours, j'ai travaillé ici et là pour me faire des sous. Et un jour, Jeunesse Canada Monde me parle du programme spécial avec le Zaïre. Je cours passer l'entrevue et, une semaine plus tard... on m'annonce que je suis refusé !

*J.H.* — Tu n'étais pas assez bon !

*André* — Voilà, je n'étais pas assez bon. Comme l'université était sur le point de commencer, je suis allé m'installer à Toronto. De retour à Hull pour travailler encore un peu, ramasser plein d'argent ! Et un jour, le téléphone sonne. C'est Philippe Mougeot, coordonnateur du projet du Zaïre : «André, que fais-tu de bon, ces temps-ci ? Ça te tente encore de venir au Zaïre ?» J'étais estomaqué : «Enfin, Philippe, tu veux rire de moi ou quoi ? Il y a seulement deux semaines, tu m'a dit que ça ne marchait pas. J'en ai quasiment fait une dépression ! Et au moment où je commence à m'en remettre, tu m'annonces qu'on part vendredi...» On imagine ma réponse : «O.K., j'y vais !» Évidemment, j'avais raté le camp d'orientation. J'ai eu à peine quelques jours pour recevoir les vaccins, obtenir le visa et faire mes adieux à la famille. En fait, j'ai rejoint le groupe quand il est allé te voir au Sénat. Tu te souviens ?

*J.H.* — Si je me souviens ! Alors, tu avais remplacé un participant qui s'était désisté à la dernière minute, le petit malheureux ?

*André* — Au début, ce ne fut pas facile de m'intégrer à un groupe qui avait déjà trois semaines de vie commune. Mais en arrivant à Kalenda, on s'est retrouvé sur le même pied. Nous avions tous à nous adapter à un pays inconnu, à une situation nouvelle. Et à nous installer à Kalenda, le village où nous allions vivre ensemble. Un petit village de quelques 500 habitants, situé à trois heures de route au sud de Mbuji-Mayi, le grand centre de la province du Kasaï oriental. Notre village avait connu jadis son heure de «gloire» quand l'Université de Louvain, en Belgique, décida d'y construire un vaste complexe hospitalier, la Formulac, c'est-à-dire la Formation médicale de l'Université de Louvain au Congo. Pour les raisons que l'on sait, l'hôpital à été abandonné et il tombe en ruine. Ce sera notre tâche de le remettre en état pour qu'au moins un médecin vienne s'y installer. Pour l'instant, il n'y a pas de médecin à Kalenda, alors qu'un grand nombre de gens sont très malades. Même à Mbuji-Mayi, situé à trois heure d'ici, il n'y a que trois médecins pour un bassin de 130 000 habitants.

*J.H.* — Au moins, il y a les sœurs zaïroises qui se dévouent à l'hôpital de Kalenda.

*André* — Les sœurs ont une certaine expérience d'infirmières, mais elles ne peuvent donner de traitements médicaux un peu complexes, faute de matériel. Il n'y a même pas d'appareil pour stériliser les instruments chirurgicaux dans cette immense «hôpital».

*J.H.* — Le dénuement de Kalenda est à peine croyable...

*André* — Vous avez vu comment les gens vivent dans leurs cases minuscules ?

Avec trois fois rien. Un Canadien moyen dirait qu'ils font du «camping permanent»…Dans les cases, on couche à même le sol, on est constamment exposé à toutes sortes de maladies à cause du manque d'hygiène, des moustiques, de la mouche tsé-tsé, de la malaria, et du manque total de médicaments. Par exemple, les gens ne savent pas que leur eau est contaminée et qu'ils devraient la faire bouillir. Il faudrait commencer par éduquer les femmes. Elles sont moins émancipées qu'au Canada, mais elles détiennent le pouvoir dans la famille : elles éduquent les enfants, elles préparent la nourriture, elles transportent l'eau du puits, elles font tout. Alors, c'est aux femmes qu'il faudrait apprendre qu'on doit faire bouillir l'eau.

*J.H.* — Mais pour faire bouillir l'eau, il faut brûler du bois…

*André* — Hélas ! Donc, ça gaspille du bois. On déboise, on finit par manquer d'arbres, et les terres deviennent arides. Un cercle vicieux. Tout cela est tellement complexe ! Le système colonial doit porter sa part de responsabilités, car les Belges ont causé beaucoup de dommages à la société zaïroise. Avant leur arrivée, les Zaïrois évoluaient à leur rythme. Pour nous, occidentaux, ils étaient sans doute un peuple «sous-développé», mais au moins, ils avançaient, ils évoluaient. Ce que les Belges ont fait de pire, ce n'est pas seulement de s'emparer du territoire, mais d'imposer leur propre culture, et de mettre le Zaïre à l'heure de la monoculture aux fins d'exportation. Les Zaïrois ont été forcés d'abandonner la culture vivrière, de renoncer à l'autosuffisance et d'acheter les produits belges, pour le grand bien de l'économie de la Belgique. Sans doute, à l'époque coloniale, le niveau de vie des Zaïrois était plus élevé qu'il ne l'est maintenant. Mais il n'y avait pas de justice. Toute l'infrastructure du pays était entre les mains des Belges. Quand ils sont partis, il n'est *rien* resté. Les médecins, les ingénieurs, les administrateurs, c'étaient des Belges. Le jour de l'indépendance du Zaïre, on s'est rendu compte que les Belges, en cinquante ans, n'avaient permis qu'a *six* Zaïrois d'acquérir une formation universitaire !

*J.H.* — Revenons à l'hôpital de Kalenda.

*André* — Un jour, pendant qu'on travaillait à la rénovation, il nous est arrivé, sans crier gare, 120 malades, affligés de la maladie du sommeil, une maladie transmise par la mouche tsé-tsé et qui peut être mortelle si elle n'est pas traitée par injections. Dans cet hôpital sans médecin, les malades peuvent tout de même espérer être traités par les sœurs zaïroises. Le problème, c'était d'*abriter* ces 120 malades dans un hôpital dont tous les toits coulaient. Or, nous étions en pleine saison des pluies. Les architectes belges avaient construit un très bel hôpital, mais ils n'étaient pas très forts quant à l'étanchéité des toitures…Tant bien que mal, nous avons réussi à réparer le toit d'un des pavillons pour abriter notre centaine de malades. Il y a encore beaucoup à faire pour que cet hôpital joue pleinement son rôle. Nous avons fait notre possible. Après notre départ, la Fondation Mama Mobutu continuera d'étudier les possibilités de rendre l'hôpital de Kalenda vraiment fonctionnel. Et d'y installer au moins un médecin !

*J.H.* — As-tu le sentiment d'avoir accompli quelque chose d'utile ?

*André* — Oui, je crois. Mais il n'y avait pas que le projet de travail. Il y avait aussi la découverte du Zaïre, la découverte du village, la découverte des gens. Il a fallu du temps. Et un certain effort pour s'en aller marcher seul dans un village, s'arrêter chez les gens, leur parler. Avec les enfants, c'était facile, ils sont tellement gentils. Quand ils m'apercevaient, il me criaient : «André, viens par ici !» Et ils m'entraînaient dans la forêt, ils m'indiquaient les sentiers à suivre, ils m'emmenaient rencontrer leur famille. L'autre jour, des enfants m'ont entraîné jusqu'à la rivière et m'ont fait faire un tour de pirogue. Comme il fallait que je prenne des photos pour mon diaporama, j'ai trouvé un Zaïrois disposé à m'aider, à expliquer aux gens pourquoi je voulais les photographier. Quand on arrive avec un appareil-photo braqué sur les gens, ils nous prennent pour des êtres venant tout droit de la planète Mars !

*J.H.* — Le temps de la question difficile est arrivé : qu'est-ce qui t'a le plus frappé au Zaïre ?

*André* — Au sujet de la république Dominicaine, je t'ai répondu que c'était les *gens*. Ici, au Zaïre, c'est encore les *gens*. Mais les gens d'ici m'impressionnent particulièrement parce qu'ils travaillent très fort. Dans un dénuement total. Le cultivateur possède une simple houe de bois qu'il a lui-même fabriquée. Il a deux jambes et deux bras. Tous les jours, il va au champ, où il travaille très fort. À la fin de la journée, il revient à sa case, il se repose. Tu arrives et, aussitôt, il t'offre à manger. Il a travaillé toute la journée, il est pauvre comme Job, il n'a rien, mais il t'offre quand même quelque chose. Un morceau de manioc, n'importe quoi, même si parfois c'est nettement au-dessus de ses moyens. Sur ce plan-là, comme nous avons à apprendre de ces gens !

*J.H.* — Et bientôt, tu iras parler de tout cela, quelque part au Canada...

*André* — Oui, au Québec et en Ontario. Nos présentations sont prêtes. Quant à moi, le message que je voudrais transmettre aux Canadiens, c'est qu'il y a d'autres gens sur la terre, d'autres peuples à connaître, d'autres problèmes que les nôtres, et dont nous devons nous préoccuper. Expliquer aux Canadiens que nous devons tous nous engager, ouvrir les yeux, élargir nos horizons, penser globalement, accepter que la terre soit plus grande qu'Ottawa, que Hull, qu'il y a mille choses à découvrir. Et leur expliquer qu'il y a des tas de gens qui souffrent. Cette souffrance me touche intimement. Par exemple, je ne puis m'empêcher de penser à ces petites filles de Kalenda qui pleurent parce qu'elles ont mal au ventre, à cause d'on ne sait quelles amibes. Jamais je ne pourrai oublier ça. Alors, il faut que je communique ce sentiment aux Canadiens.

*J.H.* — Tu y réussiras, j'en suis sûr. Le reste de ta vie, qu'est-ce que tu vas en faire ?

*André* — Je sais, tu me l'as dit un jour, il faut se fixer un objectif. Je suis d'accord. Mais, en même temps, je demeure un impulsif. Une occasion se présente, et j'ai envie de sauter dessus. Si, par hypothèse, on m'offrait de retourner au Zaïre, pour y travailler dans quelque projet de coopération, je repartirais sans hésiter. Je ne sais pas si c'est de cette façon que j'aboutirai à une carrière quelconque... Chose certaine, il faudrait que je poursuive mes études. Si on veut exercer une influence, si on veut agir sur l'évolution du système au Canada ou ailleurs, si on veut être dans une position de pouvoir, il faut avoir une bonne éducation. Par exemple, toi qui es sénateur, tu as une position stratégique, tu peux faire bouger les gens.

*J.H.* — J'aimerais que tu aies raison, cher André !

*André* — Pour accéder à une position comme la tienne, il faut avoir fait des études. Je ne nie pas le valeur formatrice des voyages. En fait, je voudrais connaître tous les pays du monde. Mais en même temps, je me dis : «Il faudrait que je me case, que je fasse quelque chose de ma vie». Si cela devait inclure le voyage, tant mieux. Et pour moi, je le sais bien, c'est plus facile que pour un autre : je suis toujours capable de trouver un emploi, de gagner de l'argent et de repartir en voyage. Pas de problème !

*J.H.* — Mais tu ne peux pas faire ça indéfiniment...

*André* — Non, bien sûr. C'est pourquoi je songe sérieusement à rentrer chez moi, à poursuivre mes études. Dans ce sens-là, mon père m'a beaucoup aidé. J'ai des parents très compréhensifs. Je profite de l'occasion pour leur dire qu'ils n'ont pas à s'inquiéter à mon sujet : je ferai une bonne vie. Mais je sais qu'il faut que j'étudie, que j'atteigne à un niveau supérieur...

*J.H.* — Et un jour, tu seras sénateur !

*André* — J'en doute !

*J.H.* — C'est la dernière chose que je te souhaite !

## Commentaires d'André Charlebois
## sur la tournée canadienne

La tournée ? Une expérience très intense, très éducative et très révélatrice.

Intense, parce que, pendant six semaines, nous avons donné jusqu'à cinq présentations par jour, aux groupes les plus divers, en Ontario et au Québec.

Éducative, parce que la tournée m'a permis de beaucoup apprendre sur le développement, l'expression verbale, et les moyens d'expliquer comment on doit s'engager dans les solutions.

Révélatrice, parce que je me suis rendu compte à quel point les Canadiens manquaient d'information sur les questions de développement du Tiers-Monde et de leur propre pays.

J'en conclus qu'il est urgent de sensibiliser la population canadienne, pour qu'elle prenne conscience du rôle qu'elle pourrait jouer pour améliorer la situation globale.

## André Charlebois dix ans après

*Après l'Opération Zaïre, André a continué à travailler dans le domaine «jeunesse» avec un intérêt marqué pour l'enseignement des langues et la communication interculturelle. Il a agi à plusieurs reprises comme professeur de français auprès de participants anglophones et allophones de Jeunesse Canada Monde.*

*Il s'aventura seul au Brésil dans le but d'y enseigner la langue de Ducharme. De retour au Québec, il fut engagé par le Mouvement Québécois des Chantiers pour lequel il travailla comme animateur à travers la province. Jeunesse Canada Monde lui offrait ensuite un poste de superviseur de projet au Malawi. D'un contrat à l'autre, il travailla en Indonésie, au Brésil, au Honduras et au Mexique. André a récemment fait une intrusion dans le domaine artistique en interprétant le premier rôle dans un long métrage de fiction tourné à Montréal et dans plusieurs pays européens. Il vit présentement à Montréal.*

# 6.
## Sara Whitehead

### *De l'Ontario au Sri Lanka*

Pendant la tournée canadienne, Sara Whitehead avec ses deux coéquipiers, André Charlebois et Lusamba, la participante zaïroise.

*Sara* — Je m'appelle Sara Whitehead. Je suis née à New York, mais j'avais dix mois quand ma famille alla s'installer à Hong-Kong. Mes parents travaillaient pour l'Église Unie et faisaient une recherche sur la République populaire de Chine. J'ai vécu à Hong-Kong jusqu'à l'âge de 9 ans alors qu'en 1976, nous avons déménagé à Toronto, où j'habite encore.

*J.H.* — Tu y as donc fait tes études secondaires ?

*Sara* — Je venais tout juste de finir ma 13e année de *high school* à l'Université de Toronto quand arriva Jeunesse Canada Monde.

*J.H.* — Avais-tu une idée de ce que tu voulais faire dans la vie ?

*Sara* — Pas vraiment. J'avais décidé que j'irais à l'université, mais pas tout de suite. Je ne savais pas ce que j'avais envie d'étudier exactement. C'était vague.

*J.H.* — Tu avais alors quel âge ?

*Sara* — Dix-sept ans.

*J.H.* — Dix-sept ans ! Dans notre société, on doit décider de ce qu'on veut faire du reste de sa vie à l'âge de 17 ans ! Pour ma part, je trouve ça fou.

*Sara* — C'est décidément trop jeune...

*J.H.* — Mais pas trop jeune pour s'intéresser à Jeunesse Canada Monde !

*Sara* — Pas du tout. Il me semblait que c'était l'âge idéal, bien que les autres participants fussent généralement plus âgés. Pour moi, c'est arrivé au bon moment. J'étais prête à sortir de l'atmosphère confinée du *high school*.

*J.H.* — Il t'amusera peut-être de savoir qu'à Jeunesse Canada Monde, je n'ai cessé de me battre pour que les participants aient de 17 à 20 ans. Il y a toujours des gens qui prétendent qu'il faudrait n'accepter les candidats qu'à partir de 18 ans. Et porter la limite de 20 à 22 ans. Je n'étais pas d'accord. Tu es la preuve vivante que j'avais peut-être raison ! Et qui t'a donné la bonne idée d'aller à Jeunesse Canada Monde ?

*Sara* — Une de mes amies, Janette MacIntosh, avait fait le programme avec l'Indonésie, environ un an avant que je termine le *high school*. Elle m'a parlé de son expérience, et ça m'a vivement intéressée. J'ai soumis ma candidature, j'ai passé à travers tout le processus et je me suis retrouvée au Sri Lanka.

*J.H.* — L'Asie était-elle ton premier choix ?

*Sara* — Oui. Peut-être parce que j'avais vécu à Hong-Kong. J'avais eu quelque contact avec la culture asiatique et je souhaitais retourner dans cette région du monde.

*J.H.* — Mais où devait commencer le programme ?

*Sara* — En Ontario, dans une communauté appelée Millbroad, juste au sud de Peterborough. Absolument super. Comme j'arrivais d'une grande ville, c'était tout un dépaysement que de vivre dans une ferme pendant trois mois. Une ferme laitière. Pour la première fois de ma vie, je faisais un travail manuel. J'ai appris beaucoup sur l'agriculture.

*J.H.* — Et ta famille d'accueil ?

*Sara* — Une jeune famille plutôt traditionnelle. Deux enfants de 6 et 8 ans. La famille habitait la région depuis plus d'un siècle, ce qui était pour moi une découverte. Ils étaient vraiment sympathiques, et je me plaisais beaucoup avec eux. Je crois que la vie dans une famille, tant en Ontario qu'au Sri Lanka, a été pour moi la meilleure partie du programme. C'est des familles que j'ai le plus appris.

*J.H.* — Et qui était ton homologue ?

*Sara* — Elle s'appelait Mallika et faisait partie du National Youth Service Council, l'organisme avec lequel Jeunesse Canada Monde organise l'échange au Sri Lanka. Elle venait d'une petite ville. Ses parents étaient commerçants et travaillaient au marché. Mallika avait terminé ses études secondaires, mais ne réussissait pas à se trouver du travail comme tant de jeunes au Sri Lanka.

*J.H.* — Et au Canada !

*Sara* — Oui, et au Canada.

*J.H.* — Mallika s'est-elle bien adaptée ?

*Sara* — D'abord, je n'ai rien remarqué parce que j'ignorais comment elle était en temps normal, mais je sais que tous les Sri Lankais ont trouvé la vie difficile au début. Leur culture est tellement différente. Ils devaient s'adapter à des tas de choses en même temps. Mais je crois que Mallika a beaucoup changé.

*J.H.* — Entre autres, elle a dû s'adapter à toi ?

*Sara* — Oui. Ça n'a pas dû être facile, n'est-ce pas ? Mais nous nous entendions très bien. Nous avons vraiment eu de la chance. De tous les participants, nous sommes parmi les homologues qui ont le plus vite «cliqué».

*J.H.* — Alors, au bout de trois mois, vous êtes passés de l'Ontario au Sri Lanka. C'était à ton tour d'avoir un choc culturel, j'imagine ?

*Sara* — Oui, jusqu'à un certain point. Mais ce n'est pas arrivé tout d'un coup. Sans doute parce que j'avais déjà voyagé et qu'il m'était arrivé de vivre hors de chez moi. Mais ce n'était pas le cas de tout le monde. Nous vivions dans un petit village d'environ 300 habitants. Plutôt isolé. À deux milles du premier autobus. Mais l'endroit était merveilleux, un rêve !

*J.H.* — Toute l'île est merveilleuse. Ce serait le paradis s'il n'y avait les troubles raciaux... En avez-vous quelque peu souffert ?

*Sara* — Pas directement. Il y a bien eu deux participants tamouls et un agent de groupe qui sont restés au Canada, comme réfugiés. Au Sri Lanka, nous étions dans une région complètement cingalaise, dans un petit village isolé. Sans les journaux, nous n'aurions pas su qu'il y avait des troubles dans le pays.

*J.H.* — Et alors, que faisiez-vous dans ce beau petit village ?

*Sara* — Nous vivions dans une famille et notre projet de travail consistait à agrandir un réservoir d'irrigation de manière à accroître le nombre de récoltes dans les rizières. Notre groupe travaillait en coopération avec les jeunes du village, ce qui nous a aidés à les connaître. Au début, ce n'était pas facile de travailler en plein soleil. Il faisait très chaud et il n'y avait pas d'ombre. Un dur travail physique : creuser le sol avec un *mammoty* et transporter la terre au sommet d'une colline. C'était assez monotone, mais on s'est habitué. D'ailleurs, nous ne travaillions que trois jours par semaine dans ce projet. Nous participions également à d'autres travaux communautaires comme, par exemple, réparer la route, nettoyer les abords du temple du village, nettoyer l'école, des choses de ce genre.

*J.H.* — Et comment vous entendiez-vous avec votre famille d'accueil ?

*Sara* — Très bien, mais nous ne sommes jamais devenus vraiment proches à cause de la barrière de la langue et de la culture. Je me sentais à l'aise dans la famille, mais nous ne pouvions avoir de longues conversations. Mes meilleurs moments, je les ai connus avec la mère, dans la cuisine. Je l'aidais à préparer les repas.

*J.H.* — Tu aimais la nourriture ?

*Sara* — C'était épatant. La cuisine sri lankaise est tout simplement fantastique. Très épicée, mais on s'habitue.

*J.H.* — Avais-tu des contacts avec d'autres familles, avec les gens du village ?

*Sara* — Surtout avec les familles d'accueil des autres participants. C'était facile...

*J.H.* — Mais comme tu disais, il y avait la barrière de la langue...

*Sara* — Oui. Même nos homologues sri lankais ne parlaient pas l'anglais couramment, et notre cingalais était plutôt rudimentaire. Il n'est pas facile d'apprendre vraiment une telle langue en trois mois, surtout à cause de sa structure tellement différente. La langue constituait une barrière, mais il y a tellement d'autres moyens de communiquer. On se débrouillait.

*J.H.* — Que t'a principalement appris le Sri Lanka ?

*Sara* — Plus important encore que tout ce que j'ai pu apprendre sur le Sri Lanka, c'est ce que j'ai appris sur moi-même et sur le Canada. Le Sri Lanka m'a aidé à mieux comprendre d'où je venais. Alors que je ne pourrai jamais réussir à vraiment comprendre le Sri Lanka, j'ai réussi à mieux comprendre mon pays et à remettre en question mes propres valeurs.

*J.H.* — Par exemple ?

*Sara* — Dans la société nord-américaine, nous sommes très «*goal-oriented*»... le rythme de la vie. Notre attitude devant le travail... Toutes ces «valeurs» matérialistes. Quand on a eu l'occasion de vivre une vie très simple et de s'y être senti à l'aise, ça donne un choc de revenir au Canada, de voir comment on y vit.

*J.H.* — As-tu changé ta manière de vivre par la suite ?

*Sara* — Oui, je le crois. Ainsi, à mon retour j'étais devenue plus ou moins végétarienne : j'avais perdu le goût de la viande.

*J.H.* — Vous ne mangiez pas de viande au Sri Lanka ?

*Sara* — Deux fois, peut-être. Un tout petit peu.

*J.H.* — À part le végétarisme, il y eu d'autres changements ?

*Sara* — Oui, mais rien de très très spectaculaire. À cause de l'influence de mes parents et de mon milieu, j'avais déjà fait des pas dans la bonne direction, avant même le programme. Mais Jeunesse Canada Monde m'a permis de mettre au point bien des choses, de les concrétiser. Par exemple, l'interdépendance des nations n'est plus pour moi une notion abstraite, mais quelque chose de très réel.

*J.H.* — Ton intérêt pour le développement international a bien évidemment grandi ?

*Sara* — Oui, cette question m'intéressait vivement même avant le programme, mais maintenant j'ai acquis une motivation profonde, l'envie d'étudier davantage.

*J.H.* — Et qu'as-tu fait une fois revenue chez toi ?

*Sara* — Je me suis intéressée à deux ou trois ONG. J'ai été bénévole au *Bridgehead Trading*, un organisme qui a une autre manière de faire du commerce. Par exemple, on importait du café du Nicaragua et du thé du Sri Lanka directement des producteurs, évitant ainsi les multinationales. Pendant l'été, j'ai aussi travaillé au bureau de Jeunesse

Canada Monde de Toronto. J'aidais le personnel pendant les week-ends de pré-orien-
tation des participants. Enfin, par mes lectures personnelles, j'essayais de mieux
comprendre ce qui se passait dans le monde.

*J.H.* — Tu avais des projets d'études ?

*Sara* — Je voulais aller à l'université, étudier les sciences politiques, l'économie et
au moins deux langues.

*J.H.* — Deux langues ?

*Sara* — Je voulais étudier le chinois et améliorer mon français. J'ai encore d'autres
idées, comme par exemple d'étudier le développement international proprement dit,
ou peut-être aller du côté des sciences politiques et de l'économie. Peut-être faire des
études environnementales. Je n'étais sûre de rien encore... Puis, j'ai entendu parler du
projet du Zaïre... Après quelques hésitations, je m'y suis engagée. Ce fut une
expérience fascinante de me retrouver avec tous ces anciens participants. Ils avaient
les idées claires, ils savaient où ils allaient dans la vie. Des idées bien ancrées dont ils
n'avaient pas facilement envie de changer. L'aspect positif de la chose, c'est que le
groupe offrait des ressources très variées; nous avions beaucoup à apprendre les uns
des autres.

*J.H.* — Et ta première impression du Zaïre ?

*Sara* — Ce qui m'a frappé d'abord, ce fut les similitudes avec le Sri Lanka. Une
première impression superficielle : la chaleur, les palmiers, comme dans tous les pays
tropicaux.

*J.H.* — T'es-tu adaptée plus facilement qu'au Sri Lanka ?

*Sara* — C'était beaucoup plus facile. D'abord, sur le plan de la langue. Les gens
parlent un français impeccable et, bien que le mien soit loin d'être parfait, je pouvais
communiquer infiniment mieux qu'en cingalais. Les différences culturelles ne me
semblent pas aussi grandes. Les Zaïrois sont beaucoup plus directs, beaucoup plus
ouverts. Il est plus facile d'établir une relation avec eux qu'avec les Sri Lankais. Mais,
sans doute, l'expérience d'un autre pays nous a-t-elle aidés.

*J.H.* — Je présume que tu auras des critiques à faire sur le fait qu'ici, à Kalenda,
vous avez vécu en groupe plutôt que dans des familles. Tous les autres participants en
ont eues !

*Sara* — Curieusement, je crois que la vie de groupe a été notre expérience la plus
réussie. Cependant, sur le plan éducatif, cela représente beaucoup de désavantages.
Ça rend plus difficile l'intégration à la communauté. Nous étions vraiment isolés du
village dans une petite maison coloniale construite pour les Belges. D'un côté, il y a
l'hôpital et l'ancien quartier belge, et de l'autre, le vrai village. Ce qui rendait les
contacts difficiles, c'est que nous vivions en groupe à part, et que le lieu de notre projet
de travail se trouvait en dehors du village. Par conséquent, il nous a fallu beaucoup
plus de temps et d'efforts pour établir des contacts avec les villageois.

*J.H.* — Ils devaient tout de même se rendre compte qu'en reconstruisant l'hôpital,
vous travailliez pour le bien de la communauté ?

*Sara* — Oui, on a fait ce qu'on a pu. Mais il y avait des tas de problèmes techniques;
il a fallu attendre l'arrivée des matériaux et, disons-le, nous manquions d'experts en
construction dans le groupe. En outre, les sujets de frustration ne manquaient pas !

On avait du mal à croire en notre efficacité... Nous avons tout de même réussi à remettre en état la résidence du médecin.

*J.H.* — Peut-être que, grâce à votre travail, attiré par cette belle maison, un médecin se précipitera à Kalenda... où on a tellement besoin d'un médecin.

*Sara* — Je l'espère bien. Ce serait épatant. Et j'espère aussi que la Fondation Mama Mobutu continuera à s'intéresser à cet hôpital.

*J.H.* — Parle-moi de Kalenda ?

*Sara* — Nous partagions au moins une corvée en commun avec les villageois : la corvée de l'eau. Un kilomètre de marche sur un chemin en pente. On s'est amusé à apprendre à porter les seaux d'eau sur la tête. Je me sens encore un peu stupide quand je vois des fillettes de cinq ans porter sur leur tête des seaux beaucoup plus grands que le mien. C'était plutôt marrant.

*J.H.* — On devait un peu se moquer de vous à l'occasion ?

*Sara* — Surtout de nos tentatives pour parler le *tshiluba*, la langue locale. Les gens éduqués parlent le français, mais la plupart des vieilles femmes et les jeunes enfants ne parlent que le *tshiluba*. Surtout dans les villages. Nous avons eu beaucoup de contacts avec les diverses écoles de Kalenda : l'école primaire, l'école secondaire, l'école des infirmières. On pouvait échanger plus facilement avec les instituteurs parce qu'ils parlaient français et que nous avions des intérêts communs. Plusieurs enfants devinrent très liés avec les participants. Et il y avait les Zaïrois qui travaillaient avec nous à la reconstruction de l'hôpital : ils ont été jusqu'à 12.

*J.H.* — Et que dire de la petite communauté de sœurs zaïroises ?

*Sara* — Ah oui ! Ce fut là notre plus important contact. D'abord, ce sont elles qui dirigent l'hôpital et qui décidaient ce qu'il fallait y faire. Elles nous ont présentés aux villageois, nous ont installés dans notre maison et nous ont orientés d'une façon générale. L'église catholique joue un rôle important dans le village. Tout le monde assiste à la messe du dimanche, qui est aussi un événement social.

*J.H.* — Il n'y avait pas que des catholiques chez les participants.

*Sara* — Non, mais cela ne nous empêchait pas d'aller à la messe. L'influence religieuse est encore très forte dans ce pays, beaucoup plus forte qu'elle ne l'est au Canada. Les sœurs étaient très présentes à l'église, ici et dans les villages des alentours. Il est intéressant de constater l'influence qu'ont eue les religions africaines tradition-nelles sur la religion chrétienne, surtout au niveau de la musique rythmée qui accompagne les services religieux. C'était fort différent de ce à quoi nous étions habitués.

*J.H.* — J'ai pu m'en rendre compte au cours de la messe de minuit à laquelle j'ai assisté avec vous tous, y compris les participants venus de Mwene Ditu. Les hommes étaient d'un côté de l'église, et les femmes de l'autre. Et seules les femmes chantaient...

*Sara* — C'est tout simplement leur tradition.

*J.H.* — J'ai remarqué que tu faisais partie du chœur...

*Sara* — Oui, j'aime bien participer à ce qui se passe, même si je n'ai pas réussi à apprendre tous leurs chants.

*J.H.* — Les femmes ont chanté pendant deux heures d'affilée... tout en dansant !

*Sara* — Oui, c'est assez inattendu de voir les femmes danser dans l'église. Une coutume qu'il faudrait peut-être rapporter au Canada ! Ça existe dans certaines églises...

*J.H.* — Y a-t-il de vraies valeurs que tu as découvertes au Zaïre et que nous aurions perdues au Canada ?

*Sara* — À l'intérieur des familles, les gens sont très proches les uns des autres, même dans les familles élargies. Par exemple, si tu as un cousin dans une autre ville, tu trouveras tout naturel d'aller t'y installer pendant trois ans, pour poursuivre des études. Ce genre de solidarité est très fort ici. Et le respect qu'on a pour les vieillards est immense, une autre valeur importante dont nous pourrons tirer un leçon.

*J.H.* — Vos homologues zaïrois auront un choc quand ils verront que les Canadiens se débarrassent de leurs vieux parents en les plaçant dans des maisons spéciales !

*Sara* — Oui, ils en seront sûrement scandalisés, et ça se comprend. Après tout, ce n'est pas une façon très correcte de traiter les personnes âgées.

*J.H.* — Il y a à peine quelques décennies, on n'agissait pas ainsi au Canada. Comment expliquer notre brusque changement d'attitude à l'égard des aînés ?

*Sara* — Ah ! notre société s'est éloignée du concept de la famille élargie pour choisir un mode de vie plus matérialiste, plus égoïste. On a donné une grande importance à la production. Il faut produite, produire, et quand vous cessez d'être productif, on vous met à l'écart. C'est devenu une tendance de notre société dans des tas de domaines. Parce qu'on ne reconnaît plus que les êtres humains peuvent posséder des ressources autres qu'une simple capacité de produire des choses, on case les vieillards dans des maisons de vieillards.

*J.H.* — Tu parleras de ça et de bien d'autres choses au cours de vos présentations au Canada ?

*Sara* — Il y aura tant de choses à communiquer ! Alors il faut se poser des questions : «Sur quoi vais-je me concentrer ?» «Comment résumer l'essentiel dans une présentation d'une heure et demie ?» J'aimerais qu'en découvrant une autre culture, les gens remettent en question leur propre culture, leurs valeurs. Je voudrais les rendre plus conscients de ce qui se passe dans le monde, de tous les problèmes qui existent, de leurs causes, de la raison pour laquelle ils perdurent et sont interdépendants. Je voudrais que les gens se demandent : «En quoi ma vie a-t-elle une influence sur celle de quelqu'un là-bas au Zaïre !» Il n'est pas facile de se poser ce genre de questions quand on n'est jamais sorti de sa communauté...

*J.H.* — Selon toi, quels seront les meilleurs moyens de toucher les coeurs, de changer les attitudes ?

*Sara* — Je vois notre rôle comme un simple point de départ. De toute évidence, nous ne réussirons pas à changer la vie des gens, à transformer leurs attitudes. Ça ne peut être qu'un long, très long processus. Nous toucherons peut-être ceux qui ont déjà commencé à réfléchir aux problèmes du monde. Nous ne serons qu'un petit élément du processus. Quant à moi, je ne crois pas pouvoir changer quiconque de façon spectaculaire...

*J.H.* — Qui sait ?

*Sara* — Qui sait ? Au moins, je vais essayer !

*J.H.* — Et, après la tournée canadienne, tu iras à l'université, j'imagine ?

*Sara* — Oui. Il est certain que je commence l'université en septembre. Absolument certain. Cette fois, rien ne saura m'arrêter.

*J.H.* — Même pas Jeunesse Canada Monde !

*Sara* — Non. Une des choses que ce programme m'a vraiment données, c'est le désir d'apprendre, d'acquérir des connaissances théoriques. L'expérience est évidemment essentielle et nécessaire, mais je veux découvrir ce que d'autres pensent, lire ce qu'ils ont écrit, ce que je n'ai pas encore eu l'occasion de faire à ce jour. Je choisirai sans doute une université à Ottawa ou à Montréal, parce que je veux continuer d'améliorer mon français.

*J.H.* — Où seras-tu dans dix ans ?

*Sara* — Dans dix ans, je serai probablement au Canada. Bien que je voudrais continuer à voyager encore, à travailler à l'étranger pendant quelque temps, je crois qu'en tant que Canadiens, la chose la plus importante que nous puissions faire, c'est de rester au Canada, de contribuer à changer l'attitude des Canadiens, à changer les structures qui ont des conséquences sur les pays du Tiers-Monde. Les tâches les plus importantes nous attendent vraiment au Canada. Alors, dans dix ans, je serai sans doute revenue d'un stage de travail de trois ou quatre ans, probablement dans le domaine de l'éducation.

*J.H.* — Ainsi tu crois qu'en faisant un réel effort, il y a espoir de changer l'attitude de la population canadienne à l'endroit du Tiers-Monde ? Et après le Canada, s'attaquer aux autres pays industrialisés...

*Sara* — Absolument. C'est à l'intérieur des pays industrialisés qu'il faut changer les structures économiques qui nuisent au développement des pays pauvres. Tout doit commencer par un changement d'attitude des Canadiens, des Américains, des Européens.

*J.H.* — Une énorme tâche pour toi et les autres participants !

*Sara* — C'est un peu comme le programme avec le Zaïre : nous devons voir notre rôle comme étant une partie infime d'un large processus et ne pas s'attendre à des réponses immédiates, à des résultats instantanés.

## Commentaires de Sara Whitehead
### sur la tournée canadienne

Quand je songe à notre tournée, voici les images et impressions qui m'envahissent le coeur et l'esprit : des paysages du Bouclier canadien saisis au vol alors que nous traversons le centre du pays à une allure folle dans notre wagonnette... le visage de centaines d'enfants de petites villes qui s'éclairent d'un sourire quand Lusamba, notre homologue zaïroise, fit battre leur coeur au rythme de son pays... ma scène de «magasinage» avec Lusamba dans une boutique de produits de beauté afro-cana-dienne... l'ouverture d'esprit et la chaude hospitalité de ma famille d'accueil.

## Sara Whitehead dix ans après

*En revenant du Zaïre, Sara a poursuivi ses études à l'Université McGill et à l'Université de Guelph. Elle a obtenu un baccalauréat en Développement international. Elle entreprit alors des études en médecine à l'Université McMaster et, tenant compte de son intérêt pour les communautés rurales, elle a fait un stage durant sa résidence en médecine familiale dans le nord de l'Ontario.*

*Les questions internationales ne cessant de l'intéresser, Sara a beaucoup voyagé. Elle a fait de la pédiatrie et de la médecine communautaire pendant cinq mois en Thaïlande, avant d'aller à l'Université John Hopkins y décrocher une maîtrise en santé publique.*

*Sara habite maintenant à Sioux Lookout (Ontario), où elle assure les services de santé à 28 communautés Oji-Cree au titre de médecin de programmes. Elle a épousé Philip White[3] et ils ont un fils, Elijah.*

---

3    On retrouve Philip White en Thaïlande, à la page 278.

# 7.
# Fergus Horsburgh

## *De l'Alberta au Mali*

Fergus et son homologue zaïroise Mauwa Kikungwé, affrontant l'hiver québécois pendant la tournée canadienne.

*Fergus* — Je suis né à Montréal et j'ai été élevé à Châteauguay et à Montréal-Ouest jusqu'à l'âge de 15 ans. Alors, mes parents ont divorcé et je suis allé vivre avec ma mère à Edmonton. J'allais au *high school*, mais j'ai finalement décroché avant la fin.

*J.H.* — Alors, tu es un de ceux-là !

*Fergus* — Oui, un de ceux-là... J'ai travaillé comme chauffeur de camion pendant six ou sept mois avant d'obtenir un emploi à l'*University James* à Edmonton. À ce moment-là, je ne songeais qu'à travailler pour mettre de l'argent à la banque. La théorie du bas de laine en prévision des mauvais jours ! À un moment donné, j'ai entendu parler de Jeunesse Canada Monde par ma soeur, qui avait fait Katimavik, deux organisations qui vont la main dans la main...

*J.H.* — Disons des organisations soeurs.

*Fergus* — C'est ça. J'ai passé l'entrevue à Jeunesse Canada Monde et j'ai été accepté. Tout en me préparant au départ, je continuais à travailler : le jour comme chauffeur et la nuit comme concierge. Jusqu'au jour où je me suis rendu au camp d'orientation pour le Mali, à Saint-Liguori, au Québec.

*J.H.* — Saint-Liguori ! Tu étais loin de te douter que tu y reviendrais trois ans plus tard avec le programme du Zaïre ! Avais-tu choisi l'Afrique ?

*Fergus* — Jeunesse Canada Monde avait un programme avec la Bolivie, et c'est là que j'aurais aimé aller, parce que j'avais adopté un enfant Bolivien par correspondance. Mais à cause du système de sélection, de questions de «sociodémographie», comme ils disent, j'ai abouti en Afrique. Ce n'était pas si mal. L'Afrique m'avait toujours attiré. Au Québec, après le camp de Saint-Liguori, mon groupe s'est établi dans une petite communauté agricole : Saint-Roch-de-l'Achigan. On y élève des porcs et on y cultive du tabac.

*J.H.* — Comme tu avais vécu à Montréal, tu étais sans doute bilingue ?

*Fergus* — À ce moment-là, non. Je me débrouillais tant bien que mal en français et, avant Jeunesse Canada Monde, je me serais sans doute considéré comme bilingue. Plus maintenant. J'ai vraiment appris le français grâce à Jeunesse Canada Monde et, plus tard, grâce à Katimavik. En arrivant à Saint-Roch, je me faisais comprendre; mes amis de Montréal m'avaient même appris des expressions typiquement québécoises, mais après mes mois d'immersion dans ma famille d'accueil, les Lafortune, je parlais couramment. Un jeune couple qui avait eu des jumeaux, dont je m'occupais beaucoup. C'était d'autant plus intéressant que, pour la première fois de ma vie, j'étais en contact avec des enfants. J'ai travaillé à la porcherie, mais surtout dans les champs de tabac. J'avais déjà passé deux semaines de vacances sur une ferme, mais je ne m'étais jamais rendu compte du travail énorme que doivent faire les cultivateurs. C'est à peine croyable.

*J.H.* — Tu ne m'as encore rien dit de ton homologue Malien ?

*Fergus* — Ah ! Baïsso ! Un grand joueur de soccer. Il venait de Bandiagura, dans le pays Dogon. D'ailleurs, il était le seul Malien du pays Dogon. Au début, au Canada, nous avons eu des problèmes ensemble à cause de son attitude étrange à l'endroit des filles du groupe. Comme bien des Africains, il avait une conception erronée de la femme canadienne, de la femme blanche. Ils les voient au cinéma, souvent de moeurs faciles, «*really Hollywood*»... Toute cette belle violence et cette sottise romantique : quel joli mélange ! Alors, Baïsso a peut-être cru que c'était ça, la réalité, et il est devenu assez entreprenant avec quelques participantes, pendant le camp d'orientation à Saint-Liguori : ça lui a fait une vilaine réputation. Et moi-même, j'avais des préjugés à son endroit à cause de cela. On en a parlé un peu ensemble, mais cette histoire créait une sorte de fossé entre nous. À l'occasion du voyage que nous avions fait dans les régions d'Ottawa, de Montréal et de Québec, une occasion s'est présentée un soir de faire ensemble une longue, longue promenade : je voulais vider la question avant le départ pour le Mali. Et j'ai commencé à comprendre son point de vue : «Que veux-tu, me dit-il, je croyais vraiment que vos femmes étaient comme cela...» Alors, son attitude ne lui paraissait pas anormale. Les Maliens se disaient : «Pourquoi faites-vous du chichi ? C'est ainsi que sont vos femmes. Regardez-les se promener en jeans... Alors, faut pas vous étonner.» Les apparences lui donnaient un peu raison.

*J.H.* — Et toi, en arrivant au Mali, tu as eu un quelconque choc culturel ?

*Fergus* — Peut-être. Mais je n'ai jamais bien compris ce que voulait dire l'expression «choc culturel»...

*J.H.* — Moi non plus !

*Fergus* — J'ai sans doute eu un choc, mais je n'aime pas ce mot. Disons que j'ai été assailli, en même temps, par un flot d'informations diverses. Simplement en me promenant à Bamako, la capitale : tous ces bruits nouveaux, toutes ces voix étranges, les sons, les odeurs... En route pour notre village, nous étions douze participants entassés dans une *Land-Rover*. Les gens nous regardaient passer en ouvrant de grands yeux; ils se demandaient avec étonnement ce que diable nous venions faire ici. «D'où sortent-ils ? Que nous veulent-ils ?» Au Canada, à la télévision, on nous gave d'images d'une Afrique où les gens crèvent de faim, fuyant la famine pour s'entasser dans des camps de misère, ce qui n'est pas toute la vérité. Cependant, il reste vrai que des gens souffrent, d'une manière ou d'une autre. Les Maliens disent souvent «On souffre ici !» Ils peuvent faire allusion à la chèvre qu'ils ont dû donner au chef parce que quelques lézards avaient péri dans l'incendie de leur case. Ils appellent ce genre de petites tracasseries traditionnelles de la «souffrance», un mot auquel on donne un sens très particulier. Mais, ils ne protestent pas contre la vie très dure qui est la leur; ils l'acceptent comme inévitable. «C'est la vie !»

*J.H.* — Et après Bamako ?

*Fergus* — Ce fut l'installation dans notre village, Sirakorola, dans la région de Kalengoulou.

*J.H.* — Ces noms me rappellent quelques chose : j'étais allé rendre visite à votre groupe...

*Fergus* — Le plus difficile, c'est que nous vivions dans un camp agricole dirigé par des militaires et situé à un kilomètre du village de Sirakorola. Même un seul kilomètre rendait les contacts plus compliqués. C'était ma première expérience de vie en groupe. Une rude expérience, mais pas si mauvaise au fond. Il y avait souvent des discussions, mille petits problèmes à régler. C'est inévitable, mais le groupe a tout de même réussi à fonctionner. Ensemble, nous avons construit une salle d'eau pour la petite clinique du village. Nous avons travaillé aux récoltes avec les jeunes du camp, des jeunes agriculteurs qui venaient de villages assez éloignés et qui ne parlaient que le *bambara*.

Les militaires leur apprenaient des techniques agricoles nouvelles... ce qui me semble une bonne façon d'utiliser le budget de l'armée ! Nous sommes devenus très copains avec un de ces jeunes agriculteurs. Il s'appelait Djeeba et je me souviens de lui comme si c'était hier. Il ne connaissait pas un mot d'anglais ni de français et ne parlait que le *bambara*. On s'entendait vraiment bien avec Djeeba. Nous travaillions avec lui, nous jouions au soccer, nous pratiquions un peu la lutte et, souvent, il nous invitait à manger dans sa famille. Une belle amitié. À la fin de notre séjour, alors qu'il savait que nous allions bientôt partir, il est venu voir les participants. Il avait un air très sérieux, très concentré, c'était évident. Et tout à coup, il a dit quelques mots en français. C'était la première fois de sa vie qu'il parlait dans cette langue ! Dans un français boiteux mais compréhensible, il nous a dit : «En va toujours amis !» Ça lui a pris un bon bout de temps pour nous sortir ça, à travers un flot de *bambara* auquel je ne comprenais rien. Cette scène m'avait profondément touché. De voir l'effort inouï qu'il avait fait pour nous communiquer un simple message d'amitié. C'était super. Jamais je n'oublierai Djeeba...

    *J.H.* — Quoi d'autre as-tu rapporté du Mali ?

    *Fergus* — Le Mali a détruit un grand nombre de mes préjugés. Je me suis toujours considéré comme un gars assez ouvert. Mais en arrivant, je croyais que tout le monde habitait dans des petites huttes où des gens mouraient. Qu'ils étaient assez ignorants et qu'ils ne savaient pas ce qui se passait dans le monde, alors que nous, en Amérique du Nord, nous avons la chance de pouvoir étudier la géographie, l'histoire, la politique, surtout la politique dont les médias ne cessent de nous parler à longueur de journée. Les Maliens ne semblent pas connaître toutes ces choses. Mais en ont-ils vraiment besoin ? Ils savent qui est leur Président, et voilà. Par contre, dans le pays, les valeurs familiales ont une extrême importance, ce qui est de moins en moins le cas au Canada. Ce fut pour moi une révélation. Au Mali, la famille c'est tout, enfin presque tout. Sous le même toit, on trouve les grands-parents, les parents, les fils, leurs femmes et leurs enfants. Tout le monde travaille ensemble dans un champ communal, ce qui m'a beaucoup impressionné. Ah ! et la façon dont ils traitent leurs aînés, à qui on témoigne toujours le plus profond respect ! Au Canada, dès que les aînés atteignent l'âge de 65 ou 70 ans, qu'ils sont plus faibles, hop ! on les fout dans une maison pour vieux ! Ceux qui n'ont pas les moyens savent que le gouvernement logera leurs vieux parents, parfois dans des endroits qui ressemblent presque à des prisons.

    *J.H.* — Au Canada, cela ne t'avait jamais frappé ?

    *Fergus* — Un peu. Mais j'avais l'impression qu'il en avait toujours été ainsi et qu'il en serait toujours de même.

    *J.H.* — Il n'en a pas toujours été ainsi.

    *Fergus* — Au moins depuis que je suis au monde. Il m'arrivait de penser : «Mais c'est une chose terrible». Cependant, je n'allais pas jusqu'à critiquer ouvertement parce que je ne connaissais pas mieux. Au Mali, j'ai vu la considération qu'on accorde aux aînés, qui représentent une grande ressource pour la communauté, «un trésor». Contrairement à des peuples comme les Égyptiens ou les Aztèques, qui ont laissé une histoire écrite, au Mali l'histoire se transmet oralement d'une génération à l'autre. Or, ce sont les vieux qui possèdent l'information et qui, le soir, autour du feu, la transmettent aux plus jeunes en puisant dans leur mémoire. Quelle merveilleuse méthode !

*J.H.* — Et les problèmes de développement du Mali ?

*Fergus* — Ah ! le *«red tape»*... J'en ai été malade. Le *«red tape»* partout, ralentissant toute action. C'est peut-être inévitable, mais que de temps perdu simplement pour obtenir la moindre petite chose, pour qu'elle passe du point A au point B, à cause des problèmes de transport. On peut bien parler d'aide au développement, mais avant d'aider les gens, il faudrait au moins connaître leurs noms ! Ne pas arriver chez eux en leur disant : «Nous voilà ! Maintenant nous allons changer ceci, vous aider à faire cela, etc.» Vous savez, ils n'en veulent peut-être pas de notre aide... Il ne s'agit pas de les aider, mais de travailler *avec* eux, *pour* eux. Je déteste l'idée qu'on vienne *aider* les gens... C'est une mauvaise attitude...

*J.H.* — Comme tu sais, Jeunesse Canada Monde n'est pas un programme d'aide. On t'a envoyé en Afrique pour apprendre et pour partager.

*Fergus* — Ce qui est très bien.

*J.H.* — Après le Mali, as-tu enfin décidé de retourner à l'école, sacré décrocheur ?

*Fergus* — Inutile de dire que mes parents me poussaient dans le dos. Mon père avait bien réussi dans la vie, il avait un peu d'argent et voulait m'aider à entreprendre des études universitaires. J'espérais que Jeunesse Canada Monde contribuerait à me décider enfin, mais ça n'a pas marché.

*J.H.* — Nous avons raté notre coup avec Fergus !

*Fergus* — Non, non, surtout pas ! Sans doute le programme ne m'a-t-il pas ramené directement aux études, ce qui peut paraître négatif, mais c'est sans doute parce que j'en suis sorti avec plus de questions que de réponses. Maintenant, il faut que je trouve les réponses. Et puis, en revenant au Canada, j'ai subi un «choc» plus grand qu'en arrivant au Mali.

*J.H.* — Par exemple ?

*Fergus* — Les médias ! J'ai été estomaqué de constater l'importance du rôle des médias au Canada, ces médias dont nous acceptons tout comme vérités d'évangile, ce qui est évidemment absurde. Si vous avez le malheur de dire : «Je suis allé en Afrique», le plus souvent les gens vous répondent : «Oh *wow* ! Vraiment super ! Tu es allé dans un safari ?» J'ai été étonné de voir jusqu'à quel point la plupart des gens peuvent être mal informés sur l'Afrique. Peut-être cela peut-il se comprendre quand on sait que leurs sources d'information sont les courtes nouvelles diffusées par les médias et les photos en couleurs du *National Geographic* ! Je n'hésite pas à dire que les Canadiens sont des ignorants en ce qui concerne l'Afrique.

*J.H.* — Ton père a dû revenir à la charge : «Fergus, tu devrais retourner à l'école et terminer ton *high school*».

*Fergus* — Mais je n'en ai rien fait. Je me suis remis à travailler, j'ai quitté la maison pour vivre en appartement. Je suis allé revoir ma mère à Edmonton. Et je mettais de l'argent de côté ! Comme mon père me disait : «Tu devrais aller à l'école, mais si tu ne le fais pas, au moins mets de l'argent en banque !» C'est alors que je me suis mis à penser à Katimavik, surtout parce que je voulais continuer de me perfectionner en français. On n'apprend pas le français à Edmonton !

*J.H.* — Après tes neuf mois dans Katimavik, qu'a dit ton père ?

*Fergus* — Comme d'habitude ! Mais il commençait peut-être à se poser des questions à mon sujet : «Bon, peut-être ce garçon n'est-il pas destiné à l'université. Tout le monde n'est pas fait pour s'asseoir pendant des années dans une salle de cours.» Et il me suggéra de peut-être apprendre un métier. Alors, je devins apprenti ébéniste pendant un an. J'avais mon propre appartement et je travaillais pour subvenir à mes besoins : payer le loyer, l'électricité, l'épicerie. Ça m'a fait mûrir, je crois. Un jour, je me suis dit que je ne voulais peut-être pas être un ébéniste ou un charpentier le reste de ma vie. Je me suis inscrit à un cours du soir...

*J.H.* — Enfin !

*Fergus* — À ma grande surprise, j'ai obtenu une bonne note, un B+. Et un jour, j'ai reçu un coup de téléphone de Jeunesse Canada Monde. Daniel m'a demandé si j'étais intéressé au programme spécial avec le Zaïre. J'ai répondu «oui», mais en demandant 24 heures de réflexion, le temps de consulter ma blonde, mes parents, mes amis. Trois semaines plus tard, j'arrivais au camp d'orientation de Saint-Liguori...

*J.H.* — ... pour la deuxième fois !

*Fergus* — Le bon vieux camp, avec la même cuisinière et tout.

*J.H.* — Même le Zaïre, c'était un retour dans ta vieille Afrique.

*Fergus* — D'ailleurs, en arrivant, je me suis dit : «Oh ! comme je suis content d'être revenu !» Et je passais des heures, le soir, à simplement regarder les moindres choses, aussi banales qu'un petit palmier. Le simple plaisir d'être salué par les gens, de leur rendre leurs saluts, de serrer la main à tout le monde. Au Canada, si vous serrez la main à un inconnu, on appelle la police !

*J.H.* — À Kalenda, je suppose que la vie en groupe t'a causé des petits problèmes, comme à tous les autres participants. Mais, en fin de compte, vous me paraissez un groupe uni ?

*Fergus* — Nous le sommes devenus, surtout vers la fin. Je ne suis pas intime avec tout le monde, mais j'ai appris à très bien connaître trois ou quatre participants, y compris bien sûr des Zaïrois. Dans la maison commune, il n'existe aucune différence entre les Canadiens et les Zaïrois. Absolument aucune.

*J.H.* — Et les difficultés de l'énorme projet de travail ?

*Fergus* — En arrivant ici, notre plan de travail, c'était de rénover deux pavillons de l'hôpital, de réparer le toit de l'aile de maternité et du pavillon central. Nous avons dû abandonner à son sort un des pavillons. On n'a pu tout faire, parce que trop de gens avaient des priorités différentes. À un moment donné, nous avions trois ou quatre patrons ! Philippe, notre coordonnateur, avait ses objectifs, et il insistait pour qu'on les atteigne. Et il y avait soeur Justine, la supérieure des soeurs zaïroises avec lesquelles nous travaillions à l'hôpital, très étroitement. Soeur Justine avait aussi ses priorités. Pelé, le charpentier zaïrois, avait les siennes. Quand je travaillais avec lui, il fallait m'ajuster à sa manière de faire les choses. On a fini par travailler ensemble et à atteindre une partie de l'objectif. On a remis a neuf la résidence, mais on aurait pu faire beaucoup plus si on avait été mieux organisé, s'il y avait eu un seul «boss». Enfin, nous avons établi des contacts avec les villageois, avec le chef du village, avec les soeurs zaïroises, qui sont très fières de ce que nous avons accompli. De même que Mama Mpinga, la présidente de la fondation Mama Mobutu, responsable du projet.

*J.H.* — Et le gouverneur de la province est venu en personne vous féliciter...

*Fergus* — Oui, avec l'ambassadeur du Canada au Zaïre. Ils étaient contents tous les deux. Si je ne suis pas vraiment heureux, c'est que je pense à tout ce que nous aurions pu faire de plus...

*J.H.* — Tu es peut-être un perfectionniste !

*Fergus* — Jusqu'à un certain point. J'aime faire les choses le mieux possible.

*J.H.* — Tu as fréquenté les gens du village ?

*Fergus* — Au début, ce fut un peu difficile, parce que nous habitions à l'écart, dans notre maison. Nous hésitions à nous aventurer dans le village. Les gens ne comprenaient pas notre langue et nous ne comprenions pas la leur. Un soir, j'ai entendu de la musique qui nous parvenait du village, et alors je me suis dit : «Tant pis ! Tout le monde dort à la maison et moi je ne m'endors pas ! Alors, allons-y !» J'attrape une lampe de poche et j'entraîne Abata avec moi, un participant zaïrois avec qui je travaille. Nous voilà en route. Au village, on jouait toutes sortes de musique. Il y avait du monde partout. Quand on m'a aperçu, on m'a tout de suite apporté une chaise, on m'a fait asseoir, on m'a offert du *cinq cents*, une sorte d'alcool de maïs. Il y avait des gens qui dansaient et je me disais : «Allons-y ! Tout cela a l'air vraiment marrant.»

*J.H.* — Il était quelle heure ?

*Fergus* — Le milieu de la nuit. Nous sommes arrivés entre 11 heures et minuit. Et nous sommes restés plus de deux heures. C'était une nuit de clair de lune. Et tout à coup un gars s'est mis à danser, en se rapprochant de moi. Je ne savais comment réagir. Il était a un pied de moi, dansant toujours. Alors, j'ai demandé à Abata, assis à mes côté, ce que je devais faire dans une pareille situation. Je ne voulais blesser personne. Il m'a dit : «Tu es sensé l'encourager à danser encore en lui offrant un peu d'argent.» J'en avait un peu sur moi. Il faut prendre l'argent dans sa main et le placer sur le front de la personne qui danse. C'est ce que j'ai fait, bien sûr, et tout le monde a éclaté de rire. Alors, je me suis dit : «Tant pis ! J'y vais !» Peut-être un peu aidé par l'alcool, je me suis mis à danser avec le gars et tout le monde riait aux éclats. Nous avons dansé pendant quelques minutes et c'était vraiment marrant. Alors, je me suis rassis et j'ai demandé : «Mais enfin qu'est-ce qui se passe ? Pourquoi cette fête ?» Et on m'a répondu que toutes ces réjouissances, tous ces rires, c'était pour célébrer... des funérailles ! C'est cette nuit-là que j'ai rencontré Ilunga, devenu mon meilleur ami dans le village. Il a sa propre case, et j'allais jouer aux cartes avec lui le soir. Il m'a présenté à quelques-uns de ses amis. Comme il avait mon âge, nous pouvions parler d'à peu près tout. Ici, les gens sont intéressés à savoir ce qui se passe au Canada, ils sont très ouverts sur tous les sujets. Un soir, nous avons discuté du mariage... pour aboutir à une discussion politique ! Comment ils percevaient Mobutu, le président fondateur du M.P.R., le seul parti politique du Zaïre. Parfois nous parlions, parfois nous jouions aux cartes en silence, parfois nous ne faisions rien, nous passions le temps ensemble. Après cela, je n'hésitais plus à aller au village et à rencontrer les gens. J'ai fait la connaissance du secrétaire de l'Institut technique médical. Je le rencontrais souvent et je discutais avec ses enfants qui ont mon âge, entre 18 et 23 ans. Je suis devenu copain avec un menuisier. Bref, je passais des soirées entières au village, à répondre aux questions des gens sur le Canada, ce qui me plaisait beaucoup. Vous ne pouvez venir pour simplement dire bonjour et partir au bout de cinq minutes. Il faut s'asseoir, prendre son temps. On vous offrira du maïs ou des cacahuètes. Et vous passerez au moins une heures avec vos hôtes.

*J.H.* — Il est évident que tu t'es bien intégré à Kalenda.

*Fergus* — Au Mali, ce fut moins facile. Je m'y suis bien fait quelques amis, mais jamais des amis aussi intimes que mes amis zaïrois. Demain, à l'heure du départ, il est bien possible que je pleure... Ça ne m'étonnerait pas du tout. Et puis, il y aura le retour, la grande tournée canadienne. Je ferai des présentations en français au Québec, en anglais en Ontario, dans la région de Toronto et de Peterborough.

*J.H.* — En mars tu te retrouveras seul devant la vie.

*Fergus* — Mon père sera content d'apprendre celle-là : je m'en vais à l'université !

## Commentaires de Fergus Horsburgh sur la tournée canadienne

Nous venons de passer six semaines à parcourir le Canada pour parler aux gens de la réalité de l'Afrique. Ce fut pour moi une agréable et extraordinaire expérience, mais en même temps, quel dur choc de constater le degré d'ignorance des Canadiens à l'endroit de l'Afrique. Je ne peux les en blâmer. Il sont les victimes quotidiennes des médias, qui ne leur montrent que des images d'Africains affamés. Ça m'ennuie de voir l'exploitation qu'ils font de quelques nouvelles à sensation pour mieux vendre leurs maudits journaux, ou gagner quelques dollars de plus avec leurs annonces de bière.

Nous avons été chaleureusement reçus partout au Canada, et on a manifesté un vif intérêt à entendre ce que nous avions à dire. C'est tout à l'honneur des jeunes Canadiens qui, je crois, ont le désir sincère de découvrir ce qui se passe réellement en dehors de leur propre pays.

J'ai éprouvé un réel plaisir et une grande satisfaction à partager avec eux le fruit de mes expériences. À un point tel que j'ai décidé de me lancer en éducation, en septembre, à l'université. À moins que les charmes et les beautés de l'Afrique ne m'incitent encore à y retourner... Mais, cette fois, je résisterai ferme !

## Fergus Horsburgh dix ans après

*Après son programme avec le Zaïre, Fergus a travaillé comme ébéniste. Il a ensuite terminé ses études universitaires à l'Université Trent, interrompues un moment par un long voyage en Chine, aux Philippines, en Thaïlande et en Inde. C'est à cette époque que ses parents se sont retrouvés... et remariés.*

*Après avoir obtenu son diplôme de l'université Trent, il déménagea à Calgary, où il a travaillé auprès des jeunes itinérants, dans la rue et, ensuite, dans un centre pour jeunes délinquants. Il a repris ses études à l'University of British Columbia, où il a obtenu un diplôme en éducation.*

*Marié et père d'un petit garçon, Kierian, Fergus dirige maintenant une classe pour enfants ayant des difficultés de comportement, à Surrey.*

# 8.
## Annik Lafortune

*Du Québec au Costa Rica*

Anik et son homologue zaïrois.

*Annik* — Je suis née dans le vent, le froid et le sable de Chibougamau. J'y ai vécu les trois premières années de ma vie alors que mon père travaillait pour les entreprises minières. Par la suite, ma famille est venue s'établir à Montréal, puis à Saint-Lambert, où j'habite depuis quinze ans. J'y ai fait mes études secondaires. Je me rappelle tout spécialement une professeure d'anglais qui évoquait souvent son travail de coopérante en Afrique. À plusieurs reprises, elle nous a montré des photos décrivant le mode de vie des Africains. Ce premier contact avec cette travailleuse internationale m'a éveillée à la possibilité de vivre des expériences culturelles ou professionnelles à l'étranger. Après mes études secondaires, je me suis orientée vers les arts plastiques afin de mieux répondre à mes besoins d'expression, de réflexion sur la vie et de communication avec les gens qui m'entourent. Après deux ans de cégep, j'avais envie d'apprendre en vivant de nouvelles expériences, d'aller voir ce qui se passait dans d'autres pays et de découvrir d'autres cultures. L'art traditionnel, la musique et les langues sont autant de modes d'expression par lesquels j'aimais découvrir les autres nations. Pour moi, le contact culturel avec les jeunes de mon âge demeurait primordial. J'enviais d'ailleurs mon frère Éric, qui avait déjà fait l'expérience de Jeunesse Canada Monde en Bolivie[4].

*J.H.* — C'est d'ailleurs là que j'ai connu Éric.

*Annik* — En effet, lors d'une soirée dans les Andes... À son retour, nous avons beaucoup parlé tous les deux de la Bolivie et de l'expérience extraordinaire qu'il avait vécue. C'est à ce moment que j'ai décidé de poser ma candidature à Jeunesse Canada Monde, pour finalement être acceptée dans le programme d'échange avec le Costa Rica. La première partie de l'échange m'a permis de découvrir l'Outaouais, une belle région du Québec qui m'était inconnue. Oscar, mon homologue costaricain, et moi avons fait un stage de trois mois dans une coopérative agricole à Buckingham, où nous touchions à toutes les facettes du travail d'agriculteur. Le jour où il fallu procéder à l'inventaire des vis et des boulons, j'ai appris à mon homologue à compter en français.

*J.H.* — En même temps que tu apprenais à compter en espagnol !

*Annik* — Exactement. D'abord les chiffres, ensuite les jours de la semaine, puis le vocabulaire de base.

*J.H.* — En arrivant au Costa Rica, tu avais donc quelques notions d'espagnol. Quelles furent tes premières impressions de ce merveilleux petit pays ?

*Annik* — J'ai été d'abord étonnée de voir à quel point le Costa Rica vivait sous l'influence nord-américaine. Par exemple, à San José, les jeunes écoutaient la même musique américaine que nous, portaient les mêmes jeans, et les grandes chaînes de restauration rapide avaient pignon sur rue dans la capitale. J'imaginais que toute l'Amérique latine était très ancrée dans ses traditions indigènes. Je me suis vite aperçue que le Costa Rica faisait exception à la règle ayant conservé les traditions des colonisateurs européens plutôt que celles des autochtones.

*J.H.* — Drôle de Tiers-Monde ! Mais dans les villages et dans ta famille d'accueil...

*Annik* — La vie dans les villages était fort différente de celle de la capitale. Ici,

---

4    On retrouvera Éric Lafortune en Bolivie, à la page 228.

pas de restaurant, pas d'eau chaude, et de l'électricité quelques heures par jour. Ma famille m'a chaleureusement accueillie comme une de ses enfants. En tant que fille, je me suis facilement intégrée ... à la cuisine, à la lessive et à l'entretien de la maison. Il était hors de question que je m'initie aux travaux des champs réservés exclusivement aux hommes. Quel contraste avec mon expérience de fermière québécoise dans l'Outaouais ! Il m'a fallu trois semaines de négociations et de chaudes discussions pour convaincre mon père d'adoption que j'étais parfaitement capable de chausser des bottes et d'effectuer les travaux agricoles.

*J.H.* — Est-ce que ses réticences étaient vraiment fondées sur ta capacité physique de faire le travail ?

*Annik* — Absolument pas ! Mon plus grand choc culturel a été de découvrir à quel point les rôles étaient prédéterminés pour l'homme et la femme. L'homme travaillait aux champs et la femme à la maison. Remettre en question cette division du travail était inimaginable pour eux.

*J.H.* — Et sur le plan des valeurs, qu'as-tu découvert ?

*Annik* — J'étais confrontée tous les jours à une religion omniprésente, une morale stricte et une prédominance de la famille. Un mode de vie sans doute semblable à ce que mes parents ont vécu il y a quarante ans. J'ai également été charmée par la grande hospitalité et la cordialité des Costaricains. Tous les jours, on prenait le temps de saluer les gens qu'on rencontrait et de rendre visite à des amis ou des voisins. Bref, on prenait le temps de vivre !

*J.H.* — Même si le Costa Rica n'est pas le pays le plus tragiquement démuni du monde, y as-tu quand même découvert certaines réalités d'un pays en voie de développement ?

*Annik* — Il s'agit bien d'un pays du Tiers-Monde, bien qu'il n'y ait pas, comme ailleurs, un écart énorme entre les classes sociales. On y trouve une classe moyenne dynamique, un système de coopératives bien développé et de nombreuses entreprises nationales. Par contre, les grandes multinationales gardent le monopole sur la grande majorité des plantations, où elles emploient des travailleurs sous-payés, souvent de race noire ou réfugiés du Nicaragua. Les salaires et les conditions de travail maintiennent cette main-d'oeuvre à un niveau de vie assez misérable.

*J.H.* — Et au retour du Costa Rica ?

*Annik* — J'ai poursuivi mes études à l'Université Concordia en enseignement des arts tout en m'engageant dans un programme de coopération international du YMCA, plus particulièrement avec le Bangladesh. Je songeais toujours à retourner vivre une expérience de coopération à l'étranger. Après deux ans d'études universitaires, j'ai eu l'occasion d'entreprendre un nouveau projet de Jeunesse Canada Monde au Zaïre. Ce projet comprenait un séjour de trois mois en Afrique centrale, la préparation de documents audiovisuels, la présentation dans les institutions scolaires du Canada des enjeux du développement de l'Afrique.

*J.H.* — Alors un jour, tu arrives au Zaïre...

*Annik* — C'était plutôt une nuit, chaude et humide. Nous venions de traverser l'Europe et l'Afrique en moins de 24 heures pour arriver à Kinshasa. Même s'il était deux heures du matin, il y avait toute une ambiance ! La télévision nationale nous attendait, de même que nos homologues Zaïrois et les représentants de la Fondation Maman Mobutu, tous aussi fatigués et émus que nous. Tout ce beau monde nous a escortés au Centre où avait lieu notre camp d'orientation et d'immersion à la vie africaine. Comme tous s'exprimaient en français, l'intégration s'est facilement réalisée.

*J.H.* — Après quelques jours à Kinshasa, c'est le grand départ pour le Kasaï oriental, plus précisément pour le petit village de Kalenda, où nous bavardons en ce moment.

*Annik* — C'est dans un climat de fête qu'on nous a accueillis : tout le village chantait et dansait à notre arrivée. Nous habitons dans les vestiges d'un grand hôpital construit par les Belges pendant la période coloniale dans les années 50. Depuis leur départ, cet hôpital a été très peu entretenu faute de moyens. De plus, la guerre civile qui a sévi de 1960 à 1965 a beaucoup endommagé le bâtiment.

*J.H.* — Vous aviez donc pour tâche de rendre cet hôpital fonctionnel.

*Annik* — En fait, il s'agissait plutôt de le rafistoler, tant bien que mal, à l'aide de matériaux fournis par l'ambassade canadienne. C'est à ce moment que j'ai ressenti le plus les difficultés d'un pays sous-développé. Des voies de communication déficientes, de la marchandise égarée et de l'outillage rarissime ont compliqué notre tâche à tel point que nous avons dû nous débrouiller avec les moyens du bord. Plus nos travaux de réparation avançaient, plus nous découvrions l'état lamentable du bâtiment. À tel point qu'il a même fallu remplacer les madriers qui soutenaient le toit. Quelle aventure ! Alors qu'au départ on nous avait dit qu'il ne fallait que rafraîchir la peinture des murs intérieurs.

*J.H.* — Est-ce que les problèmes se limitaient à des ressources matérielles ?

*Annik* — Bien sûr que non ! Il a fallu mettre de côté notre conception nord-américaine du travail de construction, tenant compte des conditions climatiques extrêmes (pluie diluvienne ou chaleur torride), de la main d'oeuvre peu spécialisée et du manque de matériaux. Malgré tout, les Zaïrois demeuraient des bons vivants et nous ont appris à rire des situations parfois décourageantes que nous vivions. C'est d'ailleurs pour cette raison que je garde des souvenirs inoubliables de notre entreprise.

*J.H.* — Et le contact avec les gens du village ?

*Annik* — Le sourire reste le meilleur moyen de communication puisque les gens parlaient davantage la langue locale que le français. Et encore, même si le *tshiluba* demeurait la langue officielle de cette province, dans mon village on parlait en plus trois dialectes différents. Par contre, à l'école paramédicale, la centaine d'étudiants avec qui nous échangions beaucoup, maîtrisaient bien le français, la langue d'enseignement.

*J.H.* — Maintenant que s'achève ton séjour au Zaïre, que retiens-tu ?

*Annik* — D'abord et avant tout la simplicité des gens qui s'accommodent du peu de choses qu'ils ont. Marcher pieds nus, porter le même vêtement tous les jours ou même apporter son tabouret pour s'asseoir à l'école sont choses tout à fait courantes pour eux. Il a bien fallu que je me fasse à l'idée qu'il s'agissait d'une réalité aussi banale, en Afrique, que de prendre l'autobus pour aller travailler, en Amérique.

De plus, la réalité zaïroise est très différente de l'information diffusée par les médias internationaux. Notre vision est limitée à des reportages sur la sécheresse, la famine et la guerre. Une fois sur place, on est étonné de voir des gratte-ciel, des supermarchés ou même des feux de circulation. La terre est cultivée, le sous-sol est riche en minéraux (surtout en diamant) et de nombreuses rivières sillonnent ce pays. Ce qui m'a amenée à comprendre qu'un pays en voie de développement n'est pas nécessairement démuni de ressources naturelles, mais plutôt dépourvu de structures permettant de répartir équitablement les richesses.

*J.H.* — Comment envisages-tu la grande tournée du Canada qui t'attend au retour ?

*Annik* — Avec beaucoup d'enthousiasme, car je suis allée au Zaïre pour apprendre et je reviens au Canada pour partager mon expérience. J'ai surtout hâte de faire connaître la réalité du Zaïre à des Canadiens qui, au départ, auront sans doute les mêmes préjugés que j'avais face à l'Afrique.

*J.H.* — Et ainsi, peut-être, faire sentir aux Canadiens la responsabilité que nous avons tous dans le processus de développement.

*Annik* — Oui, et de faire comprendre l'interdépendance des pays dans ce monde. Les Africains ont d'ailleurs eux aussi beaucoup à nous apprendre au point de vue des relations humaines. Il s'agit de prendre le temps de les côtoyer.

## *Commentaires d'Annik Lafortune sur la tournée canadienne*

Diaporamas et scénarios d'animation en main, c'est avec beaucoup de nervosité que nous avons amorcé cette tournée canadienne. Dix jours d'escale à Montréal nous semblaient bien peu pour nous préparer à expliquer l'essentiel de notre expérience et faire le point sur notre aventure. Durant les six semaines de tournée, notre tâche consistait à ratisser le territoire de Vancouver à Winnipeg. Notre objectif était de démystifier les préjugés face à l'Afrique, principalement véhiculés par les médias. Le succès des présentations reposait en grande partie sur des anecdotes de la vie africaine, encore très présentes à notre esprit.

Nous étions neuf en tout, 6 Canadiens et 3 Zaïrois, à nous répartir les communautés rurales, les banlieues et les grands centres. Abata, Todd et moi formions une équipe du tonnerre, pleine d'humour et d'inventivité. Notre compagnon zaïrois est vite devenu la coqueluche de nos auditoires, partout où nous allions. Nous visitions des écoles, des collèges, des universités, des centres communautaires, des organismes d'aide internationale et même des médias d'information.

Finalement, mes six semaines de tournée m'ont convaincue que l'éducation est le meilleur outil pour transformer la perception qu'on a des autres et favoriser ainsi la compréhension et la coopération entre nations.

## *Annik Lafortune dix ans après*

*La tournée canadienne terminée, Annik a poursuivi ses études à l'Université Concordia pour devenir professeur d'arts plastiques. Depuis, elle a travaillé comme animatrice au musée des Beaux-Arts de Montréal et comme enseignante dans plusieurs écoles primaires et secondaires de la région de Montréal.*

*Elle a fait quelques voyages à l'étranger et rêve encore d'oeuvrer pour la coopération culturelle. Les cultures, les traditions populaires et les langues la fascinent toujours.*

*Ayant fait partie d'une «minorité visible» dans un pays où elle ne possédait pas de références culturelles, Annik était bien préparée à comprendre les défis d'intégration des minorités ethniques, tant dans les écoles de Montréal que dans notre société en général.*

# 9.
# Benoît Beauchemin

## *Du Québec à la Jamaïque*

Benoît Beauchemin dans les Rocheuses en 1990.

*Benoît* — Je suis de la ville de Laval, au Québec, et j'ai eu 19 ans ici même, au Zaïre. Le plus jeune du groupe ! Après la 5ᵉ année du secondaire, je rêvais de vivre quelque chose de différent, un défi, et de voyager un peu avant de m'enfermer au cégep.

*J.H.* — Comme je te comprends ! Il est atroce de penser que la plupart des jeunes seront confinés entre les quatre murs d'une classe, depuis la maternelle jusqu'à la fin de l'université, sans avoir de contact avec la vraie vie. Un système ridicule ! Avais-tu seulement une idée de ce que tu voulais faire dans la vie ?

*Benoît* — J'hésitais entre la sociologie, le journalisme et le développement international.

*J.H.* — Avant même de savoir ce que pouvait être le développement international ?

*Benoît* — Exactement. C'était un peu comme une intuition. Comme je n'étais pas tout à fait sûr, je voulais prendre une année pour me familiariser avec le domaine. J'étais aussi tenté par Katimavik. Mais peu après avoir passé les entrevues à Jeunesse Canada Monde, j'apprenais que je partirais pour la Jamaïque et le Nouveau-Brunswick.

*J.H.* — Cela correspondait à tes voeux ?

*Benoît* — En fait, mon premier choix, c'était l'Afrique...

*J.H.* — ... où tu es en ce moment !

*Benoît* — ... mais n'importe quel pays du Tiers-Monde me paraissait intéressant. L'essentiel, c'était de découvrir une autre culture, d'être confronté à des idées différentes.

*J.H.* — Avant la Jamaïque, il y a eu la période canadienne...

*Benoît* — Mon groupe s'est retrouvé dans une communauté tranquille appelée Woodstock, à 100 kilomètres à l'ouest de Fredericton, au Nouveau-Brunswick.

*J.H.* — Tu parlais anglais ?

*Benoît* — Un peu. Je me débrouillais. Maintenant, à la fin du programme avec le Zaïre, je peux dire que je suis passablement bilingue.

*J.H.* — Et alors, Woodstock ?

*Benoît* — Une communauté d'environ 8 000 habitants. Mon homologue et moi vivions et travaillions dans une ferme maraîchère appartenant à une famille extraordinaire : les Robinson. Un verger de 300 pommiers, 100 acres de maïs et de légumes de toutes sortes pour alimenter la petite épicerie familiale.

*J.H.* — Et votre famille, les Robinson ?

*Benoît* — Des gens très simples, très accueillants, très sympathiques. Ils nous ont fait connaître la région. Leur fils et leur fille avaient déjà quitté la maison, mais ils venaient souvent travailler avec nous. Tous travaillaient très fort.

*J.H.* — C'était ta première expérience dans un milieu anglophone ?

*Benoît* — J'avais un peu voyagé en Colombie-Britannique et aux États-Unis, mais c'était mon premier contact en profondeur avec une famille anglo-saxonne. En arrivant, à ma grande surprise, j'ai subi un petit choc culturel. J'étais vraiment étonné que cela puisse m'arriver à l'intérieur de mon propre pays. Je me suis rendu compte, peut-être pour la première fois, qu'il existait des différences culturelles entre les anglophones et les francophones, sur le plan des valeurs, des points de vue. Mais des différences qui parfois ne sont pas très grandes, en fin de compte.

*J.H.* — Dis-moi un mot de ton homologue ?

*Benoît* — Rohan Murray venait de Montego Bay, une ville touristique et très belle de la Jamaïque. Il venait d'une grande famille et il avait un emploi dans un magasin de disques. Au début, on a eu certains problèmes de communication, à cause de mes insuffisances en anglais et de nos différences culturelles. Il a fallu au moins deux mois avant que nous puissions établir un bon contact. Par la suite, tout s'est bien passé. Je me souviens de son intelligence et de sa sensibilité.

*J.H.* — Comment ce jeune Noir a-t-il été accueilli dans la famille ?

*Benoît* — Très bien. Comme prévu, il est devenu le centre d'intérêt parce qu'il était étranger. Chose normale, il a aussi vécu un petit choc culturel, mais nous l'avons beaucoup aidé à s'en sortir. Il n'a vraiment pas eu de problèmes.

*J.H.* — Comme il s'agissait d'un projet agricole, vous avez travaillé tous les deux à la ferme ?

*Benoît* — Nous avons appris à conduire un tracteur, ce qui était tout nouveau pour lui, autant que pour moi qui venais de la ville. Nous avons également appris à épandre les insecticides, à planter des arbres, à travailler dans les serres. J'ai vraiment aimé cette première expérience agricole, à un point tel qu'à mon retour au Canada, après la Jamaïque, je me suis trouvé un emploi dans une pépinière; j'ai continué à planter des arbres et à entretenir des plantes. J'ai donc eu une expérience de travail qui m'a aidé à trouver un emploi.

*J.H.* — Cela n'est pas l'objectif premier de Jeunesse Canada Monde, mais cela arrive souvent. Dans l'ensemble, tu as aimé le Nouveau-Brunswick ?

*Benoît* — Ah oui ! Je vais y retourner à mon retour au Canada. Je veux revoir les Robinson.

*J.H.* — Tu as gardé des liens avec eux ?

*Benoît* — Absolument. Je songe même à retourner à leur ferme l'été prochain, pour le seul plaisir d'y travailler. Après le Nouveau-Brunswick, nous sommes partis pour Spanish Town, notre communauté en Jamaïque... où nous attendait une autre famille d'accueil : les Rochester.

*J.H.* — Et votre projet de travail ?

*Benoît* — Il s'agissait de créer un jardin communautaire sur le terrain du YWCA où les étudiantes faisaient leur propre cuisine. En les encourageant à cultiver leur propre potager, on leur faisait épargner beaucoup d'argent, on leur apprenait les rudiments de la culture maraîchère et on les initiait à la coopération, à l'autosuffisance.

*J.H.* — Dirais-tu que tu t'es bien intégré dans ta communauté jamaïcaine ?

*Benoît* — Oui, très bien. D'abord, notre famille nous a mis en contact avec ses amis. Nous rendions visite aux familles des autres participants du groupe. Enfin, nous nous sommes fait beaucoup d'amis, surtout grâce à notre projet de travail qui nous permettait de travailler avec pratiquement toutes les étudiantes du YWCA.

*J.H.* — Ce ne fut sûrement pas facile de vous séparer de toutes ces amies pour rentrer au Canada ?

*Benoît* — En effet... Au retour, tel que prévu, je suis allé passé trois ou quatre jours chez les Robinson, au Nouveau-Brunswick. Je leur ai raconté la Jamaïque, je leur ai montré mes diapositives. Avec les autres participants, les autres familles d'accueil de

Woodstock et leurs amis, nous avons organisé une petite soirée jamaïcaine. C'était étrange et même un peu triste à cause de l'absence des participants jamaïcains. Il y avait de la neige, il faisait froid. Une drôle d'ambiance. Et malgré tout, on a réussi à faire une belle fête jamaïcaine, dans le fin fond du Nouveau-Brunswick, par une température de -15°C, en plein mois de janvier !

*J.H.* — Et le retour à Laval, avec le cégep à l'horizon... Tu avais alors quel âge ?

*Benoît* — J'avais 18 ans. Parti avec Jeunesse Canada Monde à l'âge de 17 ans, j'étais encore une fois le plus jeune participant du groupe. Nous étions en février et le cégep commençait en septembre. Comme je n'avais pas d'argent, c'est alors que j'ai décidé de travailler comme pépiniériste, utilisant ainsi les connaissances acquises au Nouveau-Brunswick. J'ai réussi à gagner assez d'argent pour entrer au cégep à l'automne, où j'avais été accepté en sciences sociales. Tout était parfait. Je retournais aux études. C'est alors qu'on me proposa le Zaïre... J'avais l'impression de rêver et j'étais très enthousiaste. Je n'ai pas hésité longtemps, car, à ce moment-là, je savais que je me dirigeais vers des études en développement international, décision prise à la suite de mon expérience jamaïcaine. Grâce au Zaïre, je pourrais acquérir de nouvelles connaissances dans ce domaine, découvrir une autre culture, un autre pays du Tiers-Monde. Le fait de reporter mes études pendant une autre année ne me préoccupait guère. Je me suis dit que l'école serait toujours là, alors que l'occasion d'avoir une nouvelle expérience pratique au Zaïre pourrait bien ne plus se présenter. Après ma sélection, j'ai commencé à lire des choses sur le Zaïre, à préparer mes bagages, tout en travaillant un peu au bureau de Jeunesse Canada Monde à Montréal.

*J.H.* — En arrivant ici, à Kalenda, tu as été plongé dans une expérience nouvelle pour toi : la vie en groupe.

*Benoît* — C'est très exigeant. Le simple fait d'avoir à côtoyer les quinze mêmes personnes ! Rares sont les moments de tranquillité, les moments à soi pour réfléchir, pour écrire, pour lire. Mais j'ai beaucoup appris. Avec le temps, l'esprit de groupe s'est développé, ainsi qu'une grande solidarité. On vit tous les jours ensemble, on fait tout ensemble. Je suis sûr que si chaque participant avait vécu dans une famille d'accueil, nous nous connaîtrions beaucoup moins. Bien sûr, il y a eu des frictions, des conflits, mais on convoquait aussitôt une rencontre pour régler les problèmes. Il reste que, d'un autre côté, nous avons manqué quelque chose en ne vivant pas dans des familles zaïroises.

*J.H.* — Vous avez l'air tout à fait intégré dans le village de Kalenda ?

*Benoît* — Oui, c'est vrai. Depuis environ un mois et demi, on s'y sent bien chez nous.

*J.H.* — Et votre énorme projet de travail ?

*Benoît* — Énorme, en effet ! Il consistait à reconstruire, autant que faire se peut, un immense hôpital à moitié détruit, déjà envahi par la végétation. Une tâche d'autant plus difficile que les participants n'avaient guère de connaissances en charpenterie et en menuiserie, sauf Fergus, qui est devenu un peu le leader, le chef de chantier.

*J.H.* — Maintenant, vous êtes tous des experts !

*Benoît* — Disons qu'on a été obligé d'acquérir de nouvelles techniques de construction. Une bonne expérience, mais il y a eu des imprévus. Par exemple, les outils et les matériaux dont nous avions besoin ont mis trois semaines à nous atteindre à partir de Kinshasa. Je me souviens aussi du jour où entre 150 et 200 malades, atteints de la maladie du sommeil, sont arrivés à l'hôpital, qui n'était absolument pas en état de les accueillir. Tous les toits coulaient. Alors, on en a réparé un en vitesse pour que la pluie ne tombe pas sur ces pauvres gens. Le problème c'est qu'on ne pouvait travailler plus tard que 12 h 30 parce que la chaleur devenait franchement insupportable.

*J.H.* — Et tous ces gens souffraient de la maladie du sommeil ?

*Benoît* — Une maladie très répandue dans la région et qui s'attaque au système nerveux. Le patient est dans un état de faiblesse générale, il est pris de tremblements et, si on ne fait rien, c'est la mort. Une déchéance terrible à voir et à subir.

*J.H.* — Qui soigne vos 150 à 200 malades ?

*Benoît* — Il y a des médecins belges et zaïrois qui vont de village en village, visitent les dispensaires, s'occupent des traitements. À l'occasion, ils viennent à Kalenda.

*J.H.* — Vous avez quelque contact avec les malades ?

*Benoît* — Pas facile. D'abord, on travaillait sur les toits, voulant à tout prix empêcher la pluie de leur tomber dessus. C'était la saison des pluies et il pleut chaque jour en fin de journée. Il fallait faire vite. Quant aux malades, ils étaient à l'intérieur, fatigués, épuisés, endormis. Le moins qu'on puisse dire, c'est que les contacts n'étaient pas simples. On voit leurs familles beaucoup plus.

*J.H.* — Dans votre hôpital à moitié en ruine, démuni de médecins, il y a des soeurs zaïroises...

*Benoît* — Oui. Cet hôpital est leur raison d'être. Elles s'occupent de l'aile de la maternité qui fonctionne malgré tout assez bien. Nous en avons réparé le toit. On y compte une trentaine de naissances par mois.

*J.H.* — Il semble évident que vous vous entendez à merveille avec les soeurs zaïroises ?

*Benoît* — Ah oui ! À notre arrivée à Kalenda, elles nous ont beaucoup aidés, elles nous ont fourni les meubles et tout le matériel dont nous avions besoin, elles ont facilité notre travail par leurs conseils, ainsi que notre intégration dans la communauté. Elles sont charmantes et possèdent un excellent sens de l'humour. On s'amuse beaucoup avec elles.

*J.H.* — J'ai rencontré soeur Justine, la supérieure. Des participants m'ont dit que c'était une sainte.

*Benoît* — Sûrement ! Elle se dévoue dans cet hôpital depuis des années. Elle croit que l'hôpital sera, sinon entièrement rénové, du moins rendu fonctionnel, ce qui serait très bénéfique pour les gens de la région.

*J.H.* — Elle est infirmière, elle fait des accouchements...

*Benoît* — Oui, et j'ai même entendu dire qu'elle pratiquait certaines opérations chirurgicales. Les circonstances l'obligent à faire un peu de tout, dans des conditions extrêmement difficiles, avec un minimum de matériel. Soeur Justine, comme d'ailleurs toutes les soeurs, joue un rôle très actif dans la communauté de Kalenda. En ce moment, il n'y a pas de médecin à l'hôpital, ce qui est un drame. Avec tous les patients qui sont déjà là et ceux qui continuent d'affluer, encouragés par nos rénovations, il faut absolument au moins un médecin. On a trouvé une maison qui pourrait le recevoir, mais le toit coulait, les plafonds étaient tombés, les murs abîmés. Alors, on a décidé de la réparer, de la rendre habitable...

*J.H.* — En somme, un appât pour l'éventuel médecin... J'ai visité la maison : elle est propre, immense, presque resplendissante. Si j'étais médecin, j'aurais envie de m'y installer...

*Benoît* — Au moins, nous repartirons avec cet espoir, cette joie : cette maison attirera peut-être un médecin à Kalenda, ce qui incitera les autorités du Zaïre à rendre l'hôpital vraiment fonctionnel.

*J.H.* — En plus des travaux de construction, vous aviez une autre tâche à accomplir : la réalisation de vos présentations pour la grande tournée canadienne qui vous attend au retour.

*Benoît* — On a divisé le groupe en quatre équipes, dont deux sont chargées de mettre au point une présentation type, prévoyant les discussions éventuelles avec les auditoires, en fait avec les divers auditoires que nous allons rencontrer. Les deux autres équipes préparent un diaporama illustrant la vie à Kalenda que nous présentons comme un village typique du Zaïre rural. Il est question des coutumes, de la culture, de la famille, du problème de l'eau et de la santé. Un autre diaporama parlera d'une façon plus globale du Zaïre et de ses problèmes de développement, de l'Afrique et de la vision qu'en ont les Canadiens, vision souvent stéréotypée par l'information que nous recevons. De retour au Canada, il nous restera à traduire les textes en français ou en anglais et à enregistrer les bandes sonores. Nous aurons une semaine et demie pour faire tout cela !

*J.H.* — Vos premiers auditoires seront les groupes de Katimavik qui vous attendent, à travers tout le Canada.

*Benoît* — Oui. Et on a vraiment hâte de les voir. On ne s'ennuie pas au Zaïre, mais on commence à avoir hâte d'entreprendre la grande tournée, de faire un travail différent, de rencontrer des gens et d'échanger avec eux.

*J.H.* — Dans quelle région du pays iras-tu ?

*Benoît* — Une semaine au Québec, et cinq semaines en Ontario.

*J.H.* — En Ontario, tu feras surtout des présentations en anglais ?

*Benoît* — En grande partie, oui. J'en suis ravi car cela me permettra d'améliorer encore mon anglais. Ah ! ce ne fut pas facile de réaliser ces présentations avec tout le travail que nous avions à faire à l'hôpital. On travaillait à la construction le matin, alors qu'il fait un peu moins chaud. Après le repas de midi, nous faisions une petite sieste parce que nous étions vraiment fatigués. Et, dans l'après-midi, nous nous plongions dans nos présentations. En plus, bien sûr, il y avait la cuisine, le ménage...

*J.H.* — Vous faisiez votre propre cuisine ?

*Benoît* — En fait, nous avions engagé une cuisinière pour nous aider parce que nous ne pouvions y arriver seuls : faire la cuisine pour quinze personnes, c'est beaucoup de travail. Surtout ici, où tout est toujours long et compliqué : on n'a pas d'eau courante, on n'a pas d'électricité, on n'a rien. Et pas de four micro-ondes !

*J.H.* — Que mangez-vous ?

*Benoît* — D'abord du *fufu*, la base de l'alimentation. Une grosse pâte faite avec de la farine de maïs et de manioc. Le *fufu* est accompagné de légumes, de fruits ou de riz.

Il y avait parfois de la viande de chèvre. On en achetait une de temps en temps.

*J.H.* — Vivante ?

*Benoît* — Oui. On la faisait abattre par quelqu'un du village, un voisin. À Noël, on a fait un grand festin avec les gens du village, d'ailleurs tu y étais. Ce Noël, passé en pleine savane africaine, avec la messe de minuit en langue *tshiluba*, est la fête la plus étrange à laquelle j'aie participé.

*J.H.* — Dans quelques jours, vous serez à Kinshasa...

*Benoît* — ... et peu après, nous nous retrouverons à Saint-Liguori, au Québec, pour mettre la dernière main aux présentations. Et ensuite, par petites équipes composées d'un Zaïrois et de deux Canadiens, nous nous mettrons en route.

*J.H.* — À Montréal, on m'a dit que vos groupes peuvent déjà compter sur 700 engagements fermes. Vous ne manquerez pas de boulot ! Et après, que comptes-tu faire ?

*Benoît* — Je n'ai encore rien décidé. Je vais certainement travailler et préparer mon deuxième retour aux études en sciences sociales pour septembre.

*J.H.* — Pour de bon, cette fois !

*Benoît* — Deux fois, déjà, j'ai retardé la chose à cause de Jeunesse Canada Monde...

*J.H.* — Et après les sciences sociales ?

*Benoît* — Ce sera l'université. Je suis à peu près convaincu que je vais m'orienter vers le développement international, la coopération.

*J.H.* — Alors, tu ne regrettes pas trop tes expériences avec Jeunesse Canada Monde ?

*Benoît* — Absolument pas ! En dépit de quelques frustrations, de certains petits problèmes, comment regretter une expérience avec Jeunesse Canada Monde ? Je n'ai pas perdu deux ans d'études. Au contraire, j'ai beaucoup appris, d'abord sur moi-même, et aussi sur les problèmes des pays en voie de développement. Je crois avoir acquis une grande ouverture d'esprit, beaucoup de tolérance. Je me suis rendu compte du potentiel qu'il y avait en moi. Maintenant, je sais que je peux réaliser des choses qu'hier encore je croyais irréalisables. J'ai une grande confiance en moi, sans doute parce qu'à Jeunesse Canada Monde, j'ai surmonté des épreuves qui normalement m'auraient paru insurmontables. J'ai surtout vu des gens vivre avec beaucoup de courage dans des conditions inimaginables.

## Commentaires de Benoît Beauchemin
## sur la tournée canadienne

La tournée canadienne de sensibilisation, qui fut le prolongement de notre inoubliable séjour au Zaïre, a certainement été pour nous tous, participants de Jeunesse Canada Monde, l'occasion unique de communiquer ce que nous avions vécu en terre africaine ainsi que nos perceptions nouvelles sur ce coin du monde. J'ose espérer qu'à notre manière et compte tenu de nos moyens, nous avons contribué à ébranler, auprès des gens que nous avons rencontrés, la vision stéréotypée de l'Afrique si souvent charriée dans notre société. J'espère surtout que nous ayons réussi à ouvrir davantage l'esprit des auditoires les plus jeunes qui nous ont écoutés, et devant lesquels, personnellement, je me sentais investi d'une responsabilité particulière.

La tournée fut pour moi le théâtre de rencontres mémorables. Rencontres non seulement avec les participants et responsables du programme Katimavik chez qui nous habitions dans les municipalités de notre itinéraire, mais également avec les divers groupes avec lesquels nous partagions nos aventures et impressions tout en répondant à une rafale de questions. Je me souviens bien sûr de l'accueil toujours chaleureux de nos hôtes, mais également de la diversité des publics qui assistaient à nos présentations. Cette diversité nécessitait de notre part une capacité d'adaptation à toute épreuve.

J'ai en mémoire une journée où notre première présentation nous avait amenés dans une classe de maternelle : l'âge moyen de notre auditoire était d'environ 5 ou 6 ans. Sans doute pour la première fois de leur vie, ces enfants ont touché des masques africains que nous avions rapportés du Zaïre. Ils ont observé et écouté avec fascination Nkoyi Mabiku, notre coéquipière zaïroise. Nous leur avons montré une mappemonde en indiquant où est situé le Canada et le continent africain. En début d'après-midi, nous rencontrions un groupe de personnes âgées dans un centre d'accueil. Elles étaient émerveillées d'entendre nos aventures africaines, alors que nous étions fascinés d'entendre leurs anecdotes d'une autre époque. Durant la soirée, notre dernière présentation s'est déroulée devant un groupe d'étudiants universitaires en développement international de l'Université de Scarborough. Je me souviens de notre nervosité à l'idée de discuter avec ces «experts» du développement international...

Après avoir vécu deux programmes avec Jeunesse Canada Monde, j'ai pris conscience de l'océan d'incompréhensions et des énormes disparités entre les pays du Nord et ceux du Sud. J'ai compris que nous avons tous le devoir d'agir et d'être solidaires.

## Benoît Beauchemin dix ans après

*Âgé de 18 ans à l'époque du programme Zaïre, Benoît était le plus jeune participant du groupe. Avec le recul, il affirme que les expériences qu'il a vécues à Jeunesse Canada Monde ont sans doute eu un impact majeur sur l'orientation de sa vie professionnelle et de sa philosophie. Après le programme, il poursuivit ses études durant six années. Il décrocha un diplôme d'études collégiales en sciences sociales (1988), un baccalauréat en sciences politiques à l'Université McGill (1991) et il obtint finalement, en 1993, un diplôme d'études supérieures en développement international à l'Institut de développement international et de coopération de l'Université d'Ottawa.*

*Ses voyages des dernières années l'ont amené à visiter quelques régions troublées, notamment la république d'Haïti et le Proche-Orient.*

*Maintenant âgé de 29 ans, Benoît vit aujourd'hui à Montréal, où il est associé principal au sein d'une firme d'experts-conseils en développement international.*

# 2.

# Le groupe de Mwene Ditu

*Dans des chemins que nul n'avait foulés,*
*risque tes pas.*
*Dans des pensées que nul n'avait pensées,*
*risque ta tête.*

**Lanza del Vasto**

# 1.
## Yvonne Sabraw

### *De l'Alberta au Pakistan*

Yvonne à l'oeuvre avec Mangando dans l'hôpital de Mwene Ditu.

*Yvonne* — Je suis née à Saskatoon, où j'ai vécu cinq ans. J'ai passé le reste de ma vie à Calgary. Et avant que ne survienne Jeunesse Canada Monde, ce qui m'intéressait le plus au monde, c'était la gymnastique de compétition, dans un club de Calgary. Cela prenait presque tout mon temps. C'était vraiment *la* grande chose dans ma vie. Ma famille passait après... L'école suivait loin derrière ! Même au secondaire, je faisais de la gymnastique, mais je commençais à penser un peu plus à mon avenir, à ce que je voulais faire du reste de ma vie. L'idée m'est venue que je pouvais devenir médecin, peut-être travailler dans un pays en voie de développement, quelque chose du genre. Alors, j'ai abandonné la gymnastique et je me suis consacrée à fond à mes études. J'ai commencé à étudier très fort et à obtenir des notes élevées, de manière à être acceptée un jour à la faculté de médecine. Puis, j'ai lu quelque chose au sujet de Jeunesse Canada Monde dans un journal communautaire, un article sans doute écrit par un ancien participant. Après avoir lu ça, je me suis dit : «Ah ! que j'aimerais participer à un tel programme !» J'ai soumis ma candidature et elle a été refusée parce que je n'avais pas encore 17 ans. J'étais démolie ! L'année suivante, on m'a envoyé un autre formulaire. Je l'ai rempli et l'ai renvoyé, sans trop me faire d'illusions. Quand j'ai appris qu'on m'acceptait, j'étais absolument ravie. Enfin, quelque chose de nouveau qui pourrait absorber toutes mes énergies !

*J.H.* — Et ton programme devait commencer quelque part dans l'Ouest...

*Yvonne* — Oui, en Saskatchewan. C'était le programme avec le Pakistan, le premier programme de Jeunesse Canada Monde avec ce pays. Ce n'était pas mon premier choix. Mais j'étais tellement heureuse de faire partie de Jeunesse Canada Monde que j'aurais accepté d'aller n'importe où. En fait, mon premier choix était l'Afrique, ce qui m'aurait permis d'être au Québec pendant la première moitié du programme. J'étais un peu inquiète parce qu'il s'agissait d'une première expérience avec le Pakistan, et j'avais entendu toutes ces histoires au sujet des premiers programmes. Personne ne sait vraiment ce qui va se passer, tout sera mal organisé, etc. Par exemple, si vous allez en Indonésie, qui a été un pays d'échange depuis des années, tout baigne dans l'huile, et vous êtes sûr d'avoir un excellent programme.

*J.H.* — Il y a du vrai...

*Yvonne* — Mais, en même temps, j'ai appris beaucoup, justement parce que j'appartenais à un groupe qui allait briser la glace au Pakistan. Tout nous était possible. On n'avait pas à entendre dire que «l'an dernier, les participants ont fait ceci ou cela», ou que «l'an dernier, les familles d'accueil étaient comme ceci ou comme cela». Tout était ouvert. Et nous en avons bien profité.

*J.H.* — Et alors, la Saskatchewan ?

*Yvonne* — La Saskatchewan m'était déjà familière. Quand j'ai appris que j'allais à Rosetown, Saskatchewan, je me suis dit : «Bon, je vivrai chez moi pendant trois mois !»

*J.H.* — Une petite ville ?

*Yvonne* — Quatre mille habitants, je crois. Nous habitions dans une bonne famille d'accueil : nous avions une mère et un père vraiment épatants. Comme ils avaient trois jeunes enfants, j'avais l'impression de me retrouver dans ma propre famille. C'était parfait pour mon homologue, qui souhaitait vivre dans une famille. La sienne lui manquait terriblement, et ce fut une chance de tomber dans une famille où il y avait beaucoup d'amour. Au début, j'ai craint qu'il n'y ait quelque problème, des conflits d'ordre religieux, parce que les parents étaient des chrétiens fondamentalistes, alors que mon homologue pakistanaise était évidemment musulmane. Au moins, nous avons eu quelques bonnes discussions sur la religion. Notre famille d'accueil était enthousiasmée d'accueillir une personne d'une autre culture, et elle s'est donnée à fond au programme. Par exemple, quand un participant du groupe célébrait son anniversaire, nos parents faisaient le gâteau de fête. Même quand on a vécu en groupe, à la fin, mon homologue et moi allions souvent les revoir... et manger leurs biscuits ! Quand la vie en commun nous déprimait un peu, nous allions nous réfugier chez «papa» et «maman», qui nous remontaient vite le moral.

J.H. — Comment t'entendais-tu avec ton homologue ?

Yvonne — Il y avait des hauts et des bas ! Il nous arrivait de comparer notre situation au mariage arrangé par les parents, chose que mon homologue Fatimah comprenait fort bien puisque c'est ainsi qu'on se marie au Pakistan. Quand les parents décident que vous allez vous marier avec tel garçon, il n'y a rien à faire, il faut s'en accommoder. Je me disais souvent que si Fatimah et moi nous étions trouvées à la même école, jamais il ne nous serait venu à l'idée d'être des amies. Nous sommes tellement différentes ! Différences de personnalité encore plus que de culture.

J.H. — Mais...

Yvonne — Mais cela nous a beaucoup appris parce que, finalement, nous avons mûri ensemble. Il ne s'agissait pas de dire : «Oh ! nous sommes les meilleures amies du monde et je veux vraiment que nous soyons toujours ensemble !» Cependant, nous *devions* être ensemble et nous *devions* communiquer et briser les barrières culturelles entre le Canada et le Pakistan. Bien que nous ne nous étions pas choisies, nous étions coincées : nous allions vivre côte à côte pendant six mois, que ça nous plaise ou non. Et nous avions besoin l'une de l'autre pour survivre. Finalement, cela nous a beaucoup appris. À la toute fin du programme, nous étions plus proches l'une de l'autre, et nous avons pu mieux apprécier ce que toutes les deux nous avions obtenu du programme. Je crois que beaucoup de nos problèmes ont été causés par notre manque de maturité. On se chicanait pour des riens : «Tu as fait ceci ou cela que je n'ai pas aimé. Alors je ne te parlerai pas du reste de la journée !» Mais cela nous a fait mûrir : ensemble, nous nous sommes débarrassées de notre enfance. Bien que nous ne soyons jamais devenues des amies très chères, j'avais de l'estime pour elle parce qu'elle m'avait aidée à grandir et parce que je l'avais aidée à grandir.

J.H. — Quel sorte de travail faisiez-vous *ensemble* à Rosetown ?

Yvonne — Il y avait plusieurs projets de travail. Le lundi, nous étions bénévoles dans une maison pour personnes âgées. Le mardi et le mercredi, nous travaillions dans une boutique de sports communautaire, et le jeudi à la clinique de l'hôpital ou à la ferme. J'ai particulièrement aimé mon travail auprès des personnes âgées parce que c'était une expérience toute nouvelle pour moi. J'ai alors brusquement compris que les vieillards étaient d'abord des personnes, comme vous et moi. Je ne me disais plus : «Bon, ce sont de vieilles personnes, il faut être gentille avec elles». Je les considérais comme des amis que j'avais hâte de retrouver. Or, tous avaient plus de trois fois mon âge ! J'ai aussi beaucoup appris à cause des réactions particulières de mon homologue, pour qui les aînés font partie intégrante de la vie familiale. Quand elle a vu toutes ces personnes âgées confinées dans une institution, elle en a été anéantie. Après le premier jour, elle ne voulait plus y retourner. Elle est rentrée à la maison et elle a pleuré : «Non, dit-elle, je n'y retournerai pas. Comment pouvez-vous vous débarrasser ainsi de vos vieillards ? Pourquoi avez-vous si peu de coeur ?» Sa famille lui manquait, et elle ne cessait de penser à sa grand-mère au Pakistan. Chaque jour, après l'école, elle allait lui rendre visite, et il y avait toujours quelqu'un qui prenait soin de la grand-mère. Tant bien que mal, j'essayais de lui expliquer que certains de nos vieux aimaient se trouver dans ce genre d'institution, qu'ils se sentaient plus indépendants. Il ne faut pas s'imaginer leur sort plus terrible qu'il ne l'est. Peut-être ont-ils choisi de ne pas être une charge pour leur famille. Bref, j'essayais de donner à mon homologue le point de vue des Canadiens. Mais je respectais beaucoup le sien parce qu'elle avait raison : la plupart de ces personnes âgées n'aimaient pas être dans une institution. Elles passaient leur temps à attendre la visite de leurs enfants... qui venaient bavarder à peine une petite heure avant de repartir, ce qui faisait beaucoup de peine aux vieux parents. C'est pourquoi ils adoraient Fatimah, qui s'ennuyait tant de ses grands-parents, là-bas au Pakistan. Alors, elle avait tout simplement fini par adopter quinze grands-pères et grands-mères au Canada. C'était merveilleux. Moi aussi je me suis fait des amis dans cette maison, mais Fatimah, elle, les avait tous dans son coeur.

*J.H.* — Après trois mois en Saskatchewan, vous vous êtes mis en route pour le Pakistan. Quelle impression à l'arrivée ?

*Yvonne* — Un choc culturel ! Oh ! un dur choc culturel ! On nous avait préparés le mieux possible, mais... Bon. La culture est vraiment différente de la nôtre. Certes, on ne se sent pas aussi libre qu'au Canada, car cet État n'existe qu'à cause de la religion. Sans cela, il n'y aurait pas le Pakistan.

*J.H.* — Et l'Inde serait encore un peu plus grande...

*Yvonne* — Les coutumes sont religieuses, les traditions, même les lois. C'est en raison de la religion islamique que les gens s'habillent comme ils le font, ou agissent de telle manière. Mentalement, on s'était préparé à tout cela, mais quand la réalité nous heurte de front, c'est une autre histoire. La première chose qui nous a frappés, c'est la ségrégation entre les hommes et les femmes. Dès le camp d'orientation, on a installé les garçons à Islamabad, la capitale, et les filles dans la maison des guides, en dehors de la ville. Il n'y avait plus de groupe de participants de Jeunesse Canada Monde, mais un groupe de Jeunesse Canada Monde au féminin et un autre au masculin.

*J.H.* — Ça n'a pas changé jusqu'à ce jour, au Pakistan...

*Yvonne* — Mais c'est la meilleure façon de s'intégrer à la culture pakistanaise parce que la ségrégation est partie intégrante de cette culture. Si Jeunesse Canada Monde veut réussir ses programmes dans ce pays, il n'y a pas d'autres manières.

*J.H.* — Il faut relever ce défi, en faire un moyen d'apprendre.

*Yvonne* — Si nous avions été ensemble, les chose auraient été plus faciles, mais nous ne nous serions pas vraiment intégrés dans la culture pakistanaise. Nous aurions constitué une petite bulle canadienne au milieu du Pakistan. On en a souffert un peu. Les participants venaient de vivre trois mois et demi *ensemble* au Canada, nous étions un groupe de bons amis où il y avait des garçons et des filles. Et tout à coup, vous vous retrouvez dans une situation d'insécurité à cause du choc culturel... et vous ne pouvez pas serrer dans vos bras la moitié de vos amis ! Pendant les séances d'orientation, les filles étaient assises d'un côté de la salle, les garçons de l'autre. Parfois, on éprouvait le besoin d'un appui sensible. «Lâche-pas ! Tu vas y arriver !» Et on ne pouvait même pas toucher nos amis. Il y avait comme une barrière entre nous. Sans ce soutien moral, il était encore plus difficile de s'habituer aux dures réalités du Pakistan.

*J.H.* — Et après le camp d'orientation ?

*Yvonne* — Un groupe de filles est parti pour Lahore, un autre pour Rawalpindi, et les garçons sont restés à Islamabad. Je faisais partie du groupe le plus éloigné, celui de Lahore. C'était bien. Lahore est une très belle ville, très historique.

*J.H.* — Une ville merveilleuse, en effet.

*Yvonne* — Islamabad est plus occidentalisée. Quand nous avons atterri au Pakistan, tous les participants pakistanais nous disaient : «Ah ! vous verrez, Islamabad est une ville occidentale, vraiment occidentale». Mais quand je l'ai vue, ce ne fut pas mon avis : «Mais ce n'est pas occidental du tout. Cela n'a rien a voir avec le Canada. C'est tellement, tellement différent». Mais en y revenant après avoir vécu deux mois à Lahore, j'ai compris jusqu'à quel point Islamabad était occidentalisée. Lahore est une vieille ville traditionnelle, entourée de murs, pleine de petites rues folles où déambulent des chameaux. Parfois, des gens ont construit leur maison au milieu de la rue, alors on doit en faire le tour. Ma famille d'accueil appartenait à la classe supérieure, et au début cela me contrariait beaucoup. Je m'étais dit qu'en partant avec Jeunesse Canada Monde, j'aboutirais dans quelque petite hutte africaine, une cabane de paille, et c'est exactement ce que je souhaitais. J'ai beaucoup discuté avec Lison, une autre participante canadienne. Nous étions furieuses contre Jeunesse Canada Monde. Nous voulions nous sauver et aller vivre dans une hutte quelque part, toutes les deux. Et si on nous en empêchait, nous quitterions le programme ! Nous voulions réellement nous identifier aux gens pauvres de la ville et, en général, aux pauvres d'un pays en voie de développement. Nous voulions vivre avec eux, ressentir les choses comme ils les ressentaient et maudire ces horribles riches ! Les riches du Pakistan ressemblent beaucoup aux Canadiens face aux pauvres du monde. Au Canada, c'est plus facile. Nous savons que nous sommes riches, mais nous ne sommes pas forcés de tenir compte de la pauvreté la plus abjecte. Mais quand on est riche au Pakistan — comme je l'étais ! — on ne peut ignorer la réalité de la misère. Et j'avais beaucoup de mal à m'habituer au fait que j'étais entourée de pauvres, à faire face à cette évidence : «Hé ! Tu es une personne riche !» Il ne suffit pas de dire : «Je suis une personne pauvre et je méprise ces horribles riches». Parce que je me rendais compte que j'était un de ces horribles riches que j'aurais voulu engueuler ! Et puis, j'ai compris que ma famille d'accueil est une bonne famille même si elle est riche. Et alors, on découvre qu'ils sont des êtres humains respectables. Ils ont le sens de la famille. Et pourtant, malgré tout, comment ne pas se poser la question : «Comment peuvent-ils vivre au milieu d'une telle pauvreté sans la voir ?»

*J.H.* — Tu as tout de même fini par t'entendre avec ta famille riche de Lahore ?

*Yvonne* — Oui. Mais comme nous n'y avons passé qu'un mois, nous ne nous sommes jamais senties des membres de la famille, comme cela s'était produit en Saskatchewan. Une famille assez dispersée. Même si nous ne formions pas une famille très, très unie, encore aujourd'hui, j'appelle les membres de cette famille mes «frères» et mes «soeurs».

*J.H.* — Qu'as-tu fait au Pakistan, sur le plan travail ?

*Yvonne* — Je travaillais pour la *Pakistan Society for the Rehabilitation of the Disabled*. Principalement à l'école pour les jeunes enfants, mais aussi à l'hôpital, ce qui n'était pas facile, car tout se passait en *ourdou*, la langue du pays. Alors, j'ai appris un peu l'*ourdou*, surtout avec les enfants dont je m'occupais.

*J.H.* — Tu as fini par te débrouiller en *ourdou* ?

*Yvonne* — Oh oui ! quand il le fallait ! Par exemple, quand je devais dire où j'allais aux conducteurs de rickshaws qui sillonnaient la ville, quand il me fallait communiquer avec les instituteurs. Mais c'est une langue tellement particulière, avec une grammaire tellement différente de la nôtre, que je ne pouvais soutenir une conversation trop sérieuse. Je ne pouvais m'asseoir avec quelqu'un et lui parler d'abondance, mais je pouvais poser des questions, comprendre les réponses.

*J.H.* — Mais il y a beaucoup de Pakistanais qui parlent anglais ?

*Yvonne* — Bien sûr. Par exemple, dans ma famille, on parlait l'anglais aussi bien que l'*ourdou*, de même que la directrice de mon école. L'anglais, c'est la deuxième langue du pays. Quand j'enseignais l'anglais aux enfants de l'école, j'avais besoin de l'*ourdou* pour les aider à comprendre. À l'hôpital, on ne parlait que l'*ourdou* avec les infirmières et avec les malades qui ne parlaient pas d'autre langue. Il fallait leur expliquer en *ourdou* que je n'étais pas médecin, même si j'étais blanche, expliquer aux instituteurs et aux infirmières que le fait d'être blanche ne signifiait pas que j'avais des choses à leur apprendre. C'est là l'impression qu'ils ont de nous : «Si un Blanc vient nous voir, c'est qu'il va nous dire des choses, nous dire quoi faire, nous dire pourquoi notre manière de faire est mauvaise et que la sienne est la bonne». Et je passais mon temps à répéter : «Non. Je veux apprendre de vous, je suis venue ici pour apprendre, pour observer. Je suis venue voir comment vous faites les choses, sûrement pas vous dire quoi faire». Et pour eux, *wow* ! c'était une manière de choc culturel que de voir une Blanche s'asseoir au milieu d'eux, prêter attention à ce qu'ils avaient à dire, écouter leurs histoires !

*J.H.* — Quelle est, d'après toi, la chose la plus importante que tu aies apprise au Pakistan ?

*Yvonne* — J'ai appris qu'il ne fallait jamais juger une autre culture. Souvent, on était tenté de juger, de dire que tel pays est bon ou mauvais, mais on finit par comprendre que tout est relatif. Qui sommes-nous pour dire que le Pakistan est bien, mais que la ségrégation ou les mariages arrangés ne le sont pas ? Au Canada il y a de bonnes choses, mais aussi des mauvaises, comme par exemple de parquer nos personnes âgées dans des institutions. Il suffit de dire : «C'est comme ça !» Et ensuite apprendre et comprendre. Si les choses peuvent être améliorées, que ce le soit dans le contexte. Rien n'est mieux parce que c'est ainsi au Canada ou ailleurs en Occident, ou au Pakistan. Le Canada, tout comme le Pakistan, doit se développer à sa manière.

*J.H.* — Alors, tu es devenue plus tolérante ?

*Yvonne* — Oh oui ! C'est une question de vie ou de mort ! Si tu n'apprends pas la tolérance, tu deviens fou, réellement, surtout dans une culture aussi différente que celle du Pakistan. Laissez faire et ne jamais juger.

*J.H.* — Y a-t-il des valeurs pakistanaises que tu as particulièrement appréciées ?

*Yvonne* — On m'a beaucoup parlé des liens étroits qui unissent les familles, ce que j'ai pu constater dans les familles des enseignants avec qui je travaillais. Mais ce n'était pas évident dans ma famille d'accueil où, cependant, j'ai vu qu'il y avait un esprit d'entraide. Par exemple, une cousine vivait dans la famille pendant qu'elle poursuivait ses études. Pendant tout le mois, j'ai cru qu'elle était une des filles : «Pas du tout. Sa mère travaille à l'étranger. Alors, sa fille est ici le temps qu'elle étudie».

*J.H.* — À ton retour au Canada, après une expérience pareille, te sentais-tu différente ?

*Yvonne* — Ce ne fut pas facile de revenir, d'autant plus qu'il me fallait terminer le *high school*. J'avais quitté l'école pour entreprendre ce programme, l'équivalent de *dix ans* d'études comprimées en six mois et demi ! Et voilà qu'au retour, j'avais à faire face à une situation identique à celle que j'avais laissée. Ah ! et les élèves du *high school* ! J'ai eu l'impression de ne plus être une élève de *high school*, alors que je devais faire semblant de l'être. C'est une situation très difficile pour tout ancien participant de Jeunesse Canada Monde de se réadapter à son école, à cause de toutes ses idées fraîchement acquises sur la paix, le développement de l'individu, le développement international, les différences culturelles. Je me demandais ce que je pouvais faire chaque jour pour changer notre société et, à l'école, les élèves me parlaient du dernier *party*, de leurs histoires de drogue, de films qu'ils avaient vus et le reste. Et moi, avec ma «paix dans le monde» ! On ne sait plus quoi se dire. En attendant l'autobus, j'avais envie de dire à quelqu'un : «Tu sais ce qui est arrivé hier dans tel ou tel pays ?» «Et les problèmes en Israël ?» «Et le Nicaragua ?» On vous regarde avec de grands yeux : «Dieu, que tu es bizarre ! Tu es tellement *weird*. Mais qu'est-ce qui t'est arrivé ?» Alors on se sent vraiment différent des autres, ce qui est bien dans un sens, mais comme on se sent seul ! Je ne voulais plus être comme les autres élèves, je voulais seulement qu'ils soient un peu plus ouverts, comme moi je l'étais tout à fait. Et je les regardais en me disant : «*Wow* ! C'est comme ça que j'étais *avant* !» En fait, je ne devais pas être *exactement* comme ça, puisque j'avais déjà quelques idées sur le développement international... et que j'avais choisi d'aller à Jeunesse Canada Monde ! Bref, j'essayais de discuter avec les autres élèves, mais il n'y avait rien à faire. Un mal pour un bien puisque ça m'a forcée à m'engager dans des groupes de Calgary intéressés par le développement. Je n'avais pas le choix. Si je ne voulais pas devenir folle, il me fallait trouver des gens qui comprendraient ce dont je parlais. Ma famille m'a bien aidée à mon retour. Aux yeux de mes parents, je n'avais pas tellement changé. Je suis revenue et j'étais à nouveau un membre de la famille. J'avais tendance à les critiquer beaucoup, mais ils m'ont fait remarquer que, d'une part, je prétendais être tolérante à l'égard d'une autre culture et que, d'autre part, à leur endroit...

*J.H.* — Ils n'avaient pas tout à fait tort !

*Yvonne* — Ils avaient raison. Ce fut pour moi un bonne claque dans la face ! À peine revenue, je répétais sans cesse : «Nous gaspillons beaucoup trop d'eau ! Nous gaspillons trop de nourriture ! Pourquoi faisons-nous ceci ? Pourquoi faisons-nous cela ?» Jusqu'à ce que je me rende compte qu'on doit être tolérant à l'égard de notre propre culture, comme à l'égard des autres, jusqu'à ce que je comprenne que si j'avais été ailleurs et si j'avais vu des choses différentes, je n'avais pas vraiment changé mon propre mode de vie. J'étais encore très canadienne. J'ai fini par retourner dans les bars, par acheter l'épicerie dans une multinationale parce qu'il n'y avait rien d'autre. Comme je devais vivre comme une Canadienne, je n'avais guère le droit de critiquer le mode de vie des Canadiens : je devais d'abord changer un peu mon propre style de vie.

*J.H.* — Alors, tu as fini le *high school* ?

*Yvonne* — Oui. Mon école était spéciale, alors j'ai pu compléter seulement les deux mois qui me manquaient, au lieu de reprendre tout un semestre. Et après, j'ai trouvé du travail.

*J.H.* — Quelle sorte de travail ?

*Yvonne* — Je m'occupais de l'entretien dans un village historique de Calgary. J'ai fait ça jusqu'en septembre et je suis allée à l'université un an.

*J.H.* — Pour étudier quoi ?

*Yvonne* — Les sciences. En revenant du Pakistan, je n'étais plus très sûre que je voulais devenir médecin un jour. Là-bas, dans l'hôpital où j'étais, j'avais trop vu de médecins qui prétendaient ne pas pouvoir faire correctement leur boulot, faute d'appareils scientifiques de haute technologie qu'on ne trouvait à peu près nulle part au Pakistan. Pourquoi n'essayaient-ils pas de faire quelque chose au lieu de dire : «Bon, si j'avais tel incubateur, ou tel gros appareil de radiographie, alors peut-être je pourrais aider cet enfant, mais autrement je ne puis rien faire». Et alors, je voyais les infirmières, encore plus démunies, mais qui aidaient réellement. En revenant au Canada, je me disais : «Je ne veux plus être médecin. Je veux être infirmière, absolument». Mais des gens me rassuraient : «Tu sais, tous les médecins ne sont pas comme ceux-là. Tu peux changer les choses. Tu peux être un bon médecin». J'ai donc continué de m'intéresser à la médecine. J'ai fait mes sciences, mes maths. À la fin de la première année, je me suis dit que même si je voulais toujours être médecin, je ne devais pas précipiter les choses, parce que, une fois engagée dans cette voie, avec la chimie, la biologie et toutes les études proprement médicales, tu es forcée de renoncer à l'économie, à la politique, à la sociologie, à toutes ces choses qui m'intéressaient tant. Alors je me suis dit : «D'accord, je prendrai le temps d'étudier l'économie, d'apprendre des choses en politique, d'éclairer par l'étude mes idées sur le développement, mes idées sur le monde, et après, peut-être, je ferai ma médecine». C'est là où j'en étais quand j'ai reçu un coup de téléphone de Jeunesse Canada Monde... qui m'offrait d'aller au Zaïre dans un programme spécial.

*J.H.* — Albert Schweitzer a commencé ses études de médecine à 33 ans...

*Yvonne* — Oui. Je crois que c'est le mieux à faire. Le jour où on commence ses études en médecine, on n'a plus le choix : il faut continuer. J'ai plein d'admiration pour les médecins qui réussissent à s'intéresser au développement, à s'engager. *Wow* ! Ils subissent la pression constante des nouvelles technologies à apprendre, ils doivent se tenir au courant de tout ce qui se passe dans leur domaine. Sûrement, ils n'ont pas le temps de consacrer une année à étudier les sciences politiques, le développement international, le nouvel ordre économique mondial. Alors, je me suis dit que c'est ce que je voulais faire : avoir une bonne base, des idées claires avant d'aller en médecine.

*J.H.* — Alors, l'appel de Jeunesse Canada Monde arrivait au bon moment ?

*Yvonne* — Plus ou moins. J'ai tout de même rempli le formulaire, je suis allée passer l'entrevue, en me disant : «Bah ! Pourquoi ne pas essayer ?» Mais je ne m'attendais pas à être choisie. J'étais d'ailleurs de retour aux études. Même après avoir été acceptée, il y a eu des petits problèmes du côté de mon examen médical, alors, j'ai recommencé l'université. J'ai acheté mes livres, je suis allée aux cours jusqu'à la dernière minute, parce que mon dossier médical était toujours à l'étude. Je me disais : «Oui, je veux vraiment faire le programme avec le Zaïre. Mais, si ça ne se produit pas, j'aurai une excellente année à l'université». Alors, d'une manière ou d'une autre...

*J.H.* — ...tu ne pouvais pas perdre !

*Yvonne* — Je ne pouvais pas perdre, exactement.

*J.H.* — Bon. Toujours est-il qu'un bon jour tu t'es retrouvée avec de bien étranges participants, dans le sens qu'ils étaient tous d'*anciens* participants.

*Yvonne* — C'était différent. C'était bien. D'ailleurs, chaque fois que je rencontre un ancien participant, par exemple au hasard d'une réunion d'un groupe intéressé par le développement, et qu'il me dit : «Eh oui ! j'ai été dans Jeunesse Canada Monde !», tout de suite ça clique : nous avons tant de choses à nous dire ! Alors, imaginez le camp d'orientation de Saint-Liguori, où on rencontre d'un coup 17 anciens participants ! Nous échangions nos idées, nous parlions du programme auquel nous avions participé, nous racontions tout ce que nous avions appris... Au bout de quelques jours, à ce train-là, nous étions tous émotivement épuisés. Je l'étais d'autant plus que tout se passait plus ou moins en français, et je ne savais plus où donner de la tête ! Le plus souvent, je ne savais pas de quoi on discutait. Au début, je ne parlais pratiquement pas le français. On m'avait permis de faire une «immersion» de cinq jours dans la famille de Carole, une participante francophone.

*J.H.* — Cinq jours ! Tu parles d'une immersion !

*Yvonne* — J'avais appris quelques mots, ici et là, à la faveur de mon autre programme au Pakistan, parce que mon agent de groupe était francophone et plusieurs de mes meilleurs amis dans le groupe étaient des Québécois. Mais un programme avec la Saskatchewan et le Pakistan, ce n'était pas la situation rêvée pour apprendre le français ! Sûrement pas assez pour soutenir un conversation. Tu peux demander un verre d'eau...

*J.H.* — Quand tu es arrivée au Zaïre, as-tu eu un choc culturel comme celui qui t'attendait au Pakistan ?

*Yvonne* — Pas du tout. Il m'a été 100 p. cent plus simple de m'intégrer. Dès l'arrivée à Kinshasa, je me suis rendu compte que tout était plus facile. Et ici, dans ce village, on se sent tellement plus libre. Je m'étais préparée mentalement à vivre un autre Pakistan, mais il y avait tellement moins de restrictions. Je savais bien que l'Afrique était différente de l'Asie, mais dans mon esprit et dans mon coeur, j'étais préparée à toutes les concessions. La religion, la façon d'agir des gens, leur quant-à-soi, etc. En arrivant ici, je fus étonnée de voir des jambes et des bras nus, de rencontrer des femmes marchant la tête haute, sans voile. Un souffle d'air frais. Je me suis tout de suite sentie bien ici et je me suis adaptée sans effort. Malgré tout, il y a bien des différences sur le plan culturel, mais ce n'est rien en comparaison de ce que je venais de vivre au Pakistan.

*J.H.* — Ici, à Mwene Ditu, vous avez eu la chance de vivre dans des familles d'accueil, contrairement aux participants de Kalenda qui ont dû se résigner à vivre en groupe ?

*Yvonne* — Ma famille ! Ah ! j'utilise trop le mot «fantastique» ! Alors, disons que ma famille était tout simplement superbe, une vraie bonne famille.

*J.H.* — Moins riche que celle du Pakistan ?

*Yvonne* — Non, elle n'est pas riche. Peut-être est-elle une des plus riches familles du village, mais ça ne veut pas dire grand-chose. Sans doute, ils ne vivent pas dans une hutte de paille, mais ils n'ont que cinq couteaux pour sept personnes. Cette sorte de famille. Leur maison est plus moderne, mais ils n'ont pas beaucoup de vêtements à se mettre sur le dos. Ils n'ont rien de ce qui nous permettrait de les considérer comme des gens à l'aise, appartenant à la classe moyenne. Une famille traditionnelle. On fait la cuisine en plein air. On mange avec ses doigts... du *fufu* et des feuilles de manioc toujours, et du poisson. Bref, on ne vit pas du tout à l'occidentale dans ce village.

*J.H.* — Malgré tout, comme tu le disais, tu n'a pas eu de mal à t'adapter ?

*Yvonne* — Non, pas vraiment.

*J.H.* — Même au *fufu* ?

*Yvonne* — Ah ! le *fufu*... À Kinshasa, je ne l'appréciais guère. J'en mettais un tout petit morceau au bord de mon assiette en pensant : «Oh ! comment vais-je venir à bout de ça ?» Mais maintenant, j'aime bien le *fufu*, qui est ici la base de l'alimentation. Il ne me viendrait pas à l'idée de ne pas aimer le *fufu*. J'en mange, et j'aime ça même si c'est lourd dans l'estomac. J'en mange, disons, autant que je mange de pommes de terre au Canada. Tous les autres membres de la famille s'en prennent des portions énormes et ils adorent ça. J'aime bien, mais j'en consomme avec modération...

*J.H.* — Alors, comment t'entends-tu avec ta famille ?

*Yvonne* — Vraiment bien. Ils m'ont beaucoup aidée à apprendre le français. J'ai dû apprendre un peu de *tshiluba* pour comprendre ma mère, qui ne parle pas le français. Mais j'ai certes appris moins de *tshiluba* que je n'avais appris d'*ourdou* au Pakistan, parce qu'il me fallait d'abord apprendre le français. C'est avec le français que je puis communiquer avec le plus grand nombre de gens... J'y arrive tout doucement, mais sûrement. On n'a pas le choix ! Jusqu'à ce j'arrive dans ma famille d'accueil zaïroise, j'avais encore le choix. Si je ne réussissais pas à m'expliquer en français, je passais à l'anglais et il se trouvait toujours quelqu'un dans le groupe pour me comprendre. C'était le cas à Saint-Liguori et à Kinshasa. En arrivant dans ma famille d'accueil, où on parlait surtout le *tshiluba*, je m'accrochais maintenant au français, puisque je ne comprenais pas un mot de *tshiluba* : «Oh ! Je vous en prie, permettez-moi de parler en français ? Je veux parler français !» Donc, je ne comptais plus sur l'anglais pour me dépanner, mais sur le français. Or, bizarrement, c'est ma famille d'accueil zaïroise qui m'a vraiment aidée, plus que quiconque, à apprendre le français.

*J.H.* — Dans un petit village perdu du Kasaï oriental ! Et alors, ton homologue ?

*Yvonne* — Khoni. Elle a cinq ans de plus que moi, mais je ne m'en suis rendu compte qu'au bout de plusieurs semaines. C'est grâce à elle que je me suis aussi facilement adaptée à ma famille. Elle-même s'y est parfaitement bien intégrée.

*J.H.* — Bien qu'elle soit d'une autre tribu ?

*Yvonne* — Oui, elle vient d'une autre région et ne parle pas le *tshiluba*. Par contre, elle parle le *kicongo*, le *lingala*, le français et sa langue maternelle, un dialecte. Comme tout le monde dans ce pays, mon homologue parle trois ou quatre langues.

*J.H.* — Pour les Canadiens, ça doit être étonnant de constater que ces gens très simples finissent par apprendre trois, quatre langues... alors que nous avons des problèmes avec seulement deux !

*Yvonne* — Avec seulement deux ! Je me sens tellement stupide d'être encore aux prises avec le français alors que Khoni a le choix entre parler son dialecte maternel, le *kicongo*, le *linguala* ou le français ! Et maintenant, elle apprend l'anglais en vue de la tournée canadienne. Pour ces gens, il n'y a pas de problèmes : ils passent sans effort d'une langue à l'autre. C'est comme ça dans ma famille : ils parlent leur dialecte maternel, le *tshiluba*, et ensuite ils passent au français, ils comprennent le *lingala* et ils parlent le *swahili*, ça fait quatre langues dans ma seule famille ! Avec moi, ils parlent toujours français, même si ça les frustre un peu. Mais Khoni n'est jamais frustrée quand elle me parle français, et je l'apprécie infiniment. Elle a beaucoup de compréhension, de maturité. Ce qui me change passablement de mon homologue pakistanaise, avec qui je me chicanais pour rien, par simple manque de maturité. Maintenant, j'ai mûri et je me sens plus disposée à créer un bonne relation, sans doute à cause de l'expérience du Pakistan. Et Khoni a vraiment une belle maturité et maîtrise bien toutes les situations. En conséquence, nous avons établi une excellente relation entre nous, en dépit de quelques problèmes de communication. Ça ne nous a jamais déprimées ; au contraire, ça nous a aidées à apprendre. Avec la famille, elle a été une aide précieuse. On la considérait un peu comme la soeur aînée. Sans vraiment prendre la place de la grande soeur, qui est à Kinshasa, Khoni est un peu la soeur plus âgée qui a toujours un sage conseil à donner dans n'importe quelle situation. On lui demande conseil. Même les parents, si quelque problème surgit, font appel à ses conseils. Ah ! elle est...

*J.H.* — ...une fille épatante !

*Yvonne* — Ah oui !

*J.H.* — Alors, qu'avez-vous fait au cours de ces longues semaines ?

*Yvonne* — Au début, je plantais de l'herbe ! De l'herbe, brin par brin. Au bout de deux ou trois jours, nous avons décidé qu'il y avait des tas de choses plus utiles à faire dans ce village que de planter de l'herbe, alors j'ai fini par aller aider les autres participants à repeindre une école.

*J.H.* — Mais n'aviez-vous pas à reconstruire un petit hôpital ?

*Yvonne* — Oui, un petit hôpital pour les tuberculeux. On s'est retrouvé avec trois bâtiments en ruines, avec du béton qui tombait de partout, des fenêtres défoncées, des portes sorties de leurs gonds, pas de plafond, pas de toit. À partir de ça, nous avons remis en état tout l'hôpital, ce qui nous a procuré une grande satisfaction. Quand on y pense, c'est seulement il y a sept semaines que nous sommes arrivés sur ce chantier désastreux, dans ces bâtiment sans éclairage, les planchers recouverts de poussière, de briques cassées, de bouts de bois, de vieilles nattes abandonnées, de parties du toit écroulé ... Devant ce spectacle, on s'est dit : «Mon Dieu, espèrent-ils vraiment que nous remettrons tout cela en état ? Au secours ! C'est une tâche absolument impossible !» Mais nous avons commencé tout de même ... Nous avons brûlé des tas de détritus, démoli les parties de la toiture qui s'écroulaient, nous avons refait le chemin, envahi par la végétation, qui reliait l'hôpital à la route principale. Des gens du village, qui s'y connaissaient, sont venus nous aider à préparer le béton pendant que nous refaisions les toits. On a reconstruit les murs, on les a peints. Lynn et moi avons fabriqué les couvre-matelas. On a repeint les lits. Bref, tout ce qu'il y a dans cet hôpital, c'est nous qui l'avons fait. C'est beaucoup *notre* hôpital.

*J.H.* — On y soignera maintenant les malades, on y sauvera des vies...

*Yvonne* — Je l'espère. Hier, au cours de l'inauguration officielle, nous avons tous éprouvé une immense satisfaction. À partir de maintenant, tout dépend des Zaïrois. S'ils n'entretiennent pas bien l'hôpital, ce sera vraiment dommage, mais nous n'y pouvons rien.

*J.H.* — Il était impressionnant de voir le gouverneur de la province inaugurer lui-même l'hôpital, tandis que les villageois chantaient et dansaient...

*Yvonne* — Ils témoignaient leur appréciation aux participants de Jeunesse Canada Monde. Ce fut un excellent échange culturel, c'était merveilleux de voir les participants zaïrois et canadiens travailler ensemble, apporter quelque chose à la communauté. Nous avons connu toutes les femmes et les enfants des alentours qui venaient nous voir travailler, et avec qui nous bavardions pendant la «pause mangue».

*J.H.* — Vous avez apporté quelque chose au Zaïre, mais que vous a-t-il donné en retour ?

*Yvonne* — Tant de choses... Oh ! la musique ! J'ai appris leurs danses pendant mon séjour... J'ai vécu dans une famille très agréable, très chaleureuse qui m'a beaucoup enrichie. Elle était toujours disposée à m'aider, quelle que soit l'heure du jour ou de la nuit. Ils m'expliquaient la moindre chose. Et ils étaient ravis quand je faisais la cuisine avec eux. Ils ne pourraient avoir été plus hospitaliers et plus chaleureux !

*J.H.* — De quelle façon le Zaïre aura-t-il eu une influence sur les reste de ta vie ?

*Yvonne* — Une des choses concrètes que j'ai apprises, c'est l'importance d'avoir une famille unie. Je l'ai apprise en regardant les mères avec leur bébé accroché au dos, emmenant partout les enfants avec elles, les plus vieux prenant soin des plus jeunes. En observant les enfants s'amuser avec les choses les plus simples, j'ai compris qu'il était possible de vivre dans la simplicité. Je suis assez fière d'être canadienne, pour toutes sortes de raisons, mais je n'aime pas l'idée que nous ayons besoin de tous ces jeux Atari, qu'il nous faille toujours quelque chose de nouveau pour nous distraire, au lieu de jouir simplement de ce que nous offrent les personnes qui nous entourent, notre famille, nos amis. On est à la recherche constante d'un plaisir nouveau que nous donnera le dernier film, le dernier disque, le dernier jeu vidéo, en négligeant la joie que pourrait nous procurer la personne avec qui on va au cinéma ou avec qui on écoute un disque. Tout le monde a une famille. Il faudrait en profiter.

*J.H.* — Tes vues sur le développement sont-elles plus claires aujourd'hui ?

*Yvonne* — Dans ce domaine, j'ai beaucoup évolué entre le programme du Pakistan et celui du Zaïre. Avant, je m'intéressais au développement des autres pays. Je me disais toujours : «Comment peut-on *les* aider ?» Maintenant, je sais que le développement c'est aussi pour *nous*. Absolument. Je voudrais bien aider le Zaïre, mais je sais qu'il peut s'aider lui-même. Par exemple, il n'y a pas de raison qu'on souffre de sous-alimentation dans ce village, mais ce ne sont pas les Canadiens qui régleront le problème, ce sont les Zaïrois eux-mêmes.

*J.H.* — Quand des participants ont reconstruit les sources d'eau du village, n'ont-ils pas un peu aidé les Zaïrois ?

*Yvonne* — Oui, ce fut un bon projet de travail. Mais la communauté n'a vraiment *pas besoin* de nous pour construire des sources d'eau. Certes, nous leur avons donné un élan, mais c'est *d'abord* l'affaire des villageois. Par exemple, sur le plan de l'éducation ou de l'alimentation. Les Canadiens ne peuvent aider beaucoup en envoyant de l'argent et de la nourriture au Zaïre. Je commence à croire que nous nous leurrons si nous croyons pouvoir régler les problèmes des pays en voie de développement en leur envoyant des choses. Ce qui freine le développement, c'est d'abord le manque de conscience des pays riches. Nous essayons de diviser le monde entre *eux* et *nous*. Et on dit toujours que *ces* pays doivent changer d'attitude. Mais nous oublions que tout est interdépendant, par l'économie, la politique... C'est d'abord, selon moi, une question de respect et de partage. Si on éprouve du respect pour les pays en voie de développe-ment, alors nous pourrons les aider de la façon dont ils voudraient l'être. En même temps, nous devons reconnaître que nous avons *beaucoup* a apprendre d'eux. Le développement n'arrivera que lorsque nous travaillerons tous *ensemble* à améliorer la vie, autant au Canada que dans le Tiers-Monde.

## Commentaires d'Yvonne Sabraw
### sur la tournée canadienne

La moitié zaïroise de notre programme aura été une merveilleuse expérience mais, pour ma part, c'est la moitié canadienne qui m'intéressait particulièrement. À bien y penser, j'ai reçu autant sinon plus que je n'avais cru de notre tournée à travers le Canada. Pour deux raisons : d'abord grâce à ce que j'ai pu apprendre moi-même, mais aussi grâce à l'intérêt que les Canadiens ont manifesté à l'endroit de nos présentations.

Ce que j'ai appris, je le dois d'abord aux deux participants qui m'accompagnaient : N'Sombolayi, mon homologue zaïrois, et Michael Smith, mon homologue canadien. En raison de leur ouverture et de leur belle énergie, il a été passionnant de travailler avec eux pour concevoir et ensuite améliorer notre présentation. Cela nous a permis d'échanger nos idées et de devenir de véritables amis.

Bien sûr, notre vie n'était pas facile. Nous avons parcouru quatre provinces en six semaines, faisant quatre ou cinq présentations par jour : c'était épuisant ! Mais on a fini par s'habituer à ce rythme infernal, en essayant de nous amuser un peu tout en travaillant.

Une chose ne cesse de m'impressionner : jusqu'à quel point les Canadiens ont le *désir* et le *besoin* d'apprendre à mieux connaître les autres pays, la manière de vivre des autres, particulièrement des gens du Tiers-Monde. À comprendre le développement. Et particulièrement les Canadiens des régions rurales. Les élèves des écoles étaient littéralement fascinés par les réalités du Zaïre, ravis surtout de pouvoir parler avec N'Sombolayi. Jusque-là, leur conception de l'Afrique était vague : la jungle, les déserts, les guerres, la famine. Je commence à me demander comment le monde peut s'améliorer quand nous ne nous rendons même pas compte qu'à l'autre bout de la terre, il y a des êtres humains qui vivent une autre réalité, jour après jour, sans être tellement différents de nous. Des êtres humains dont nous devons respecter la culture, les traditions et leur manière de voir la vie.

Les gens que nous avons rencontrés au cours de notre tournée canadienne voulaient vraiment en connaître davantage, ce qui nous aidait à partager nos expériences africaines avec eux et à leur donner une perspective plus juste de l'Afrique. Et à leur faire sentir que le monde est *un* ! La notion de développement leur devient plus familière quand ils se rendent compte que cela ne se résume pas à envoyer de l'argent ici et là, mais qu'il s'agit d'un processus qui doit se faire autant dans leur propre communauté que dans le Tiers-Monde.

Bref, au cours de ces six semaines, nous avons eu le sentiment d'avoir accompli quelque chose. Je souhaite seulement qu'on donne plus d'occasions aux Canadiens de découvrir les hommes et les femmes des autres pays du monde et, surtout, de comprendre l'importance de chaque individu dans le processus de développement.

JACQUES HÉBERT

## *Yvonne Sabraw dix ans après*

*Après son programme au Zaïre, Yvonne Sabraw décida de s'installer au Québec pour continuer son apprentissage du français.* Elle a fait des études en sociologie et en sciences politiques à l'université McGill, avant de s'inscrire à la faculté de physiothérapie en 1988. Elle a obtenu son B.Sc. en physiothérapie et travailla à Montréal au Constance Lethbridge Rehabilitation Center *pendant trois ans. En même temps, elle fit du travail bénévole pour le* Yellow Door Coffee House.

*En 1994, Yvonne retourna à Calgary, sa ville natale. Après un voyage de deux mois en Amérique centrale, elle se remit à la pratique de la physiothérapie au* Alberta Children's Hospital, *tout en jouant un rôle actif auprès de* Amnesty International *et du* Arusha International Development Resource Center.

# 2.
# Éric Larouche

*Du Québec à la Jamaïque*

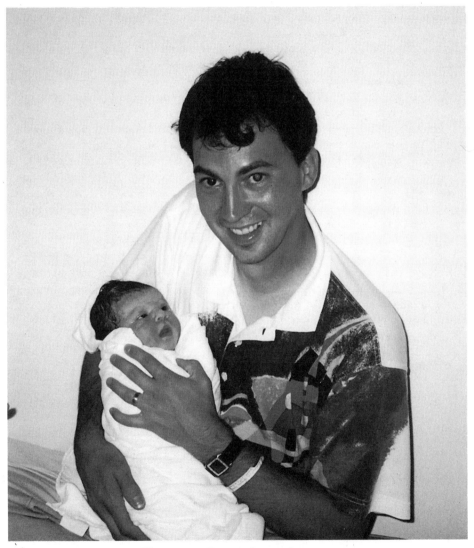

Éric Larouche, avec sa fille Léonie, dix ans plus tard.

*Éric* — J'ai 21 ans et je suis né à Saint-David de Falardeau, un petit village de 2 000 habitants de la région du Saguenay-Lac-Saint-Jean. Il y a deux ans, j'ai terminé mes études au niveau collégial : sciences humaines avec option en droit.

*J.H.* — Tu songeais à devenir avocat ?

*Éric* — Oui, je voulais faire un avocat. Au cours de la dernière année, j'ai lu une annonce de Jeunesse Canada Monde dans un journal étudiant. On y parlait d'échanges avec des pays du Tiers-Monde... Des jeunes dynamiques... Trois mois au Canada et trois mois dans un pays en voie de développement... Inutile de dire que ça m'avait tout de suite intéressé, d'autant plus que j'avais été fasciné par le récit des expériences vécues par d'anciens participants que j'avais rencontrés par hasard : on avait discuté pendant des heures... J'éprouvais le besoin de voir autre chose avant d'aller m'enfermer dans une université, avec des gens très sérieux. Je me sentais encore trop jeune et je voulais aller à l'école de la vie avant d'aboutir dans l'autre.

*J.H.* — Qu'est-ce que tu entends par l'école de la vie ?

*Éric* — Oublier la théorie et les cours, vivre une aventure sur le terrain, quelque part, même vivre une expérience de travail, au Canada même.

*J.H.* — Grâce à un peu de chance et, j'imagine, à une bonne entrevue, tu as été accepté comme participant de Jeunesse Canada Monde dans le programme avec la Jamaïque. C'est par hasard que tu devais aller dans ce pays plutôt que dans un autre ?

*Éric* — Oui, par hasard. J'avais envie de vivre l'expérience de Jeunesse Canada Monde. Que ce soit en Asie, en Amérique du Sud ou en Afrique, ça n'avait aucune importance. Pour moi, l'essentiel c'était d'aller vivre dans un pays en voie de développement. Mais la Jamaïque, ce fut tout de même un hasard heureux.

*J.H.* — Il fallait d'abord vivre la partie canadienne du programme ?

*Éric* — Mon groupe de sept participants canadiens et de sept participants jamaïcains fut envoyé à Gagetown, un petit village de 550 habitants, situé au centre du Nouveau-Brunswick. La population était en majorité composée de descendants des loyalistes anglais et s'adonnait à l'agriculture. Installé sur les bords de la rivière St. John, un beau village vert où tout poussait bien.

*J.H.* — Comme tu arrivais de la région du Saguenay-Lac-Saint-Jean, ta connaissance de l'anglais devait être limitée. Et pourtant, tu allais devoir vivre trois mois dans une famille anglophone, avec un homologue jamaïcains anglophone.

*Éric* — La langue ! Ce fut le plus grand défi que j'ai eu à relever. J'étais presque unilingue. Déjà, au camp d'orientation, ça n'avait pas été facile, mais au moins on pouvait compter sur la traduction des autres participants qui étaient bilingues. Le problème s'est vraiment posé quand je me suis retrouvé seul avec mon homologue, Newton Robinson. Sur la ferme, je réussissais à communiquer tant bien que mal, grâce à quelques membres de la famille qui savaient un peu de français. Avec mon homologue, j'avais fini par développer un moyen de communication par signes. Nous mimions les situations. Une forme de langage que nous seuls pouvions comprendre, ce qui nous permettait de nous parler sans que les personnes présentes puissent deviner de quoi il s'agissait. Mais parfois, il nous fallait dix minutes, simplement pour dire : «Pourrais-tu aller me chercher un marteau ?» Chose certaine, c'était intéressant !

*J.H.* — Et pendant ce temps-là, tu n'apprenais pas l'anglais !

*Éric* — Ce fut seulement une première étape pour pouvoir communiquer avec mon ami jamaïcain : nous partagions la même chambre et nous travaillions toute la journée ensemble. Mais au fil des jours, les mots anglais venaient, les phrases s'empilaient. C'est ainsi que les premiers mots anglais que j'ai appris concernaient le travail sur la ferme. Un lent, très lent apprentissage, souvent pénible. Mais au bout de ces trois mois d'immersion, je réussissais déjà à bien comprendre ce que les gens me disaient et à me faire comprendre d'eux. C'était un bon pas de fait. Je partirais en Jamaïque, où l'on parle aussi anglais, avec une plus grande confiance : au moins, je maîtrisais leur langue.

*J.H.* — À part ce miracle, que retiens-tu de ces mois passés au Nouveau-Brunswick, une province voisine de la tienne, dans un village encore plus petit que le tien ?

*Éric* — La phase canadienne du programme est absolument primordiale. On doit avoir vécu des choses dans son pays avant d'en aborder un autre. Le fait de vivre avec un Jamaïcain, d'observer ses réactions devant les différences culturelles, m'a donné un avant-goût de ce qui m'attendait dans son pays. De plus, il a été très enrichissant de participer à la vie communautaire des gens de ce petit village, de nous joindre à leurs fêtes. Et notre famille d'accueil a dû s'enrichir elle aussi, en étant sans cesse confrontée par un autre culture, particulièrement celle de Newton, dont souvent les réactions ne manquaient pas d'étonner.

*J.H.* — Crois-tu que ton groupe aura laissé quelques traces à Gagetown ?

*Éric* — Sans aucune doute. Toutes ces conversations que nous avons eues avec les jeunes du village, tous ces échanges plus intimes avec les familles d'accueil, familles dont c'était le premier contact avec une autre culture. C'est au moins l'amorce d'une compréhension plus grande entre des gens du Canada et d'un autre pays. Par exemple, à la fin de notre séjour, quand on regardait ensemble les nouvelles à la télévision, les membres de la famille manifestaient un vif intérêt dès qu'il était question non pas de la Jamaïque mais de quelque pays d'Afrique, des Caraïbes ou d'Amérique du Sud. Newton leur disait parfois : «La situation qu'on vient de vous décrire, elle existe réellement dans mon pays». C'était là une introduction, une modeste initiation au monde du développement. Alors, oui, je crois que nous aurons laissé quelque trace à Gagetown, quand ça ne serait qu'une petite inquiétude nouvelle dans la tête des gens.

*J.H.* — En t'écoutant, je ne puis m'empêcher de penser quel pays extraordinaire le Canada pourrait devenir si un programme comme Jeunesse Canada Monde devenait un jour accessible à tous les jeunes Canadiens...

*Éric* — Ce serait le début d'une ère nouvelle pour le Canada. Comme il serait merveilleux de voir tous les Canadiens en relations constantes avec tous les pays en voie de développement, désireux de les mieux comprendre pour leur venir en aide d'une façon plus efficace que ce n'est le cas en ce moment. L'important, ce n'est pas d'aider mais de savoir comment aider.

*J.H.* — Que le ciel et le Conseil du trésor t'entendent ! Bon. De Gagetown, tu es passé brusquement dans l'énorme capitale de la Jamaïque ?

*Éric* — On peut le dire ! La moitié du pays vit à Kingston. À notre descente de l'avion, nous avons eu la surprise d'être accueillis par une bande de journalistes de la radio et de la télévision, des représentants du gouvernement, des gens du haut-commissariat du Canada. C'était l'indication que les Jamaïcains s'intéressent vraiment au programme de Jeunesse Canada Monde et aussi, peut-être, que nous avions une petite mission à remplir dans ce pays. De toute évidence, c'était important pour eux de voir arriver leurs jeunes compatriotes qui venaient de vivre une expérience unique au Canada, accompagnés de jeunes Canadiens désireux de vivre à leur tour en Jamaïque pendant plus de trois mois, simplement pour travailler avec les gens, coopérer, échanger... Il était facile de comprendre que les Jamaïcains attendaient beaucoup de nous. Quelques jours après notre arrivée à Kingston, on a distribué les groupes entre les communautés d'accueil. La mienne se trouvait au centre même de la Jamaïque. Un petit village agricole appelé Christiana.

*J.H.* — Toujours avec Newton ?

*Éric* — Bien entendu. Une fois de plus, nous partagions une chambre dans notre famille d'accueil. Nous travaillions sur la ferme en compagnie du père. On y cultivait des pommes de terre, des tomates, des choux et du maïs. On élevait aussi quelques bovins.

*J.H.* — Dans quel type de maison habitiez-vous ?

*Éric* — Une maison centenaire qui datait de l'époque de l'esclavage. Les planteurs y logeaient leurs coupeurs de canne à sucre... venus d'Afrique bien malgré eux. Une maison très modeste mais qu'on avait agrandie et rénovée pour satisfaire aux besoins de notre famille. Nous étions bien logés. Il y avait même l'électricité, l'eau courante... et la télévision ! En arrivant, j'ai éprouvé quelque crainte au sujet de l'alimentation. Bien à tort. À mon grand étonnement, j'ai été ravi par la cuisine jamaïcaine. Et comme on vivait sur une ferme, on ne manquait jamais de légumes frais. Et quel plaisir nouveau pour moi de sortir de la maison pour aller cueillir une orange dans l'arbre, ou un régime de bananes, ou d'aller couper une tige de canne à sucre. Tout était à portée de la main.

*J.H.* — Tu n'as fait aucune mention de choc culturel...

*Éric* — Ce fut moins un choc culturel qu'un grand étonnement de voir tant de choses nouvelles.

*J.H.* — Étonnement ou émerveillement ?

*Éric* — J'étais à la fois étonné et émerveillé devant toutes ces différences. Par exemple, la grande hospitalité des villageois qui ne cessaient de nous inviter chez eux, qui nous offraient de la bière. Des gens simples, sans artifices, et qui vivent à leur rythme, qui n'est pas le nôtre. S'ils n'ont pas envie de faire la récolte aujourd'hui, ils la feront demain, ou la semaine prochaine, ou le mois prochain. Pour eux, cela n'a aucune importance.

*J.H.* — Cette habitude de toujours remettre à plus tard ne serait-t-elle pas une des causes de la lenteur du développement en Jamaïque et ailleurs ?

*Éric* — C'est peut-être un facteur. Mais le plus grave, ce sont les problèmes de transport. Les engrais, les insecticides prennent une éternité à parvenir aux cultivateurs qui en ont un urgent besoin pour réussir leur récolte. Voilà un sérieux facteur de sous-développement.

*J.H.* — Il est inévitable qu'un pays aussi riche culturellement et économiquement que les États-Unis soit un puissant pôle d'attraction pour un petit pays situé si près. À la longue, crois-tu que cela puisse affecter la culture jamaïcaine ?

*Éric* — Oui, cela se voit de plus en plus. Heureusement que les Jamaïcains ont toujours de fortes racines africaines, qu'ils conservent des coutumes et des habitudes qui leur sont propres, par exemple les cérémonies funéraires. Même la langue jamaïcaine a subi une influence africaine marquée.

*J.H.* — La langue officielle n'est-elle pas l'anglais ?

*Éric* — Bien sûr. Mais, entre eux, les Jamaïcains parlent souvent un patois qui est un mélange d'anglais, d'espagnol et de *swahili*.

*J.H.* — Tu comprends un peu ce patois ?

*Éric* — À la longue, on finit par le comprendre. Mais quelqu'un qui ne parle que l'anglais a beaucoup de mal à y arriver.

*J.H.* — On encourage la pratique de cette langue particulière à la Jamaïque ?

*Éric* — Pas à l'école, où l'anglais est de rigueur. Mais pour des raisons d'ordre culturel, on a plutôt tendance à l'encourager. C'est la langue privilégiée des poètes et des chanteurs.

*J.H.* — Tu as dû avoir du mal à quitter ce beau pays ?

*Éric* — Après sept mois de vie commune, il n'a pas été facile de quitter les participants jamaïcains, de dire adieu à nos amis ou simplement aux villageois avec lesquels nous avions entretenu de si bonnes relations.

*J.H.* — Et ta famille d'accueil ?

*Éric* — Pas facile de se séparer d'une famille avec laquelle on a vécu intensément pendant plusieurs mois. Je garde encore des contacts avec elle.

*J.H.* — On ne quitte pas la Jamaïque, on s'en arrache !

*Éric* — Oui, c'est le mot : on s'en arrache ! Je conserve une lueur d'espoir d'y retourner un jour, de revoir tous les gens que j'ai connus, de découvrir d'autres aspects d'un pays pour moi encore rempli de mystère. Le choc culturel, il m'attendait en rentrant au Canada ! En plein mois de janvier 1985 ! La difficulté ce n'était pas tellement le froid, mais la réintégration dans un milieu nord-américain, de retrouver les habitudes nord-américaines, de réapprendre à vivre chez soi. Cela m'a pris trois mois, peut-être. Le pire, c'est qu'on vient de vivre une expérience passionnante... qui ne semble intéresser personne ! Les gens qui n'ont pas vécu des choses semblables sont bien incapables de les comprendre. Tout ce qui les intéresse, ce sont des détails insignifiants : qu'est-ce que les gens mangent ? Comment s'habillent-ils ? J'ai tout de même réussi à rencontrer des amis et quelques groupes de jeunes de ma région avec lesquels j'ai pu partager mes expériences les plus profondes et avoir des discussions sérieuses. Cela leur a peut-être permis d'aller plus loin, par la suite. Enfin, je me suis rendu compte que je ne devais pas rester accroché à cette expérience, et cesser de rêver à un retour en Jamaïque. Cela ne m'avançait à rien.

*J.H.* — Mais tu devais beaucoup à la Jamaïque, elle t'avait sans doute un peu changé ?

*Éric* — Les effets de ce programme, on les constate souvent des mois et des mois plus tard. C'est seulement alors qu'on reconnaît avoir changé. Je conservais le goût de poursuivre mon aventure, de m'engager plus à fond dans le développement, sans trop savoir comment. Au cours de l'été, j'ai travaillé avec des jeunes dans une colonie de vacances : en m'intéressant à mon propre milieu, j'ai compris qu'on pouvait oeuvrer pour le développement au Canada même. J'ai cessé de croire qu'il fallait absolument aller dans un autre pays pour changer les choses.

*J.H.* — Cette découverte a-t-elle eu une influence sur ton choix de carrière ? Tu songeais toujours à devenir avocat ?

*Éric* — Après la colonie de vacances, je me suis inscrit à l'université... en éducation !

*J.H.* — Jeunesse Canada Monde serait-il responsable d'un changement aussi radical d'orientation ?

*Éric* — Absolument. Trois jours avant le début des cours, j'ai reçu un téléphone de Jeunesse Canada Monde m'informant de la création d'un programme spécial avec le Zaïre, dans le cadre de l'année internationale de la Jeunesse. Je n'avais que quelques jours pour prendre une décision : «Le Zaïre ou l'université ?» Quand Jeunesse Canada Monde m'a finalement accepté dans le nouveau programme, j'ai conclu que l'université pouvait toujours attendre, tandis qu'une occasion comme celle qu'on me proposait serait peut-être unique. La chose vraiment intéressante, c'est qu'après trois mois au Zaïre, il y aurait cette grande tournée canadienne de sensibilisation aux questions de développement international.

*J.H.* — Alors, tu t'es dit : «Pourquoi pas ?»

*Éric* — Oui, pourquoi pas continuer encore un peu l'école de la vie avant d'entrer dans l'école traditionnelle. En arrivant au Zaïre, j'avoue que j'ai été étonné des similitudes avec la Jamaïque. Les paysages étaient les mêmes. La végétation, les gens, le type de constructions. Alors, pas de choc culturel ! Je me suis tout de suite senti à l'aise dans ce milieu nouveau qui me paraissait si familier. Les grandes différences avec la Jamaïque, à tous les niveaux, m'ont frappé quand je suis arrivé dans notre village, Mwene Ditu, dans le Kasaï oriental.

*J.H.* — Tu avais un homologue ?

*Éric* — Hélas ! non. Nous ne pouvions pas tous en avoir un parce que le groupe était formé de 18 participants canadiens et de seulement 9 participants zaïrois.

*J.H.* — Tu t'es donc retrouvé seul dans une famille d'accueil zaïroise.

*Éric* — Une grande famille, une famille élargie comme on dit ici, avec le père, la mère, les enfants et un tas de cousins, de neveux, d'oncles, et de tantes. Dans la maison même, on ne comptait pas moins de dix personnes et, sur notre parcelle de terrain, dans d'autres cases, il y avait encore sept ou huit membres de la famille.

*J.H.* — Et c'est le père qui est responsable de tout ce beau monde ?

*Éric* — Jusqu'au dernier des petits cousins ! Il faut dire que la famille joue un très grand rôle dans la société zaïroise. Elle aide chacun des individus à franchir chaque étape de sa vie : éducation, travail, mariage.

*J.H.* — Voilà des coutumes susceptibles d'étonner un petit gars du Saguenay-Lac-Saint-Jean ?

*Éric* — Et qui portent à réfléchir. On finit par se demander : «Est-ce que nos sociétés modernes ont perdu des valeurs fondamentales ou est-ce que ces vieilles société africaines ont cessé d'évoluer ?» C'est en vivant dans une famille zaïroise qu'on trouve réponses à ce genre de questions.

*J.H.* — Avant cet interview, tu m'as emmené dans ta famille, tu m'as présenté ton père et ta mère — c'est ainsi que tu les désignes, — tes frères et tes soeurs. J'ai remarqué que la mère, une femme encore jeune, avait la tête rasée, de même que tous les enfants. Je n'ai rien vu de pareil ailleurs à Mwene Ditu. De quoi s'agit-il ?

*Éric* — Il y a eu un deuil dans la famille, il y a dix jours à peine. La mère de mon père est morte. Alors, pendant une semaine, les proches parents sont venus la pleurer. Ils se sont fait raser la tête comme c'est la coutume et ils ont tous dormi dans la maison, à même le sol. Ils ne se lavent pas et ne changent pas de vêtements.

*J.H.* — Voilà qui a dû bouleverser un peu ta vie dans la famille ?

*Éric* — Il m'a fallu m'adapter à toutes sortes de situations. La maison était toujours pleine de monde, tous les gens du village sont venus consoler la famille. On vient pour pleurer, on vient pour manger, on vient même pour danser, car un deuil n'interdit pas les réjouissances. On mangeait à toutes sortes d'heures. Bref, je ne me suis pas reposé beaucoup pendant cette semaine-là !

*J.H.* — Mais tu as vécu une expérience unique...

*Éric* — ... que je ne revivrai sans doute jamais !

*J.H.* — En dehors de la vie dans cette belle famille, que j'ai connue grâce à toi et qui semble t'aimer beaucoup, qu'est-ce que tu as fait à Mwene Ditu ?

*Éric* — Nous avions le choix entre trois projets de travail. Pour ma part, j'ai d'abord travaillé dans une école maternelle avec Carole, une autre participante canadienne. Chaque matin, nous nous y rendions pour aider les instituteurs dans leur tâche. Comme il s'agissait d'une nouvelle école, elle était complètement dépourvue de matériel didactique. Il n'y avait rien : pas de cahiers, pas de livres, pas même de bancs pour asseoir les enfants. On avait donc recours à l'enseignement oral. Les enfants qui avaient entre 3 et 5 ans, faisaient d'interminables récitations en français, dont ils ne comprenaient pas le premier mot. Ils ne parlaient que le *tshiluba*, une des quatre grandes langues nationales du Zaïre, les autres étant le *lingala*, le *kikongo* et le *swahili*. Mais la langue officielle, la langue de l'enseignement, c'est le français.

*J.H.* — Puisque tu avais déjà opté pour l'enseignement avant le départ du Canada, ce projet de travail tombait pile ?

*Éric* — Une expérience vraiment enrichissante qui m'a permis de découvrir les aptitudes que je pouvais avoir pour l'enseignement. Avec d'autres participants, j'ai fait un travail intéressant aux sources d'eau. On ne manque pas d'eau à Mwene Ditu, mais il y a un sérieux problème d'approvisionnement et de purification. La construction des sources permettait d'approvisionner les gens en eau filtrée. Mais le problème, c'est qu'il faut encore la faire bouillir, ce qui consomme du charbon de bois, que les gens ne peuvent pas toujours se payer. Alors, on consomme de l'eau non-bouillie, ce qui cause toutes sortes de maladies. Un autre projet de travail intéressant a été la reconstruction de l'hôpital de Mwene Ditu, abandonné depuis des années et qui tombait en ruines. Nous avons terminé les travaux à temps et les malades vont maintenant être accueillis dans le nouvel hôpital.

*J.H.* — Votre séjour ici s'achève. Il faut maintenant songer au retour au Canada ?

*Éric* — Et surtout à la grande tournée canadienne qui nous attend, et que nous avons bien préparée. Nous nous diviserons en petits groupes de trois participants : un Zaïrois et deux Canadiens. On nous distribuera entre trois grandes régions : l'Ouest, l'Est et le Centre, c'est-à-dire le Québec et l'Ontario. Pour ma part, je me partagerai entre les provinces maritimes et le Québec. On prévoit que les participants réussiront à donner plus de 700 présentations en six semaines. Dans les écoles primaires et secondaires, les polyvalentes, les cégep, les universités, les clubs sociaux, et j'en passe.

Je me sens bien préparé, d'abord à cause de l'expérience jamaïcaine qui fut une sorte d'introduction, et à cause du Zaïre qui forme le corps de l'ouvrage. Reste à écrire la conclusion... Je ne suis pas pressé. Qui sait ce que l'avenir nous réserve ?

## Commentaires d'Éric Larouche sur la tournée canadienne

Au cours de notre tournée à travers les Maritimes et le Québec, j'ai été agréablement surpris par l'accueil que nous réservaient les familles d'accueil et les groupes de Katimavik qui, en plus de nous recevoir dans leur maison, ont collaboré avec nous pendant tout le programme. Nous avons connu beaucoup de gens déjà intéressés par les questions de développement, déjà engagés. Par exemple, dans la région de Joliette, nous avons rencontré d'anciennes familles d'accueil d'un programme de Jeunesse Canada Monde avec le Mali. Elles nous ont appris que leurs trois communautés avaient été jumelées avec trois communautés du Mali. On voit que, dès qu'ils ont pris conscience des problèmes, les gens développent un esprit de coopération efficace. Voilà la manière d'en arriver à un monde meilleur !

Un jour, dans un groupe de Katimavik, une participante m'a dit que notre présentation lui avait donné la fièvre de Jeunesse Canada Monde. Elle avait grande envie de s'engager plus à fond et de vivre une expérience inter-culturelle. D'autres nous ont dit que nous avions réussi à les sensibiliser à la réalité des pays du Tiers-Monde, que nous les avions incités à s'engager dans une action concrète.

## Éric Larouche dix ans après

*Après avoir fait ses adieux à tous les participants, qui sont devenus une vraie famille, Éric est retourné dans son village natal auprès de sa famille. Ce n'était pas facile de se retrouver après une expérience aussi intense mais, avec l'aide de ses amis, il s'est vite réintégré dans sa communauté. Après avoir été animateur au Centre du Lac Pouce et moniteur dans une colonie de vacances, Éric est devenu animateur pour la Jeunesse Étudiante Chrétienne du Saguenay-Lac-Saint-Jean de 1988 à 1992.*

*Ensuite, pendant un an, il sera représentant de la librairie La Source de Chicoutimi. Son travail l'amène partout au Royaume du Saguenay-Lac-Saint-Jean et dans la belle région de la Côte-Nord.*

*Après la route, c'est le retour aux études en septembre 1993. Comme le goût de la nature est plus fort, c'est en horticulture ornementale qu'il orientera sa nouvelle carrière. Marié, et tout nouveau père d'une belle petite Léonie, Éric travaille comme consultant en aménagement paysager à Chicoutimi. Il n'a pas oublié son expérience avec Jeunesse Canada Monde. Il demeure sensible aux questions de développement international et souhaiterait revivre une expérience de coopération avec sa famille dans un avenir rapproché.*

# 3.
# Stephen Gwynne-Vaughan

## *De l'Ontario au Mali*

Stephen, alors qu'il portait encore barbe et cheveux longs, avec des amis de Mwene Ditu.

*Stephen* — J'ai 23 ans. Avant Jeunesse Canada Monde, je travaillais dans une usine de soupapes, à Ottawa. Je me suis vite rendu compte que je n'étais pas particulièrement fait pour ce genre de travail. J'avais décroché du *high school* pour aller voyager dans l'ouest du Canada. À mon retour, je décidai de retourner au *high school*, de compléter mes études secondaires, après quoi je devais décider ce que je ferais de ma vie. En fait, c'est ma petite amie qui m'a fait connaître Jeunesse Canada Monde. Un jour, elle apporta à la maison un formulaire d'adhésion. Je l'ai recopié à la main et je l'ai rempli...

*J.H.* — Tu l'as recopié ? Peut-être parce que ta petite amie voulait utiliser l'original pour elle-même ?

*Stephen* — Exactement ! Elle avait obtenu le formulaire à son école et la date limite était toute proche. Sans hésiter, je me suis dit : «Ah ! J'ai vraiment envie de voyager !» J'avais déjà passablement voyagé parce que mon père était dans les Forces armées. C'est ainsi que j'étais allé un peu partout au Canada et aux États-Unis. De plus, je me disais que Jeunesse Canada Monde me fournissait l'occasion rêvée de découvrir ce que je voulais faire dans la vie. Comme tous les nouveaux participants, j'avais des idées préconçues sur le programme. Et il m'était bien impossible d'imaginer comment serait la vie en Afrique.

*J.H.* — Avais-tu mentionné l'Afrique comme ton premier choix ?

*Stephen* — Non. Plus que tout, je voulais participer à un programme de langue française. Quand on m'a demandé dans quelle partie du monde je souhaitais aller, j'ai répondu : «N'importe où, à condition qu'on y parle français.» J'habite Ottawa et plusieurs de mes amis sont bilingues. Quand il m'arrivait d'entrer quelque part où il n'y avait que des Canadiens français qui parlaient dans leur langue, on tenait compte du fait que j'étais un anglophone et, hop ! tout le monde passait à l'anglais à cause de moi. Un jour, un de mes amis me dit : «Tu sais, j'en ai ras le bol de toujours parler anglais et de tout répéter parce que tu es un anglophone unilingue. Pourquoi n'essayes-tu pas d'apprendre le français ?» J'ai alors décidé de faire un effort, mais il n'est pas facile d'apprendre le français dans un milieu anglophone. Grâce à Jeunesse Canada Monde, je me débrouille maintenant en français, et j'ai bien l'intention de continuer à me perfectionner.

*J.H.* — Tes voeux ont été exaucés puisque tu t'es joint à un programme qui devait se dérouler pour une moitié au Québec, et pour l'autre moitié au Mali. Savais-tu ou se trouvait ce pays ?

*Stephen* — Non. Avant d'y aller, le nom Mali ne me disait absolument rien. Comme il arrive souvent, c'est le nom de l'époque coloniale qui nous semble plus important. Je me souvenais donc du Soudan français et, bien sûr, de Tombouctou, vieille ville romantique...

*J.H.* — Peut-être pas dans la réalité...

*Stephen* — Peut-être pas... Quoi qu'il en soit, j'étais convaincu de m'engager dans une grande aventure.

*J.H.* — Mais le voyage à Tombouctou a commencé quelque part au Québec ?

*Stephen* — En effet. Précisément à Saint-Félix-de-Valois, une petite communauté agricole pas très loin de Montréal. On dit : Saint-Félix-de-volailles... *Chicken City.* Ainsi, j'habitais dans une ferme qui comptait 125 000 poulets, 60 vaches laitières et

200 bovins. Une partie des poules pondaient des oeufs pour la consommation, tandis que d'autres «se spécialisaient» dans les oeufs destinés à la reproduction.

*J.H.* — Tu travaillais dans cette ferme en compagnie de ton homologue malien ?

*Stephen* — Oui. Il s'appelle Mohammed Side-Tourey. Ah ! je n'oublierai pas notre première rencontre avec les participants maliens ! Comme je me sentais loin de cet homme qui allait devenir mon homologue pour le reste du programme ! Il était plus vieux que les autres, dans la trentaine.

*J.H.* — Voilà qui est inusité. Mais il arrive, à l'occasion, que certains pays africains aient une définition plus large de ce que nous appelons la jeunesse...

*Stephen* — En effet. D'ailleurs les participants maliens sont choisis directement par le gouvernement du Mali, selon ses critères. En apparence, Mohammed n'avait pas l'air tellement plus vieux que moi, mais il était très, très conservateur. Un gentilhomme musulman, avec une mentalité conservatrice et une résistance certaine au changement. Or, j'étais le plus vieux des participants canadiens.

*J.H.* — Tu avais quel âge à ce moment-là ?

*Stephen* — J'avais vingt ans, mais j'étais aussi le plus radical de tous les participants de notre groupe. Je portais un anneau à l'oreille, des cheveux longs et tout et tout... Et avant le programme, ce qui était loin d'être la norme, je vivais seul, dans un appartement. Déjà, cela devait entraîner des conflits avec Mohammed, qui ne pouvait comprendre que je n'habite pas avec mes parents, que je ne leur envoie pas d'argent pour les aider, etc. Pour lui, pareille conduite était incompréhensible, et cela nous a causé quelques problèmes au début.

*J.H.* — Une partie de vos difficultés de communication ne tenait-elle pas au fait que vous vous parliez en français ?

*Stephen* — Oui, cela a joué un rôle, car il m'était pratiquement impossible d'exprimer des sentiments ou de creuser vraiment les raisons de mes attitudes. La plupart du temps, nos conversations étaient très rapides. En fait, nous n'avions des conflits qu'au sujet de notre attitude vis-à-vis la famille et de notre style de vie personnel. Mais au bout d'un mois, nous avons fini par bien nous entendre. J'ai appris à communiquer avec Mohammed même sans utiliser de mots, avec des gestes, ce qui peut être très subtil.

*J.H.* — Pour ce pieux musulman, tu devais passer pour un *hippie*... et peut-être l'étais-tu un peu ?

*Stephen* — J'étais un *hippie*, sans l'ombre d'un doute, avec les cheveux longs et tout. Dans un sens, j'étais assez radical. Alors que la plupart des enfants restent très soumis à leurs parents, moi j'ai quitté la maison à 16 ans. La raison de mon départ : trouver ce que je voulais faire dans la vie, me retrouver moi-même, me fixer un but. J'avais le sentiment que, pendant mon enfance, et ensuite pendant les années de *high school*, tout avait été trop facile. Sans vraiment travailler, j'ai eu du succès au *high school*, de même que dans les sports. Après m'être fracturé une jambe, j'ai dû renoncer aux sports, trouver quelque chose d'autre à faire, ce qui n'était pas facile. Jeunesse Canada Monde fut pour moi une chance de me sortir de mon environnement normal et de l'observer d'un tout autre point de vue. Le programme m'a donné des tas d'idées nouvelles et m'a convaincu de me développer et de m'améliorer personnellement.

*J.H.* — À Saint-Félix-de-Valois, ton ami Mohammed et toi avez vécu dans une famille d'accueil. Quelle sorte de famille était-ce ? Comment a-t-elle réagi devant ce grand garçon venu du Canada anglais et, j'imagine, ce grand Malien ? Les gens à la peau noire doivent être rares à Saint-Félix-de-Valois...

*Stephen* — Oui, mais je dirais que notre famille d'accueil était particulière, en ce sens qu'une des filles devait se marier avec un musulman du Maroc... qui d'ailleurs ne pouvait quitter le Maroc, ce qui était tout un drame. Deux des fils travaillaient à la ferme. Une ferme immense, comme je l'ai dit. La mère travaillait aussi à la ferme, tandis qu'une des filles travaillait dans une ferme voisine. Une sorte de famille élargie, en ce sens qu'y vivaient aussi les petits-enfants, et même les cousins travaillaient à la ferme. Ce qui m'a le plus frappé, c'est que la famille n'avait pas de problèmes avec Mohammed, considéré comme quelqu'un de tout à fait différent, dont on doit tolérer les comportements étranges. Par contre, on a eu plus de mal avec moi ! Dès la première semaine, je fis une gastro-entérite qui me cloua au lit. Sans intention critique, je ne pouvais qu'être étonné de la vie stoïque menée par cette famille de travailleurs acharnés. Par exemple, durant la journée, le père avait un autre emploi, dans un abattoir du voisinage. Et pourtant, il avait un travail énorme à abattre à la ferme même. Sa présence nous manquait, ce qui le contrariait fort. Quand il rentrait le soir, il ne pouvait s'empêcher de dire : «Ah ! Ceci n'a pas été fait, cela n'a pas été fait !» J'ai dit que ces gens avaient une vie stoïque. Par exemple, leur appareil de télévision n'était pas en bon état : les images sautaient constamment de bas en haut, ce qui n'est pas merveilleux pour la vue. Dans la maison, on ne trouvait pas certaines choses auxquelles j'étais habitué. Il n'y avait pas de stéréo, pas même un tout petit appareil de radio. Il n'y avait pas de table dans la salle à manger. Et pourtant, la famille avait plein d'argent à la banque. Leur mode de vie m'incline à croire que Mohammed et moi étions plutôt perçus comme de la main-d'oeuvre à bon marché et non comme des participants à un échange culturel...

*J.H.* — C'est pour le moins étrange que des gens riches puissent vivre ainsi...

*Stephen* — Oui, mais je pense que j'ai fini par comprendre le père par la suite. Il possédait peu d'instruction alors que la mère était institutrice. Elle était le vrai cerveau de la famille. Le père avait une formidable puissance de travail : vingt heures par jour ! Absolument incroyable ! Il s'inquiétait sans cesse, et il était très têtu. Je suppose qu'il a eu un passé difficile et qu'il ne pouvait s'imaginer dépensant son argent pour acquérir des choses inutiles, ou qu'il jugeait inutiles...

*J.H.* — Peut-être, comme cela arrive à bien des participants, as-tu pensé que ces quatres mois dans un village du Québec étaient quelque chose qu'il *fallait* faire , mais que l'objectif véritable c'était l'Afrique ?

*Stephen* — En réalité, j'étais ravi à l'idée de ce séjour au Québec. Mon premier objectif était d'apprendre le français. Le séjour à Saint-Félix-de-Valois a constitué un immersion totale dans la langue française et m'a permis de réfléchir. C'était bien différent de chez moi. Je suis un gars de la ville, et le fait de passer de la ville à l'atmosphère rurale, à l'atmosphère d'un petit village a constitué une révélation de tous les jours. Il ne s'est pas passé une journée sans que j'apprenne quelque chose de nouveau.

*J.H.* — Tes attitudes à l'égard des Canadiens français ont-elles changé ?

*Stephen* — Elle se sont renforcées. Comme je l'ai dit, la plupart de mes amis d'Ottawa sont des Canadiens français bilingues. Donc, la connaissance du français me semble un autre moyen de mieux comprendre mes frères, mes amis Canadiens. De plus, j'ai beaucoup appris sur l'agriculture, sur les racines du Canada, parce que les villes sont nourries par la campagne environnante, par les villages. Cent vingt-cinq mille poulets dans cette seule ferme ! Ça devait faire 250 000 ailes de poulet barbecue !

*J.H.* — Un jour, il a fallu dire adieu à la famille... et aux 125 000 poulets ! Votre groupe s'est mis en route pour le Mali et, après un long voyage, vous êtes arrivés dans l'étrange ville de Bamako. Ce fut un choc ?

*Stephen* — Sans aucun doute; il y a toujours un choc culturel, mais dont on ne se rend pas compte tout de suite. C'était... Non, je ne peux parler de Shangri-La... C'était nouveau, tout, absolument tout était différent. La première chose qui nous frappe, c'est l'absence du luxe et du confort que nous tenons pour acquis chez nous. On nous a installés dans une auberge de jeunesse décrépite. On s'est débrouillé avec les choses contenues dans notre sac à dos. Une simple visite au marché était une aventure : des objets nouveaux, de nouvelles odeurs et de nouveaux sons, de nouvelles langues. Même si on parle français au Mali, on y parle surtout plusieurs langues ou dialectes locaux.

*J.H.* — Le français est, peut-être, parlé par 10 p. cent de la population ?

*Stephen* — Oui, peut-être. Bamako est une ville immense. Comme nous n'avions pas les moyens de fréquenter les quelques grands hôtels et de faire la bombe, nous nous sommes concentrés sur la ville basse, que nous avons bien explorée.

*J.H.* — Après quelques jours à Bamako, on vous a reconduits dans vos villages. Le tien était loin de la capitale ?

*Stephen* — Ah ! Il m'a semblé que ce village était «au milieu de nulle part» ! À des années-lumière de Bamako ! En fait, nous n'étions qu'à 2 heures 30 de route de la capitale. Mais, pour les gens de mon petit village, Bamako était l'endroit où il fallait aller un jour, c'était le paradis. Tout le monde en rêvait.

*J.H.* — Le nom de ce village situé aussi loin du «paradis» ?

*Stephen* — Narena. Un tout petit village sur la route de la Guinée, la route principale, la *seule* route. Un trou n'attend pas l'autre, si bien que notre véhicule est tombé en panne avant d'atteindre le village. Cela nous a permis de constater l'importance pour une économie d'avoir des infrastructures routières adéquates... Quant à mon «choc culturel», il m'a rejoint une semaine après mon arrivée à Narena. Nous devions y vivre en groupe, juste en dehors du village, ce qui fut une déception. Cela rendrait encore plus difficile notre intégration dans la communauté, une petite communauté agricole.

*J.H.* — Qu'est-ce qu'on y cultivait ?

*Stephen* — Ma foi, je pense que seul le millet semblait pousser dans cette région. Le Mali est un pays du Sahel, donc un pays très sec. La sécheresse dure depuis 16 ans. Les champs avaient l'air misérables, et il était impossible de faire pousser des légumes sans irrigation. Le pays a mis sur pied un programme de réintégration rurale dans le but de ramener les gens des villes à la campagne, spécialement de Bamako. Il s'agit d'installer ces gens dans les villages à travers le pays et de leur enseigner des techniques agricoles plus efficaces, des règles d'hygiène et des notions d'alimentation rationnelle. Le programme semble réussir. À Narena, nous nous occupions d'un petit jardin où poussaient quelques pommes de laitue et une tomate ou deux, ce qui améliorait le menu des gens.

*J.H.* — Alors, vous viviez en groupe...

*Stephen* — Oui. Un groupe formé de sept participants maliens, de sept participants canadiens et de deux agents de groupe. Nous habitions une maison de quatre pièces, en briques de terre, recouverte d'un toit en tôle. Nous vivions à quatre ou cinq par chambre.

*J.H.* — Les garçons d'un bord, les filles de l'autres...

*Stephen* — Oui. Absolument. Au Mali, les gens de sexes différents ne se mêlent guère. Nous sommes en pays musulman. Je me suis rendu compte que les maisons recouvertes de toits de chaume étaient beaucoup plus confortables. Le soleil plombe sur un toit de tôle et la maison devient une cocotte-minute. Je n'ai pu m'empêcher de penser : «Ah ! Mais la technologie appropriée ! Il faudrait bien faire quelque chose: on est en train de cuire dans cette maison !» Et pourtant, on nous avait cédé ce qui passait pour être la meilleure maison du village.

*J.H.* — En Afrique, posséder un toit en tôle est un signe d'aisance...

*Stephen* — J'ai passablement souffert à cause de ce fichu toit, mais presque tous les jours, je rendais visite à des amis maliens... parce que leurs maisons étaient plus fraîches, mais aussi parce qu'un de nos objectifs était de nous intégrer dans la communauté. Nous n'avions pas beaucoup de projets de travail en groupe, sauf le jardinage et, bien sûr, nous avons fait la «récolte»[1], je ne me souviens plus du mot en anglais.

*J.H.* — *The crop* ? Ma foi, tu commences à oublier ta langue !

*Stephen* — Depuis le temps que je vis en français... Au moment de la récolte, je me souviens qu'on avait récolté aussi un peu de cacahuètes. Et, surtout, nous avons construit des foyers améliorés dans des familles.

*J.H.* — Il s'agit enfin de technologie appropriée, puisque ces foyers économisent beaucoup le bois de chauffage.

*Stephen* — La rareté du bois pour faire cuire les aliments est un des problèmes majeurs de développement, surtout dans le Sahel où la désertification avale je ne sais combien de kilomètres de terre arable chaque année.

*J.H.* — Et ce sont les femmes qui doivent aller chercher du bois, chaque jour, de plus en plus loin...

*Stephen* — Ce sont elles, aussi, qui vont chercher l'eau.

*J.H.* — On me dit que la cueillette du bois nécessaire à la cuisine prend une bonne partie de la journée.

*Stephen* — Surtout dans cette région où l'on trouve un arbre au kilomètre ! De

---

1     En français dans l'interview anglaise.

surcroît, les femmes utilisent des haches très peu coupantes, des outils vraiment rudimentaires. Le bois est souvent très dur, comme le baobab, ou même certains arbustes. J'ai souvent essayé et j'ai perdu beaucoup de temps à couper ce maudit bois. Et pourtant, ce sont des femmes qui accompliront ces tâches ingrates chaque jour ! Quelle masse d'énergie elles doivent dépenser ! C'est extraordinaire qu'elles puissent survivre, compte tenu du peu de calories qu'elles absorbent et de l'effort constant qu'exigent les autres tâches familiales.

*J.H.* — Alors, parle-moi un peu de ces fours améliorés, que vous fabriquiez avec de la terre, je crois...

*Stephen* — On utilise une boue faite avec la terre des termitières, à laquelle on ajoute du sable et de l'eau. Les fours sont modelés à la main et fixés au sol. On introduit le bois dans un orifice percé dans la base et on fixe une grille sur le dessus, où on place des marmites. Il y a très peu de perte de chaleur, dont une partie sert à maintenir la température d'un réchaud où l'on dépose une marmite pendant qu'on fait cuire autre chose sur la grille.

*J.H.* — Ce système épargne quel pourcentage de bois ?

*Stephen* — Difficile à dire. Je ne sais comment on pourrait le mesurer exactement, mais je sais qu'on y fait bouillir de l'eau trois fois plus vite. Et quand l'eau est bouillante, on peut la garder chaude sur le réchaud tandis que le reste du repas cuit sur la grille. Sans ce système, on doit utiliser deux ou trois feux ordinaires, ce qui entraîne de fortes pertes d'énergie.

*J.H.* — Tu as dit plus tôt que l'un de vos objectifs était votre intégration dans ce village du bout du monde. Comment y es-tu parvenu, toi, par exemple ?

*Stephen* — Parce qu'on travaillait en groupe, et qu'on vivait un peu en dehors du village, chacun d'entre nous devait quitter le groupe et aller à la découverte du village par lui-même. Le premier jour, j'ai pris la route et je me suis arrêté à la première paillote que j'ai rencontrée. Deux petits enfants en sont sortis en courant : pour eux, nous sommes des êtres très, très étranges. Ils nous touchaient pour ensuite se regarder les mains pour voir si elles avaient blanchi ! Il fallait faire un effort, car si nous éveillions beaucoup de curiosité, nous restions comme lointains. On se demandait ce que nous pouvions bien faire ici. Un jour, comme je ne connaissais encore personne, j'ai frappé à une porte au hasard. C'était la maison d'un tailleur, en plein travail. Je lui ai dit : «Bonjour!» Je me suis présenté : «Nous vivons là-bas, au bout de la route, et nous resterons ici pendant quelques mois». J'ai continué mon chemin, car je voulais acheter des cigarettes. Cela me permettait une entrée en matière : «Pourriez-vous me dire s'il y a une boutique où...» Je cherchais des raisons de m'arrêter ici et là. Le deuxième jour, j'étais déjà un ami, puisqu'on me connaissait de la veille. Le tailleur est donc devenu mon ami. Ce qui facilite les contacts, c'est la cérémonie du thé, le moment de la journée où les hommes se rassemblent pour boire le thé. Une cérémonie d'une grande importance sociale, et mon homologue Mohammed m'a dit un jour : «Bon, tu devrais absolument apprendre à préparer le thé». J'ai fini par apprendre, ce qui amusait beaucoup les gens du village, peut-être parce que j'étais le seul membre du groupe qui s'intéressât à la chose. Nous buvions tous du thé, mais j'étais le seul participant canadien qui sût le faire. Les gens se marraient : «Hé ! regarde le jeune Blanc qui prépare notre thé !» En fait, la cérémonie du thé constituait l'événement social majeur, tous les après-midis. Dans un premier temps, vous remplissez d'eau une petite théière et vous ajoutez les feuilles de thé. Vous faites bouillir jusqu'à ce qu'il ne reste que le tiers du liquide. Le résultat : une boisson épaisse et si puissante *that it would knock your socks off*. Ça peut vous tenir éveillé pendant une semaine ! Absolument incroyable. Les gens appelaient ça le «thé d'homme». Les Canadiens ne raffolaient pas de la chose, sauf ceux qui recherchaient un bon coup de caféine. C'était à la fois très, très fort et très, très sucré. Pour préparer le deuxième thé, on utilisait les même feuilles et on réduisait la mixture au tiers, mais comme une bonne partie de la caféine avait été éliminée, le thé était plus faible. Alors on ajoutait encore plus de sucre ! Quant au troisième thé, les hommes n'en voulaient pas. Il s'agissait d'un breuvage très, très faible et très, très sucré qu'on donnait aux femmes et aux enfants. Je me souviens d'avoir fait rire les gens parce que je faisais bien le «thé d'homme», vraiment très fort, si bien que les femmes hésitaient même à boire mon «troisième thé.» Les hommes trouvaient ça très drôle.

*J.H.* — Voilà qui a dû faciliter ton intégration dans le village ?

*Stephen* — Sans aucun doute. L'heure du thé est le moment de la journée où l'on s'assoit en rond pour bavarder, pour partager nos histoires, pour apprendre, surtout avec les vieux qui ont acquis tant de sagesse et d'expérience. Bon, il leur arrivait de m'expliquer des choses que j'avais bien du mal à comprendre... Mais, je me souviens de la fois où j'avais essayé de leur expliquer la neige... J'ai dû y renoncer ! Il ne faut pas oublier que je commençais tout juste à parler le français, avec des gens dont c'est la deuxième langue... ou qui souvent ne parlait que la langue de la région, le *bambara*. Il me fallait l'aide d'un traducteur, ce qui compliquait les choses.

*J.H.* — Ce n'était pas toujours facile, mais tu t'es bien amusé, non ?

*Stephen* — Amusé ?

*J.H.* — Ce n'est peut-être pas le bon mot...

*Stephen* — Voilà ! Par la suite, quand les gens m'ont demandé : «Alors, c'était comment, ce voyage ?» je n'ai pu répondre que je m'étais «bien amusé». Nous avons eu des problèmes de dynamique de groupe, de sérieux problèmes; nos projets de travail auraient pu être plus fructueux, avoir autant d'impact que je l'aurais espéré. À mon retour, je me suis mis à réfléchir très sérieusement sur ce que j'avais appris au cours du programme. Je pensais souvent aux gens de Narena, surtout aux jeunes avec qui je parlais beaucoup. Ils avaient si peu de possibilités d'avancer dans la vie, même de sortir de leur village, d'avoir une existence plus exaltante, une vie plus enrichissante... Alors que moi, parce que j'étais Canadien, un avenir illimité s'offrait à moi...

*J.H.* — Mais tu n'étais pas sans savoir qu'au moins 30 p. cent de nos jeunes sont sans emploi en ce moment ? Malgré tout, tu pensais que...

*Stephen* — Je parle pour moi, bien sûr. Tout ce que j'avais à faire, c'était de me lancer dans quelque chose; il me suffisait d'avoir une idée, et rien ne pouvait m'arrêter. Je me disais : «Trouve quelque chose qui t'intéresse vraiment et tu peux réussir». C'était peut-être un excès de confiance. Trouver un job ne serait peut-être pas si facile. C'est pourquoi j'ai décidé de terminer mes études secondaires pour ensuite étudier le journalisme, parce que cela me donnerait l'occasion de voyager, de continuer à apprendre un peu tous les jours. Dès mon retour au Canada, j'ai fait mes petites présentations sur le Mali, par exemple à mon *high school*, ce qui ne fut pas facile à cause de ma réputation «douteuse»...

*J.H.* — Aux yeux de tes anciens camarades, tu étais encore un *hippie* ?

*Stephen* — Probablement davantage ! Du moins en apparence : j'avais maintenant une barbe et je portais un *boubou* africain rapporté du Mali. Donc, vu de l'extérieur, j'étais plus *hippie* que jamais, mais au fond de moi-même, je l'étais beaucoup moins. J'avais résolu de faire mon chemin dans la société canadienne, où tant de possibilités s'offraient à moi. Et surtout, surtout je voulais continuer d'apprendre. Avant Jeunesse Canada Monde, n'ayant pu trouver un métier qui m'intéressait vraiment, j'avais du mal à orienter mes énergies dans un sens ou dans l'autre. Le programme m'a donné le temps de réfléchir sur mon environnement, sur ma vie, sur toutes les perspectives qui s'offraient à moi. Je ne cessais de mettre mes réflexions par écrit. Je ne cessais pas d'écrire. Alors, je me suis dit : «Bon. Tu aimes écrire. Tu veux apprendre ? Tu veux voyager ? Alors, le journalisme !» Je me suis donc mis à travailler durant le jour pour subvenir à mes besoins, et à faire des études le soir. C'est ainsi que j'ai fait ma première année d'université. Ensuite, je me suis inscrit au *Ryerson's Journalism School* de Toronto. J'étais vraiment heureux d'avoir été accepté. Enfin en route, rien ne pourrait plus m'arrêter ! J'ai donc fait une année d'études en journalisme, mais après le premier semestre, j'étais passablement déçu : le journalisme n'était pas ce que je pensais. *Ryerson* est un type d'école très pratique, très pragmatique, où l'on vous enseigne à écrire pour... le statu quo ! On vous prépare à devenir un grand *city reporter*, alors que je voulais être un reporter itinérant et voir le monde. Je ne souhaite surtout pas vivre en plein Toronto et faire des papiers sur les morts violentes et autres tragédies. Je ne voulais pas écrire sur la violence et le crime. Sans nier l'existence de cet aspect de la société, il me semblait qu'on devait avoir une attitude plus positive, écrire davantage sur les bonnes choses de la vie plutôt que de rechercher le sensationnalisme, les petits côtés minables de l'existence. C'est alors que je reçus un appel de Jeunesse Canada Monde. J'avais trouvé un job chez *American Express*. C'était l'été, l'école était finie et j'avais déjà décidé de changer d'orientation. Tout allait pour le mieux : j'avais un travail de week-end et je m'étais inscrit à l'Université de Toronto en développement international, parce que j'avais déjà une base dans ce domaine, et aussi parce que ça m'intéressait vivement. Ayant éliminé le journalisme, je poursuivais mon idée d'écrire, de voyager, de vivre et d'apprendre, cette fois dans un sens plus positif. Je pourrais avoir un impact. Et j'aurais plus de satisfaction personnelle en aidant les gens tout en apprenant. Pas plus que le journalisme, le développement international n'est une carrière où l'on peut s'attendre à de gros salaires. Cela mis à part, ce domaine m'offrait tout ce que j'espérais.

*J.H.* — Mais le coup de téléphone...

*Stephen* — Oui, le coup de téléphone : «Salut ! Ici Daniel Renaud, de Jeunesse Canada Monde. Nous mettons sur pied un programme spécial avec le Zaïre...» J'étais estomaqué ! Je suis tombé de ma chaise ! Je ne pouvais croire qu'on m'offrait une deuxième chance ! Compte tenu de nos problèmes de dynamique de groupe au Mali, j'étais particulièrement étonné d'avoir été choisi pour un deuxième programme. Daniel me dit : «Tu aimerais y aller ?» J'ai dit : «Oui !» sans hésiter. Il a rétorqué : «Non, non, tu dois prendre le temps d'y réfléchir un peu». J'ai répondu : «Je n'ai pas besoin de réfléchir parce que cela coïncide parfaitement avec mes plans. Ce programme sera la meilleure expérience pratique que je puisse espérer, d'autant plus qu'il m'aidera à confirmer ma décision de poursuivre des études en développement international. Si c'est vraiment ma voie, je reviendrai plus convaincu que jamais. Et si ce n'était pas ma voie, alors...» Mais je ne voulais même pas penser à cette possibilité. Je suis vraiment heureux d'avoir eu la chance de venir au Zaïre, et j'ose croire que j'ai choisi la bonne voie.

J.H. — Alors, tu te retrouves donc dans le programme spécial avec le Zaïre, qui est spécial dans le sens que les groupes sont formés d'anciens participants et que l'objectif premier est le partage de vos expériences zaïroises avec un grand nombre de Canadiens, grâce aux présentations que vous ferez au retour. Ça s'est passé comment ?

Stephen — Ah ! j'ai commencé par arriver en retard au camp d'orientation, à cause d'un malentendu quelconque. On s'est bien moqué de moi. Je suis devenu «Steve-un-jour-en-retard-Gwynne-Vaughan» pour le reste du programme ! J'étais heureux à l'idée de perfectionner mon français au Zaïre, un pays francophone comme le Mali, mais avec plus de potentiel de développement, un pays à l'avenir prometteur. J'étais assez déprimé après le Mali, parce que les problèmes de ce pays me paraissaient insolubles, surtout pour des raisons climatiques. Alors qu'au Zaïre, tout est possible. J'avais résolu d'apprendre à connaître le Zaïre. Ensuite, de me consacrer à la prépara-tion de nos présentations. Et enfin, de fournir ma part d'efforts dans la réalisation des projets de travail. J'ai essayé d'arriver ici sans idées préconçues, mais quelques petites déceptions m'attendaient. Comme nous sommes tous d'anciens participants, les présentations auraient dû être faciles à réaliser. Nous avions tous une bonne notion de ce qu'est le développement, une question qui nous passionnait. Et pourtant, des difficultés surgirent. Comme dans tous les groupes, un problème n'attendait pas l'autre. Des participants apportaient leur travail en retard, d'autres avaient des idées différentes sur un grand nombre de sujets, bref il fallait faire des compromis. Les participants zaïrois, pour des raisons évidentes, avaient aussi des points de vue différents, mais il fallait les intégrer au groupe. Les Canadiens se connaissaient déjà, alors que les Zaïrois nous étaient inconnus hier encore. Il a donc fallu prendre le temps de comprendre leur perception des choses, différente de la nôtre sur à peu près tous les sujets, qu'il s'agisse des relations hommes-femmes, de la question des infrastructures, du système de transport, des communications, de la politique. On ne pouvait tout de même pas trancher les discussions dans le sens des Canadiens. Il fallait y mettre beaucoup de temps. Même nous, les anciens participants, n'avions pas l'expérience des présentations plus étoffées, comme il fallait les faire pour la grande tournée à travers le Canada. Tout un monde à découvrir. Comment allions-nous transmettre tel ou tel message ? Bien sûr, nous avions la technique, le véhicule, mais ça ne suffit pas. Nous utiliserions des photos et des textes. Bien. Mais de quoi allions-nous parler exactement, comment allions-nous présenter tel ou tel sujet en toute objectivité ? On ne manquait pas de problèmes ! Mais à ma grande joie, je dois avouer que nous les avons à peu près tous résolus.

J.H. — Oublie un peu les problèmes et parle-moi de ton village zaïrois, Mwene Ditu ?

*Stephen* — En arrivant, nous avons été accueillis par les missionnaires du Christ-Roi, des soeurs absolument épatantes. Elles avaient tout organisé : les projets de travail, les familles d'accueil, etc. Tout était en place. Pour ma part, je devais habiter chez un médecin célibataire. J'en suis ravi, car cela me donne une plus grande liberté de quitter la maison pour aller découvrir d'autres coins de la communauté. Comme je n'ai pas d'homologue, cela m'incite à rencontrer le plus de gens possible, à aller bavarder avec un voisin dès que j'en ai le loisir. Mon hôte, le médecin, n'est pas tellement plus vieux que moi, et il a déjà vécu dans une grande ville moderne. Alors, il me comprend, et nous nous entendons à merveille.

*J.H.* — Il vivait seul ?

*Stephen* — Non. Il avait accueilli un ami, un «petit frère,» comme on dit ici. J'ai un peu pris sa place, je crois, car il couche sur un divan et moi dans un lit. Au début, j'ai dû m'habituer à la langue, au rythme de vie, à la nourriture, à l'heure des repas, etc. Rien de mieux que le voyage pour vous faire apprécier la bonne cuisine des familles canadiennes ! Ici, les menus sont très répétitifs. Et j'ai dû m'habituer au fait que mon médecin avait un domestique et que les relations entre maître et domestique sont très rigides. Par exemple, bien que je l'eusse souhaité, il était impensable que l'homme s'assît à table avec nous. Il m'a fallu du temps pour m'habituer à toutes ces petites choses. Quand j'y pense aujourd'hui, tout cela ne m'apparaît pas d'une grande importance. Mais, même si j'en étais à ma deuxième expérience comme participant en Afrique, le choc culturel m'a frappé au bout de peut-être trois semaines, alors que nous étions déjà plongés dans nos projets de travail.

*J.H.* — La reconstruction de l'hôpital ?

*Stephen* — J'avais choisi le projet destiné à procurer de l'eau potable à Mwene Ditu, parce que j'avais fait une recherche sur le problème de l'eau dans le monde. Le projet a commencé très modestement. Nous devions tout au plus nettoyer et remettre en état deux ou trois sources d'eau et, peut-être, en aménager une nouvelle. La première de celles que nous devions nettoyer et réparer ne fonctionnait plus du tout et avait été assez mal construite, par un groupe du *Peace Corps*, il y a environ quatre ans : les gars n'avaient pas creusé assez profondément et n'avaient pas atteint la nappe d'eau. Bon, peut-être la nappe d'eau s'est-elle affaissée depuis, je n'en sais trop rien, mais il reste qu'on ne pouvait l'atteindre, surtout pendant la saison sèche. Il semblait ridicule de vouloir réparer cela. Alors, on a décidé de reconstruire la source d'eau à neuf. Ce ne fut pas facile à cause de notre inexpérience dans ce domaine, à cause de la barrière linguistique entre nous et la population, sans parler de la barrière culturelle : par exemple, nous avions bien du mal à nous entendre avec le chef du village. Au début, nous étions franchement déprimés. Nous pensions tous : «Mais c'est là une tâche impossible !» Il s'agissait d'un énorme projet pour seulement trois participants. Nous ne cessions de penser : «Nous ne serons jamais capables d'y arriver !» La soeur supérieure du couvent est venue nous donner un bon coup de pied au derrière : «Au lieu de grogner et de vous plaindre, mettez-vous à creuser ! Faites quelque chose, quoi !» Et puis, elle nous a dit : «De toute manière, l'expérience en vaut la peine. Même si vous ne réussissez pas à construire une bonne source d'eau, vous allez apprendre quelque chose». Alors, jour après jour, on venait creuser et creuser, on faisait toutes sortes de plans, pour enfin lancer une appel au secours : «Envoyez-moi quelqu'un qui a déjà construit un de ces trucs !» Nous avions complètement détruit les vieilles installations et beaucoup creusé. Le moment était venu de reconstruire et, pour cela, nous avions besoin d'aide. Finalement, la bonne soeur nous dénicha deux spécialistes de la région qui avaient déjà construit des sources d'eau. En plein ce dont nous avions besoin : une idée ou deux et un brin d'expérience pratique. On s'est immédiatement mis au travail et, quatre jours plus tard, la construction était terminée. Les spécialistes avaient eu quelques bonnes idées, mais nous avions aussi les nôtres. Ensemble, nous avons réussi à construire une bonne source d'eau qui devrait durer des années si on l'entretient. Après avoir exploré le village pour savoir où la population était la plus dense et où les besoins en eau potable étaient les plus grands, nous avons décidé de construire encore deux ou trois sources d'eau.

*J.H.* — Je t'écoute, mais j'ai du mal à concevoir comment fonctionnent ce que tu appelles des «sources d'eau». Elles amènent de l'eau dans les maisons ou quoi ?

*Stephen* — Mwene Ditu est construite sur un escarpement, c'est-à-dire que les maisons sont situées sur une hauteur. Les sources d'eau se trouvent plus bas, au pied de l'escarpement, où l'eau s'accumule naturellement. Ou bien l'eau vient du sol au moyen d'un puits artésien, ou elle s'écoule de la colline. Pour capter l'eau, il faut creuser un énorme trou, assez profond pour atteindre la couche de glaise imperméable. Un trou de deux mètres de profondeur et une tranchée de dix mètres devant le trou d'eau. On construit un grand réservoir d'où l'eau s'écoule constamment par un tube. On remplit le réservoir de petits cailloux qui agissent comme un filtre, et on remplit le trou d'eau et le canal de pierres plus grosses et de charbon de bois pour encore filtrer l'eau. L'ensemble de l'ouvrage est recouvert de plastique et de terre, si bien que, de l'extérieur, on ne voit rien. L'eau de l'ancienne source charriait des vers et je ne sais trop quoi encore. Le réservoir était un vieux baril rouillé d'où sortait une eau contaminée. Aujourd'hui, au moyen de deux tuyaux, la source fournit 24 litres d'eau filtrée à la minute. C'est un endroit où le drainage est bon, il n'y a pas d'eau stagnante et la qualité de l'eau peut être facilement vérifiée par le médecin.

*J.H.* — Votre travail aura contribué à donner de l'eau potable à combien de familles. plus ou moins ?

*Stephen* — En comptant nos sept sources, j'ai l'impression qu'elles serviront à des milliers de personnes. Chaque jour, les femmes par centaines viennent y chercher de l'eau. Nous avons réussi à intéresser les chefs coutumiers et les chefs de district, et la population locale. Et aussi les instituteurs — j'ai tenu un meeting avec les préfets et les directeurs des écoles, — et ils se sont engagés de leur côté à sensibiliser les gens, surtout les jeunes, à l'importance de boire de l'eau bouillie et de bien entretenir les sources d'eau. Nous avons insisté sur le fait que ces sources n'étaient pas tombées du ciel, qu'elles appartenaient au gens d'autant plus qu'ils ont contribué à leur construction, et qu'ils devaient les maintenir en bon état, sans quoi tout le projet serait un échec. J'ai bon espoir que ça marche parce que nous avons conclu une entente avec les responsables du *Salongo* (le jour de travail communautaire) : ils se sont engagés à envoyer chaque semaine trois volontaires pour nettoyer les canaux et les abords des sources d'eau.

*J.H.* — Il n'y a pas de doute que tu laisseras quelque chose derrière toi à Mwene Ditu...

*Stephen* — Oui.

*J.H.* — Tu dois être fier de toi, non ?

*Stephen* — Je suis content que nous ayons reçu l'appui des autorités locales et régionales, l'appui des écoles et des églises, de la population en général. Cela seul peut garantir les résultats à long terme. Maintenant, Mwene Ditu possède une équipe locale de construction de sources d'eau, et même un inspecteur. Nous avions compris que si nous voulions vraiment laisser quelque chose derrière nous, il nous fallait former quelques gars capables de faire ce que nous avons fait. Nous avons soumis quelques jeunes chômeurs à des tests, et nous avons choisi ceux qui nous paraissaient le plus susceptibles de bien faire ce genre de travail, ce qui a créé quelques emplois. Oui, je pense que tout cela devrait aider...

*J.H.* — Après avoir réalisé un aussi important projet, as-tu l'impression d'être encore un *hippie* ?

*Stephen* — Suis-je encore un *hippie* ?

*J.H.* — *Whatever that is* !

*Stephen* — *Exactly, whatever that is* ! Non, je ne le pense pas. Ce projet m'a permis de me rendre compte que le développement doit être basé sur la coopération. Je ne partirai pas d'ici en me disant : «Bon, j'ai fini mon travail. Oublions tout cela !» Parce que les gens d'ici ont partagé leurs valeurs avec moi, comme j'ai partagé les miennes, je ne pourrai que continuer le travail de retour chez moi. Cela m'a suffisamment motivé pour que je me lance dans tout ce qui reste à faire au cours des années à venir. En soi, le développement n'existe pas : c'est un processus constant qui doit retenir l'attention de tous ceux que préoccupent la vie, le niveau de vie des gens partout dans le monde. Les *hippies* ont tendance à vivre en marge de la société. Or, pour ma part, je me sens plus engagé que jamais, je me rends compte que je ne puis laisser aux autres le soin de prendre les décisions, et que j'ai un rôle important à jouer si on veut bâtir une société plus juste. Trop souvent, nous jugeons nos plaisirs personnels plus importants que les besoins de la société. Il suffit de constater le déclin du rôle de la famille dans notre société pour s'en rendre compte. Après avoir vécu un Afrique, où la famille est le centre de la vie et une source de richesse, pas nécessairement d'ordre matériel, je me demande si notre société est aussi «développée» que nous le pensons. Et je me demande si nous ne devrions pas mettre l'accent sur l'amélioration de la société en privilégiant la famille, plutôt que sur les changements d'ordre économique, tellement tributaires des interventions de l'État.

*J.H.* — Tu en as appris, des choses, Stephen...

*Stephen* — Il serait difficile d'identifier tout ce que j'ai pu apprendre en travaillant au cours d'un programme comme celui-ci. Apprendre en travaillant profite aux participants d'une manière qu'on ne peut vraiment évaluer. Cela n'a rien à voir avec l'apprentissage conventionnel orienté vers un job éventuel. À Jeunesse Canada Monde, on acquiert des connaissances plus humaines, qui touchent les aspects les plus fondamentaux de la vie. Mes contacts constants et quotidiens avec des gens des milieux les plus divers m'ont ouvert les yeux et m'ont donné des idées nouvelles. Cette expérience unique m'a permis de comprendre la sagesse de cette petite phrase : «Le développement exige qu'on pense globalement et qu'on agisse localement.» C'est exactement ce que j'ai l'intention de faire. À partir d'aujourd'hui !

## Commentaires de Stephen Gwynne-Vaughan sur la tournée canadienne

À mon avis, la tournée canadienne a constitué la phase la plus importante du programme spécial avec le Zaïre. Ce fut sûrement la plus intense. Une expérience nouvelle pour Jeunesse Canada Monde, et *très* nouvelle pour chacun des participants. Au début, notre énergie devait suppléer à l'organisation, mais nous apprenions le métier sur le tas. À la fin, après avoir corrigé bien des détails, nous pouvions donner des présentations de qualité. Après la tournée, nous étions d'accord pour dire que l'expérience avait été positive, et l'impact important. Nous nous rendions compte qu'il s'agissait d'une première expérience, et peut-être d'un précédent pour Jeunesse Canada Monde.

Personnellement, la tournée m'a confirmé dans plusieurs idées que j'avais depuis quelque temps. Premièrement : le plus grand obstacle au vrai développement international, c'est que les gens ne comprennent pas le système global et le rôle qu'ils y jouent. Deuxièmement : les gens, et particulièrement les jeunes, sont disposés à en apprendre davantage sur le système global. Troisièmement : si les gens avaient une meilleure compréhension du système global et des inégalités qu'il maintient — surtout en ce qui concerne le Tiers-Monde — ils voudraient changer les choses. Quatrièmement : s'il y a assez de gens qui exigent des changements, il y aura des changements.

## Stephen Gwynne-Vaughan dix ans après

*Après la tournée canadienne, Steve Gwynne-Vaughan retrouva l'emploi qu'il avait quitté pour participer au programme avec le Zaïre. Toutefois, il avait le désir d'en apprendre davantage sur le «développement», et la volonté d'améliorer notre assistance à l'étranger, plutôt que de simplement critiquer le travail des autres. En conséquence, il s'inscrivit aux* International Development Studies *de l'Université de Toronto.*

*Steve a fini par se faire couper les cheveux et, pour aider au financement de ses études supérieures en géographie et en développement international, il a travaillé comme conseiller auprès de jeunes délinquants dans des prisons et des centres d'accueil à Ottawa.*

*En 1991, Steve retourna en Afrique pour travailler dans des projets d'aide d'urgence en Angola, au Mozambique et au Libéria. Il a été directeur de l'*Action internationale contre la faim *au Mozambique, où il a coordonné les programmes de développement dans le domaine de la santé, de l'eau potable, de la nourriture et de la sécurité.*

*De retour à Ottawa, Stephen a récemment entrepris des études supérieures en développement international à l'Université Carleton.*

# 4.
## Lynn Lalonde

*De l'Ontario au Bangladesh*

Lynn Lalonde pratiquant son *tshiluba*.

*Lynn* — Je viens d'un village qui s'appelle L'Orignal, situé le long de la route 17, entre Montréal et Ottawa. C'est dans la Vallée de l'Outaouais, une région à la fois agricole et industrielle. Nous sommes trois enfants à la maison. Mon père est agriculteur et il travaille aussi du côté du Québec, comme technicien de laboratoire. J'ai donc été élevée dans une ferme et j'ai vécu dans un petit village. Études primaires dans une école catholique, et études secondaires dans une école bilingue à Vankleek Hill. La plupart des francophones suivaient certains cours en anglais, et les anglophones des cours en français. Dès la première année d'école secondaire, mon père m'a encouragée à suivre des cours en anglais. Au bout de quelques années, je suivais la moitié des cours en langue anglaise, dont la physique et les mathématiques.

*J.H.* — Tu avais déjà un pied dans les deux cultures...

*Lynn* — Exactement.

*J.H.* — Et tu es vite devenue bilingue...

*Lynn* — Oui. Ce qui m'a beaucoup aidée, c'est d'avoir fait le programme avec les *Junior Rangers* du ministère des Richesses naturelles. Ma famille a aussi contribué à ce que je devienne bilingue puisque ma mère est de langue anglaise et mon père de langue française.

*J.H.* — Tu étais rendue à quel stade de tes études quand tu as eu vent de Jeunesse Canada Monde ?

*Lynn* — J'avais terminé ma 13$^e$ année. Vers le milieu de la 13$^e$ année, on commence à penser à l'université, à ce qu'on va faire de sa vie.

*J.H.* — Avais-tu quelque idée à ce sujet ?

*Lynn* — Je songeais à l'université. La foresterie m'intéressait particulièrement. Je voulais devenir forestier... ou forestière !

*J.H.* — Tu aimes la forêt ?

*Lynn* — Oui. J'ai toujours aimé la nature, sans doute parce que j'ai été élevée dans une ferme, et aussi en raison de mon expérience avec les *Junior Rangers*. Un jour, je suis allée voir ma conseillère de pédagogie, une bonne amie, et je lui ai demandé s'il existait des programmes qui permettaient à des jeunes de voyager et de travailler dans un autre pays. Elle venait justement de recevoir un dépliant de Jeunesse Canada Monde et un formulaire d'adhésion. De retour à la maison, seulement pour m'amuser, j'ai rempli le formulaire. Puis, j'ai discuté de l'idée avec mes parents. Ma mère était plutôt d'accord, mais mon père ne voulait rien entendre. J'aime beaucoup mon père et nous sommes très près l'un de l'autre. Or, c'est vraiment la première fois qu'il s'opposait carrément à un de mes projets. Il a même dit que si je m'engageais dans le programme de Jeunesse Canada Monde, il ne serait plus disposé, par la suite, à m'aider à poursuivre des études universitaires. J'ai tout de même envoyé le formulaire et, quelques semaines plus tard, Jeunesse Canada Monde m'a invitée à une interview. À ce moment-là, mon père s'est renseigné sur le programme, absolument inconnu dans notre région immédiate, auprès d'un de ses amis et d'un prêtre. On l'a complètement rassuré sur la valeur du programme de Jeunesse Canada Monde. Peu de temps après, le bureau régional de Toronto m'apprend au téléphone que l'on m'a acceptée. Cependant, il s'agit d'un programme avec le Bangladesh... alors que j'avais souhaité aller en Afrique, mon premier choix. Depuis ma tendre enfance, j'entendais parler du Zaïre, où enseignait une de mes tantes. Et je me passionnais des récits de gens qui avaient voyagé en Afrique ou ailleurs. Je pouvais m'asseoir pendant des heures, en extase, devant quelqu'un qui parlait de ses aventures et nous montrait des diaporamas. Je dévorais les *Géo* et les *National Geographic Magazine*. Au téléphone avec le bureau de Toronto, j'ai encore insisté pour aller en Afrique mais, finalement, j'ai accepté le Bangladesh... sans avoir la moindre idée d'où était situé ce pays ! De plus, la moitié canadienne du programme avec le Bangladesh devait se dérouler en Colombie-Britannique. J'aurais donc la chance de découvrir l'ouest du Canada, ce dont j'avais toujours rêvé. J'étais vraiment excitée, je sautais littéralement de joie.

*J.H.* — En septembre de cette année-là, tu t'es retrouvée avec les participants de ton équipe, quelque part sur la côte du Pacifique.

*Lynn* — Après le camp d'orientation dans l'île de Vancouver, nous avons rejoint les trois communautés prévues pour les trois groupes. Pour ma part, je me suis retrouvée à Powell River, où je devais avoir la chance de perfectionner mon anglais. Notre agent de groupe s'appelait Bob. Un gars très, très intéressant. Par exemple, il était végétarien, le premier que je rencontrais dans ma vie. Un végétarien, je ne savais même pas ce que ça mangeait en hiver !

*J.H.* — Jamais de viande en hiver !

*Lynn* — En été non plus, j'imagine ! Un autre choc du programme a été de rencontrer mon homologue du Bangladesh, Rajchahi, avec qui j'allais vivre les sept prochains mois : elle avait 24 ans, alors que je venais tout juste d'avoir 19 ans. Elle était très mûre... mais elle ne parlait pas un mot d'anglais !

*J.H.* — Tu avais bien appris quelques mots de *bengali*, la langue du Bangladesh ?

*Lynn* — Oui, quelques mots appris pendant le camp d'orientation. J'étais quand même fière de mon homologue, avec sa grande natte noire, son nez percé et son élégant sari.

*J.H.* — Voilà qui a dû impressionner votre famille d'accueil ?

*Lynn* — Notre famille avait ceci de particulier que le père avait 25 ans et la mère 23 ans... c'est-à-dire que mon homologue était plus âgée que la mère de famille ! Une famille très éprouvée par la maladie. La jeune mère s'était fait opérer pour le cancer, et ses deux jumeaux d'à peine deux ans avaient eux aussi subi des opérations.

*J.H.* — Vous vous entendiez bien, tous ensemble ?

*Lynn* — Assez bien, compte tenu de la faible différence d'âge. Le plus difficile, c'est que mon groupe était très dynamique; nous avions toujours envie de faire plein de choses ensemble... sauf que mon homologue était très conservatrice. Par exemple, quand nous allions nous baigner à la piscine, elle voulait sauter à l'eau *avec son sari* ! J'aime faire des marches, d'un pas rapide... mais Rajchahi traînait derrière parce que, dans son pays, on marche lentement, etc.

*J.H.* — Et les projets de travail ?

*Lynn* — Nous travaillions auprès de handicapés mentaux, ce qui m'a beaucoup appris, bien que je trouvais ça difficile, émotivement. Je travaillais à l'atelier de menuiserie avec une femme de 70 ans qui dirigeait une équipe de handicapés. Mon homologue enseignait le tricot tout en travaillant l'anglais, dont elle avait quelque notion théorique. Par la suite, j'ai eu l'occasion de travailler en foresterie et avec un vétérinaire, ce qui était interdit à mon homologue.

*J.H.* — Pourquoi ?

*Lynn* — Au Bangladesh, paraît-il, les animaux sont tabous. On ne peut les toucher. Dès qu'un chien frôle un sari, on ne doit plus le porter, sinon après l'avoir lavé et relavé. Il n'était donc pas question qu'une Bangladaise travaille avec des animaux chez un vétérinaire au Canada.

*J.H.* — Tu as appris des tas de choses différentes...

*Lynn* — J'ai beaucoup appris des handicapés. J'ai compris à quel point ils ont besoin d'attention et d'amour. Les Bangladais s'étonnaient que nous les mettions à part, dans des institutions. Ils ne pouvaient croire que les vieux, même en santé, soient le plus souvent placés dans des maisons pour les vieux. Mon homologue s'est écriée un jour : «Ce n'est pas possible que vous puissiez agir ainsi à l'égard de gens qui, dans notre société, sont particulièrement respectés !»

*J.H.* — C'est la réaction quasi générale de nos participants du Tiers-Monde, absolument scandalisés de la façon dont nous traitons les vieillards au Canada.

*Lynn* — Après la Colombie-Britannique, j'appréhendais un peu le Bangladesh. Je me demandais comment je pourrais m'adapter à une culture aussi différente, dont j'avais eu un avant-goût après plus de trois mois de vie commune avec Rajchahi, qui était pourtant une très bonne homologue.

*J.H.* — Quelle fut ta première impression en arrivant au Bangladesh, sans doute à l'aéroport de Dacca ?

*Lynn* — Plein de gens sont venus accueillir mon homologue. Elle est entourée de sa famille et de ses amis, alors que je reste seule, épuisée, accablée de chaleur, avec mes bagages. Je me suis assise sur mon sac, au bord des larmes. Des participants canadiens m'ont invitée à les suivre, mais je ne voulais pas quitter mon homologue. J'ai fini par me retrouver dans un autobus avec elle et toute sa parenté qui parlaient tous en même temps en *bengali*. Je ne comprenais pas un mot. J'avais le nez collé à la vitre et j'étais fascinée de voir cette foule de gens courir dans tous les sens, d'apercevoir mes premiers cocotiers...

*J.H.* — Un premier choc, quoi ?

*Lynn* — Je me suis rendu compte, brusquement, que j'étais une cruche vide. Une cruche vide qui commençait à se remplir... Je me suis retrouvée quelque part à Dacca, chez des parents de Rajchahi, dans un modeste salon : quatre murs et quelques sofas. Je me suis dit que c'est ainsi que vivent les pauvres au Canada. Je ne jugeais pas, je regardais. Et on me regardait. On faisait des remarques au sujet de mes cheveux, de ma jupe, remarques traduites au fur et à mesure par mon homologue. Enfin, j'ai fini par avouer que j'étais épuisée et que j'aimerais aller dormir. J'ai alors éprouvé un sentiment de véritable panique. Je me sentais vraiment seule, je n'avais pas d'eau potable à boire, j'étais au bout du monde, déboussolée. Oui, il y avait mon homologue, que je connaissais depuis trois mois, mais avec laquelle j'avais souvent du mal à m'entendre. Vers 20 heures, j'entends les cris d'un coq en train de se faire égorger. À 23 heures, je me retrouve assise par terre sur une natte pour le repas du soir. Je connaissais un peu la cuisine bangladaise, mais tout à coup je me rends compte que je suis en train de manger le coq que j'ai entendu agoniser trois heures plus tôt. Des petites choses comme ça me frappaient très fort. On m'offre un bol de riz, on fend une noix de coco. J'ai soif, mais je n'ose pas demander de l'eau bouillie, sachant qu'on n'en a pas souvent dans une maison bangladaise. D'ailleurs, avec le *bengali* que je parlais alors... Je me suis finalement couchée sur un matelas, à côté de mon homologue. Il faisait très chaud. Je ne cessais de me répéter : «Calme-toi, Lynn ! Ne t'énerve pas ! Prends les choses comme elles viennent, au jour le jour...» Le lendemain matin, nous montons tous dans un autobus pour traverser tout le Bangladesh, en quête d'autres parents de mon homologue. Je n'ai pas trouvé le paysage tellement différent de celui du Canada...

*J.H.* — Vraiment ? Mais les palmiers ? Les bananiers ?

*Lynn* — Il n'y avait que des champs verts à perte de vue. Tout est cultivé au Bangladesh. Des champs, toujours des champs. Il n'y a presque pas d'arbres. Il n'y a guère d'élévations, tout est plat dans les basses terres du delta. Il en fut ainsi jusqu'à la frontière de la Birmanie (aujourd'hui appelée Myanmar). On a fini par aboutir à Chittagong, chez des parents de mon homologue, où nous devions passer quelques jours. Je n'avais jamais bu de thé de ma vie, or on nous en servait très souvent. J'ai fini par m'y habituer, d'autant plus que ça remplace l'eau bouillie. Je me brossais les dents avec du thé ! Pour quelqu'un qui vient de L'Orignal, c'était toute une expérience de dormir sur une planche de bois, entourée de six ou sept personnes. On s'est vite mis à rire, tous ensemble, les autres surtout à cause de mon pénible *bengali*. Mes nouveaux amis m'ont fait faire une grande tournée, ils m'ont prêté un sari et ils m'ont enseigné des danses du pays. Bref, j'ai eu du bon temps, je commençais tout doucement à m'intégrer. Quelques jours plus tard, nous arrivions dans notre village d'accueil, à Phultola, ce qui veut dire «pied de fleur».

*J.H.* — Et ta famille d'accueil ?

*Lynn* — Elle se trouvait à dix ou quinze minutes du village même, en pleine campagne. Une famille riche pour des gens de la campagne, mais pauvre en comparaison des familles du village. Les gens devaient aller chercher de l'eau dans un étang, où d'ailleurs ils se lavaient. Mes parents étaient très vieux et peu communicatifs. Par contre, j'échangeais beaucoup avec les enfants, dont la plus jeune avait 14 ans. Mes sœurs lisaient l'anglais sans pouvoir le parler. Cela m'a forcé à apprendre un peu de *bengali*, assez pour me débrouiller. Et puis, on communique beaucoup avec des gestes. C'est étonnant.

*J.H.* — Et le projet de travail ?

*Lynn* — Nous devions construire un petit centre communautaire. Mais on manquait de matériaux. Il n'y avait pas de briques, il n'y avait rien ! Finalement, un maçon est arrivé et, pendant qu'il montait les murs, nous élevions le plancher en transportant des mottes de boue. Toute la matinée. Dans l'après-midi, avec Anny, une participante de Baie-Comeau, j'essayais de m'intégrer à la vie du village, par exemple, en allant aider la cuisinière dans une petite gargote.

*J.H.* — Je vois que le programme avec le Bangladesh n'a pas été facile. En fait, il y a eu tellement de problèmes d'organisation et de logistique que Jeunesse Canada Monde a dû renoncer à ce pays. J'espère qu'on y retournera un jour. Quoi qu'il en soit, dirais-tu que tu as tout de même appris des choses là-bas ?

*Lynn* — Un programme difficile, oui, mais en même temps un programme super. J'ai beaucoup apprécié le Bangladesh, j'ai vraiment aimé ce pays. À mon arrivée, j'étais, comme je le disais tout à l'heure, une cruche vide qui a commencé à se remplir grâce au Bangladesh. J'ai appris l'importance de la religion dans la vie de tous les jours... J'ai appris à être patiente... Grâce à mes parents du Canada, j'avais heureusement l'esprit ouvert. Et j'ai appris que les gens, qu'ils soient du Bangladesh ou qu'ils soient du Canada sont, au fond, partout les mêmes.

*J.H.* — Comme tu as raison !

*Lynn* — Ils peuvent s'habiller autrement, avoir des coutumes différentes et une autre couleur de peau, mais j'ai compris que les Bangladais ont les mêmes aspirations que nous. En les écoutant discuter, je me rendais compte qu'ils parlaient des mêmes choses que les Canadiens : la parenté, les amis, la nourriture, les vêtements. Les gens sont essentiellement pareils.

*J.H.* — Qu'as-tu fait à ton retour au Canada ?

*Lynn* — J'avoue que pendant la première année, j'ai eu du mal à me réintégrer dans ma société, à retomber sur mes pieds, à me remettre à rêver, à me fixer un but dans la vie. Ensuite, je suis allée à l'université pendant un an.

*J.H.* — Dans quel domaine ?

*Lynn* — En développement international, avec le programme COOP de Scarborough.

*J.H.* — Tu ne devais pas être la seule ancienne participante de Jeunesse Canada Monde...

*Lynn* — Des 25 étudiants de la première année de ce cours, seulement trois ou quatre n'étaient pas d'anciens participants.

*J.H.* — Il devait y avoir de l'ambiance !

*Lynn* — Sur le campus, nous passions pour un groupe plutôt étrange... avec nos soirées consacrées à tel ou tel pays, nos soupers exotiques et nos diapositives... J'ai terminé l'année avec succès, mais l'idée m'est venue d'étudier la nutrition, science dont on a vraiment besoin dans le Tiers-Monde. En fait, je me suis toujours intéressée à la nutrition, d'autant plus que mes parents s'y intéressaient aussi. Et un jour, en plein mois d'août, on me dit que j'ai reçu un coup de téléphone de Jeunesse Canada Monde. J'étais super contente d'apprendre que Jeunesse Canada Monde pensait encore à moi. Nouveau téléphone de Daniel Renaud, l'agent de projet, qui me raconte cette histoire de l'Opération Zaïre. Mais il fallait d'abord que j'en parle à mes parents.

*J.H.* — Ils ont dû être un peu déconcertés ?

*Lynn* — Au contraire. Mon père m'a dit : «Je souhaitais que quelque chose de semblable t'arrive. Je suis content pour toi». Après l'entrevue à Toronto, le camp d'orientation et tout, me voilà en plein Zaïre.

*J.H.* — Encore un choc !

*Lynn* — Pas vraiment. Ce qui change tout, c'est qu'au Zaïre beaucoup de gens parlent français. Je me suis mise à apprendre le *tshiluba*, la langue des villageois de notre village, Mwene Ditu. Des gens me disaient que cela n'en valait pas la peine, que dans trois mois, je n'utiliserais plus le *tshiluba* durant le reste de ma vie. Je me suis promise de ne jamais dire cela d'une langue, quelle qu'elle soit. Apprendre une nouvelle langue, c'est toujours un enrichissement.

*J.H.* — Et la famille d'accueil ?

*Lynn* — Mon homologue Riba-Riba et moi partagions une mère formidable, vraiment très gentille. Une veuve avec beaucoup, beaucoup d'enfants : elle en a eu douze dont la moitié sont encore à la maison... sans parler des nombreux petits-enfants ! Je m'entends très bien avec tout le monde au village. C'est plus détendu qu'au Bangladesh ! On n'est pas obligé de porter des manches longues, les gens aiment danser, s'asseoir en petits groupes pour causer en prenant une bière. Même au Canada, on trouve encore étrange de voir une femme boire de la bière. Ici, les femmes s'étonnent que moi je n'en consomme guère. Le Zaïre est un beau pays ensoleillé, mais qui a beaucoup de problèmes, par exemple sur le plan de la nutrition. Les gens sont mal nourris. On ne manque pas de nourriture, mais on ne sait pas s'en servir. Ni d'ailleurs la transporter d'un endroit à un autre. Au Bangladesh, par contre, il n'y avait pas de problèmes de transport : il y avait plein d'autobus pour transporter les gens et leurs produits. Enfin, il y a beaucoup de maladies au Zaïre...

*J.H.* — Malgré tout, tu t'es intégrée plus facilement au Zaïre qu'au Bangladesh ?

*Lynn* — Sans problème. Jamais je ne m'ennuie du Canada. J'adore la vie ici, j'aime beaucoup, beaucoup le Zaïre, dont j'entends parler depuis que je suis toute jeune.

*J.H.* — Ici, au moins, vous aviez un formidable projet de travail : la reconstruction de l'hôpital de Mwene Ditu, abandonné depuis je ne sais combien d'années.

*Lynn* — Dans un premier temps, j'ai travaillé à chauler une vieille maison d'accueil pour les veuves. Cela n'a pris qu'une semaine, mais ce fut la semaine la plus extraordinaire de ma vie. Nos veuves avaient été plus ou moins abandonnées par la société. Elles n'avaient plus de famille. Plusieurs souffraient du goitre, d'autres étaient infirmes et l'une était aveugle. Elles devaient mendier leur nourriture, bien qu'il y ait très peu de mendiants dans ce pays. Leur maison, que j'étais en train de badigeonner à la chaux, ressemblait à une vieille grange du Canada, où on aurait hésité à loger des animaux. J'aurais voulu faire infiniment plus pour ces femmes, mais je comprenais que c'est leur propre société qui doit en prendre soin. Un jour, mon groupe a puisé dans sa caisse pour leur acheter de la nourriture. Elles étaient très contentes et nous remerciaient chaque jour avec des sourires et des «*mayo* !»

*J.H.* — Ce qui veut dire ?

*Lynn* — «Bonjour ! Comment ça va ?» Elles nous donnaient la main, c'est-à-dire les deux mains ouvertes. De pauvres femmes qui ne possédaient absolument rien. Elles collectionnaient de petits bouts de papier... De petits bouts de papier qui faisaient un roman, peut-être. J'ai ensuite travaillé un peu à la maternelle avec Ian avant de rejoindre les autres à l'hôpital où nous servions de main-d'oeuvre «non qualifiée», sous la direction d'hommes de métier, comme des menuisiers et des maçons. Une autre façon de s'intégrer, une autre occasion de réfléchir.

*J.H.* — Vous avez fait un travail important puisque cet hôpital accueillera bientôt des centaines, voire des milliers de malades...

*Lynn* — Oui, dans cet hôpital on soignera les nombreux tuberculeux, tous ceux qui souffrent de la maladie du sommeil, etc. Les besoins sont énormes. Un jour, j'ai eu la chance de faire une tournée en brousse avec un médecin d'ici. Nous sommes allés à Kambaye, à 80 kilomètres.

*J.H.* — En Afrique, on calcule les distances en heures de route plutôt qu'en kilomètres...

*Lynn* — On est parti à 6 heures le matin pour arriver à Kambaye vers 10 heures. La route n'était pas très bonne, et je me suis fais durement secouer à l'arrière du véhicule. Mais je me considérais chanceuse d'aller en brousse avec un médecin, une sage-femme et des infirmiers. Dans une ferme d'élevage de bovins, on a fait du dépistage, on a vacciné les gens, on a donné des lavements et un petit cours de sensibilisation à la nutrition. On est revenu en fin de journée, en pleine tempête tropicale. Je n'en menais pas large quand il a fallu traverser une rivière sur un petit traversier...

*J.H.* — À travers cette activité débordante, tu devais aussi travailler aux présentations que vous devrez faire de retour au Canada ?

*Lynn* — Bien sûr.

*J.H.* — Sais-tu quel sera ton territoire ?

*Lynn* — Le Québec et l'Ontario. Pour moi, cette partie du programme sera la plus intéressante, la plus importante. En revenant du Bangladesh, j'avais fait quelques présentations, ici et là, dans des clubs sociaux et des écoles. Mais cette fois, ce sera très bien organisé, avec des gens qui nous attendent partout, entre autres les groupes de Katimavik. Ce sera fantastique. J'ai vraiment hâte.

*J.H.* — Tu en rêves...

*Lynn* — Ah oui ! j'ai vraiment hâte. Tous les participants en rêvent. Mais ça ne durera que six semaines, tout finit par finir.

*J.H.* — Et tu devras recommencer à penser à ton avenir ?

*Lynn* — J'ai maintenant deux années de Jeunesse Canada Monde et une année d'université. J'ai commencé avec une cruche vide et maintenant ça déborde ! Ça aide à trouver une petite idée... J'ai parlé tout à l'heure de mon intérêt pour la nutrition. Cela m'intéresse encore davantage, surtout quant à son application au Tiers-Monde.

*J.H.* — La cruche déborde de projets et de rêves...

*Lynn* — Je pense que c'est ça un être humain : être capable de rêver, d'avoir des plans pour l'avenir, des idées pour améliorer les conditions de vie d'autres êtres humains. Je n'imagine pas que tous les gens du Tiers-Monde doivent avoir une auto, un téléviseur et un réfrigérateur, mais je crois qu'on doit les aider à combler leurs besoins essentiels, à améliorer leur qualité de vie. Par contre, ils ont su conserver des valeurs que nous avons perdues, par exemple sur le plan des contacts humains. Parce qu'ils n'ont pas de téléphone ni de poste de télévision, ils sont encore capables de s'asseoir au clair de lune, et de se parler. Alors qu'au Canada, les gens souffrent du manque de contacts humains.

*J.H.* — Alors, tu veux changer le monde ?

*Lynn* — Il fut un temps où je voulais tout changer, mais maintenant je me contenterais de changer un tout petit coin du monde, d'influencer la vie de quelques personnes. Je n'en demande pas plus. Au Canada même, il y a beaucoup de développement à faire, il y a encore trop de pauvres, trop de sous-alimentés. Mais il me semble que nous avons assez de gens capables d'améliorer le sort des nécessiteux. Pour ma part, c'est dans le Tiers-Monde que je voudrais m'engager, c'est là que je pourrais aider à améliorer les choses, même un tout petit peu.

*J.H.* — Je sens que tu aimes profondément nos frères et nos soeurs du Tiers-Monde...

*Lynn* — Oui, absolument. Les gens de ces pays sont des gens sans masque : on leur voit le coeur !

## Commentaires de Lynn Lalonde sur la tournée canadienne

Ce qui m'a le plus frappée au cours de cette tournée, c'est qu'il y a plus d'enseignants qu'on ne le croit généralement qui se donnent totalement à leur tâche de former la prochaine génération.　Ils ont à coeur de sensibiliser leurs élèves au problème du développement international, de leur faire comprendre en quoi cela les concerne individuellement, et comment ils peuvent jouer un rôle. Plusieurs des enseignants que j'ai rencontrés au Québec et en Ontario sont des personnes formidables, comme le sont un grand nombre d'individus dans chacune des communautés visitées.

Je ne savais pas qu'il y avait tant de personnes de cette qualité : des gens profondément dévoués. Cela m'a beaucoup touchée.

## Lynn Lalonde dix ans après

*Après la tournée canadienne, Lynn s'est inscrite à l'université McGill, où elle a obtenu un B.Sc. en nutrition. Après avoir travaillé dans le domaine de la santé communautaire à Terrace, en Colombie-Britannique, elle poursuit ses voyages en Europe de l'Est en 1991, ainsi qu'en Turquie et en Grèce. À son retour, elle travaille comme intervenante en nutrition pour le Bureau de santé de l'est de l'Ontario pendant trois ans. En 1994, elle retourne aux études pour obtenir un bac en enseignement à l'Université d'Ottawa.*

*Mariée depuis 1992, Lynn réside aux Mille-Îles et enseigne dans un programme d'immersion à Kingston, en Ontario... tout en continuant de rêver voyage !*

# 5.
## Ian Bell

*De Terre-Neuve au Sri Lanka*

Ian Bell, dix ans plus tard, grand défenseur de l'environnement.

*Ian* — Je viens de Corner Brook, à Terre-Neuve, mais je suis né à Halifax où, à l'époque, mon père étudiait à l'université. Dès l'âge de six mois, j'étais de retour à Terre-Neuve.

*J.H.* — Halifax n'a pas eu le temps de te gâter...

*Ian* — Ah ! Je suis un vrai Terre-Neuvien ! J'y ai fait mes études primaires et secondaires, ainsi que deux années d'université à Corner Brook, au collège régional de l'Université Memorial de Saint-Jean. J'étais encore très jeune...

*J.H.* — À l'université, tu étudiais quoi ?

*Ian* — Un peu de tout. Pendant les deux premières années, j'étais en pleine confusion. Je ne savais vraiment pas ce que je voulais faire dans la vie. Je n'avais que 16 ans en arrivant à l'université. Comment savoir ce qui nous intéresse, à cet âge-là ?

*J.H.* — Tu n'avais aucune idée ?

*Ian* — Pas vraiment. Je savais seulement que je voulais faire quelque chose dans la vie, quelque chose d'utile. Mais quoi exactement ? Un gros point d'interrogation.

*J.H.* — Quand as-tu entendu parler de Jeunesse Canada Monde la première fois ?

*Ian* — Oh ! Il y a de cela très, très longtemps, par mon cousin, Dave Bell, qui avait participé au programme il y a une dizaine d'années. Au Honduras. Je m'en souviens très bien parce que son homologue hondurien était venu passer quelques mois dans sa famille. Puis, des années plus tard, alors que j'étais déjà à l'université, un ancien participant du programme avec la Bolivie, Adrian Kehoe, était venu nous parler de son expérience pendant la classe de géographie. Cela m'avait intéressé au plus haut point, et j'ai tout de suite soumis ma candidature. J'ai abouti sur la liste d'attente ! Je suis donc allé poursuivre mes études universitaires à Waterloo, en Ontario. De retour à la maison pour les vacances de Noël, j'ai trouvé une grande enveloppe brune contenant un formulaire d'adhésion et une lettre de Jeunesse Canada Monde m'invitant à le remplir à nouveau. Avant la fin de l'année, je reçu la réponse tant attendue : on m'avait accepté ! Je sautais de joie !

*J.H.* — Avais-tu indiqué le continent qui t'intéressait particulièrement ?

*Ian* — J'avais mentionné l'Asie.

*J.H.* — Pourquoi ? Tu rêvais déjà à l'Asie à Corner Brook ?

*Ian* — Je ne sais pas... Cela me semblait le bout du monde, un endroit sûrement intéressant... J'ai donc choisi l'Asie, mais en fait, j'aurais pu choisir n'importe quel autre continent. Mon pays d'échange fut le Sri Lanka.

*J.H.* — Et où devait se dérouler la phase canadienne ?

*Ian* — En Nouvelle-Écosse, dans la vallée de l'Annapolis.

*J.H.* — À deux pas de chez toi, en somme ?

*Ian* — Oui. J'étais un peu désappointé de me retrouver si près.

*J.H.* — Tu aurais préféré la Colombie-Britannique...

*Ian* — Naturellement !

*J.H.* — ...ou même le Québec ?

*Ian* — Le Québec, bien sûr ! Quoi qu'il en soit, je me suis retrouvé dans un village situé à 20 kilomètres à peine de la ferme de mon oncle ! La vallée de l'Annapolis m'était donc très familière. Malgré tout, la phase canadienne a été pour moi une expérience des plus enrichissantes.

*J.H.* — Elle a dû l'être encore davantage pour ton homologue sri lankais ?

*Ian* — Il s'appelait Gerald D.K.C. Premanath, un gars brillant qui venait d'un petit village rural du Sri Lanka. Il avait fait un excellent travail dans l'organisation de jeunesse locale, le *National Youth Service Council*, ce qui explique pourquoi il avait été choisi pour participer au programme. Il en était absolument ravi. Un bon gars, avec qui je me suis très bien entendu. Il s'entendait particulièrement bien avec notre famille d'accueil.

*J.H.* — Une famille de cultivateurs, sans doute ?

*Ian* — Nos parents n'étaient pas des cultivateurs typiques. Ils avaient acheté la ferme quatre ans plus tôt et le père était instituteur. Il enseignait durant l'hiver et s'occupait de la ferme pendant l'été.

*J.H.* — Quelle sorte de famille ?

*Ian* — Ah ! Une belle famille. Très intéressante. Le père s'appelait Doug Joyce. Un Anglais d'Angleterre venu au Canada avec sa famille alors qu'il était enfant. Ils ont d'abord vécu à Halifax. Un vrai bon gars, avec qui je m'entendais à merveille. Très intelligent. En plus d'être instituteur, c'était un rude travailleur manuel, un bon charpentier. Sur la ferme, il pouvait tout faire. Et il avait un bon sens de l'humour. Nous avons travaillé très fort, mon homologue et moi, mais cela en valait la peine, avec un homme de ce calibre...

*J.H.* — Une grande famille ?

*Ian* — Non, pas vraiment : le père, la mère et deux enfants. À notre arrivée, il y avait aussi une jeune Québécoise qui participait à un programme d'échange avec la fille de Doug. Et une étudiante du Soudan qui suivait des cours à Acadia et qui passait les vacances avec la famille. Tout cela était très intéressant.

*J.H.* — En effet. Alors, au bout de trois mois, il vous a fallu quitter cette belle famille et vous mettre en route pour le Sri Lanka...

*Ian* — À l'autre bout du monde ! Très excitant...

*J.H.* — Alors, parle-moi de l'autre bout du monde ?

*Ian* — Le Sri Lanka ? Un pays incroyable ! Après Corner Brook... Notre groupe s'est installé dans le nord du pays, près de Anuradapura, l'ancienne capitale. Une région agricole, où l'agriculture et le tourisme étaient les deux moteurs de l'économie. Mon homologue et moi habitions dans une famille d'accueil, au milieu d'un petit village appelé Katakalliyawa. Une fois de plus, j'ai eu la chance de tomber dans une famille exceptionnelle. Les deux parents avaient des diplômes universitaires. Le père parlait parfaitement l'anglais, de même que les deux langues du Sri Lanka. Il connaissait son pays à fond, ce qui nous a permis de beaucoup apprendre de lui. La vie dans ce village était fort agréable, et ça ne m'a pas pris beaucoup de temps avant de m'y sentir parfaitement à l'aise.

*J.H.* — Et quel beau pays !

*Ian* — Incroyablement beau.

*J.H.* — Comment as-tu trouvé les Sri Lankais ?

*Ian* — Les Sri Lankais sont très proches les uns des autres, en contact intime avec leur environnement, avec leur communauté, avec leur travail, avec la vie. Ils savent partager. Très accueillants, ils sont toujours disposés à parler avec vous, à vous écouter, à vous inviter à dîner. Des gens très ouverts et vraiment heureux d'accueillir des jeunes

Canadiens, ces jeunes Blancs venus vivre dans leur village et travailler avec eux. Pendant longtemps, le Sri Lanka a été une colonie britannique, et les Blancs dont les Sri Lankais avaient l'habitude étaient, disons, un peu différents de nous. Nous avons sûrement réussi à changer leur impression du monde occidental. Une expérience humaine très valable.

*J.H.* — Quel genre de travail faisiez-vous dans le village ?

*Ian* — Ah ! Nous avons travaillé très fort à la construction d'une route. Un rude travail manuel : creuser, transporter la terre, travailler avec les outils locaux, le *manatoo* et le *udela*. Mais à cause de nos problèmes d'adaptation et parce qu'il faisait une grande chaleur, nous ne travaillions que quatre jours par semaine, pendant six ou sept heures. Une expérience très, très intense : une nouvelle manière de vivre et de manger, un nouvel environnement...

*J.H.* — Tu t'es fait beaucoup d'amis ?

*Ian* — D'abord, en Nouvelle-Écosse. Elizabeth, l'étudiante qui venait du Soudan, est devenue une excellente amie. Nous nous écrivons très souvent. Je suis resté également en contact avec ma famille d'accueil de la Vallée de l'Annapolis. Après le programme, je leur ai rendu visite pendant quelques jours.

*J.H.* — Et ensuite, au Sri Lanka ?

*Ian* — Je me suis fait plein d'amis dans le village. Bien sûr, le père de ma famille d'accueil reste mon meilleur ami. Dans le village, il y avait une famille dont j'étais particulièrement proche, des fermiers à l'aise qui cultivaient le riz. Ils habitaient à un kilomètre de chez moi, mais j'allais souvent les voir. C'était le début de la saison du riz, et je me suis beaucoup intéressé à la question de l'irrigation des rizières. J'ai suivi tout le processus, depuis le jour où les pluies ont commencé et qu'on s'est mis à labourer les champs, puis à épandre l'engrais chimique et, enfin, à planter les jeunes touffes de riz. Hélas ! Nous avons raté le temps de la récolte, mais de peu.

*J.H.* — Es-tu resté en contact avec les amis que tu t'es faits au cours du programme ?

*Ian* — Absolument. J'ai encore reçu une lettre, il y a peine deux semaines.

*J.H.* — Ici, au Zaïre ?

*Ian* — Ici, au Zaïre. Une lettre d'Ann Lynagh, une ancienne participante de mon groupe qui demeure en Alberta. Je corresponds régulièrement avec trois ou quatre autres. Vous vous souvenez du jour où notre groupe était allé vous rendre visite au Sénat, à Ottawa ? Ce soir-là, j'avais passé la veillée avec une autre participante de mon programme avec le Sri Lanka. À la fin du programme actuel, je me propose de voyager au Canada et d'aller revoir tous les amis qui se trouveront sur mon chemin.

*J.H.* — Après deux programmes avec Jeunesse Canada Monde, j'imagine que tu dois avoir des amis partout ?

*Ian* — À travers tout le pays, de la côte ouest à la côte est. J'ai vraiment hâte de les revoir tous.

*J.H.* — Après le Sri Lanka, ce fut le retour à Corner Brook.

*Ian* — Très étrange... Revenir brusquement au froid, changer d'environnement du jour au lendemain. Mais, ce qui m'a frappé surtout, ce fut moins de retrouver le climat froid que l'atmosphère si différente de la société occidentale.

*J.H.* — À ce moment-là, quels étaient tes projets d'avenir ?

*Ian* — Je n'avais pas de projet précis, sauf de retourner à l'Université de Waterloo. Cela ne me passionnait pas, mais au moins c'était quelque chose d'intéressant et de positif.

*J.H.* — Quelles études faisais-tu, exactement ?

*Ian* — J'étudiais à la faculté d'Études environnementales, avec une spécialisation en géographie. Mais je ne savais pas encore vraiment où tout cela me conduirait. J'ai terminé ma deuxième année, mais ensuite il faut se décider, prendre une option particulière.

*J.H.* — Jeunesse Canada Monde devait encore retarder ta décision...

*Ian* — À la suite d'un téléphone de Norma Scott de votre bureau de l'Atlantique, j'ai su que j'avais une bonne chance de participer au programme spécial avec le Zaïre. Quelque temps plus tard, on m'a accepté. Comme j'étais un des trois participants anglophones qui n'étaient pas bilingues, j'ai dû me rendre à Montréal avant les autres pour une immersion de cinq jours en français. Toute une immersion ! À ce moment-là, je ne parlais pas deux mots de français et, depuis longtemps, je me disais que je devrais m'y mettre et apprendre cette langue. Il n'y a pas de raison que je ne parle pas le français. Je vis dans un pays bilingue, beaucoup de gens parlent les deux langues, donc c'est possible, de toute évidence. Il s'agit de faire un effort. Au début, ça m'intimidait énormément...

*J.H.* — Ça s'est passé où, cette immersion de cinq jours ?

*Ian* — Dans la famille d'une des participantes francophones de notre groupe, Annik Lafortune. J'étudiais très fort, Annik m'aidait, et l'environnement français m'aidait aussi beaucoup.

*J.H.* — Mais cinq jours, ça ne me parait guère suffisant, même avec Annik.

*Ian* — Même avec Annik...

*J.H.* — Et tu allais vivre en français pendant plusieurs mois puisque le Zaïre est un pays francophone.

*Ian* — Alors, j'ai compris qu'il me fallait absolument apprendre le français, sans quoi je ne retirerais pas grand-chose du programme.

*J.H.* — Aujourd'hui, je peux constater que tu as réussi.

*Ian* — Oui, j'ai fait un bon bout de chemin. Je comprends assez bien, je peux tenir une conversation. Le Zaïre est un merveilleux endroit pour apprendre le français. Et on n'est plus du tout intimidé, car tout le monde vient vers nous, tout le monde veut nous parler. Il ne me gênait pas de leur répondre, même dans mon français encore boiteux.

*J.H.* — Nous voilà donc au Zaïre.

*Ian* — En arrivant, j'ai eu un choc, comme tout le monde, un choc sensoriel à cause de la chaleur, de la végétation, du nouvel environnement. Mais je suis vite devenu très à l'aise, surtout en arrivant dans notre village.

*J.H.* — Mwene Ditu.

*Ian* — Un mot qui signifie «les gens de la forêt» ou «le village dans la forêt.»

*J.H.* — Pour ce qui en reste !

*Ian* — Elle a presque disparu au cours des vingt dernières années. C'est un grave problème. Bien d'autres choses ont également disparu : les éléphants, plusieurs autres sortes d'animaux... et les Belges !

*J.H.* — Tu te souviens du premier jour dans ta famille d'accueil ?

*Ian* — Je me souviens du premier soir. Nous sommes arrivés en retard et toute la famille m'attendait depuis des heures. Ma mère me montra ma chambre et le reste de la maison avant de me servir une grande assiette de riz et de haricots, un plat de choix ici. La cuisine zaïroise est très simple, à base de farine. Un légume par jour. Beaucoup de poisson séché. Mais je n'attache guère d'importance à la nourriture. J'ai un bon appétit et je mange à ma faim. Je suis toujours touché de voir ma mère consacrer autant de temps et d'énergie à la préparation des repas. Et je sais qu'il s'agit de plats excellents selon les standards zaïrois. Dans notre famille, nous mangeons trois repas par jour, ce qui n'est pas le cas de tout le monde, loin s'en faut. Bien des gens doivent se contenter d'un repas par jour.

*J.H.* — Parle-moi un peu de ta famille d'accueil ?

*Ian* — Je me considère privilégié d'avoir une famille aussi sympathique. Une famille traditionnelle, très, très catholique. Pas riche, selon les standards du village, mais pas pauvre non plus. Elle réussit à maintenir un niveau de vie relativement élevé en travaillant très fort, en utilisant tous les trucs imaginables pour gagner un peu d'argent. Le père est mort il y a cinq ou six ans. Il reste la mère et une de ses filles, qui demeure encore à la maison, et des petits-enfants.

*J.H.* — Le père étant mort, comment la famille réussit-elle à vivre ?

*Ian* — Elle est propriétaire de sa petite maison. Dans une case voisine, où se trouve la cuisine, il y a un petit appartement qu'on loue. La famille possède une autre case dont elle retire un loyer et un petit champ cultivé, quelque part. Et la mère s'occupe de quelques «petits commerces.»

*J.H.* — Quel genre de «petits commerces» ?

*Ian* — Par exemple, elle fabrique une boisson alcoolisée traditionnelle, une sorte de bière à base de maïs. Il est assez amusant qu'une femme aussi profondément religieuse vende de l'alcool, mais elle se rend compte que ça rapporte bien... Et que la famille doit survivre ! Elle laisse fermenter les grains de maïs jusqu'à ce qu'ils éclatent et, alors, elle fait bouillir sa bière.

*J.H.* — C'est bon ?

*Ian* — Pas vraiment. Cela n'a rien à voir avec la bière canadienne, mais ça se boit. Pas en très grande quantité ! Ma mère vend donc de la bière, mais elle vend aussi les produits de son champ. Enfin, plusieurs de ses enfants ont réussi à faire des études universitaires et sont en mesure de l'aider un peu financièrement.

*J.H.* — Il est inhabituel qu'une veuve puisse envoyer des enfants à l'université.

*Ian* — Sans doute, mais notre mère connaît tous les trucs. Elle a appris à survivre.

*J.H.* — Tu as beaucoup d'amis dans le village ?

*Ian* — Beaucoup, beaucoup d'amis. Les gens sont chaleureux et adorent vous parler. Or, comme je dois travailler mon français...

*J.H.* — Mais tous les villageois ne parlent pas français ?

*Ian* — Il y en a plus qu'on pense. Ceux qui se sont rendus jusqu'à l'école secondaire parlent le français. En tout cas, tous mes amis zaïrois le parlent. Je suis toujours étonné de voir ces petites gens, sans beaucoup de moyens, parler le français, parler leur langue maternelle — ici le *tshiluba* — souvent une troisième, voire une quatrième langue. Et ce qui me déconcerte encore plus, c'est qu'ils sont désireux d'apprendre l'anglais, par dessus le marché. Dans la rue, beaucoup de gens m'abordent en anglais : «*Hello, mister ? How are you ?*» Ils voudraient vraiment apprendre.

*J.H.* — Dans quel but ?

*Ian* — C'est la question que je leur ai souvent posée : «Vous parlez le français, la langue nationale, et le *tshiluba*, votre langue maternelle. Pourquoi diable apprendre l'anglais ?» On leur enseigne à l'école, comme troisième langue. Et puis, à Mwene Ditu, les gens ne manquent pas de loisir, ils veulent toujours apprendre quelque chose de nouveau. Ils ont une immense soif de connaissances...

*J.H.* — Et les projets de travail ?

*Ian* — J'ai d'abord consacré six, peut-être huit semaines aux sources d'eau, un excellent projet. Le travail était pénible, mais nous avons appris plein de choses sur l'aménagement des sources d'eau, plein de choses sur les gens de la communauté qui s'intéressaient beaucoup au projet. Quand nous arrivions sur les lieux, le chef du quartier s'y trouvait souvent déjà, avec un programme pour la journée, et une dizaine hommes disposés à nous aider, sans parler des femmes qui venaient travailler, elles aussi. Il y avait encore bien des curieux, venus pour nous regarder faire et nous poser des questions. Ah oui ! un excellent projet ! Vers la fin, Sylvie, l'agent de groupe, est venue nous demander d'aller prêter main-forte à l'équipe de la reconstruction de l'hôpital : on devait l'inaugurer dans trois semaines, et il restait beaucoup à faire. J'étais content de fournir ma part de travail.

*J.H.* — Quel genre de travail était le tien, à l'hôpital ?

*Ian* — La maçonnerie, la peinture, la menuiserie. Nous avons construit le toit avant de le recouvrir de tôle et de lambrisser le plafond de contreplaqué. J'ai même taillé de la vitre, une expérience intéressante. Avant d'apprendre, hélas ! j'ai dû casser une trentaine de grands carreaux...

*J.H.* — Scott Elliott m'a avoué la même chose. Un joli désastre !

*Ian* — Mais tout était prêt pour les cérémonies officielles d'inauguration, ce matin même !

*J.H.* — Bravo ! Vous pourrez quitter Mwene Ditu l'âme en paix, dimanche.

*Ian* — L'idée du départ me rend infiniment triste. Il y aurait eu encore tant de choses à apprendre, tant de choses à faire. Je pourrais passer des mois ici, voire une année. Mais en même temps, je suis enthousiasmé par l'idée d'entreprendre cette grande tournée du Canada, à notre retour.

*J.H.* — Tu iras dans quelle région ?

*Ian* — Je ferai des présentations d'abord dans les provinces de l'Atlantique : une semaine en Nouvelle-Écosse, une semaine au Nouveau-Brunswick, quelques jours dans l'Île-du-Prince-Édouard et, ensuite, trois semaines au Québec, où je devrai travailler en français, ce qui m'excite énormément.

*J.H.* — Qui aurait cru que tu en serais capable, il y a à peine trois mois ? Et que leur raconteras-tu à tous ces Canadiens ?

*Ian* — Nous allons essayer de les mettre en présence d'une autre culture, de leur donner l'occasion de jeter un regard neuf sur l'Afrique. Nous allons discuter de toutes les idées préconçues qui circulent, les initier aux réalités africaines. Nous aurons fait un bon pas en avant si nous aidons des gens à réfléchir, à s'intéresser aux questions de développement en Afrique et ailleurs.

*J.H.* — Et après ces six laborieuses semaines ?

*Ian* — Je rentrerai à Terre-Neuve où m'attend un travail d'été à l'Université Memorial. À l'automne, je poursuivrai mes études à l'Université de Waterloo, toujours en géographie, avec une spécialisation en développement des ressources. Et si c'est possible, j'aimerais faire un semestre dans un autre pays, peut-être même au Sri Lanka, car je sais que l'Université de Waterloo a des accords avec plusieurs universités étrangères.

*J.H.* — Tes deux programmes avec Jeunesse Canada Monde t'aideront sûrement...

*Ian* — Aucune expérience éducative ne peut s'y comparer ! D'ailleurs, je vais essayer d'obtenir certains *crédits*.

*J.H.* — D'autres anciens participants en ont obtenus de leur université.

*Ian* — Peut-être un *crédit* en géographie du Tiers-Monde, un *crédit* en sociologie, un *crédit* en français...

*J.H.* — Et, en guise de conclusion ?

*Ian* — Je veux simplement dire qu'un programme avec Jeunesse Canada Monde est une expérience absolument fantastique. Elle le fut certes pour moi, comme elle devrait l'être pour quiconque s'interroge sur la vie et cherche à se découvrir lui-même. Pour vraiment savoir qui on est, il est important de quitter tout ce qui nous est familier : la communauté, la famille, les habitudes... Et de se plonger dans la vie de groupe. Et de se retrouver dans un pays nouveau où on doit tout découvrir, chacun pour soi. La meilleure façon de se comprendre soi-même, c'est d'essayer de comprendre les autres.

## Commentaires de Ian Bell sur la tournée canadienne

Au début de 1986, nous avons donc quitté la félicité tropicale du Zaïre pour retourner à la glace et à la neige du Canada. À Montréal, il faisait une température de -20°C... à laquelle les participants zaïrois ont dû s'adapter, tout en s'intégrant à la culture occidentale. Après nous être un peu réchauffés au YMCA de Montréal, nous nous sommes tous retrouvés à la campagne pour mettre la dernière main aux préparatifs de la tournée canadienne.

Cette tournée allait nous donner l'occasion de partager avec les Canadiens nos expériences au Zaïre. Nous avons travaillé en équipes de trois (deux Canadiens et un Zaïrois) et nous avons utilisé le Zaïre comme exemple d'un pays en voie de développement typique. Nous avions produit un diaporama et une présentation pour tous ceux qui voudraient bien nous entendre. Mon équipe devait voyager pendant six semaines à travers la Nouvelle-Écosse, l'Île-du-Prince-Édouard, le Nouveau-Brunswick et l'est du Québec.

J'ai le souvenir d'une suite ininterrompue de salles de classe, de centres communautaires et de sous-sols d'églises. Nous avons fait jusqu'à six ou sept présentations par jour, voyageant dans un minibus rempli à craquer et dormant dans un lieu différent presque chaque nuit. Je me souviens de mes efforts pour partager mon expérience dans mon mauvais français, essayant de donner aux gens une idée de la vie d'un Zaïrois moyen.

Je ne sais pas si nos auditoires ont appris quelque chose, mais je sais que, moi, j'ai appris beaucoup !

Rétrospectivement, j'ai le souvenir d'une expérience intense et gratifiante, qui m'incite, encore aujourd'hui, à me remettre sans cesse en question. Et si on me demandait de la recommencer, je prendrais le premier vol pour Montréal, sans hésiter une seconde !

## Ian Bell dix ans après

*Après son expérience au Zaïre, Ian a travaillé pendant un an en Alberta, avant de retourner à l'université de Waterloo pour y obtenir un baccalauréat en études environnementales. Aux fins de sa thèse, il a fait un séjour de quatre mois dans le nord du Pakistan, où il a travaillé dans le cadre du* Snow and Ice Hydrology Project. *En 1988, il est rentré chez lui, à Terre-Neuve, où il travaille pour la* Water Resources Management Division, *au ministère de l'Environnement.*

*Marié, Ian est le père de deux enfants et il habite à Corner Brook, sur la côte ouest de Terre-Neuve. Bien qu'il soit toujours intéressé par le développement international, il consacre son énergie de bénévole à promouvoir le développement local. Il a participé à l'organisation très réussie d'un Symposium sur l'environnement, et il est actuellement vice-président du* Corner Brook Stream Development Corporation. *Cet organisme travaille au développement d'espaces verts le long de la rivière de Corner Brook à des fins récréatives et éducatives. Bref, Ian est engagé à fond dans un grand nombre de projets qui touchent à l'environnement et au développement.*

# 6.
## Carole Godin

*Du Québec à l'Équateur*

Carole et sa petite soeur zaïroise Susana.

*Carole* — Je suis originaire d'un petit village de la région de Québec, Les Écureuils. J'y ai passé toute mon enfance, jusqu'à l'âge de 17 ans, dans une grande famille de sept enfants. Mon père, ex-député fédéral, est devenu fonctionnaire puis finalement agriculteur, ce qui m'a permis de me familiariser avec les travaux de la ferme, où je travaillais pendant mon adolescence. Mon secondaire terminé, j'ai débuté mes études collégiales à Québec, en hygiène dentaire, spécialité qui ne correspondait pas vraiment à mes goûts. En fait, mes aspirations n'étaient pas claires à cette époque et je ne savais pas ce que je voulais faire plus tard dans la vie. J'aurais pu m'inscrire à Katimavik ou du moins faire une pause pour déterminer vraiment ce qui m'intéressait pour l'avenir. Mais je devais subir la pression de mon entourage en faveur du cégep. On me répétait qu'il me fallait «trouver un emploi stable...» Après cette année de cégep, qui en fut une de confusion et de recherches intérieures, j'ai décidé de changer complètement d'orientation. Je suis allée dans un petit cégep, à La Pocatière, où j'ai étudié les sciences humaines, c'est-à-dire la psychologie, la géographie et la sociologie. J'aimais ça. Puis, j'ai rencontré des gens intéressés par la nature. Je me suis inscrite dans un club de plein air où l'on se préoccupait beaucoup de l'environnement. J'y pratiquais également la natation et le ballet-jazz. Comme je me trouvais assez loin de chez moi, je ne retournais pas chez mes parents durant les week-ends, et j'en profitais pour explorer la région de La Pocatière, une très belle région du Québec. Il y avait plein de jolis villages à découvrir, avec les amis ou le club de plein air : Saint-Pascal, Saint-Rock-des-Aulnais, Kamouraska...

*J.H.* — De quoi te faire oublier l'hygiène dentaire ?

*Carole* — Ah oui ! Mais après un an à La Pocatière, j'ai eu envie de retourner à Québec et de me rapprocher de mes parents. Je me suis donc retrouvée au cégep de Limoilou, où l'on m'avait dit qu'on y trouvait de très bons cours de géographie. En effet, j'y ai suivi des cours très stimulants ! Durant cette dernière année collégiale, j'en ai également profité pour travailler un peu à la bibliothèque, et à la garderie du cégep tout en continuant l'apprentissage du ballet-jazz, commencé à La Pocatière. J'ai terminé mes études collégiales sans réellement savoir ce que j'irais faire à l'université. C'est alors que j'ai été acceptée par Jeunesse Canada Monde : enfin ! Le temps de faire une pause, de voyager, ce qui était mon rêve. En juin, j'ai appris que je ferais partie du programme avec l'Équateur, qui commençait en août. J'avais donc quelques mois de temps libre. Comme j'avais suivi des cours de clown pendant les week-ends, j'ai pu organiser, avec un groupe d'amis, une petite troupe de clowns...

*J.H.* — Je te vois mal en clown...

*Carole* — C'est qu'il y a deux côtés à ma personnalité : le côté très sérieux... et l'autre !

*J.H.* — Pour être acceptée à Jeunesse Canada Monde, tu as dû montrer ton côté sérieux. On n'aurait peut-être pas si bien accueilli un clown !

*Carole* — Ça n'est pas sûr, car il y avait passablement de clowns dans notre groupe !

*J.H.* — Vraiment ? Mais toi, tu as été un vrai clown pendant quelques mois...

*Carole* — Une expérience vraiment enrichissante. Nous avons nous-mêmes monté un spectacle à Québec; nous nous occupions de tout : la publicité, la négociation des contrats, etc. Faire de l'animation devant différents publics m'a donné une plus grande confiance en moi. Et puis, en août commençait le programme de Jeunesse Canada Monde en Ontario.

*J.H.* — Où, exactement ?

*Carole* — À North Bay, une ville de 50 000 habitants où nous attendaient une variété de projets de travail dont un centre pour les femmes, un musée, un YMCA, des écoles, etc. Pour ma part, j'ai travaillé dans une galerie d'art avec Roman, mon homologue équatorien. Un homologue qui a été la cause de la plupart des problèmes que nous avons eus au cours du programme. En fait, c'est moi qui l'avais choisi, davantage par défi que parce que j'avais quelque affinité avec lui. Au camp d'orientation, je me sentais très sûre de moi, et j'ai remarqué ce garçon avec qui les autres avaient du mal à travailler. Il était agressif et assez égoïste.

J.H — Tu l'as tout de même choisi. Par défi.

*Carole* — Oui.

*J.H.* — Tu t'es dit : «Si personne n'en veut, je vais le prendre !»

*Carole* — Non, pas vraiment. Roman était intelligent, il avait des idées intéressantes, tout en ayant un caractère difficile. Alors, je me suis dit : «Il a l'air ouvert et je pense qu'on peut bâtir quelque chose d'intéressant ensemble». J'ai eu beaucoup de déceptions. Peut-être parce que je suis partie avec l'idée de le changer.

*J.H.* — Hélas ! On veut toujours changer ceux qu'on aime !

*Carole* — Ceux qu'on aime ? Je ne crois pas que je l'aimais vraiment ! Plus tard, en Équateur, on a fini par s'entendre. Mais les débuts ont été très, très difficiles.

*J.H.* — À North Bay, vous habitiez dans la même famille d'accueil, naturellement ?

*Carole* — Oui, dans la même famille. Pour lui, ça n'a pas été facile parce qu'il s'agissait d'une famille monoparentale : une mère, qui n'était pas souvent à la maison, et sa fille de 14 ans. Roman et moi travaillions dans une galerie d'art avec Sharon, la mère. Souvent, on revenait à la maison le soir, sans elle, car elle était très occupée. Pour Roman, qui n'avait jamais quitté sa famille auparavant, c'était un peu triste d'arriver dans une maison où personne ne nous attendait. Il manquait cet esprit familial intense qu'on retrouve dans les familles de l'Équateur. De plus, c'était pour lui une expérience nouvelle de se retrouver dans une famille où il n'y avait que des filles... qui ne parlaient pas la même langue que lui ! Sharon était déjà allée au Mexique et connaissait un peu l'espagnol, ce qui faisait grand plaisir à Roman. Mais si nous avions tant de mal à nous entendre, c'est surtout parce que nous étions tellement différents ! J'avoue qu'à ce moment-là, j'étais plutôt individualiste, alors que Roman, lui, aimait la vie de groupe, les sports. Après le programme, je me suis rendu compte que je n'avais vraiment pas fait assez d'efforts pour l'aider. Par exemple, pendant que je faisais ma correspondance alors qu'il ne faisait rien, je lui disais : «Allons, Roman, écoute de la musique, lis un livre, écris !» C'était un peu raide. Il aurait fallu que je sorte davantage avec lui, qu'on aille faire du sport ensemble, des choses comme ça. À un moment donné, il a repris son indépendance et partait seul. Il allait voir ses amis. Moi, je trouvais ça bien : «Cela lui permet de découvrir son indépendance». Mais la vérité, c'est que nous n'étions pas de très bons homologues.

*J.H.* — À cette époque-là, tu parlais anglais ?

*Carole* — La première semaine, j'étais vraiment nulle, mais j'ai fini par me débrouiller assez vite. J'avais une bonne base, ayant fait un programme d'immersion de six semaines à Halifax.

*J.H.* — Et Roman ?

*Carole* — Il ne parlait pas anglais, ce qui ajoutait au problème. Seulement espagnol. Il ne semblait pas motivé à apprendre l'anglais. J'aurais pu apprendre l'espagnol avec lui, mais comme nous étions en Ontario pour quelques mois, j'ai décidé de consacrer mon énergie à l'anglais.

*J.H.* — Après ces mois difficiles, toute l'équipe est partie pour l'Équateur...

*Carole* — La joie totale ! La première fois de ma vie, je quittais le Canada et j'allais découvrir un pays du Sud ! Roman et moi avions une bonne famille d'accueil, dans une plantation de café, de cacao et d'oranges. Le père était mort depuis deux ans déjà, et il restait la mère et son fils, un de ses onze enfants maintenant dispersés. Le fils administrait la plantation. Il avait un peu le style de Roman, mais je m'entendais fort bien avec lui. Il s'appelait... Victor Hugo !

*J.H.* — Victor Hugo ?

*Carole* — Oui. Un beau nom, n'est-ce pas ? S'il avait un peu les même valeurs que Roman, il était beaucoup plus ouvert. Par exemple, Roman me disait souvent : «Pourquoi discuter ? Je suis comme ça, c'est comme ça en Équateur, tu n'y peux rien changer». Alors que Victor Hugo disait : «C'est comment, au Canada ? Comment fonctionne telle ou telle chose ? Ah ! comme c'est différent ! Comme c'est drôle !» Bref, nous avions ensemble de bonnes discussions. Nous n'étions pas toujours d'accord, mais il n'était jamais négatif. Les discussions finissaient toujours bien. Quand Roman s'est rendu compte que je pouvais m'entendre avec Victor Hugo, qui n'était pas si différent de lui, il s'est radouci, il est devenu plus serviable. Nous n'avions vraiment rien en commun : alors que j'étais plutôt féministe, il était assez macho. Malgré tout, à la fin, on a réussi à bien s'entendre.

*J.H.* — Tu avais fini par le changer...

*Carole* — Un peu, je crois. Je regrette de ne pas être restée en contact avec lui. J'aimerais vraiment savoir ce qu'il est devenu. Pendant le programme, il ne cessait de me dire qu'il voulait faire carrière dans l'armée, ce qui me décevait beaucoup. En Ontario, on avait eu une journée éducative sur le militarisme et sur tous les problèmes que cela entraînait. Ça me choquait d'autant plus que mon propre homologue rêvait de s'en aller dans l'armée, et je le lui disais. Il me répondait : «En Équateur, ce n'est pas comme ici. Il n'est pas facile de trouver un emploi». Alors, c'est la sécurité qu'il recherchait. Au début du programme, j'ai été vraiment dure avec Roman. À la longue, je suis devenue plus tolérante parce que j'ai été confrontée à d'autres valeurs. J'ai fini par accepter les différences. En Équateur, j'ai découvert les valeurs familiales, jusqu'à quel point j'en avais besoin, alors qu'avant je n'accordais pas beaucoup d'importance à la famille. En Équateur, il y avait toujours plein de monde dans la grande maison. Les travailleurs de la plantation remplaçaient les enfants absents. Une grande famille élargie... Et tous ces gens ne cessaient de me poser des questions sur le Canada.

*J.H.* — En espagnol, bien sûr. Tu te débrouillais ?

*Carole* — J'avais commencé à apprendre l'espagnol à cause de Roman qui ne parlait pas un mot d'anglais. Mais dans cette région de l'Équateur, on parle très, très vite. Au début, je n'y comprenais rien.

*J.H.* — Tu étais dans quel coin du pays ?

*Carole* — À Caluma, un village sur la côte, dans la province de Bolivar. À trois heures de Guayaquil, la ville où nous allions vendre le café et le cacao, ce qui me permettait de voir du pays. Pendant la période des fêtes, je suis allée dans la famille de Roman à Gualaceo, près de la ville de Cuenca. Une très belle région, très différente de la côte, d'allure presque européenne. Les gens sont plus détendus et parlent plus lentement, ce qui me permettait de les mieux comprendre que les gens de Caluma. Là-bas, à Gualaceo, on s'étonnait même que je me débrouille si bien en espagnol, au bout d'à peine un mois.

*J.H.* — À Caluma, tu travaillais dans la plantation ?

*Carole* — Oui, deux jours par semaine, dans les séchoirs de cacao. On travaillait aussi deux jours à l'école, où j'enseignais l'anglais aux enfants. Je faisais un peu d'animation...

*J.H.* — Le clown remontre le bout de son nez ?

*Carole* — Oui ! Je faisais quelques trucs, je jouais de la flûte, j'apprenais des chansons françaises aux enfants. C'était super !

*J.H.* — Je n'en doute pas ! Vous aviez aussi des travaux de groupe, j'imagine ?

*Carole* — Nous participions aux journées de corvée, les *mingas*, comme on les appelait. Parfois, il s'agissait de récolter du café ensemble. Un jour, il y a eu une importante corvée à San Pablo de Pita, un village où il y avait aussi des participants de Jeunesse Canada Monde. Les gens construisaient un pont, et il fallait aménager la route qui y conduisait. Pour la protéger contre les grandes pluies, il fallait barder les flancs de la route surélevée avec des pierres, retenues par des grillages.

*J.H.* — Nous n'avons pas parlé du choc que tu as eu, peut-être, en arrivant en Équateur.

*Carole* — Il n'y a pas vraiment eu de choc en arrivant à Quito, la si belle capitale. Bien sûr, on a été frappé par la végétation tropicale, la chaleur intense et tous ces gens qui marchaient à pied le long des routes. Le choc a été plus grand en arrivant dans le petit village de Caluma, surtout pour les participants équatoriens. La plupart venaient de milieux relativement à l'aise; ils avaient rarement quitté la grande ville : Quito, Cuenca ou Guayaquil. Ils ignoraient tout de la réalité rurale de leur propre pays.

*J.H.* — Il arrive souvent que, grâce à Jeunesse Canada Monde, des jeunes du Tiers-Monde découvrent les problèmes de développement de leur pays, problèmes dont ils n'avaient pas la moindre idée jusque là.

*Carole* — Même au Canada, on s'était rendu compte que les participants équatoriens n'étaient pas d'accord quand, au cours d'une journée éducative, on abordait la question de l'analphabétisme ou d'autres problèmes de développement dans leur pays. Ils se fâchaient : «Non, ce n'est pas vrai ! Ce n'est pas comme vous dites !» Ils tenaient tête même à l'agent de groupe qui pourtant connaissait très bien la situation en Équateur. En arrivant à Caluma, ils ont eu un choc. Pour la première fois de leur vie, ils découvraient la pauvreté. Quelques-uns refusaient d'aller vivre dans une modeste famille de San Pablo de Pita, par exemple. Cela devait provoquer de sérieuses discussions entre les Canadiens et les Équatoriens. Nous les traitions d'enfants gâtés ! Au cours d'une réunion, un des participants équatoriens nous a lancé : «Oui, c'est facile pour vous, les Canadiens. C'est comme si vous veniez faire du camping pendant quelques mois !»

*J.H.* — Ils ont tout de même fini par s'adapter ?

*Carole* — Oui. Et, à la fin, ils étaient contents. Avant de venir nous installer dans les villages, nous avions eu un camp d'orientation à Quito, auquel prenaient part d'anciens participants équatoriens. Ils nous ont parlé des expériences qu'ils avaient vécues au cours des programmes précédents. On leur demandait : «Quelle phase du programme avez-vous préférée? Qu'est-ce qui vous a le plus enrichis ? La phase canadienne ou la phase équatorienne ?» Immanquablement, les Équatoriens répondaient : «La phase en Équateur», parce qu'ils avaient découvert un aspect de leur pays qu'ils ne connaissaient pas. Venant pour la plupart de milieux urbains assez aisés, les Équatoriens s'adaptent sans difficulté à la vie qu'on leur offre au Canada. C'est quand ils arrivent dans les petits villages de leur pays qu'ils doivent renoncer au confort et faire des compromis.

*J.H.* — J'ai visité vos villages jadis : des villages très pauvres, si je me souviens bien.

*Carole* — À Caluma, ça pouvait aller, mais San Pablo de Pita, c'était vraiment pauvre. On y a envoyé les participants les plus forts, ceux qui n'avaient pas de problèmes avec leur homologue. Les autres se sont installés à Caluma.

*J.H.* — Et le départ, ça s'est passé comment ?

*Carole* — Ce fut tout simplement déchirant ! Pour ma part, j'aurais bien voulu prolonger mon séjour, mais c'était impossible. Au fond, je suis contente d'être partie parce que je ne serais peut-être jamais revenue ! Je m'étais vraiment bien acclimatée à Caluma, dans ma famille d'accueil. Mais il me semblait qu'on aurait pu faire plus, réaliser plus de choses concrètes. Il fallait bien vivre au rythme des gens de là-bas, et trois mois c'est un peu court pour concrétiser quoi que ce soit.

*J.H.* — Qu'as-tu fait en revenant au Canada ?

*Carole* — J'avais l'intention de m'inscrire en septembre à l'École de cirque de Montréal...

*J.H.* — Cher clown !

*Carole* — ... mais je n'étais pas sûre d'en avoir les moyens financiers. Alors, j'ai décidé de travailler en juin et en juillet dans un camp de vacances pour personnes handicapées. En septembre, on verrait. Les personnes handicapées, quelle découverte ! J'ai beaucoup appris et j'ai eu un immense plaisir à travailler avec elles. Une expérience très enrichissante sur le plan humain. Ensemble, nous faisions du théâtre, de la natation, du camping. En juillet, j'ai reçu un appel de Terry Preston du bureau régional de Jeunesse Canada Monde à Toronto. Elle cherchait d'anciens participants pour aider au camp d'orientation de nouveaux participants à Maple Lake. J'ai accepté et je me suis retrouvée coordonnatrice de langues dans un groupe de participants canadiens... et équatoriens !

*J.H.* — Tu avais sûrement bien des choses à leur dire ?

*Carole* — Le plus curieux, c'est que je me sentais plus près des Équatoriens que des Canadiens... On peut voir que j'avais fait un bout de chemin ! Trois semaines plus tard, Terry Preston me dit : «As-tu entendu parlé d'un projet spécial de Jeunesse Canada Monde avec le Zaïre, cette année ?» Bien sûr, j'étais intéressée. Quelques jours plus tard, Philippe Mougeot, coordonnateur du nouveau programme, a téléphoné et m'a invitée à aller passer une entrevue à Toronto. J'ai été acceptée ! Par la suite, un des agents de groupe, Daniel Renaud, m'a demandé si je pouvais accueillir chez moi Yvonne et Sue, deux participantes anglophones du programme spécial, qui avaient besoin d'une rapide immersion en français avant de partir pour le Zaïre. Elles sont venues passer quelques jours dans ma famille aux Écureuils, ce qui m'a permis de découvrir Yvonne et Sue, à qui j'ai fait visiter la ville de Québec. On s'est rendu ensemble au bureau de Jeunesse Canada Monde à Montréal. Vous étiez là, et vous aviez hâte, paraît-il, de nous voir arriver. Le soir même, nous retrouvions les autres participants au camp d'orientation de Saint-Liguori. Encore la vie de groupe ! On dépense beaucoup d'énergie à établir des relations, des amitiés même, pour ensuite les perdre à cause de l'éloignement.

*J.H.* — Il y a de ces amitiés qui durent, des anciens participants se retrouvent souvent, même après des années...

*Carole* — Ah oui ! je sais qu'il y a des participants que je vais revoir, même s'ils demeurent très loin. Grâce au programme, on a des amis à visiter partout à travers le pays.

*J.H.* — En attendant, tu irais te faire des amis à Kinshasa.

*Carole* — Nous n'y sommes restés que quelques jours avant de partir pour Mwene Ditu, où nous sommes en ce moment. Le lendemain de notre arrivée, on nous a répartis dans les différentes familles d'accueil. La mienne est une famille superbe, avec laquelle je m'entends à merveille. Une famille de onze enfants, mais il n'en reste que sept à la maison.

*J.H.* — Avec toi, ça fait huit...

*Carole* — Oui, c'est ça. Des enfants en bas âge : les plus vieilles ont 15 et 17 ans. Ces deux-là sont comme mes homologues : je partage ma chambre avec elles, nous allons au marché ensemble, nous préparons la cuisine... et nous rigolons ! Je n'ai guère de problèmes de communication avec la famille, car le père et les trois enfants plus âgés parlent français. La mère ne parle pas français, mais le comprend. Nous chantons ensemble. J'ai apporté un recueil de chansons et, le soir, pendant la préparation du repas, nous chantons. Ils connaissent maintenant des tas de chansons du Québec. Eux m'ont appris les danses traditionnelles de la région. Un bel échange qui me fait grand plaisir. Quand je danse leurs danses, ils me disent : «Mais tu es une vraie Zaïroise, toi !» Le père est un homme assez cultivé avec qui je discute beaucoup. Il me parle de l'histoire du Zaïre, des problèmes qui ont suivi l'indépendance, etc. Il me demande de lui dire ce que j'ai observé dans la journée et s'il y a des choses qui m'ont paru étranges. Alors, il me les explique, en remettant toute chose dans son contexte. Il s'intéresse beaucoup à mon adaptation à la nourriture d'ici, à leur mode de vie, à leurs habitudes.

*J.H.* — Tu t'es habituée au *fufu* ?

*Carole* — Pas facile de s'habituer au manque de variété. On mange du *fufu* une ou deux fois par jour ! C'est à base de farine de manioc et de maïs, et ça ressemble à de la pâte à tarte pas cuite qui serait servie chaude. Absolument sans saveur. Je n'aime pas beaucoup, mais comme c'est l'aliment de base, je n'ai pas le choix.

*J.H.* — Vous ne mangez pas que du *fufu*, tout de même ?

*Carole* — Il est généralement accompagné de deux autres plats. Souvent des feuilles de manioc cuites, aromatisées à la tomate. Ça ressemble aux épinards. L'autre plat, c'est de la viande de chèvre, du poisson frais ou du poisson séché. Ça ne varie guère d'un jour à l'autre. Dans les occasions spéciales, on sert du riz, des pommes de terre ou des haricots.

*J.H.* — C'est nourrissant, le *fufu* ?

*Carole* — Pas vraiment. C'est pauvre en vitamines, mais ça donne vite l'impression d'être rassasié. Les Zaïrois en fond une boule avec leurs doigts et l'avalent toute ronde. Comme je mastique mon *fufu*, cela fait bien rire le monde.

*J.H.* — Quelle autre coutume de la famille t'a étonnée ?

*Carole* — Le fait qu'on vive toujours en groupe. Au début, je trouvais ça difficile : je suis plutôt solitaire, même si je le suis beaucoup moins que l'an dernier. Alors, j'ai besoin de me réserver du temps pour écrire ou pour lire. Au début, chaque fois que je me retirais dans ma chambre, je me sentais un peu coupable. Les gens s'inquiétaient : «Qu'est-ce qui se passe? Carole est malade ?» Et puis, je me disais que ça ne donne pas grand-chose d'être en groupe si on ne fait rien ensemble. J'ai changé. Maintenant, je m'assois avec plaisir au milieu de la famille, et je comprends le bien-être qu'ils éprouvent à être ensemble. Les enfants, qui ont une grande importance dans une famille zaïroise, sont le centre d'attraction. Ils chantent des chansons, font des récitations ou viennent s'asseoir sur nos genoux pour babiller. Même s'ils ne parlent pas français, il est toujours facile de communiquer avec les enfants. J'étais particuliè- rement proche de ma petite soeur Suzanne que j'accompagnais à la prématernelle, où je travaillais trois jours par semaine avec Éric, un autre participant canadien. Nous avons préparé du matériel didactique pour les enfants, nous leur donnions des leçons, nous les faisions chanter. Et cela me rapprochait de Suzanne.

*J.H.* — Tu fréquentes d'autres familles du voisinage ?

*Carole* — Nos voisins immédiats sont la famille d'accueil d'une autre participante, Yvonne, et de son homologue Koni. Alors, forcément, on se fréquente beaucoup. Elles viennent causer chez moi, je vais danser chez elle. À Noël, toute leur famille est venue visiter la mienne. J'aime bien la famille d'Éric, et je vais souvent la voir. En fait, il est très facile de s'intégrer dans ce village, parce que les gens viennent spontanément nous parler. C'est même plus facile que dans une communauté canadienne. Des villageois que je ne connais pas viennent à la maison et me demandent s'ils peuvent me rendre visite : «Nous aimerions parler du Canada...» Quand je suis en forme, ça va... Ils s'intéressent surtout à la vie sociale canadienne : la famille, le mariage, l'éducation.

*J.H.* — Ton projet de travail ne se limitait sûrement pas à ton activité à la prématernelle ?

*Carole* — J'ai partagé mon temps entre ce travail, l'aménagement des sources d'eau et la reconstruction de l'hôpital. Au début, les participants étaient répartis entre les trois projets. On a fini par conclure qu'il serait plus intéressant que les participants fassent la rotation d'un projet à l'autre, multipliant ainsi les expériences. Je passais donc de l'école à l'hôpital, et de l'hôpital aux sources, jusqu'au jour où il a fallu se concentrer sur l'hôpital, de façon à terminer les travaux avant le jour de l'inauguration.

*J.H.* — Vous avez fait un travail formidable à l'hôpital.

*Carole* — Oui, j'en suis vraiment contente. Un vrai projet de développement. Comme d'ailleurs les sources d'eau. Le travail à l'école était peut-être moins utile... J'ai trouvé ça plutôt frustrant au début. La discipline est très rigoureuse et certaines choses me paraissaient injustes. Par exemple, un slogan disait : «Qui parle *tshiluba* ?» Et les enfants de répondre : «C'est un ignorant !» Je ne trouvais pas correct qu'on traite de cette façon la langue locale, même si c'était pour inciter les enfants à apprendre le français. Dans les cas difficiles, on utilise encore le roseau pour frapper les enfants.

*J.H.* — Je te vois mal frappant un enfant...

*Carole* — En fait, je protestais quand les autres le faisait. On ne comprenait absolument pas ma réaction. On trouvait ça plutôt drôle... Il y avait une petite fille qui était rejetée par les autres. Je crois qu'elle avait des problèmes psychologiques quelconques. Les enfants la traitaient de sorcière; ils la rejetaient davantage alors qu'elle aurait eu grand besoin d'attention. Les enfants criaient : «Va-t'en, la sorcière ! Cette enfant est une sorcière ! Allez, va-t'en !» La petite fille refusait de s'en aller et on la poussait physiquement. Un jour, je l'ai prise par la main en lui disant de me suivre dans ma classe. Elle s'est aussitôt mise à progresser, elle levait la main, elle venait au tableau, elle répondait aux questions. J'étais vraiment heureuse, jusqu'au jour où elle s'est mise à régresser à nouveau. Elle se permettait tout avec moi : je l'avais trop gâtée. J'ai alors compris que l'éducation n'était pas ma vocation ! Surtout dans une école sans ressources comme celle-là. Par exemple, les enfants de trois ou quatre ans sont tassés les uns contre les autres à cinq par banc. Forcément, ils se chamaillent, ils se frappent, ils pleurent. Comment peuvent-ils prêter attention à ce qui se passe en avant ?

*J.H.* — En plus de partager ton temps entre les trois projets de travail, il fallait aussi te concentrer sur les présentations pour la tournée canadienne ?

*Carole* — On est parti de rien. Nous avions de la documentation, mais guère d'idées sur la façon de la présenter. On a travaillé très fort et on est arrivé à un résultat dont je suis assez contente. C'est un peu théâtral, mais au moins on a réussi à expliquer ce qu'est le phénomène du développement en Afrique, à partir de l'expérience zaïroise. Ce que j'aurais voulu réaliser en Équateur, je l'ai réalisé ici.

*J.H.* — Maintenant, tu as une petite idée de ce que le mot développement veut dire ?

*Carole* — Oui, c'est un début, mais j'ai encore énormément à apprendre. J'ai vraiment hâte d'entreprendre la tournée canadienne, de partager mes expériences avec d'autres.

*J.H.* — C'est ce que tu vas faire pendant au moins six semaines.

*Carole* — Oui. Et si ça me plaît vraiment, j'aimerais continuer dans ce domaine. Étudier le développement et aussi l'animation, à Montréal. J'en parlerai à Luc, qui sera mon agent de groupe pendant la tournée canadienne, et qui, auparavant, a fait de l'éducation au développement.

*J.H.* — Tu feras la tournée en Ontario ?

*Carole* — En Ontario et au Québec. Deux semaines en français et le reste en anglais. Ça, c'est un autre défi. Je suis capable de communiquer avec des personnes, même en groupe, mais devant une classe, c'est autre chose.

*J.H.* — Ça doit être plutôt fascinant de penser que tu vas pouvoir communiquer avec des centaines, voire des milliers de Canadiens ?

*Carole* — C'est vraiment super ! C'est comme un rêve... Et tout sera parfaitement organisé : les transports, l'hébergement, tout. Il y aura partout des gens pour nous accueillir, des gens pour nous écouter.

*J.H.* — Par exemple, les groupes de Katimavik dont vous partagerez la maison dans certaines communautés.

*Carole* — Oui. Ça aussi, c'est super ! J'ai déjà rencontré quelques participants de Katimavik l'an dernier, mais je connais le programme depuis plusieurs années grâce à mes parents qui ont souvent été famille d'accueil pour Katimavik. Quand j'ai aperçu des participants dans les rues des Écureuils, j'ai dit à ma mère : «Maman, ce serait super d'avoir des participants de Katimavik à la maison !» Mes parents sont très ouverts et ils accueillent des participants depuis ce temps-là, même des anglophones. Au début, ma mère disait : «Comme Carole n'est pas là et que je ne parle pas anglais, il me serait difficile de recevoir des anglophones». Maintenant, elle a pris l'habitude et elle accueille des participants de partout.

*J.H.* — Connais-tu déjà ton équipe pour la tournée ?

*Carole* — Il y aura Lynn et Mangando. Lynn est une participante franco-ontarienne, et Mangando, un participant zaïrois. Je m'entends très bien avec lui : il a un bon sens de l'humour, il pose les bonnes questions et il a un excellent esprit d'analyse. Un Zaïrois, je pense, avec qui nos auditoires canadiens vont communiquer sans peine. Je suis vraiment fière des participants zaïrois. Ils sont bien au courant de la situation de leur pays et ne connaissent pas seulement le beau côté des choses. Ils comprennent l'objectif de la tournée, ils savent qu'ils seront le centre d'attraction, qu'on leur posera plus de questions qu'à nous les Canadiens. Et tout cela les intéresse au plus haut point.

*J.H.* — Et après les six semaines de tournée, qu'est-ce que tu comptes faire ?

*Carole* — Je vais tranquillement rentrer chez moi pour m'y reposer pendant quelques semaines. Faire les sucres avec mes parents, monter à cheval, revoir quelques amis. Ensuite, me trouver un emploi dans la région de Québec, peut-être à Montréal, travailler jusqu'en septembre. Peut-être retourner au camp de vacances pour personnes handicapées... Des projets à court terme, encore un peu flous. Un an ici, un an là... Comme je veux perfectionner mon anglais, je pourrais aller vivre un an dans une province anglophone... Je pourrais étudier l'animation à l'Université du Québec à Montréal avec, bien sûr, l'éducation au développement en tête... Ou peut-être encore aller passer un an à Quito pour y perfectionner mon espagnol... Chose certaine, pour l'instant du moins, je n'envisage pas d'étudier trois ans dans une université pour ensuite passer le reste de ma vie à poursuivre une «carrière» !

*J.H.* — Ce n'est pas ton genre...

*Carole* — Non, ça ne m'intéresse pas encore. Peut-être que j'y viendrai... plus tard !

*J.H.* — Dirais-tu que l'expérience zaïroise t'a changée de quelque manière ?

*Carole* — Grâce à l'Équateur, je suis devenue beaucoup plus tolérante. Au Zaïre, c'est plutôt sur le plan intellectuel que j'ai changé. Je vois les choses différemment.

Avant, j'avais tendance à imposer ma vision nord-américaine, à juger les coutumes des autres. Plus maintenant. Enfin, la grande chose que m'a apprise le programme... c'est qu'il me restait beaucoup à apprendre !

## Commentaires de Carole Godin sur la tournée canadienne

Je me rends compte de la chance que j'ai eue de faire partie d'un pareil programme. Un groupe superbe. Un beau pays d'échange, le Zaïre, où on a appris beaucoup, et une tournée canadienne qui m'a emmenée de Vaudreuil (Québec) à London (Ontario), en passant par New Liskeard, North Bay et Toronto.

Les familles d'accueil, les classes, les groupes qui nous ont reçus ont été fantastiques pour la plupart, et ils ont manifesté un vif intérêt pour nos présentations. En dépit de cet intérêt, on a été étonné de voir jusqu'à quel point les gens en savent peu sur les réalités du Tiers-Monde, alors que l'on vit dans un pays où les possibilités d'information et les moyens de communication sont à la portée de la main.

Au Canada, c'est à peine si on sait que le Zaïre existe. Là-bas, en pleine savane africaine, les enfants savent beaucoup de choses sur le Canada, des enfants qui, chaque jour transportent un banc sur leur tête parce qu'il n'y en a pas à l'école, comme d'ailleurs il n'y a pas de livres.

Cette tournée, non seulement m'a enrichie sur le plan des connaissances sur le développement et sur les techniques de l'animation, mais elle m'a convaincue que le Canada a encore un bon bout de chemin à faire pour vraiment comprendre les problèmes du développement international.

Moi aussi, d'ailleurs...

## Carole Godin dix ans après

*Après le programme du Zaïre, Carole a travaillé à Québec comme animatrice pour une société qui organisait des échanges interculturels. Elle a accueilli et animé des groupes d'adolescents de l'Ontario et des États-Unis venus passer quelques jours à Québec pour s'initier à la culture québécoise.*

*L'année suivante, tout en conservant cet emploi à temps partiel, elle s'est inscrite en technique infirmière au cégep F.-X. Garneau de Québec. Dans ce collège, elle a participé à la formation interculturelle de Garneau-International qui se terminait par un stage de trois semaines en Haïti, où elle s'est rendue en mai 1988.*

*Au printemps 1990, elle a obtenu son diplôme d'études collégiales et a travaillé en tant qu'infirmière dans deux centres hospitaliers de Québec. Par la suite, elle s'est établie à Rivière-du-Loup, où elle travaille surtout à l'urgence du centre hospitalier régional du Grand-Portage, tout en poursuivant des études universitaires en sciences infirmières. Occasionnellement, elle collabore avec Jeunesse Canada Monde en donnant des séances d'information sur la santé et la sexualité aux participants du programme.*

*Entre les études et le travail, elle a fait quelques voyages aux États-Unis, au Mexique, au*

*Venezuela et en France. Elle est aussi retournée en Équateur, dont elle avait conservé un excellent souvenir. Elle voulait faire goûter à ses proches, qui voyageaient avec elle, le plaisir de se retrouver dans ce beau pays où les gens sont chaleureux et accueillants. Ils ont tous beaucoup apprécié l'expérience, et particulièrement une soirée chez des gens du village où elle avait vécu.*

*Carole est maintenant mariée et s'apprête à vivre une autre expérience culturelle enrichissante puisque d'ici quelques mois, elle ira en Chine pour adopter une petite fille.*

# 7.
## Scott Elliott

*De la Colombie-Britannique à la République Dominicaine*

Scott, dans son village d'Indonésie en 1992.

*Scott* — Je suis né à Port Moody, en Colombie-Britannique, où j'ai vécu jusqu'à l'âge de 18 ans.

*J.H.* — Tu as aimé l'école ?

*Scott* — Je l'ai trouvée ennuyeuse. Ça manquait de défis. Mes efforts ont surtout porté sur les sports et le côté social de l'école plutôt que sur les études. J'ai tout de même obtenu mon diplôme en 1982 et j'avais même été choisi le *valedictorian* de la classe. Avant la fin de l'année, j'avais soumis ma candidature à Jeunesse Canada Monde. Je souhaitais vraiment sortir de ma ville et vivre des expériences nouvelles. Sans cela, il me semblait qu'il n'y aurait pas grand avenir pour moi. Malheureusement, Jeunesse Canada Monde...

*J.H.* — ... a refusé ta candidature !

*Scott* — Hélas ! Mais j'avais également posé ma candidature à Katimavik.

*J.H.* — Tu ne voulais prendre aucun risque !

*Scott* — Non ! Bien que tous mes amis se dirigeaient vers l'université, je n'avais nulle envie de poursuivre des études dès l'automne suivant, ni d'ailleurs de rester dans ma ville et d'y trouver du travail.

*J.H.* — Tu ne savais pas encore ce que tu voulais faire dans la vie ?

*Scott* — Pas vraiment. Ce qui pour moi était clair, c'est que je ne voulais ni de l'école, ni d'un job quelconque. Mais je savais que je voulais voyager, voir quelque chose de nouveau et réussir ma vie.

*J.H.* — As-tu été accepté à Katimavik ?

*Scott* — Une semaine après avoir reçu une lettre de Jeunesse Canada Monde qui disait : «Dommage, vous êtes refusé», j'en ai reçu une autre de Katimavik qui m'annonçait le contraire. Une nouvelle épatante ! En moins de temps qu'il n'en faut pour le dire, j'étais dans un avion en route pour London (Ontario). Un début de programme extraordinaire. En fait, ce fut là la meilleure de mes trois «rotations». Nous étions dix participants qui vivaient en groupe et nous travaillions au *Museum of Indian Archeology*. Un cours accéléré dans l'art de coopérer avec d'autres !

*J.H.* — Et la deuxième phase de trois mois ?

*Scott* — Elle s'est déroulée au Québec, plus précisément au Lac Saint-Jean, dans le village de Chambord.

*J.H.* — Chambord ? Ma femme est née à Chambord !

*Scott* — *Ah oui !*[2] Une très belle région ! Maintenant que j'y pense, je dois avouer que je ne me suis pas intégré à la communauté autant que j'aurais dû. La meilleure expérience de cette phase fut mon séjour dans une famille de Chambord. J'y ai appris beaucoup de français et, surtout, j'ai appris sur la culture du Québec. La famille dirigeait une ferme laitière. C'était tout nouveau pour moi : debout à 5 heures pour traire les vaches, faire mille choses dans la journée, jouer avec les enfants... et me coucher à 19 heures. Venant de la ville, j'ignorais tout de la vie dans une ferme. J'en ai acquis un immense respect pour les agriculteurs.

---

2    En français dans l'interview anglaise.

*J.H.* — Où votre groupe a-t-il vécu la troisième phase ?

*Scott* — À Fort St. John, où nous avons travaillé dans un collège, dans la section théâtre, et, ensuite, dans une école pour les élèves «à problèmes», le *Fort St. John Alternate School.*

*J.H.* — Pourrais-tu me dire où est situé Fort St. John ?

*Scott* — Dans le nord-est de la Colombie-Britannique, au mille 54 de la route de l'Alaska.

*J.H.* — Alors, tu revenais dans ta propre province ?

*Scott* — Oui, mais dans une région de ma province où j'étais rarement allé. Jusque-là, je n'avais exploré que le sud de la Colombie-Britannique.

*J.H.* — Et après les neuf mois de Katimavik ?

*Scott* — Je suis retourné à Port Moody, où j'ai trouvé un travail pour l'été. Je me suis inscrit au collège en septembre. Je n'en avais pas vraiment envie, mais il n'y avait pas de jobs intéressants en perspective, et je n'avais rien de mieux à faire. Le soir même de mon inscription, j'ai reçu un coup de téléphone de l'école alternative où j'avais travaillé bénévolement comme participant de Katimavik. On m'offrait un emploi comme conseiller auprès des enfants. Comme je n'avais que 19 ans, c'était là une occasion unique. Dès le lendemain, je repartais pour Fort St. John, où je me suis mis à enseigner l'éducation physique et à conseiller les élèves, soit individuellement soit en groupe.

*J.H.* — Et après ?

*Scott* — Au printemps, j'ai à nouveau soumis ma candidature à Jeunesse Canada Monde...

*J.H.* — Faut jamais lâcher !

*Scott* — ...et cette fois, on m'a accepté. Le hasard a fait que la partie canadienne du programme devait se dérouler à Alma, au Lac Saint-Jean...

*J.H.* — Tu étais prédestiné pour le Lac Saint-Jean !

*Scott* — Apparemment oui ! C'est dans cette région que j'ai vraiment appris à parler français. Alors, je le parle avec un accent anglais... et un accent du Lac Saint-Jean !

*J.H.* — Tu étais avec le groupe de la République Dominicaine, je crois ?

*Scott* — C'est exact.

*J.H.* — Tu avais un homologue...

*Scott* — Il s'appelait Luis Demetrio Baez Rodriguez... que j'appellerai Luigi pour simplifier. On s'est bien amusé à apprendre à communiquer entre nous : Luigi parlait l'espagnol, et moi l'anglais.

*J.H.* — Alors, dans quelle langue vous parliez-vous ?

*Scott* — En français, mais dans un français très approximatif. Et surtout par signes ! Maintenant, je me débrouille beaucoup mieux en français.

*J.H.* — Parle-moi de votre famille d'accueil ?

*Scott* — Mon Dieu ! Ce fut toute une expérience. Nous avons vécu avec la famille Trudel pendant trois mois. Une famille de cinq enfants. Pour bien des gens, ce n'est peut-être pas la fin du monde, mais il faut comprendre que dans ma famille il n'y a que deux enfants : mon frère et moi. Se retrouver tout à coup avec cinq jeunes frères et soeurs, très remuants, dont je ne parlais pas très bien la langue, c'était quelque chose ! Mais j'ai vraiment aimé l'expérience.

*J.H.* — Que penses-tu du Lac Saint-Jean ?

*Scott* — Une région formidable. Une réalité très différente de celle que j'avais connue pendant mon enfance. D'abord, j'ai cru que les gens auraient quelques préjugés à mon endroit parce que j'étais un *Anglais*, mais tout le monde était vraiment gentil avec moi. Parce que j'étais le seul anglophone qui travaillait au cégep, les étudiants venaient me voir pour travailler leur anglais. Je leur parlais aussi dans mon mauvais français et nous finissions par nous comprendre fort bien. J'ai aussi eu la chance d'organiser des activités avec *Solidarité internationale* pour la *Journée mondiale de l'alimentation*. C'était ma première expérience en ce qui concerne l'éducation au développement. Cela m'a beaucoup aidé à rendre les questions de développement et de désarmement moins abstraites.

*J.H.* — Et puis, tu es parti pour la République Dominicaine ?

*Scott* — Oui. Mon premier voyage en dehors du Canada ou des États-Unis. Je n'avais aucune idée de ce qui pouvait m'attendre. Nous sommes arrivés au milieu d'une nuit chaude et humide. Épuisés... et très excités !

*J.H.* — Tes premières impressions ?

*Scott* — J'étais dépassé par les événements. Je ne connaissais par un mot d'espagnol : au Québec j'étais d'abord aux prises avec le français. Au camp d'orientation, on nous a donné deux cours d'espagnol et quatre journées d'information, et hop ! on nous a expédiés dans le village de notre homologue pour y passer quelques jours jusqu'à ce que les projets soient prêts dans les communautés. En arrivant dans le village de Luigi, le spectacle était incroyable. Il s'agit d'un tout petit village, et Luigi était devenu une célébrité parce qu'il avait été au Canada et tout. Je pense que toute la population du village (de 200 à 300 personnes) était venue l'accueillir. Comme tout le monde parlait espagnol, je me sentais vraiment perdu. Je n'oublierai jamais cette journée-là. Assis avec quelques-uns des cousins de Luigi, j'essayais de suivre la conversation. Au bout de deux heures, j'étais passablement abasourdi et je me souviens de m'être dit à moi-même : «Mais qu'est-ce que je fais ici ?» Ce fut tout un choc !

*J.H.* — Parle-moi un peu de la République Dominicaine ?

*Scott* — Sans l'ombre d'un doute, ce fut une des plus belles expériences de ma vie. Parce que nous vivions dans une petite communauté, tout le monde nous connaissait, ou voulait nous connaître, ce qui facilitait notre intégration et notre compréhension de leur vie, de leurs réalités. Mon projet de travail m'a vraiment aidé à connaître les gens. Luigi et moi enseignions l'anglais dans une école du village. Un joyeux défi, car je ne pouvais encore rien traduire en espagnol. J'expliquais l'idée ou le mot anglais à Luigi *en français* et il traduisait en espagnol. Un système plutôt compliqué, mais qui fonctionnait parce que les élèves avaient cette soif d'apprendre. Je travaillais aussi à la construction de maisons pour les familles vraiment pauvres — un projet d'OX-FAM, — et, pendant un peu plus d'une semaine, j'ai creusé des fossés avec les villageois. J'ai vraiment aimé cette expérience, non seulement parce qu'elle apportait une contribution concrète à la communauté, mais aussi parce qu'elle m'a permis de rencontrer des tas de gens du village.

*J.H.* — Tu n'as rien dit de ta famille d'accueil ?

*Scott* — *La familia Mendez*. Nous habitions dans une petite ferme, aux abords du village, près d'une rivière. La famille vivait dans la plus grande simplicité, mais ne manquait de rien d'essentiel à ses besoins. Elle avait une certaine autonomie alimentaire grâce à la ferme qui fournissait le *casaba*, les porcs, les haricots, les oranges, les bananes, sans parler du café et des cacahuètes qu'on vendait au marché. Notre maison était la dernière qui avait l'électricité... Une fois rendue chez nous, elle avait du mal à alimenter quelques ampoules électriques !

*J.H.* — Comment s'appelle le village ?

*Scott* — Loma de Cabrera.

*J.H.* — Que pensais-tu de ce pays, entre autres sur le plan du développement ?

*Scott* — J'en étais à ma première expérience dans un pays en voie de développement et je ne me rendais pas trop compte de ce qui se passait réellement. Plusieurs choses m'ont toutefois laissé une forte impression. Un premier choc fut de voir la façon dont on utilisait les terres arables. Au lieu de cultiver les aliments de base dont on avait besoin, on favorisait la culture de la canne à sucre. Nous avons visité plusieurs plantations de canne à sucre et nous avons constaté l'exploitation dont étaient victimes les travailleurs. Je n'avais aucune idée de ce qui pouvait justifier un pareil système, jusqu'à ce que j'apprenne que la canne à sucre était une des rares récoltes qui rapportaient des devises, dont le gouvernement avait besoin pour rembourser les emprunts faits au Fonds monétaire international. Cela me paraissait un gaspillage de bonnes terres et de ressources. J'ai aussi été fort impressionné de voir que les bébés et les enfants paraissaient aussi heureux. Au cours de mes trois mois dans le village, j'ai rarement entendu un bébé pleurer. Non pas qu'on manquât de bébés, bien que la mortalité infantile fut très élevée, mais on prenait le plus grand soin des enfants. Même s'ils n'avaient pratiquement rien, du moins sur le plan matériel, ils étaient heureux, contrairement aux enfants du Canada, souvent trop gâtés. Ici, les gens aiment faire la fête. Souvent, ils sortent en famille pour aller danser le *merengue* ou la *salsa*. Ces soirs-là, il est important pour eux d'avoir belle apparence. Même si leurs vêtements ne sont pas neufs, ils sont toujours propres et bien repassés. Ce n'était pas mon style ! En toute circonstance, je trouvais convenable de porter des jeans délavés et un t-shirt. Depuis, j'ai acquis un brin de fierté et je me soucie davantage de la façon dont je m'habille. J'ai toujours été un peu rebelle et je considérais que ma façon de me vêtir aurait dû convenir à tout le monde.

*J.H.* — Voilà la réaction typique d'un jeune Canadien !

*Scott* — Oui, c'est vrai. Mais mon attitude à cet égard a changé grâce à mon expérience dominicaine.

*J.H.* — As-tu fini par apprendre l'espagnol ?

*Scott* — Au bout de trois mois, mon espagnol n'était pas mal du tout. Je me débrouillais bien. Après le programme, j'ai passé un mois en République Dominicaine et j'ai alors fait des progrès sensationnels. J'ai vécu avec Luigi dans sa famille, en l'absence de tout Canadien aux alentours. Une immersion totale.

*J.H.* — Et puis tu es revenu au Canada. Un peu différent, peut-être ?

*Scott* — Absolument. La République Dominicaine m'avait fait connaître une nouvelle façon de vivre. Avant, je n'avais connu que l'existence protégée des banlieusards, sans avoir la moindre idée de ce qui se passait dans le reste du monde. J'ai commencé à remettre en question des valeurs qui, jusque là, m'avaient paru évidentes. Je me suis rendu compte du mode de vie effréné des Canadiens, qui ne prennent pas le temps de jouir des plaisirs les plus simples de la vie. En fait, les Canadiens sont des gens très sociables, mais leur emploi du temps est structuré de façon trop rigide, ce qui ne laisse guère de place à l'imprévu. Je sais qu'il s'agit là d'une généralisation, mais c'est souvent le cas. Je dois reconnaître que cette généralisation a été sérieusement contredite au cours de mon voyage de retour, de Montréal à Vancouver.

*J.H.* — Que s'est-il passé ?

*Scott* — Je me suis d'abord rendu à Ottawa avec un ami. Là, m'attendait André, un participant qui était avec moi à Loma de Cabrera. À Ottawa, j'ai travaillé pendant quelques jours à faire du porte-à-porte, tentant d'obtenir des entrevues pour un vendeur d'appareils de chauffage. J'ai bientôt repris la route de Toronto, où m'attendait Brian, un autre ancien participant. J'y ai travaillé le temps de gagner le prix d'un billet d'autobus pour Vancouver. Tout le long de la route, je me suis arrêté pour rendre visite à d'anciens participants.

*J.H.* — Tu as maintenant des amis partout au Canada...

*Scott* — Et de vrais amis ! Pour la plupart des amis que je m'étais faits à Katimavik ou à Jeunesse Canada Monde. Cela m'a permis de m'arrêter dans chaque province. Et ces amis étaient en mesure de comprendre l'expérience que je venais de vivre, et tout ce que j'avais appris. En arrivant à Vancouver, je me sentis complètement désorienté. Dans la région, il n'y avait aucun de mes amis de Jeunesse Canada Monde. Quant à mes amis du *high school*, ils étaient bien incapables de comprendre tous mes changements d'attitude. J'avais découvert tant de choses qu'il me paraissait impossible d'en parler avec quiconque n'avait pas vécu une expérience semblable. Il était très difficile pour moi de revoir des gens pour la première fois depuis trois ans et d'essayer de résumer tout ce qui s'était passé dans ma vie pendant ce temps-là. Comment expliquer ça en dix minutes ? Bien vite, je suis retourné à Fort St. John, où j'ai recommencé à travailler auprès des enfants, soit en groupe ou individuellement. Après Jeunesse Canada Monde, je ne pouvais me résigner à faire un job «ordinaire» de 9 à 5. J'avais besoin d'un travail qui me paraissait en valoir la peine et qui changerait quelque chose. À la fin de l'été, je commençais à me demander : «Et maintenant, qu'est-ce que je fais ?» C'est alors que j'ai entendu parlé du programme spécial avec le Zaïre. Je pose ma candidature, je suis accepté... et me voilà !

*J.H.* — Alors, le Zaïre...

*Scott* — L'arrivée au Zaïre fut tout à fait différente de l'arrivée en République Dominicaine. Sans doute parce que je m'attendais à un choc culturel, ce fut beaucoup plus facile et je me sentais plus à l'aise. Après un court séjour à Kinshasa, nous nous sommes mis en route pour Mwene Ditu, notre village, où nous nous trouvons en ce moment.

*J.H.* — Parle-moi de Mwene Ditu.

*Scott* — En arrivant, j'ai appris que je vivrais avec Miango, un participant zaïrois, dans une famille d'accueil, la famille de Papa Raphaël. L'initiation fut plutôt surréaliste ! Je me souviens que j'étais très nerveux quand nous avons salué chacun des membres de la famille... avant qu'on nous laisse seuls pendant un moment qui nous parut très long. Je pense qu'ils étaient aussi nerveux que je l'étais ! Il faisait si noir que, le lendemain, je ne reconnaissais pas les gens qui étaient là la veille...

*J.H.* — Il n'y avait pas d'électricité ?

*Scott* — Non. Pas d'électricité ni d'eau courante. Mais ce n'était pas vraiment un problème. Selon les standards du village, la famille était plutôt à l'aise : il y avait des lampes, des cruches d'eau, du bois pour faire la cuisine, un réfrigérateur à gaz défectueux et une toilette rudimentaire à l'extérieur. Qu'est-ce qu'on aurait voulu de plus ?

*J.H.* — Comment t'entendais-tu avec la famille ?

*Scott* — Il m'a fallu quelque temps avant de vraiment m'intégrer, à cause d'un tas de petits détails. Par exemple, au cours du premier mois, j'appelais mon «père» Papa Raphaël, mais personne ne comprenait de qui je parlais. Les villageois le connaissaient sous le nom de Tszambila, parce qu'ils avaient cessé d'utiliser les noms chrétiens. Au départ, je n'étais pas vraiment à l'aise parce que nous étions traités d'une façon très spéciale. Miango et moi mangions avec deux de nos «soeurs». La conversation était plutôt empesée et formelle. Nous n'avions guère de contacts avec les autres membres de la famille. Maintenant, tout a changé et nous faisons davantage partie de la famille. Je prends le temps de parler à ma «mère». Elle ne comprend pas le français, et je sais à peine dix mots de *tshiluba*, la langue locale, mais je lui parle en français, et cela la fait rire. On ne se comprend pas tellement, mais on s'amuse bien.

*J.H.* — La famille compte beaucoup d'enfants ?

*Scott* — À la maison, il y a quatre filles. Et, de temps en temps surgit Fiston, qui a peut-être deux ans. Je crois qu'il s'agit d'un petit-fils, qui vit dans une maison voisine. La famille a d'autres enfants dispersés le long de la route entre Mwene Ditu et Kinshasa. Il n'est pas toujours facile de savoir qui est de la famille et qui ne l'est pas. Cela n'a rien à voir avec le milieu dans lequel j'ai vécu.

*J.H.* — La famille n'en finit plus... Que penses-tu de cette espèce de solidarité infinie avec tout membre de la famille, avec les cousins, les neveux ?

*Scott* — Pour moi, ce fut une révélation. J'aime ce concept de la famille élargie. Et pourtant, la famille zaïroise ne me semble pas une famille très unie. Il arrive que des enfants ne voient pas leurs parents pendant des années. Cela me paraît étrange, parce que je suis en contact avec ma famille au moins plusieurs fois par année. Par contre, ici, les familles ont un esprit de solidarité très évident. Chaque membre d'une famille doit compter sur les autres, chacun a un rôle à jouer, chacun a sa responsabilité. N'importe qui peut devenir un membre de la famille : un cousin, un parent lointain que vous n'avez jamais rencontré... ou un gars comme moi ! Dès que quelqu'un met les pieds dans la maison, il fait partie de la famille. Instantanément. Il n'en est pas de même au Canada !

*J.H.* — Au cours des années, peut-être avons-nous perdu certaines valeurs que nous possédions jadis ?

*Scott* — Absolument. J'ai retrouvé ici des valeurs évoquées jadis par ma propre mère, qui a été élevée dans une ferme, en Saskatchewan. Je crois aussi qu'il s'agit d'un phénomène d'interdépendance. Ici, les gens sont disposés à partager, et ça ne les gêne pas de dépendre des autres. Pour survivre, ils ont besoins les uns des autres.

*J.H.* — À quoi as-tu consacré ton temps à Mwene Ditu ?

*Scott* — Nous avions plusieurs projets de travail, et j'ai eu la chance de passer de l'un à l'autre. J'ai commencé par travailler au Lycée Mobutu, dirigé par les soeurs. J'ai réparé et repeint le bâtiment. Ensuite, j'ai travaillé au projet des sources d'eau, dont l'objectif était de fournir à la population de l'eau potable. Je suis arrivé au bon moment. Steven, Ian et Miango avaient déjà mis le projet en branle et avaient réussi à intéresser la population. C'était exaltant de travailler concrètement à un vrai projet de développement, une notion qui cessait d'être abstraite; ce n'était plus quelque chose qui se passait «là-bas». Je travaillais manuellement, je creusais la terre, mais je contribuais à aménager une source d'eau potable qui allait profiter à des tas de gens. Je me sentais heureux. Un jour, entre quarante et cinquante personnes, hommes, femmes et enfants, sont venus travailler avec nous. Nous extrayions de l'argile blanche de la source. Généralement, on n'encourageait pas les enfants à participer aux travaux, mais ce jour-là, on les a incités à le faire. Et on s'est mis à leur barbouiller la figure avec l'argile... Ils trouvaient ça super, ils s'amusaient ferme et, par la suite, ils se sont rendus utiles.

*J.H.* — Apparemment, Steven, le grand animateur du projet des sources, a l'air convaincu que le projet est bien lancé ?

*Scott* — Steven a été le catalyseur du projet de travail. Il voulait que ça réussisse et il a fait en sorte que cela arrive. Un effort impressionnant.

*J.H.* — Parce que vous avez finalement construit plusieurs sources d'eau ?

*Scott* — Pour ma part, je n'ai contribué qu'à la construction d'une seule source, mais le groupe en a construit sept. On a élaboré un projet, proposé aux chefs du village, qui concerne toutes les sources d'eau de Mwene Ditu.

*J.H.* — Ce qui revient à dire que des centaines de personnes vont bénéficier du projet ?

*Scott* — Plutôt des milliers ! À condition, bien sûr, qu'on entretienne les sources. Les idées, les matériaux et la technologie sont indigènes. On ne peut rien attendre de l'extérieur. Mais souvent, l'enthousiasme s'étiole et les gens retournent à leurs vieilles habitudes.

*J.H.* — En plus de travailler aux sources d'eau, que faisais-tu ?

*Scott* — J'y consacrais deux jours par semaine et j'enseignais l'anglais pendant trois jours. Les écoles sont plus mal en point qu'en République Dominicaine. Ici, on admet sans peine que le système d'éducation est en chute libre, ce qui est vraiment triste.

*J.H.* — Le grand problème des écoles zaïroises, c'est quoi ?

*Scott* — L'argent, les ressources, les priorités. Les écoles sont construites en briques de terre et sont recouvertes d'un toit en chaume : souvent les murs s'écroulent. Dans les écoles où j'enseignais, il n'y avait qu'un tableau noir très usé... et la craie que j'apportais ! Les écoliers devaient fournir leur propre chaise, souvent une boîte vide de lait en poudre *Lido*. La moitié d'entre eux avaient un crayon et du papier, l'autre moitié n'en avaient pas. Un instituteur est considéré comme tel dès qu'il a fait six ans d'école secondaire. Il reçoit un salaire de 700 à 1 000 zaïres par mois, c'est-à-dire environ vingt-cinq dollars canadiens. Bien que la vie coûte moins cher qu'au Canada, je ne pense pas qu'il soit possible de vivre d'un tel salaire. Les instituteurs y arrivent parce qu'ils ont d'autres «petits négoces», qui rognent le temps qu'ils devraient consacrer à l'enseignement. Une situation déprimante pour les enseignants. Souvent, les instituteurs et leurs élèves arrivent en classe sans énergie, parce qu'ils n'ont pas pris un petit déjeuner convenable. Bien des enfants ne viennent même pas à l'école, souvent pour des raisons d'ordre économique : on a besoin d'eux pour les travaux de la ferme, pour le commerce familial ou pour travailler dans les mines de diamant.

*J.H.* — Laissons l'école et allons à l'hôpital, où tu as travaillé...

*Scott* — L'hôpital était un des grands projets du groupe. Nous avons reconstruit un hôpital qui était en ruine depuis l'indépendance. Je suis vraiment fier de ce que nous avons accompli. Sans cesse, nous faisions face à des difficultés nouvelles, ce qui parfois nous décourageait. Un jour, par exemple, il fallait tailler de la vitre. N'ayant jamais fait cela de ma vie, j'ai vite appris que la vitre se casse facilement ! Nous n'avions pas beaucoup de ressources, et il était très frustrant d'en gaspiller.

*J.H.* — Au prix que coûte la vitre dans ce pays !

*Scott* — Les prix sont fous. La disparition du matériel était une autre source de frustration. Je pense que 80 p. cent de nos outils ont fini par disparaître, ce qui nous dérangeait beaucoup quand, par exemple, il fallait nous débrouiller avec deux marteaux au lieu de douze.

*J.H.* — Les gens ont un tel besoin de marteaux !

*Scott* — Bien sûr. Je le comprenais. Nous le comprenions tous. Ici, si vous possédez une truelle, vous devenez maçon; si vous avec un marteau, vous êtes charpentier. La possession d'outils vous identifie comme professionnel ! Alors, j'aurais compris que les gens s'approprient nos outils à la fin du projet. Je n'avais rien contre. En fait, je trouvais sympathique de créer des emplois en donnant quelques outils. Mais il fallait d'abord nous laisser finir les travaux.

*J.H.* — Quoi qu'il en soit, vous avez mené à bien votre projet. L'hôpital a été reconstruit...

*Scott* — *Enfin, c'est prêt !*[3] Oui !

*J.H.* — On me dit que, déjà, des malades sont sur le point d'emménager.

*Scott* — C'est vrai, dès aujourd'hui.

*J.H.* — Que penses-tu des cérémonies d'inauguration auxquelles nous venons de participer ?

*Scott* — J'en ai été fort impressionné. Une cérémonie très intéressante qui a attiré plein de monde. Je m'y attendais un peu : avec la présence du gouverneur et d'une délégation du Canada, c'était un événement à ne pas manquer. Et quelle joie de voir enfin complété notre projet !

*J.H.* — Tu as eu beaucoup de contacts avec les gens du village ?

*Scott* — Il a fallu des mois pour vraiment s'intégrer. On s'amuse beaucoup avec les enfants. Je ne comprends pas la moitié de ce qu'ils me racontent parce que la plupart d'entre eux ne parlent que le *tshiluba*. Alors, la conversation est réduite à sa plus simple expression, mais on s'amuse bien quand même. Maintenant, je connais des tas de gens et je m'entends bien avec tout le monde. Avec certains, la conversation est limitée,

---

3    En français dans l'interview anglaise.

mais avec d'autres je peux parler de tout. On commence à tisser des liens solides. Ce matin, j'ai laissé quelques petits souvenirs à un ami. À son tour, il m'a offert la corne d'un sanglier sauvage qu'il avait tué à l'âge de 12 ans, c'est-à-dire il y a 23 ans. L'objet n'est pas beau, mais il a du caractère en raison de l'histoire qu'il raconte. Un cadeau très spécial.

*J.H.* — Alors, maintenant, tu te sens aussi à l'aise à Nwene Ditu que si tu étais à Vancouver ?

*Scott* — Peut-être plus qu'à Vancouver. Je me sens bien dans cette communauté, en harmonie avec le genre de vie. Je suis plus en paix avec moi-même que lorsque j'étais à Vancouver. Pas facile à expliquer.

*J.H.* — À propos, ton français est vraiment bon.

*Scott* — Il s'est amélioré énormément depuis que je suis au Zaïre, mais je fais encore des tas de fautes. Je comprends et je m'exprime bien jusqu'à ce que la conversation devienne trop complexe. Je manque encore de vocabulaire et de grammaire. Il me faudrait suivre des cours, avec des livres.

*J.H.* — Le moment est donc venu de rentrer au Canada ?

*Scott* — Déjà ! Mais j'envisage avec plaisir la tournée canadienne. Je suis excité à mort !

*J.H.* — Tu vas pouvoir utiliser tes talents de communicateur. Dans quelle région, exactement ?

*Scott* — Dans l'ouest du Canada. Ce ne sera sûrement pas facile d'aller de Vancouver à Winnipeg en faisant des présentations pratiquement tous les jours pendant six semaines. Beaucoup de déplacements, des milliers de kilomètres de route. Les participants zaïrois qui nous accompagneront auront un petit choc, surtout à cause du froid. Mais je ne m'inquiète pas pour eux.

*J.H.* — Tu attends beaucoup de cette tournée ?

*Scott* — C'est d'abord à cause d'elle que j'ai voulu faire le programme. Évidemment, j'avais aussi envie de découvrir le Zaïre, mais je suis ravi de pouvoir parler aux gens de nos expériences et de la vie en dehors du Canada. Nous parlerons à des milliers de personnes, nous vivrons avec des groupes de Katimavik et nous voyagerons à travers notre pays ! Il y a un réel manque de communication entre les jeunes du Canada et ceux du reste du monde. Si plus de gens savaient comment les autres vivent ailleurs, et pourquoi ils vivent ainsi, alors peut-être songeraient-ils à corriger certaines injustices. L'éducation au développement est absolument nécessaire au Canada, alors que notre système d'éducation ne s'en préoccupe guère. Nous comblerons un peu cette lacune directement, pendant la tournée.

*J.H.* — Au cours du programme, tu n'as pas manqué de temps pour réfléchir à ton avenir...

*Scott* — Je suis toujours très intéressé par Katimavik et Jeunesse Canada Monde. Cela correspond à mon désir de travailler avec la jeunesse. Je n'en sais rien encore, mais il est bien possible que je devienne agent de groupe dans l'un ou l'autre programme ! On verra bien. Je voudrais aller à l'université, parce que souvent je souffre de n'être pas plus compétent. Je suis fier de ce que je fais, mais je sais que je pourrais faire davantage.

*J.H.* — Bonne chance, Scott !

## *Commentaires de Scott Elliott sur la tournée canadienne*

La partie canadienne de notre programme a été très intense et passionnante. Notre objectif était de partager les connaissances acquises grâce à Jeunesse Canada Monde et nos expériences. Je suis sûr que j'ai appris autant que les gens à qui nous avons parlé.

Nos groupes ont commencé leur tournée éducative dans l'île de Vancouver, en Colombie-Britannique, pour se poursuivre jusqu'à Thunder Bay, en Ontario. Au cours d'un voyage de six semaines, dans notre minibus, nous avons mis au point nos présentations, nous avons appris ce que ça voulait dire de «vivre dans son sac à dos», et de se sentir chez soi n'importe où. Nous avons été chaleureusement accueillis par les familles d'accueil et les groupes de Katimavik, avec lesquels nous partagions nos histoires... et échangions des idées sur la manière de changer le monde pour le mieux !

Le sous-groupe composé de Pauline, Mauwa et moi a fait des présentations devant les groupes les plus divers, depuis les enfants du primaire jusqu'aux personnes âgées, en soins intensifs. Nous avons appris à nous adapter aux différents auditoires, dont le nombre d'auditeurs a varié entre six et trois cents. Les réactions étaient fantastiques. Nous manquions toujours de temps. Et il fallait toujours en trouver pour répondre à encore une autre question, donner encore des informations ou raconter une autre histoire. En tout, nous avons partagé nos expériences avec plus de 3 800 personnes au cours de 93 présentations.

Cette tournée m'a convaincu des lacunes de notre système d'éducation. Le manque de connaissances et de sensibilité au monde qui nous entoure n'était que trop évident. On ne met guère l'accent sur les «*lifeskills*», le développement personnel et l'éducation au développement. Ma participation à l'Opération Zaïre m'a ouvert les yeux sur ce qui m'entoure. Un type d'éducation qui ne s'acquiert pas dans une classe, à moins qu'elle ne soit ouverte sur le monde. Une expérience éducative que je n'oublierai jamais et qui m'a encouragé à poursuivre mes études.

On ne dira jamais assez l'intérêt qu'il y a à vivre dans une autre région du Canada ou dans un autre pays. Je crois qu'on devrait donner une telle chance à beaucoup plus de jeunes du Canada et du reste du monde.

## Scott Elliott dix ans après

*Après le Zaïre, Scott retourna à l'université pour poursuivre ses études, ce qui l'a conduit en Ontario, en Espagne et dans sa Colombie-Britannique natale, où il a obtenu un baccalauréat en administration à l'université Simon-Fraser.*

*Son grand intérêt pour la jeunesse et le domaine international se maintient toujours. Entre autres, Scott a travaillé comme agent de projet à Jeunesse Canada Monde, où il occupe maintenant la fonction de Directeur du développement et des communications. Il siège comme membre du conseil d'administration de Katimavik.*

# 8.
## Pauline McKenna

*De l'Ontario au Togo*

Pauline McKenna revenant du marché, quelque part au Togo.

*Pauline* — Après mes études secondaires j'ai commencé mes études universitaires à l'Université d'Ottawa. J'étudiais l'administration des affaires.

*J.H.* — Tu voulais devenir une femme d'affaires, gagner de l'argent ?

*Pauline* — Oui, je me destinais au monde des affaires. Mais je l'avoue, sans grand enthousiasme. Au milieu de l'année, durant un cours d'économie, on annonça qu'on avait reçu des formulaires d'inscription à Jeunesse Canada Monde. Je dois dire que j'avais toujours eu, derrière la tête, l'idée d'aller dans le Tiers-Monde, un jour. Je proviens d'un milieu très catholique et je me rappelle que, toute petite, à l'église, on nous parlait des missionnaires qui oeuvraient dans le Tiers-Monde. Cela m'intéressait beaucoup, mais je ne savais trop ce que je pouvais y faire, ou je n'avais peut-être pas le courage de...

*J.H.* — ...devenir une soeur missionnaire ?

*Pauline* — Non, absolument pas. Quand on m'a acceptée comme participante à Jeunesse Canada Monde, ma décision fut vite prise : c'était oui ! L'école pouvait toujours attendre.

*J.H.* — Tu avais choisi l'Afrique ?

*Pauline* — Ce fut mon premier choix parce que ce continent m'a toujours fascinée. L'Asie et l'Amérique latine m'intéressaient moins. Alors, j'étais ravie, d'autant plus qu'il s'agissait d'un projet francophone, ce qui me donnerait l'occasion d'apprendre le français. La première partie du programme se déroulerait au Québec, et l'autre partie au Togo.

*J.H.* — Et tu as appris le français ?

*Pauline* — Oui, naturellement.

*J.H.* — Au Québec, quelle fut ta communauté d'accueil ?

*Pauline* — Sainte-Hélène, un village près de Saint-Hyacinthe, à environ deux heures de Montréal. J'avais été élevée dans une ferme, en Ontario, dans une grande famille. Or je me suis retrouvée, au Québec, dans une grande famille de cultivateurs ! Je ne m'attendais donc pas à ce que ma vie soit tellement différente et, pourtant, j'ai beaucoup appris de mon expérience québécoise.

*J.H.* — Ta famille d'accueil t'a facilement acceptée ?

*Pauline* — Ah oui ! très facilement, et comme je venais moi-même d'une grande famille, je m'y suis adaptée sans peine.

*J.H.* — Tu y es arrivée avec ton homologue togolais ?

*Pauline* — Oui. Il s'appelait Kokou, un homologue épatant. Au début, ce ne fut pas facile, à cause de nos différences culturelles et tout. Nos conversations étaient plutôt anodines... D'ailleurs, il y avait tellement de monde dans la maison, qu'il ne nous restait guère de moments pour parler tous les deux. Il nous fallait nous adapter l'un à l'autre, bâtir un climat de confiance, avant d'établir une bonne communication. Quand les problèmes surgissaient, nous prenions la peine d'en discuter tranquillement, d'émettre nos opinions, aussi différentes fussent-elles, et nous finissions par en arriver à une solution. C'est d'ailleurs de cette façon que les participants abordaient les problèmes du groupe. Kokou avait beaucoup de respect à mon endroit, comme j'en avais à son égard. C'est grâce à cela que nous avons si bien réglé nos problèmes de communication.

*J.H.* — Kokou venait de quel milieu social ?

*Pauline* — Il sortait à peine d'un petit village très pauvre. Plus tard, au Togo, il devait m'emmener passer quatre jours dans sa famille, pour que je rencontre ses parents et ses amis. Ils étaient incroyables de chaleur humaine et d'hospitalité. J'étais à l'autre bout du monde, et ils ont réussi à me faire sentir tout de suite chez moi. Faut le faire !

*J.H.* — Revenons à ta famille québécoise...

*Pauline* — Je crois que Kokou et moi l'avons vraiment aidée à comprendre qu'il y avait un autre monde que le leur. C'est toujours un enrichissement pour une famille ordinaire d'être mise en présence de la réalité d'une autre partie du Canada et d'une autre partie du monde. Les gens ont grand besoin de voir plus loin que leur propre existence, de s'intéresser à celle des autres.

*J.H.* — Kokou et toi, vous travailliez à la ferme ?

*Pauline* — Nous avons pelleté de l'engrais, rentré le foin, des choses de ce genre. Ça me convenait tout à fait.

*J.H.* — Et un jour, ce fut le grand départ, l'arrivée en Afrique, le Togo...

*Pauline* — Ah ! les gens étaient tellement merveilleux, tellement amicaux, tellement chaleureux ! C'est la chose qui restera toujours gravée dans mon esprit au sujet de leur culture : cette incroyable chaleur humaine. Vous vous sentez tout de suite les bienvenus. Quand des gens entrent dans la maison, vous devez serrer la main de chacun. Un geste qui vient naturellement, un contact personnel avec chaque individu rencontré. Ils feront l'impossible pour assurer votre confort et votre bonheur. Et cela m'a énormément aidée. Quand on vient d'une grande famille canadienne, comme c'était mon cas, on a l'habitude de tout partager, mais comme il n'y en a pas toujours pour tout le monde, chacun s'assure d'avoir sa part. Quant à moi, j'hésitais toujours à partager ce qui m'appartenait. Or, voilà qu'au Togo, je me retrouve avec des gens très démunis qui n'hésitent pas à partager le peu qu'ils ont. Vous entrez dans une maison, et on vous offre aussitôt de la nourriture, même celle qu'un enfant s'apprêtait à manger. Le sens du partage, très vivant au Togo, est une caractéristique culturelle que nous avons perdue au Canada. Voilà une grande vertu du programme de Jeunesse Canada Monde : l'occasion de tout quitter, d'aller vivre ailleurs et de découvrir de nouvelles valeurs. Pour ma part, le programme m'a permis de sortir de mon petit village de l'Ontario, de quitter l'université où je m'enlisais dans la routine, comme tout le monde. Je voulais en sortir. Le programme m'a permis de tout arrêter et de prendre le temps de réfléchir, de me rendre compte qu'il se passait des choses en dehors de ma petite communauté, de regarder ailleurs, d'enrichir mes valeurs morales, de remettre mes idées en ordre... sans subir l'influence de ma famille ni de mes amis !

*J.H.* — Avant Jeunesse Canada Monde, comment envisageais-tu l'avenir ?

*Pauline* — Bon. J'imaginais que je passerais trois ou quatre ans à l'université, comme l'ont fait mes frères et mes soeurs, pour ensuite me trouver une situation et probablement me marier. Cela ne m'excitait pas très fort. Je suis ravie d'avoir brisé le cours de cette vie routinière parce que, dorénavant, une grande variété de possibilités s'offrent à moi ; il y a des tas de choses que je veux faire, parce que maintenant j'ai la force et le courage de les faire.

*J.H.* — Alors, les trois mois au Togo en valaient la peine ?

*Pauline* — Un séjour excellent à tout point de vue. En fait, je ne voulais plus partir... J'aurais bien voulu rester au Togo, si seulement cela avait été possible.

*J.H.* — Après le programme, les participants doivent rentrer à la maison. Quitte à retourner plus tard dans leur pays d'accueil, par leurs propres moyens, comme l'ont fait des centaines d'anciens participants.

*Pauline* — Je sais...

*J.H.* — Quel était le projet de travail dans ton village togolais ?

*Pauline* — Nous construisions des fours améliorés dans les cases, parce que la pénurie de bois pour la cuisson des aliments était devenue un grave problème dans notre région, située dans le sud du pays. Nous avons construit 70 de ces fours dans les trois villages environnants. Et on a donné des cours sur la technique de leur construction et sur la façon de les entretenir.

*J.H.* — En plus d'économiser de l'énergie, donc du bois, ces fours ont aussi l'avantage d'être plus sûrs pour les enfants, je crois ?

*Pauline* — Les enfants risquent d'être ébouillantés quand une marmite est posée en équilibre sur trois cailloux. Au début, nous avons été assez frustrés par la réaction des gens : «Bon. Voilà des Blancs qui viennent nous enseigner une technique nouvelle !» Et, en effet, nous donnions des cours. Mais, les villageois ne se mettaient pas eux-même à construire les fours : ils laissaient cette tâche aux participants. On avait beau leur répéter que nous ne serions pas toujours là, qu'ils *devaient* s'initier à la construction des fours et apprendre à les entretenir. Par exemple, chaque semaine il faut les arroser pour empêcher le craquement des parois d'argile. Nous avons construit un four pour la femme qui préparait nos aliments. Au moment de notre départ, elle ne s'en servait plus et les poules commençaient à y pondre des oeufs. De toute évidence, il n'était pas facile de faire accepter aux gens un changement aussi radical. Mais, n'en est-il pas de même dans notre propre société ? Est-ce plus facile d'amener les Canadiens à changer leurs idées ou leur manière de faire les choses ? Nos frustrations s'inscrivaient dans le processus éducatif !

*J.H.* — Certaines valeurs togolaises t'ont particulièrement touchée ?

*Pauline* — Les Togolais ont des tas de choses à nous apprendre. Par exemple, sur le plan des structures familiales, beaucoup plus fortes au Togo qu'elles ne le sont au Canada. La famille togolaise a le sens du partage, du respect mutuel et de l'appui que chacun des membres doit accorder aux autres. Au Canada, nous devenons de plus en plus individualistes et matérialistes.

*J.H.* — Et tu voulais devenir une femme d'affaires, il y a quelques mois à peine, pour faire beaucoup d'argent...

*Pauline* — En effet ! Mais aujourd'hui, l'argent a perdu son importance pour moi. Si j'ai le nécessaire, si j'ai des enfants en santé, ça ira.

*J.H.* — Et comment s'est passé le retour au Canada ?

*Pauline* — Ah ! Comme j'ai trouvé difficile de retrouver mes amies, préoccupées surtout par la mode et les prochaines robes qu'elles devaient s'acheter ! Ce genre de choses ne m'intéressent plus. D'ailleurs, qu'est-ce que ça donne ? Si c'est toujours important pour mes amies, bon, je vais respecter leur point de vue, même si pour moi cela n'a plus d'importance. Elles ont bien remarqué que je n'étais plus la même, mais je ne crois pas que je devrais leur imposer mes nouvelles valeurs. Je veux bien leur parler de mes expériences, raconter ce que j'ai vu, ce que j'ai ressenti au Togo. Je veux bien, si elles sont disposées àm'écouter, mais... les premiers mois ne furent pas faciles. Simplement parce que personne ne me comprenait plus vraiment. C'est normal, j'en suis sûre...

*J.H.* — Les anciens participants m'ont souvent fait cette remarque...

*Pauline* — Alors, l'envie nous vient de trouver quelqu'un qui nous comprenne. C'est pourquoi j'ai voulu passer l'été avec Kate, une ancienne participante du programme avec le Costa Rica. D'une certaine façon, cela m'a aidée. Mais, d'une autre façon, je me demande si cela ne me nuisait pas : nous passions trop de temps à parler de toutes ces choses que nous avions en commun. Par la suite, je me suis plongée dans un travail auprès des personnes âgées : je leur rendais visite et je les aidais dans les travaux domestiques. Je ne gagnais pas beaucoup d'argent et j'imagine que des gens devaient s'étonner qu'une fille de 22 ans emploie son temps à rendre visite à un vieil homme de 93 ans, à s'occuper de son ménage, et ensuite à s'asseoir tranquillement pour causer avec lui. Et pour moi, pourtant, c'était merveilleux. Je ne gagnais pas gros, mais j'étais heureuse. Les vieux étaient heureux. Et voilà encore une chose que j'ai apprise au Togo : ne jamais négliger les vieillards.

*J.H.* — Cela ne t'était jamais venu à l'idée avant le Togo ?

*Pauline* — Oui, peut-être, mais j'hésitais à cause de ce qu'auraient pu dire les gens, qui m'auraient sûrement trouvée différente des autres : «Pourquoi, diable, fais-tu cela ? Pourquoi perds-tu ton temps avec des vieux ?» Mais, à mon retour du Togo, j'ai eu le courage de répondre : «Si c'est là votre opinion, tant pis !» J'avais acquis le courage d'assumer mes décisions.

*J.H.* — C'était un travail à temps plein ?

*Pauline* — Non, à temps partiel. Je faisais aussi d'autres petits travaux. Puis, vint le moment de décider de retourner à l'université. Il n'y avait pas d'autre choix. J'y suis retournée sans trop savoir ce que je voulais faire. Chose certaine, ce n'était plus les affaires ! Peut-être les sciences sociales, parce que je voulais travailler auprès des gens. Après le premier semestre, j'ai bifurqué vers la récréologie, sans doute parce que j'avais eu une expérience de travail heureuse dans un camp pour jeunes délinquants. Je crois maintenant que ma vie s'oriente vers la récréologie.

*J.H.* — Au service des jeunes ?

*Pauline* — Pas nécessairement. Je crois que je veux commencer auprès des jeunes, et peut-être changer par la suite. L'essentiel, c'est de travailler auprès de gens à qui on peut faire du bien, qui bénéficieront de notre action pour se développer. Pas question de m'asseoir dans un bureau devant un tas de papiers ! Je préfère un gymnase rempli d'enfants. Ça me semble plus utile.

*J.H.* — Tu as donc fait un an de récréologie à l'université ?

*Pauline* — Oui, tout en travaillant au centre communautaire. Pendant les vacances, je me suis intéressée à un camp pour enfants cancéreux qui vient d'ouvrir en Ontario. Un intéressant travail d'été pour les quelques prochaines années. J'étais ravie.

*J.H.* — Et arriva l'automne...

*Pauline* — Hé, oui ! l'automne ! Mon retour à l'université était fin prêt. J'avais

loué un appartement, je me proposais de continuer mon travail au centre communautaire tout en faisant de la collecte de fonds pour le camp des enfants cancéreux, et
quelques autres petites choses. C'est alors que Jeunesse Canada Monde me téléphona
pour me parler du programme avec le Zaïre...

*J.H.* — Ça devait être passionnant de vous retrouver ensemble, dix-huit anciens
participants qui avaient vécu le même programme, quoique dans des pays différents ?
Tout le monde devait tout de suite se sentir à l'aise...

*Pauline* — Non. Au début, je ne me sentais pas à l'aise du tout. Sûrement moins
qu'à mon premier camp d'orientation, dans le programme avec le Togo. Au bout d'une
semaine ou deux, les choses se sont améliorées, mais je ne comprenais pas encore très
bien ce qui se passait dans ce programme «spécial». J'ai fini par y arriver à la toute fin
du camp d'orientation. Une fois acceptés les objectifs, je me suis sentie enfin en paix
avec moi-même et à l'aise avec le groupe. Je m'inquiétais encore un peu au sujet de la
tournée canadienne qui suivrait les trois mois au Zaïre. Comment allions-nous être
capables de changer les mentalités, les idées et les valeurs de nos auditoires canadiens ?
Mais je me suis dit que si je réussissais à changer les attitudes d'une seule personne, à
intéresser, pas nos présentations, fût-ce même une seule personne, ce serait un début.
Bien sûr, je ne pensais pas qu'il fallût se limiter à ne toucher qu'une seule personne,
en dépit du fait que les Canadiens sont loin d'être prêts à accepter le concept du
développement. Sans doute, seront-il au moins disposés à accueillir le côté culturel de
nos présentations, à se rendre compte qu'il y a des gens différents en Afrique, qu'ils
ont une autre culture, mais qu'ils sont des êtres humains comme nous, qu'ils
connaissent les même souffrances, qu'ils ont des valeurs comparables, des besoins et
de aspirations comme nous en avons aussi. Il me semblait qu'il serait déjà intéressant
que les Canadiens se rendent compte de ces choses, qu'ils commencent à y réfléchir,
et que ceux qui le peuvent s'engagent plus à fond dans le développement.

*J.H.* — Mais tu es déjà de retour au Canada, t'interrogeant sur l'éventuelle réaction
de vos auditoires canadiens. Tu es en avance de trois mois ! Commence par arriver au
Zaïre...

*Pauline* — Cette fois, je n'ai pas subi le moindre petit choc culturel. Par bien des
côtés, le Zaïre ressemble au Togo : les gens, les marchés, la circulation, les bars, la
façon dont les femmes s'habillent, tout cela m'a rappelé le Togo.

*J.H.* — Comme le Togo, le Zaïre est un pays francophone. Tu parles déjà bien le
français, ce qui a dû faciliter les choses en arrivant dans ton village, à Mwene Ditu ?

*Pauline* — Au bout de quelques semaines, je n'avais plus aucun problème de
communication avec les gens.

*J.H.* — Entre autres, avec ta famille d'accueil ?

*Pauline* - Ah oui ! Une belle grande famille de neuf enfants, dont plusieurs sont
déjà partis. J'y habite avec mon homologue et amie, Lusumba, qui m'a bien aidée à
m'intégrer dans la famille, en lui expliquant les choses. Par exemple, les premiers jours,
la famille insistait pour qu'on mange à part, à l'intérieur de la maison, sur une table.
Au début, j'ai laissé faire, parce que cela s'inspirait d'une sorte de respect. Enfin, j'ai
fait comprendre que je voulais manger dehors, avec le reste de la famille, que j'étais
ici pour vivre avec la famille et comme elle. On a fini par accepter et, maintenant, je

fais ce que je veux : je prends ma douche, je lave mon linge, je m'occupe de la maison, et il n'y a plus de problèmes. Et cela, grâce à mon homologue, Lusumba, une participante qui vient de Kinshasa. Il est tellement mieux d'avoir un homologue et de vivre dans une famille. La vie de groupe, c'est bien, mais je crois qu'on apprend davantage en vivant dans une famille d'accueil.

*J.H.* — La nourriture ne t'a pas causé de problèmes ?

*Pauline* — Autant au Togo qu'au Zaïre, j'ai eu du mal à m'habituer à la nourriture, surtout à cause de sa monotonie. Nous les Canadiens, avons l'habitude des petites portions, à cause de la variété de nos aliments. Ici, les portions sont énormes parce qu'il n'y a qu'un ou deux plats à chaque repas. Pas facile.

*J.H.* — Par exemple, le *fufu* qui est plutôt fade ?

*Pauline* — À moins d'y ajouter du *pilipili*... Au début, j'avais du mal à expliquer à mes parents pourquoi je ne mangeais pas : «Tu n'aimes pas notre nourriture ?» me demandaient-ils. Je répondais que j'aimais leur nourriture, mais qu'il fallait m'y habituer. Au bout de quelques jours, ils m'ont demandé si je souhaitais manger autre chose que du *fufu*. J'ai avoué que j'aimerais bien un peu de riz ou autre chose. Alors, ils se sont mis à me préparer du riz et des petits plats spécialement pour moi, comme des sardines. Quelques semaines plus tard, j'ai demandé à mes parents de ne plus me préparer des aliments spéciaux. J'avais fini par m'habituer à la cuisine zaïroise. À partir de ce moment-là, ils m'ont traitée comme n'importe quel autre membre de la famille.

*J.H.* — As-tu eu des problèmes de santé ?

*Pauline* — Pas du tout. Je suis en excellente santé et j'en suis bien heureuse.

*J.H.* — Et vos projets de travail, à Mwene Ditu ?

*Pauline* — Le projet principal a été la reconstruction de l'hôpital. Au cours de la première semaine, nous avons repeint une école, mais ça ne m'emballait pas parce que je n'avais pas l'impression de faire quelque chose de vraiment utile pour le village, d'aider les gens. Après, bien sûr, l'école était plus jolie, mais je rêvais de faire quelque chose de plus concret. Par exemple, la reconstruction de l'hôpital, c'était une importante contribution au village.

*J.H.* — Et, au bout de trois mois de travail acharné, vous avez assisté à son inauguration officielle, ce matin même...

*Pauline* — Après avoir travaillé dans différents projets, dont les sources d'eau, tous les participants se sont retrouvés ensemble à l'hôpital, depuis un mois et demi. Ce fut un bel effort de groupe, où chacun s'est engagé à fond. Je suis vraiment fière des résultats. Au moins, nous laisserons quelque chose de concret derrière nous. Tout à l'heure, en venant te rencontrer pour cette interview, des gens m'arrêtaient dans la rue pour me dire : «Merci, d'avoir reconstruit notre hôpital !» Pour moi, c'est plus important d'entendre ça que le discours du gouverneur à la cérémonie d'inauguration. Toute la journée, les enfants m'ont entourée, ils me suivaient dans la rue pour me répéter : «Merci ! Merci ! Merci !» Ça m'a fait chaud au coeur.

*J.H.* — Tu as établi beaucoup de contacts avec les gens du village ?

*Pauline* — Moins que j'aurais voulu. J'aurais dû y consacrer plus d'efforts, mais il faut reconnaître que nous n'avions guère de temps libre. Tous les matins, nous travaillions aux sources d'eau ou ailleurs de 7 heures 30 à midi. Nous rentrions alors à la maison pour prendre une douche et manger avec la famille, et nous retournions au travail vers 14 heures. Trois fois par semaine, nous donnions des cours d'anglais aux participants zaïrois qui devaient nous accompagner pendant la tournée canadienne. Il y avait ensuite les réunions de travail sur les présentations qui duraient jusqu'à 17 ou 18 heures, cinq jours par semaine. Retour à la maison pour le dîner, qui était servi à 19 ou 20 heures selon les familles. Après le dîner, j'allais me coucher, parfois après avoir bavardé avec les participants qui habitaient la maison d'en face : Scott et Miango. Durant les week-ends, nous allions visiter des villages du voisinage. On manquait de temps, mais quand même, je reconnais que j'aurais dû faire l'effort de rencontrer plus de gens.

*J.H.* — Au moins, tu n'as pas chômé. Tu as brièvement mentionné ton travail sur les présentations...

*Pauline* — J'ai travaillé surtout sur l'aspect visuel de notre diaporama, avec Steve, Koni et Mangando. Au moyen de diapositives, nous avons voulu illustrer quelques-uns des problèmes de développement rencontrés à Mwene Ditu, et qu'on retrouve ailleurs dans le Tiers-Monde : la pénurie d'eau potable, la malnutrition et les carences du système d'éducation. Comme on ne pouvait pas s'attaquer à tous les problèmes en même temps, on s'est concentré sur ces trois-là. On a montré comment les Zaïrois tentent de les résoudre et en quoi cela concerne les Canadiens. Notre présentation tentera d'initier la population canadienne au développement en leur rappelant qu'il y a des millions de gens qui vivent ces problèmes, comme par exemple au Zaïre, des gens qui nous ressemblent. À la fin de la présentation, nous posons trois questions : «Qu'est-ce que le développement ?» «Pourquoi chacun doit-il s'y engager ?» «Comment le faire efficacement ?» Pour inciter les gens à jeter un regard en dehors de leur seule communauté, et à commencer à réfléchir...

*J.H.* — Quel sera ton territoire ?

*Pauline* — Mon équipe parcourra les quatre provinces de l'ouest du Canada. Pour moi, ces six semaines constituent la phase la plus importante du programme. Sans cette perspective, je serais encore plus triste de quitter Mwene Ditu.

*J.H.* — Le Zaïre semble avoir eu sur toi un plus grand impact que le Togo ?

*Pauline* — Pas plus grand, mais différent. Au Togo, j'ai surtout vécu une expérience culturelle, alors qu'ici, au Zaïre, j'ai été plongée dans les problèmes de développement. En réalité, les deux expériences sont complémentaires. Mais il est certain que le Zaïre m'a ouvert les yeux sur la réalité du développement, dans lequel je m'engagerai encore davantage après ce programme.

*J.H.* — Et il y aura le retour à l'université...

*Pauline* — Il me reste deux ans d'études universitaires, et j'entends bien les compléter. Après l'université, il y aura probablement encore des voyages. Pour l'instant, je n'ai pas envie de m'installer dans un emploi. Peut-être pourrais-je aller travailler dans un pays du Tiers-Monde pendant un an ou deux...

*J.H.* — Quant à ton avenir... il n'y a décidément plus de place pour les affaires ?

*Pauline* — Comme je le disais plus tôt, je veux consacrer ma vie aux gens, en particulier aux enfants et aux adolescents. Je sais maintenant que ce qui compte, ce qui me rend heureuse, c'est d'aider les autres.

## Commentaires de Pauline McKenna sur la tournée canadienne

Il n'y a pas de doute : cette deuxième partie du programme spécial avec le Zaïre aura été la plus importante. Les recherches et le travail ardu fait à Mwene Ditu nous ont permis de toucher nos auditoires canadiens.

Tout au long de la tournée, je ne cessais d'être étonnée de l'intérêt des gens qui souhaitaient, pas exemple, que le système scolaire offre un programme d'éducation au développement.

Bien des élèves nous ont avoué n'avoir jamais abordé l'étude de l'Afrique... qui n'était plus au programme ! Quant au mot développement, il leur était tout à fait inconnu. En conséquence, nos présentations ont permis à ces élèves de découvrir au moins un aspect de l'Afrique et, plus important encore, elles leur ont donné l'envie d'en savoir davantage sur le continent noir. Les choses changeront dans le monde quand les gens seront mieux informés de ce qui se passe dans les pays en voie de développement. Il n'y a pas d'autre moyen.

## Pauline McKenna dix après

*Après le Zaïre, Pauline McKenna est allée en Europe rejoindre sa soeur, avec laquelle elle a voyagé pendant deux mois, sac au dos. À son retour en Ontario, elle a travaillé au* Camp Trillium, *une institution pour les enfants cancéreux. Au cours de l'automne, la frénésie des voyages ne l'ayant pas quittée, elle alla découvrir l'Équateur et le Pérou au cours d'un périple de deux mois. En janvier 1989, Pauline accepta la fonction de directrice adjointe du* Trillium Childhood Cancer Support Center. *Peu après, elle en devint directrice générale. Ce programme, voué à l'aide aux enfants affligés du cancer et à leurs familles, est l'un des plus importants du genre en Amérique du Nord.*

*Pauline vient de quitter le* Trillium Childhood Cancer Support Center, *après 11 ans de labeur, pour s'inscrire au* Outdoor Experiential Education Program *de l'Université* Queens. *Le 23 décembre 1995, Pauline épousa Darryl Upshaw dans la petite église de Jaco, au Costa Rica. Les deux témoins du mariage : deux anciens participants du programme Québec-Costa Rica, Kate MacDonald et Reiner Estrada.*

*Pauline et Darryl rêvent de retourner oeuvrer dans le Tiers-Monde, dans le domaine de l'éducation.*

# 9.
# Paul-André Pétrin

## *Du Québec au Costa Rica*

Paul-André Pétrin à l'heure de la lessive...

*Paul-André* — Je viens de Grenville, un village québécois situé près de la frontière ontarienne. Après avoir terminé mes études secondaires, je suis allé étudier les sciences humaines au cégep de Saint-Jérôme.

*J.H.* — Les sciences humaines, ce n'est pas compromettant, ça n'engage à rien...

*Paul-André* — Si vous voulez ! Ensuite, je suis allé étudier l'enseignement préscolaire et primaire à l'université de Sherbrooke.

*J.H.* — C'est déjà plus sérieux ! Tu songeais vraiment à la carrière d'enseignant ?

*Paul-André* — À vrai dire, je n'en savais trop rien. J'avais d'abord songé à la psychologie, mais je n'avais pas été accepté. Mon second choix était l'éducation. Alors, je me suis dit : «Bon, pourquoi pas ? Au moins, c'est du concret.» Ce ne fut pas facile parce que je manquais de motivation. Au cours des vacances des fêtes, j'ai décidé de poser ma candidature à Jeunesse Canada Monde. Si je n'avais plus envie de retourner à l'université l'année suivante, au moins il me restait cette possibilité. J'avais fait toutes les démarches sans trop y croire, mais j'ai finalement été accepté comme participant. J'ai hésité un instant, car c'était une sérieuse décision que de remettre mes études à plus tard.

*J.H.* — Mais puisque tu ne savais pas encore vraiment ce que tu voulais faire dans la vie...

*Paul-André* — C'est vrai. Je me posais toujours de graves questions sur mon avenir. Un peu trop ! Mais une offre comme celle que me faisait Jeunesse Canada Monde ne se présente pas tous les jours. Alors, j'ai saisi l'occasion au vol en me disant : «Allez, vas-y ! Ose ! Tu es jeune, et l'université sera toujours là».

*J.H.* — Tu as donc entrepris le programme avec le Costa Rica ?

*Paul-André* — Exactement. Et la phase canadienne devait se dérouler au Québec, à Granby, où je me suis retrouvé avec mon homologue dans une belle famille typiquement québécoise. Le père était tailleur et la mère demeurait à la maison pour s'occuper des deux enfants : un garçon de 6 ans et une fille de 9 ans. Notre relation avec la famille a été tout simplement superbe.

*J.H.* — Parle-moi un peu de ton homologue costaricien ?

*Paul-André* — Il s'appelait Jorge Barrentes.

*J.H.* — Mais je le connais bien ! C'est même un ami. Parle-m'en tout de même.

*Paul-André* — Un gars fantastique ! Je n'en revenais pas d'avoir autant de chance. D'abord, de me trouver à Granby, où je souhaitais être, ensuite de vivre dans une bonne famille avec laquelle je m'entendais bien, parce que les parents étaient jeunes et ouverts, et enfin, d'avoir un homologue comme Jorge : c'était super. Bien sûr, nous avons eu nos petits conflits, mais nous avons toujours été très près l'un de l'autre.

*J.H.* — Il venait de quel milieu ?

*Paul-André* — De la classe moyenne, comme moi, d'ailleurs. Et lui aussi avait fréquenté l'université. Tout cela facilitait grandement la communication entre nous. Nous pouvions nous parler de tout.

*J.H.* — En français ?

*Paul-André* — En arrivant, Jorge avait une toute petite base en français, mais il a appris vite. Au bout d'à peine trois semaines, il pouvait facilement communiquer.

*J.H.* — Quel était votre projet de travail à Granby ?

*Paul-André* — Mon homologue et moi travaillions à l'hôpital, à l'étage des soins prolongés. Nous aidions deux techniciennes en loisirs à distraire les patients. On faisait de la musique, des arts plastiques. On a organisé la fête de Noël, la fête de l'Halloween... et même un beau party !

*J.H.* — Avec des malades qui souvent se mouraient !

*Paul-André* — Ce fut pour nous une expérience nouvelle d'être avec ces gens. Au début, ils nous intimidaient...

*J.H.* — Parce qu'ils étaient près de la mort ?

*Paul-André* — Oui, parce qu'ils étaient près de la mort, ou parce qu'ils étaient handicapés, ou parce qu'ils ne pouvaient plus parler... ou parce qu'on les avait oubliés ! J'ai constaté que notre société, dite développée, avait encore de sacrés problèmes à régler. Cette expérience m'a également permis de découvrir la communication non verbale. Par exemple, il y avait un vieux bonhomme qui ne pouvait plus ni bouger ni parler. Alors, j'allais lui jouer des airs de guitare et, aussitôt, ses yeux se mettaient à briller. C'était beau !

*J.H.* — Votre unique projet de travail ?

*Paul-André* — Bon. Cela nous tenait occupés sept heures par jour !

*J.H.* — Et comment se débrouillait Jorge ?

*Paul-André* — Autant que moi, il a trouvé ça très difficile, au début, d'être confronté tous les jours à tant de misère. Mais comme moi, il a fini par s'habituer, et par établir une belle relation avec les malades. Les deux responsables nous faisaient confiance et nous laissaient beaucoup d'initiative. Nous avons travaillé très fort, nous arrivions souvent au bout de nos forces, mais cela en valait la peine.

*J.H.* — Il fallait bien mériter le Costa Rica.

*Paul-André* — Oui ! En arrivant dans ce beau pays, j'ai passé deux semaines dans la famille de mon homologue, à une trentaine de kilomètres de San José, la capitale. Une famille relativement à l'aise, très authentique. Des gens chaleureux : de vrais Costariciens, quoi ! Au bout de deux semaines, je faisais partie de la famille; on ne voulait plus me laisser partir... La communauté d'accueil qui nous attendait ne ressemblait guère à ce que j'avais imaginé. J'avais rêvé d'un petit village en pleine montagne, entouré de plantations de café. Nous nous sommes retrouvés dans une petite ville du Nord-Est, près de la côte de l'Atlantique, dans une région de bananeraies. Logée en plein centre de la ville, notre famille d'accueil vivait avec tout le confort occidental : téléviseur, cuisinière électrique, *Jeep*. J'étais un peu déçu, car je m'attendais à plus de dépaysement, et à un brin d'exotisme. Mais, avec le temps, et en dépit du style de vie relativement américanisé de ma famille d'accueil, j'ai découvert le caractère particulier de la culture costaricienne.

*J.H.* — Et le projet de travail ?

*Paul-André* — Nous étions les assistants d'un professeurs d'agriculture au collège d'agriculture de la ville. Tous les matins, avec Jorge, je procédais à une vérification des ruches d'abeilles. Très intéressant, malgré les douloureuses piqûres...

*J.H.* — Et le reste de la journée ?

*Paul-André* — En dehors du temps passé avec la famille ou avec les autres participants, j'essayais de m'intégrer dans la communauté. Pas facile au début. Mon espagnol était très, très rudimentaire et, souvent, on nous assimilait aux *gringos*. Petit à petit, j'ai fait mon chemin. Par exemple, j'allais souvent au centre d'accueil pour personnes âgées. Je les écoutais me raconter leurs belles histoires, tout en améliorant mon espagnol. À l'occasion, j'allais jouer de la guitare avec la chorale de l'église. Je n'oublierai pas la surprise que j'ai eue en arrivant. Je me disais : «Alors, c'est ça le Tiers-Monde ? Où est la misère ?» Les problèmes de développement ne me sautaient pas aux yeux, parce que c'était moins spectaculaire que ce que l'on nous montre à la télévision. Peu à peu, j'ai commencé à comprendre pourquoi ce pays, où les gens paraissent si heureux, était tout de même un pays en voie de développement. Cela m'est apparu clairement après l'enquête que nous avons faite sur la pollution causée par les bananeraies.

*J.H.* — Les bananiers polluent ?

*Paul-André* — Les ruisseaux qui coulent le long des bananeraies approvisionnent les paysans en eau souvent contaminée par les insecticides qu'on épand dans les plantations, et par d'autres sortes de déchets. Au cours de notre petite enquête, nous avons d'abord interviewé divers responsables de la compagnie bananière, en l'occurrence la *Standard Fruit*, une multinationale américaine. Et ensuite, nous avons parlé aux paysans, aux travailleurs, aux animateurs en santé communautaire, etc. C'est alors que je me suis rendu compte de l'exploitation dont ces gens étaient victimes, et de l'ampleur de la dépendance économique de ce pays à l'endroit de ces grandes compagnies. Cela n'est pas tout de suite évident, car ces multinationales aiment se donner l'image de grandes bienfaitrices qui créent des emplois. Enfin, nous avons aussi travaillé avec les jeunes bénévoles de la Croix-Rouge qui organisaient une collecte de sang. J'ai été étonné du rôle important joué par les jeunes dans la société costaricienne. Le président du secteur jeunesse de la Croix-Rouge avait vingt ans. Cela serait-il possible au Canada ? Je me posais la question. À cause du fossé qui sépare les générations, les jeunes Canadiens hésitent à s'engager, à prendre leur place dans la société. Par ailleurs, ce programme m'a appris à ne pas juger les gens : quel que soit son âge, ou son style de vie, chacun a quelque chose à nous apprendre, et il est toujours possible d'établir une bonne relation à un niveau quelconque.

*J.H.* — Ah ! tu en as appris des choses ! Même l'espagnol...

*Paul-André* — Je n'aurais jamais cru possible d'apprendre à communiquer dans une autre langue au bout de seulement trois mois.

*J.H.* — Et pourtant... Tu as également appris que le programme devait finir un jour ?

*Paul-André* — Ah ! Comme il a été difficile de me séparer de mon groupe ! Mais le pire, après avoir vécu une expérience aussi intense, c'est de rentrer seul chez soi, de retrouver le petit train-train quotidien, de se réintégrer, de chercher un emploi, de faire de nouveaux choix...

*J.H.* — Parlant de choix...

*Paul-André* — Ma première décision fut de retourner à l'Université de Sherbrooke pour y terminer mon bac en éducation. Pour cela, il fallait de l'argent, alors je suis allé travailler dans une garderie à Montréal, où j'ai dû m'adapter à la grande ville : le métro, le bruit, la foule. Cela m'épuisait !

*J.H.* — Pauvre petit gars de la campagne !

*Paul-André* — Eh oui ! Mais c'est à Montréal que je devais entendre parler du programme spécial avec le Zaïre. Je me suis renseigné au bureau de Jeunesse Canada Monde, mais sans grande conviction, car mon retour à l'université était déjà organisé. Est-ce que j'étais prêt à repartir ? De retour au Canada depuis à peine cinq mois, je n'étais pas encore tout à fait retombé sur terre. Mais, à ma grande surprise, j'ai été choisi par Jeunesse Canada Monde.

*J.H.* — Vive le Zaïre !

*Paul-André* — Voilà ! Bien sûr, j'étais attiré par le voyage en Afrique, mais ce qui m'a surtout convaincu de partir, c'est la perspective de la grande tournée canadienne au retour. Comme je m'intéressais à l'éducation, c'était là l'occasion rêvée d'acquérir de l'expérience dans ce domaine.

*J.H.* — Contrairement au Costa Rica, le Zaïre a dû te paraître un *vrai* pays en voie de développement. Surtout quand tu es arrivé ici, à Mwene Ditu, ton village.

*Paul-André* — On m'a dit que c'était une ville... On y compte environ 125 000 habitants.

*J.H.* — Tant que ça ? Et pourtant ça ressemble à un gros village. Je n'y ai pas vu une seule maison à étage.

*Paul-André* — Il y en a une, là-bas : le commissariat de police.

*J.H.* — Bon, il y en a une. Les autres sont de simples cases en béton ou en terre, ce qui donne à Mwene Ditu l'allure d'un village, d'un gros village. Et là-dedans, quelque part, il y a une famille d'accueil qui est la tienne ?

*Paul-André* — Une famille fantastique ! Je n'ai pas d'homologue, car dans ce programme spécial, il n'y en a pas pour tout le monde. Par contre, je partage une chambre avec un gars de mon âge. Il a 22 ans. Finalement, c'était comme un homologue : il m'a beaucoup aidé à m'intégrer, particulièrement dans le milieu des jeunes.

*J.H.* — Il fait quoi dans la vie ?

*Paul-André* — Il est instituteur. Il a terminé ses études secondaires il y a deux ans et, maintenant, il enseigne au lycée.

*J.H.* — Il gagne combien par mois ?

*Paul-André* — Environ 20 $ canadiens.

*J.H.* — On peut vivre, ici, avec ça ?

*Paul-André* — Il réussit à vivre parce qu'il habite encore chez ses parents. Mais les autres instituteurs qui ont une famille n'y arrivent tout simplement pas. Un sac de farine coûte 800 zaïres au marché. Alors, quand tu en gagnes 750 par mois...

*J.H.* — Dans l'ensemble, tu t'entends bien avec le reste de la famille ?

*Paul-André* — Ils sont toujours autour de moi, de peur que je m'ennuie, pour me faire plaisir. Je ne le disais pas, mais ça m'agaçait un peu, car j'ai parfois besoin de solitude. Après un certain temps, ils se sont rendu compte que je me sentais à l'aise avec eux, que j'étais heureux. Alors, ils se sont mis à me traiter sans cérémonie, comme un simple membre de la famille, mais toujours avec un grand respect et beaucoup d'amour. Tout à l'heure, nous parlions de mon frère l'instituteur qui gagne l'équivalent de 20 $ canadiens par mois. Alors, je me disais que la vie n'était pas chère à Mwene Ditu, qu'on devait pouvoir vivre assez bien avec un tel salaire. Au Costa Rica, je n'avais pas connu la vraie pauvreté. Mais par contre, au Zaïre... Ici, nous sommes dans une région où on extrait le diamant. Il y a donc beaucoup d'argent qui circule. En conséquence, le coût de la vie est plus élevé qu'ailleurs. Diamants ou pas, le paysan ne gagne pas davantage. Plusieurs produits de première nécessité sont importés à grands frais de la capitale. Par exemple, un pagne qui coûte 200 zaïres à Kinshasa, se vend 500 zaïres au marché de Mwene Ditu.

*J.H.* — Si tu convertissais les zaïres en dollars canadiens ?

*Paul-André* — Bon. Un dollar canadien représente environ 40 zaïres.

*J.H.* — Alors un pagne, comme en portent les femmes, coûte environ 13 $ ? C'est cher ?

*Paul-André* — Très cher, si on tient compte du revenu moyen des gens.

*J.H.* — Comment un instituteur marié qui gagne 20 $ par mois peut-il payer un pagne de 13 $ à sa femme ?

*Paul-André* — Il ne le pourrait pas sans avoir quelque revenu d'appoint. S'il a un petit lopin de terre, sa femme ira vendre des fruits ou des légumes au marché.

*J.H.* — Ton frère, il a un revenu d'appoint ?

*Paul-André* — Non, parce qu'il habite chez ses parents. Il est encore jeune, il dépend de son père. Il ne paye même pas sa part de nourriture. Il économise pour aller un jour étudier à Kinshasa, son rêve le plus cher. À propos de mon frère... Il m'a beaucoup aidé à réaliser mon diaporama, que je voulais centré sur la jeunesse zaïroise. Je n'étais pas sûr de pouvoir m'introduire dans le milieu des jeunes, qui pouvaient me considérer comme un simple copain... ou comme un touriste trop curieux. Par bonheur, mon frère est l'animateur d'un groupe de jeunes. Il a deux frères d'à peu près son âge et des tas d'amis. Je suis tombé pile. En plein dans la famille idéale.

*J.H.* — Il semble que tu as l'art de toujours tomber dans la famille idéale ?

*Paul-André* — La vie est belle !

*J.H.* — Tu t'entends bien avec ton frère, mais qu'en est-il des autres membres de la famille ?

*Paul-André* — C'est moins facile, à cause de la langue.

*J.H.* — Ils ne parlent que la langue d'ici ?

*Paul-André* — Le père se débrouille en français, mais la mère ne parle que le *tshiluba*. Avec les jeunes de mon âge, il n'y a pas de problème, puisqu'on enseigne le français à l'école à partir de la cinquième année. Bien sûr, j'aurais souhaité échanger davantage avec mes parents. Mais l'absence d'une langue commune ne nous a pas empêchés d'établir une superbe relation d'amitié. Un jour, ma mère tomba malade. J'avais dit à mon frère : «Dis-lui que je serais heureux de la conduire au dispensaire si son mal persiste». On hésite toujours à se rendre au dispensaire à cause des médicaments, qu'il faut payer. Malgré tout, un bon matin, la mère s'est résignée à me demander de l'accompagner, ce que j'ai fait. Le soir, le père est venu me voir dans ma chambre pour me remercier, en faisant un grand effort pour s'exprimer en français : «Merci mille fois ! Mille fois merci, mon fils, pour avoir accompagné ta mère au dispensaire. Tu es vraiment mon fils». J'étais profondément ému qu'il me considère comme son fils. Un moment inoubliable.

*J.H.* — Quelle expérience merveilleuse !

*Paul-André* — Ah oui ! Au début, je croyais être un poids pour la famille. J'ai fini par me rendre compte que j'étais comme une sorte de fenêtre ouverte sur le monde. Mes parents, mes frères, mes soeurs avaient une telle soif de connaissance. Leur ouverture d'esprit, leur intérêt pour le monde extérieur m'a fait réfléchir sur l'attitude des Canadiens qui sont loin d'avoir le même désir de connaître les autres cultures. Bien souvent, ils ne jettent qu'un regard éthnocentrique sur le monde.

*J.H.* — Mais tu te rends compte que peu de Canadiens ont eu, comme toi, la chance inouïe de vivre pendant plusieurs mois dans une famille zaïroise ? J'ai un peu voyagé, mais je n'ai jamais eu cette chance-là.

*Paul-André* — Vous avez raison. C'est un grand privilège...

*J.H.* — Bien sûr, tu a travaillé avec les autres à la reconstruction de l'hôpital ?

*Paul-André* — Une tâche énorme. À force de nous voir travailler, les villageois ont fini par croire qu'il y avait de l'espoir, que leur hôpital finirait par être reconstruit; ils s'intéressaient vraiment. C'est pourquoi ce travail nous a apporté une grande satisfaction : nous sentions que nous apportions quelque chose à la communauté. L'équipe de participants qui à travaillé à la construction des sources d'eau — sept sources en tout — a aussi fait quelque chose de très bien. Surtout, ils ont pris la peine de former quatre jeunes du village qui pourront continuer notre travail et entretenir les sources après notre départ. J'ai aussi beaucoup travaillé avec l'équipe du diaporama, tous les jours pendant deux mois. J'avais tellement hâte d'aller aux réunions que je n'en dormais pas la veille ! Contrairement au diaporama sur le Costa Rica, l'an dernier, celui-ci allait être utilisé au maximum. Alors, on y a mis tout notre coeur.

*J.H.* — Ce matin, au cours de la cérémonie de l'inauguration de l'hôpital, avec le gouverneur, les chants, les danses, les discours et tout, tu as dû te sentir plutôt fier ?

*Paul-André* — Ah oui ! je dois l'avouer...

*J.H.* — Ta conception des problèmes de développement a dû évoluer depuis le Costa Rica ?

*Paul-André* — Ce projet m'en a donné une perspective différente, celle de l'Afrique. Non seulement je comprends mieux les choses, mais je les *sens*, avec tout mon être. J'ai vécu dans une famille où, tous les matins, la mère doit aller chercher de l'eau à deux kilomètres. Je sais qu'un litre d'eau pèse un kilo et qu'elle en porte jusqu'à 25 dans un bidon posé en équilibre sur sa tête. J'ai vécu avec des gens, j'ai partagé leurs tâches pendant quelques mois et je crois intensément que leurs conditions de vie difficiles pourraient être améliorées avec de l'organisation et un peu d'aide.

*J.H.* — Tu entrevois le retour au Canada ?

*Paul-André* — La crainte du «choc du retour», comme on dit, est complètement disparue. À la suite de cette confrontation à la culture zaïroise, j'ai compris à quel point j'étais un Nord-Américain. Et je l'accepte. J'ai hâte d'entreprendre la grande tournée canadienne !

*J.H.* — Sais-tu quel sera ton territoire ?

*Paul-André* — Une partie du Québec et des provinces maritimes.

*J.H.* — C'est là qu'on verra si tu as une vocation d'éducateur... Dans quelle langue ferez-vous vos présentations ?

*Paul-André* — Trois semaines en anglais et trois semaines en français.

*J.H.* — Et les projets d'avenir ?

*Paul-André* — Je m'en méfie... Vous vous souvenez, l'an dernier, deux jours avant de retourner à l'Université de Sherbrooke, le Zaïre m'est tombé dans les bras. Ce n'est pas que je ne sache pas où je m'en vais : je veux aller partout ! Bien sûr, il y aura des choix à faire, et cette idée me stimule.

*J.H.* — Je me demande comment sera, dans dix ans, le Paul-André qui est devant moi en ce moment ?

*Paul-André* — J'espère qu'il sera encore jeune ! Peut-être pas physiquement... Ce que je veux dire, c'est que j'espère ne pas retomber dans l'engrenage, dans la routine, dans la vie confortable... et ne plus vouloir rien changer ! Pour rester jeune, je continuerai à prendre des risques, à garder les yeux grands ouverts...

*J.H.* — Et ne jamais perdre ta faculté d'émerveillement !

*Paul-André* — C'est ça. Mais il est facile de la perdre. Alors il ne faut jamais cesser de l'entretenir.

*J.H.* — Crois-tu que ton avenir aura quelque chose à voir avec le développement ?

*Paul-André* — Au cours de ce programme, j'ai connu beaucoup de gens engagés. Ça nous donne envie de travailler ensemble plus tard. Nous avons une base, quelques idées, des contacts. D'une façon ou d'une autre, ce que je ferai concernera le développement, sur le plan international ou sur le plan local.

## Commentaires de Paul-André Pétrin sur la tournée canadienne

Les objectifs de la tournée étaient de proposer une nouvelle vision de l'Afrique aux Canadiens, de les initier au concept du développement et de donner à des gens l'envie de s'engager. Je crois sincèrement que nous avons atteint ces objectifs au-delà de nos espérances.

Personnellement, au cours de cette tournée, j'ai appris à sans cesse me dépasser, à surmonter la fatigue, à dominer mes émotions, ma nervosité et ma timidité. En compagnie de Sue et de Miango, j'ai eu l'occasion de faire 70 présentations devant les auditoires les plus divers, depuis les élèves des écoles primaires jusqu'aux personnes de l'âge d'or, sans parler des entrevues à la radio et à la télévision.

L'expérience acquise au cours de ces six semaines de travail intensif avec mes deux coéquipiers est inestimable. Mais ce que je retiens d'abord, c'est l'intérêt des gens à en savoir plus sur le monde extérieur. Je retiens aussi la pénurie des ressources en ce domaine, ce dont les gens se plaignaient avec raison.

Le manque d'information des Canadiens en matière de culture étrangère m'a d'autant plus troublé que le secteur des communications est particulièrement développé au Canada. Même les professeurs les plus intéressés aux questions de développement nous avouaient manquer de ressources, n'ayant ni guide pédagogique ni moment de prévu à l'horaire pour parler de développement à leurs élèves. En se sens, la tournée canadienne de Jeunesse Canada Monde tombait pile.

## Paul-André Pétrin dix ans après

*Après le programme Connexion-Zaïre, Paul-André est retourné à Montréal pour terminer un baccalauréat en enseignement du français (langue seconde)... pour aussitôt revenir au sein de Jeunesse Canada Monde en 1988-1989 comme agent de projet pour l'échange Ontario-Uruguay.*

*Depuis 1990, il travaille comme éducateur dans un centre d'éducation des adultes à Verdun, au sud-ouest de Montréal. La musique occupe aussi de plus en plus de place dans sa vie, mais sûrement pas autant que son petit bonhomme de quatre ans. Enfin, il affirme sans hésiter que son expérience avec Jeunesse Canada Monde fut l'une des plus marquantes de sa vie, et que ces trois années déterminantes, vécues au début de l'âge adulte, continuent d'inspirer sa vie et de confirmer sa volonté de travailler à améliorer le monde.*

# TROISIÈME PARTIE

## Bonjour, le monde !

*J'ai des souvenirs de villes comme on a des souvenirs d'amour.*

Valery Larbaud

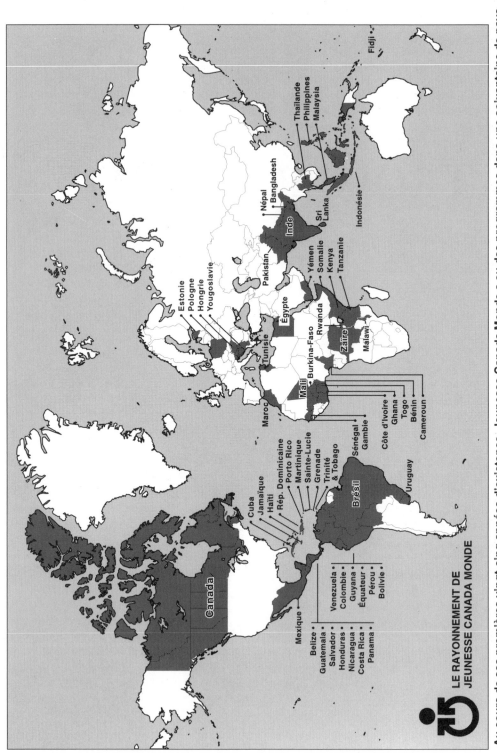

LE RAYONNEMENT DE
JEUNESSE CANADA MONDE

Au cours de ses premières vingt-cinq années d'existence, Jeunesse Canada Monde a eu des programmes dans une soixantaine de pays, répartis dans les cinq continents.

## Note *au lecteur*

Oui, je sais, je sais, on ne lit pas les introductions, avertissements et autres préambules. Mais si vous voulez vraiment savoir l'origine des textes qui suivent, vous devrez vous résigner à retourner à la page 11, où la chose est clairement expliquée.

Comme vous n'en ferez rien, autant dire à nouveau que cette *Troisième partie* rassemble quelques extraits du journal de bord que je tiens au cours de mes missions à l'étranger pour Jeunesse Canada Monde ou de mes petits voyages à moi. Une manière de dire bonjour, encore une fois, à une douzaine de beaux pays du monde.

# 1.
# BOLIVIE

*1981*

Deux campesinos boliviens amis d'Érik Lafortune.

*27 janvier*

En deux heures, je passe de la chaleur humide d'Asunción, capitale du Paraguay, au froid et à la pluie de La Paz, une des villes les plus haut perchées du monde, dans les Andes, à 3 650 mètres d'altitude.

À l'aéroport, je suis accueilli par le coordonnateur de Jeunesse Canada Monde en Bolivie, Yvan Labranche, et notre ami Francisco Pereira, directeur général de l'*Instituto Boliviano de Tecnologia Agropecuraria* (IBTA), organisme responsable du programme de Jeunesse Canada Monde en Bolivie. Joyeuses retrouvailles. On me conduit à l'hôtel, où je comptais bien poursuivre la conversation avec Yvan, mais il était plus de 22 heures et le couvre-feu commence à 23 heures. On ne joue pas avec le couvre-feu !

*29 janvier*

Nous devions partir à 7 heures, puis à 10 heures, pour rendre visite aux participants de Coroico et de Caranavi. Nous quittons finalement La Paz à midi, avec cinq heures de retard, ce qui semble normal en Amérique latine... L'IBTA nous a fourni une *Jeep*, seul type de véhicule pouvant circuler par les chemins de cette région pendant la saison des pluies. Nous avons même un chauffeur, *El Gordo.* Reynaldo, le coordonnateur bolivien, nous accompagne. Comme il reste une place, Yvan invite à se joindre à nous une jeune Canadienne d'Edmonton de passage à La Paz, qui voulait justement visiter les Yungas, c'est-à-dire la belle région tropicale où se trouvent les projets de Jeunesse Canada Monde.

La Paz est bâtie dans un grand trou entouré de hautes montagnes. Nous montons à l'assaut pour atteindre un sommet de 4 869 mètres, La Cumbre, avant de redescendre (et de remonter souvent !) vers les Yungas. Le paysage est grandiose, hallucinant, fantasmagorique. Mais la route en lacet a de quoi faire frémir les plus courageux voyageurs. Je n'essayerai pas d'en décrire les horreurs, sûr de ne pouvoir traduire la réalité à des lecteurs canadiens. Disons simplement qu'un petit chemin de terre se tortille à travers les Andes, accroché au flanc de rochers dont la pente est quasi verticale, longeant des précipices parfois de plus de quatre ou cinq cents mètres. Aucun garde-fou. Les courbes succèdent aux courbes, dont les angles varient entre $100^o$ et $160^o$. Les seules indications routières sont de petites croix blanches ou noires marquant les endroits où sont tombés des camions, entraînant dans la mort souvent des douzaines de personnes. Les plus récentes sont encore fleuries de lys et de glaïeuls...

Le chemin est tellement étroit que deux véhicules ne peuvent y passer à la fois qu'en de rares endroits. En cas de rencontre, le véhicule qui monte, toujours péniblement, a la priorité. Tant bien que mal, l'autre recule jusqu'à ce que le chemin soit assez large pour permettre de doubler.

Arrivés à un petit bourg, nous apprenons qu'un important éboulis n'a pas encore été déblayé. Une interminable file de camions au chargement trop lourd, auquel s'agrippent encore de dix à trente voyageurs, qui attendent, dans certains cas depuis quatre jours. Yvan et Reynaldo partent à pied dans l'espoir de pouvoir passer par-dessus l'éboulis : de l'autre côté, peut-être pourra-t-on trouver un véhicule quelconque pour continuer notre chemin. Dans un petit café en tôle ondulé, grand comme un mouchoir de poche, je mange un oeuf et du pain avec Cathy, la jeune Canadienne. Au bout d'une heure d'attente, nous décidons d'aller à la rencontre de nos amis : une balade de près de deux heures sous un soleil heureusement tamisé par une couche de nuages. Pour passer le temps, nous comptons les camions immobilisés au bord du chemin. Au 90$^e$, nous rencontrons Yvan et Reynaldo qui, eux aussi, avaient compté les camions depuis l'éboulis : 74. En tout, de ce *côté-ci*, il y a donc 164 camions. Comme chacun transporte, en moyenne, vingt passagers, cela représente une population de 3 280 hommes, femmes et enfants, qui campent dans la nature, plusieurs depuis quatre jours. Il devrait y en avoir autant de l'autre côté ... On commence à manquer d'eau et de vivres.

Yvan et Reynaldo nous annoncent que, malgré les efforts acharnés de quelques bulldozers, la route ne sera pas dégagée avant quelques jours, même davantage si les fortes pluies recommencent. Alors, qu'est-ce qu'on fait ? Plus haut dans la montagne, il y a bien une route en construction. Elle est interdite aux camions qui, de toute façon, seraient incapables de gravir la pente particulièrement abrupte qui nous en sépare. Une *Jeep* pourrait peut-être y arriver. Encore faut-il la permission des militaires qui surveillent les lieux. Yvan l'obtient sans grande difficulté, grâce à un sauf-conduit signé de la main même d'un ministre. «Mais c'est à vos risques et périls !» déclare le sergent. Et alors, le reste de la route ?

Petit inconvénient : il nous faudra attendre l'arrêt des travaux et le départ des cantonniers, vers 18 heures... Nous finissons par passer, non sans de fortes émotions lorsqu'il faut lancer la *Jeep* à l'assaut d'une côte particulièrement raide, moitié cailloux, moitié glaise. Après, il reste encore deux heures de mauvais chemins, en tire-bouchon, toujours au bord d'un gouffre. Une brume épaisse s'étant abattue sur les Andes, nous voyons à peine à quelques mètres devant nous, mais au moins les précipices ont *disparu*...

Après avoir fait une énorme consommation d'adrénaline, nous arrivons enfin à Coroico, où il y a un groupe de Jeunesse Canada Monde qui ne nous attendait pas : aujourd'hui, nous devions filer jusqu'à Caranavi, à trois ou quatre heures d'ici, et nous arrêter sur le chemin du retour, après-demain. Nous sommes trop fourbus pour faire un kilomètre de plus. Par bonheur, il reste quelques participants dans le village, les autres logeant chez les *campesinos* avec lesquels ils travaillent.

Quand ils sont à Coroico, les participants habitent l'école du village, libre en raison des vacances scolaires. Ils prennent leur repas du soir dans une gargote minuscule où nous en retrouvons quelques-uns. Une bande joyeuse sous l'autorité bienveillante de Gilbert Côté, l'agent de groupe : Jacqueline Larson d'Edmonton, Jean-Jacques Desgranges de Sudbury, Duane Thomas d'Ottawa et Tannis Loescher de Neepawa, au Manitoba, et leurs homologues boliviens. Nous partageons avec eux le *arroz con pollo* et beaucoup de nouvelles. Après avoir écouté, sous les étoiles, un petit concert de musique des Andes (deux flûtes de Pan, une guitare espagnole et un *charango*, instrument à cordes bolivien), nous nous disons au revoir puisque nous reviendrons à Coroico après-demain, comme prévu... et que le couvre-feu sonne à 23 heures !

*30 janvier*

Pour rattraper le temps perdu, nous partons à 5 heures, soit une heure *avant* la fin du couvre-feu. Bah ! On présume qu'au poste de contrôle, les gendarmes dormiront à poings fermés. En cas de problème, on pourra avoir recours au maire, un grand ami des participants...

Pendant la première heure, nous roulons en pleine obscurité, remettant notre sort entre les mains de notre chauffeur, *El Gordo*, c'est-à-dire «le Gros». Gros mais petit : ses jambes semblent avoir du mal à atteindre les freins. Quant à lui, il s'en remet à tous les saints du ciel en faisant trois signes de croix avant chaque étape. La moindre distraction de sa part, la moindre défaillance des freins et c'est le précipice, la mort certaine. Le jour se lève sur un majestueux paysage, que nous apprécierions davantage si *El Gordo* allait moins vite et klaxonnait avant de s'engager dans les plus incroyables virages. À la grâce de Dieu ! Et comme l'éboulis n'est sûrement pas encore déblayé, on ne risque guère de rencontrer d'autres véhicules. En principe. Mais en pratique, après une courbe en épingle à cheveux, nous arrivons droit sur un énorme camion sorti de nulle part. Des cris. Des coups de frein. Les deux véhicules s'immobilisent juste à temps : il reste 50 centimètres entre les pare-chocs. Une collision frontale nous aurait sans doute précipités au fond de l'abîme.

Au bout de trois heures hallucinantes, nous arrivons à Santa Ana, petit bourg où habitent les participants qui travaillent dans la région de Caranavi, village de colons situé «à quelques précipices d'ici», selon Guy Bordeleau, l'imperturbable agent de groupe.

Nous partageons le petit déjeuner avec eux : pain, margarine et café noir. Quel plaisir de retrouver ces garçons et ces filles, à peine entrevus il y a plus de quatre mois, durant leur camp d'orientation à Saint-Gédéon du Lac Saint-Jean, au Québec. Et quelle surprise de constater qu'ils sont tous devenus *trilingues*. Brian Gorlick de Winnipeg me parle de sa découverte du Québec et de son amour pour le Lac Saint-Jean, où il va retourner l'été prochain pour perfectionner son français, grâce à un cours d'immersion qui se donne à Jonquière. Et pourtant, il me raconte tout cela dans un français remarquablement correct. Et il parle l'espagnol tout aussi bien. Il est lui-même étonné de ce qui lui arrive : «En moins de cinq mois, j'ai appris *deux* langues dont je ne savais pas un mot. Incroyable ! Aucune école n'aurait pu me donner autant». Stephen MacDuff de North Augusta, en Ontario, ajoute : «Et en plus des deux langues, comme je connais mieux mon pays maintenant ! Sans parler de la Bolivie, de la réalité du développement, etc.».

Dans l'après-midi, nous allons chercher les participants à leur chantier, quelque part dans la montagne. Avec les *campesinos*, ils ont défriché un bout de terre qui deviendra une pépinière. À grands coups de machette. Chacun me montre les ampoules qu'il a dans les mains. Ah ! ils sont fiers d'eux, nos participants ! Et les *campesinos*, tous des membres d'une coopérative soutenue par l'IBTA, semblent ravis de cette collaboration inespérée et symbolique. Le chef des *campesinos* improvise un petit discours pour en remercier *Juventud Canadá Mundo* et «*nos hermanos canadienses*», «nos frères du Canada». Entendre des choses pareilles dans un coin perdu de la Bolivie, ça vous chavire un peu le cœur...

On réclame une photographie de groupe. Comme nous sommes un quinzaine, il faut nous placer sur deux rangs. Un vieux *campesino* nous dit en riant : «Les Canadiens se mettront derrière et nous, les Boliviens, qui sommes tellement plus petits, nous nous placerons devant !» Bien sûr, ils sont petits, résultat de la sous-alimentation dont ils souffrent depuis des générations...

### 31 janvier

Départ vers 13 heures pour Coroico. *El Gordo* a fait ses trois signes de croix. Espérons que cela ne lui interdira pas d'avoir l'oeil vif dans les deux mille virages qui nous attendent !

La saison des pluies se donne un léger répit et, aujourd'hui, le soleil brille de tous ses feux. Les Andes nous paraissent plus belles que jamais, d'autant plus qu'elles sont verdoyantes, contrairement à leurs soeurs arides de l'Altiplano. Ceux qui ne souffrent pas du vertige (comme moi !) peuvent admirer le fond de la vallée, à quelques trois ou quatre cents mètres, où ondule une rivière étincelante, long serpent d'argent.

À Coroico, nous retrouvons les participants rencontrés avant-hier et ceux qui n'y étaient pas. Un beau groupe trilingue, lui aussi, de Louis Chiasson, l'Acadien du Nouveau-Brunswick, à Jackie Larson, d'Edmonton.

Avec les agronomes de l'IBTA, nous allons visiter une des plantations expérimentales de café de la coopérative. Charmante promenade d'une heure, à flanc de montagne, par bonheur dans l'ombrage de grands arbres, nécessaire aux caféiers. Les *campesinos* nous expliquent les difficultés de cette culture, particulièrement éprouvée en Bolivie par la «rouille» des feuilles qui peut réduire la récolte de moitié. Éric Lafortune, de Montréal, me parle de cette terrible maladie avec l'accent de quelqu'un que cela touche jusque dans ses tripes...

Petit discours du chef des *campesinos*, qui vante le travail de nos participants et remercie du fond du coeur *Juventud Canadá Mundo* de les avoir envoyés dans son lointain village.

En soirée, les agronomes de l'IBTA offrent un souper en mon honneur, davantage en l'honneur des participants canadiens et boliviens. Plats typiques de la région et petit ensemble de musique andine. Table dressée en plein air, dans une cour intérieure. On bavarde, on rit et, inévitablement, on danse des danses boliviennes. J'ai encore beaucoup de progrès à faire...

### 1<sup>er</sup> février

J'ai grand peine à quitter ce merveilleux Coroico, vieux village aux rues pavées de pierres usées par le temps, qui date de l'époque coloniale. Toutes les maisons semblent être de couleurs différentes, très vives et éclatantes sous le soleil de midi. La *plaza* est remplie d'Indiennes en costume national, coiffées de curieux petits chapeaux ronds. À mi-chemin entre les hautes altitudes de l'Altiplano et la région tropicale, Coroico jouit toute l'année d'un climat idéal.

Mais la vraie raison pour laquelle ce Coroico enchanteur me retient, c'est l'appréhension du véritable cauchemar de la route qui nous sépare de La Paz. Impossible de savoir si l'éboulis a été déblayé, les rapports étant vagues ou contradictoires.

Aujourd'hui, *El Gordo* a le frein nerveux et l'embrayage peu subtil. Surtout, il a le klaxon trop discret à mon goût. Après deux collisions frontales évitées par un poil, je le supplie de klaxonner dans les virages de 120° ou plus. Il rigole, il dit : «*¡Si ! ¡Si !*» mais n'en fait qu'à sa tête.

Les chauffeurs boliviens sont généralement excellents, ce qui explique que la population n'ait pas été plus sérieusement décimée. Mais il y a des accidents. Peu avant La Paz, nous voyons un camion les quatre pneus en l'air, à moitié démoli : ayant mal pris un virage, il a dû faire une chute d'une trentaine de mètres. On s'en est peut-être sorti vivant, mais quelques kilomètres plus loin, la chute aurait été de cinq cents mètres...

Arrivons enfin près de l'éboulis : la route est toujours fermée et elle le sera sans doute pendant quelques jours. Parce que nous avons un véhicule à quatre roues motrices, nous pourrions encore emprunter la route en construction, un peu plus haut dans la montagne. Les militaires, qui en gardent l'entrée, nous apprennent qu'un récent dynamitage a laissé tomber de grosse pierres sur un tronçon de la route, maintenant bloquée. C'est dimanche et on ne déblayera pas avant demain. Devant la perspective de passer la nuit dans la *Jeep*, nous décidons d'aller voir, tout de même. Les soldats haussent les épaules et nous laissent passer. À l'endroit mentionné, en effet, un monceau de pierres barre la route. Une *Jeep* nous avait précédés, et ses six occupants sont en train d'enlever les pierres. Nous allons à leur rescousse et, en peu de temps, on a ouvert un passage assez large pour une *Jeep*.

Morale de l'histoire : ne jamais croire ce que racontent les militaires !

# 2.
# SÉNÉGAL

*1982*

Le mystérieux et merveilleux Larry Huddart.

*18 décembre*

Larry Huddart restera l'un des hommes les plus merveilleux que j'aie connus au cours de ma déjà longue vie. Il parlait peu, et jamais de lui. (Je ne pourrais en dire autant !) C'est donc par hasard que j'ai appris quelques bribes de sa vie hors de l'ordinaire. Entre autres, il avait été longtemps vice-président de la *Quaker Oats*, responsable de l'activité de cette compagnie en Amérique latine. Mais ce curieux homme d'affaires était aussi un poète, ce qui change tout !

Quand je l'ai rencontré, sans doute à Vancouver où sa femme Carol est juge, il avait déjà renoncé à sa brillante et lucrative situation, bien avant l'âge de la retraite, au grand étonnement de ses amis. Nous ignorions tous qu'une grave maladie ne lui laissait que quelques années à vivre : il voulait les consacrer à la jeunesse de son pays.

Il donna beaucoup de son temps et de son incroyable énergie au *Lester B. Pearson International College* de Victoria, mais c'est Katimavik qui eut la meilleure part. Pendant deux ans, il en fut, avec moi, co-président. Afin de s'initier au mouvement, il avait loué une caravane et, *pendant des mois*, il avait parcouru notre immense pays pour aller visiter les groupes de participants de Katimavik, souvent installés dans les coins les plus inaccessibles.

Larry Huddart avait aussi beaucoup d'affection pour Jeunesse Canada Monde. Un jour, comme je m'apprêtais à partir pour le Mali, où nous avions un programme en cours, je l'invitai à m'accompagner, à ses frais il va sans dire. Il était ravi, d'autant plus que ce grand voyageur n'avait jamais mis les pieds en Afrique.

Nous nous étions donné rendez-vous à Dakar, inévitable escale sur la route du Mali.

Dakar. Midi. Ils sont enfin là tous les deux, Carol pétillante et heureuse de se sentir à l'aise dans cette Afrique francophone que sa connaissance de la langue française lui rend presque familière, et Larry, le mystérieux Larry, dont l'infinie discrétion constitue une arme finalement redoutable. On s'embrasse, on se congratule... Au cours des dernières années, combien d'heures ai-je vécues avec Larry, discutant de Katimavik, de sa mission prophétique, de son éternel besoin de croissance sans cesse frustré par l'incompréhension des bureaucrates et la légèreté des politiciens. Ce voyage que je lui ai proposé était un piège : enfin, je pourrais, à loisir, l'apprivoiser, le découvrir, peut-être percer son mystère.

Sans hésiter, je propose un petit pèlerinage à l'île de Gorée, ce haut lieu de la négritude, par où vraiment devrait commencer tout voyage en Afrique, par où commença sur une grande échelle cette abomination appelée la traite des esclaves. Un nombre incalculable d'Africains passèrent par cette île avant de s'embarquer sur les négriers qui devaient conduire les survivants en Amérique chez les maîtres blancs.

Les Huddart allaient donc s'initier à l'Afrique occidentale par une visite à l'île de Gorée. Ensemble, nous parcourons les petites rues de sable, humbles Blancs parmi les Noirs souriants qui semblent *nous* avoir pardonné... Je suis le mentor, je suis le guide, tout blanc que je sois : j'ai mes lettres de créances, ayant vécu une semaine dans l'île il y a trois ans, conférencier invité par la minuscule Université des Mutants pour le Dialogue des cultures, fondée par Senghor. «Vous voyez, en haut, face à la mer, c'était ma chambre...» Cela n'impressionne pas *vraiment* les Huddart, mais ils m'écoutent avec gentillesse.

Nous marchons sur le sable doux de la plage, des places, des rues... Il n'y a pas d'auto à Gorée, pas de moto, pas même une bicyclette : cette ancienne cour de triage des esclaves est devenue un havre de paix où tout homme, noir ou blanc, se sent plus libre que partout ailleurs, libéré pour un instant de la tyrannie de la machine, des gadgets, des ordinateurs, de tout le bataclan.

Nous faisons le grand tour, à pied, dans le sens contraire des touristes, pour aboutir à la Maison des esclaves, dont la porte arrière donne directement sur la mer : quand ils avaient franchi cette porte, les Sénégalais, Guinéens, et autres Maliens s'embarquaient vers l'Amérique sans espoir de jamais revoir l'Afrique.

Le soleil est tombé, la fraîcheur de décembre nous fait frissonner. Hélas ! toutes les émotions que provoque une visite à l'île de Gorée ne nous empêchent pas d'avoir un petit creux à l'estomac. On éprouve toujours une sorte de gêne à avoir faim dans ce continent où tant d'hommes, de femmes et d'enfants meurent littéralement de cela même. «La seule tristesse c'est de n'être pas des saints !» disait Léon Bloy. Carol, Larry et moi, acceptons le fait que nous ne sommes pas des saints, que nous avons faim... et je sais qu'il y a au bout de l'île un petit restaurant qui n'hésite pas à s'appeler joyeusement : l'*Hôtellerie du Chevalier de Boufflard*. Nous avalons une brochette de mouton, du riz blanc un peu gris, un peu collant, une bouteille de vin rosé presque trop frais, presque trop bon... Heureux d'être ensemble.

Vieux Goréen, je dis aux Huddart, avec l'assurance d'un colonial de la «belle époque» : «Rentrons au bar (nous commencions à grelotter sur la terrasse caressée par le vent frais de la mer). Je connais le patron. Et la femme du patron qui s'occupe des choses importantes, c'est-à-dire de la caisse. Ils sont allés au Canada jadis. Non, pas à Vancouver. C'est trop loin. Il y pleut trop. Ça parle anglais. Ils sont allés au Québec, à l'île d'Orléans, à Saint-Joseph-de-la-Rive, à Sainte-Anne-de-Beaupré...»

Le patron me reconnait. Il exulte. Cela me *place* auprès des Huddart. Constatant que je suis *connu* à Gorée, ils me feront confiance pendant le reste du voyage ! Le patron est tellement content de me voir, — non, de voir des Canadiens, — qu'il nous offre le digestif : «Pas n'importe quoi, une bouteille pour les grandes occasions.» Quand je dis à Marcel (ben voyons ! on s'est connus il y a trois ans, et puis Saint-Joseph-de-la-Rive...), quand je dis à Marcel que les Huddart sont des *Anglais* de Vancouver, ça le refroidit un moment, mais tout change quand Carol se met à lui parler français.

Encore un petit digestif. Subrepticement, Marcel change le disque moche qui tourne sans objet depuis notre arrivée. J'entrevois la pochette appréhendée : Line Renaud et, bien sûr, elle chante *Ma cabane au Canada*, ritournelle à la gloire de l'image farfelue que les Français se faisaient, se font encore du Canada, Québec inclus. Il monte le volume : la cabane au Canada envahit la moitié de l'île de Gorée. On a l'impression que, d'un instant à l'autre, un gars de la RCMP va faire irruption dans le bar... pour demander à Marcel s'il a sa *licence* !

Tout cela est bien sympathique, mais nous devons retourner à Dakar par la chaloupe de 20 heures. Et nous préparer au grand voyage au Mali au cours duquel, peut-être, je réussirai à apprivoiser le secret et doux Larry...

Je devais bien apprendre quelques petites choses. À seize ans, il partait à la découverte du monde sur un tanker; il a frayé avec les Jack Kerouac, les Henry Miller, les Aldous Huxley et autres Allen Gingsberg. Il a même eu une courte carrière d'écrivain et ses futurs biographes parleront des *shorts stories* qu'il publiait dans le *Saturday Evening Post*, et même des poèmes dans une prestigieuse revue littéraire américaine. Plus tard, il a parcouru plus de mille kilomètres à pied, sac au dos, à travers des régions sauvages d'Australie, traçant une piste pour le gouvernement australien, etc.

Sacré Larry ! *The Quiet Canadian*...

# 3 .
# COLOMBIE

*1986*

*Campesinos* de Colombie.

*20 décembre*

Accueil à l'aéroport de Bogota par les deux coordonnateurs de Jeunesse Canada Monde: la Canadienne Naseem Jammohamed et le Colombien Jairo Viafara. Ils me raccompagnent à l'hôtel, où nous échangerons potins, nouvelles, documents et lettres. Je ne les connaissais ni l'un ni l'autre, mais au cours des prochains jours, j'aurai l'occasion de les voir à l'oeuvre et de les apprécier.

*21 décembre*

Lever à 6 heures. Petit déjeuner avec Naseem et retour à l'aéroport, où nous prenons l'avion pour Medellin, la capitale de la province d'Antioquia, où se trouve un groupe de participants de Jeunesse Canada Monde. Moins d'une heure de vol, la première étape d'un long voyage.

À l'aéroport de Medellin, nous sommes accueillis par la *Doctora* Magola, directrice régionale d'ICETEX (*Instituto Colombiano de Credito Educativo y Estudios Tecnicos en el Exterior* — Ouf !), l'organisme para-gouvernemental avec lequel Jeunesse Canada Monde organise le programme dans ce pays depuis treize ans. Nous attendait également, une vieille amie, la *Señora* Betty Rodriguez, chef de service d'ICETEX à Bogota et directement responsable du programme. C'est avec peine que j'apprends sa mise à la retraite à la fin du mois : «Avec vous, aujourd'hui, me dit-elle, je ferai donc ma dernière visite officielle. Il est bien qu'il en soit ainsi, car Jeunesse Canada Monde restera le plus beau souvenir de ma carrière à ICETEX».

Depuis quelques années, la *Señora* Rodriguez était devenue une alliée sûre. En dépit de son état de santé précaire, elle n'a pas hésité à m'accompagner dans ce voyage sur des routes parfois très mauvaises et toujours très dangereuses, puisque nous sommes en pleine région andine.

Parlant d'état de santé, il me faut bien faire allusion à la mienne, puisqu'elle compliquera un peu mon voyage. Avec raison, je me suis toujours vanté d'avoir une santé de fer et une rare résistance à la fatigue. J'étais même persuadé que ma grève de la faim de vingt et un jours en mars dernier n'avait eu aucun effet négatif sur mon organisme. Trois jours avant mon départ, je vis un médecin à cause de douleurs aux articulations et aux os d'une façon générale. Diagnostic : sérieuse décalcification causée par mon jeûne; cela a provoqué des irritations aux os des jointures et du bassin, sans oublier le coccyx ! J'ai quitté Montréal avec une médication appropriée, mais aussi avec une vive appréhension des heures de voyage en avion, en auto et sûrement en *Jeep*, toutes choses qu'on devrait épargner à un coccyx endolori.

Déjà, le trajet entre l'aéroport et la ville de Medellin est une rude épreuve : près d'une heure sur une route accrochée à flanc de montagne, souvent défoncée, rongée du côté de l'abîme ou, de l'autre, envahie par les éboulis. Une route qui, au Canada, serait condamnée pour raison de sécurité. De plus, les chauffeurs colombiens sont d'une telle audace dans les courbes que nous avons eu l'impression d'échapper de justesse à une bonne douzaine de collisions frontales. Pour la *Señora* Rodriguez, c'est là chose normale. Quant à moi, j'ai assez d'éducation pour éviter la moindre remarque même si chaque soubresaut me donne envie de crier tellement mes pauvres os en prennent un coup. Quant aux dangers incroyables de la route et de la circulation déchaînée, je m'étonne seulement d'avoir oublié les émotions fortes de mon dernier voyage dans les Andes, et le fait qu'après un certain temps, ayant épuisé toutes ses réserves d'adrénaline, on adopte une attitude fataliste. Et on en vient à ne plus remarquer ces petits oratoires rustiques accrochés aux murs de roc, ni les petites croix blanches plantées au bord de précipices de plusieurs centaines de mètres, ou simplement peintes sur un rocher : chacune rappelle un terrible accident qui aura coûté la vie à quelques personnes ou à plusieurs douzaines dans le cas des autocars ou des camions chargés de passagers. Tout à coup, je ne puis m'empêcher de sourire en pensant à ma craintive grand-mère qui faisait pratiquement une crise de nerfs et invoquait tous les saints du ciel chaque fois qu'on s'engageait dans la côte de la Montagne, à Québec, avec la vieille mais puissante *Packard* de mon grand-père...

Route infernale, mais paysage sublime. Nous descendons en serpentant jusque dans les profondeurs des vallées pour aussitôt remonter vers de nouveaux sommets aux pics bien découpés sur le ciel bleu, et puis redescendre, remonter, redescendre...

Arrivée à Medellin. Encore deux heures de route semblable nous séparent de ce village perdu qui s'appelle Los Micos et où nous attendent sept participants colombiens et autant de Canadiens. Et deux agents de groupe.

Nous arrivons en retard, comme il semble inévitable, voire normal dans ce pays où mille imprévus guettent le voyageur. Déjà bien intégrés dans le pays, les participants ne marquent pas le moindre étonnement et s'empressent de nous servir un plantureux repas traditionnel de la province d'Antioquia, du genre qu'on ne retrouve jamais dans les régimes amaigrissants : *arroz* (riz), *frijoles* (gros haricots noirs), *patacones* (beignets de platane frits fourrés de fromage et de pâte de goyave), *chicharran* (tranches de lard frit, qui rappellent les *oreilles de christ*, ce bacon grillé du Québec), etc.

Comme nous n'aurons pas beaucoup de temps pour bavarder avec chacun des participants, nous les réunissons dans la petite école de Los Micos, un bourg de trois ou quatre cents âmes. Ils nous donnent leurs impressions du programme et nous convainquent sans peine qu'ils forment un groupe parfaitement heureux; désolés seulement d'avoir à quitter leur village et surtout leurs familles d'accueil dans quelques semaines. *Ils sont unanimes à dire que le programme devrait durer un mois de plus.*

Comme Noël est au coin de la rue, je distribue à chaque participant un livre de poche en français, en anglais ou en espagnol avec un petit mot. Mais c'est Naseem, la coordonnatrice, qui a le plus de succès : elle offre à chacun une belle photo couleur où le participant tient la vedette avec, au dos, une phrase ou deux rappelant l'événement...

Les participants nous parlent avec enthousiasme de leur vie à Los Micos, du projet communautaire auquel ils ont travaillé, de leurs programmes d'animation auprès des enfants, très nombreux chez les *campesinos*. Mais surtout, de la vie dans leur famille d'accueil respective, de la récolte du café, des travaux de jardinage, etc.

J'avais rarement rencontré un groupe aussi représentatif de la diversité culturelle du Canada. L'agent de groupe, Sylvie Joly, est une Québécoise, jadis participante au Sénégal. Mais il y a Grant Thistle, de Terre-Neuve, Kirby Smith, un autochtone de

Pincher Creek (Alberta), Pedro Orrego, de Toronto, dont les parents ont fui le Chili de Pinochet, Rachel Bégin, une Montréalaise unilingue qui a réussi en six mois à apprendre l'anglais *et* l'espagnol, Roanne Racine, une Franco-Ontarienne, Traci Jang, de Vancouver, dont le père est d'origine chinoise et, enfin, Yukio Ouellet, un Québécois de la ville de Québec dont seul le prénom, et peut-être les yeux très légèrement bridés, nous rappellent que sa mère est japonaise. Bref, un éventail de jeunes Canadiens dont notre service de sélection aurait raison d'être fier.

Dans le peu de temps dont je dispose, je réussis tout de même à établir un contact plus personnel avec Yukio, qui m'avoue jusqu'à quel point le programme a changé sa «perception des autres et de moi-même»; avec Rachel, qui vibre littéralement quand elle parle de Jeunesse Canada Monde, «la plus grande chose qui soit arrivée dans ma vie» et, enfin, avec Kirby, Amérindien de l'Alberta qui mesure plus de six pieds. Il m'invite à aller rendre visite à «sa» famille, dont la maison est tout proche de l'école : en fait, une maisonnette au toit de tuiles rouges, entourée de plate-bandes de fleurs et de bananiers, au milieu d'une cour grouillante de poules, de chiens et surtout d'une bonne douzaine d'enfants. Kirby me présente son «père», sa «mère» et ses nombreux «frères» et «soeurs». On sent que ces mots ne le gênent aucunement et qu'il éprouve une évidente affection pour ces *campesinos* qui ont peut-être quelques traits en commun avec les autochtones du Canada.

Une des «soeurs» de Kirby est une mince adolescente dont le père m'explique tout de suite qu'elle est sourde-muette. En fait, jusqu'à l'arrivée des participants, elle était plus ou moins considérée comme la folle du village. S'intéressant à elle, les participants se sont aperçus qu'elle était, au contraire, très intelligente. Ils lui ont appris à lire. Chose certaine, elle n'est plus considérée comme la folle du village...

Kirby, qui sait le genre de voyage que j'ai fait pour venir passer quelques heures avec son groupe, et mon programme des prochains jours, me demande à brûle-pourpoint : «À ce rythme-là, combien d'années encore pensez-vous continuer à faire ce que vous faites ?»

Sans trop réfléchir, je lui réponds : «Bah ! encore une vingtaine d'années, au moins !» J'aurai alors 83 ans...

Les familles d'accueil sont venues partager le repas avec les participants et j'échange quelques mots avec chacun, mais Jairo insiste pour que je les rencontre d'une façon plus formelle, autour d'une table. Il est près de 16 heures, et il me semble que nous devrions nous mettre en route pour Medellin, d'où nous prendrons l'avion pour Bogota. Et demain, la journée recommence à 7 heures... Mon itinéraire étant fixé par ICETEX et nos coordonnateurs, j'aurais mauvaise grâce à me mêler de la logistique... Les deux coordonnateurs tentent de me rassurer : ils partent tout de suite pour l'aéroport et obtiendront les cartes d'accès à bord pour tout le groupe, ce qui permettra à la *Señora* Rodriguez et à moi-même de consacrer quelques minutes de plus aux familles d'accueil. Questions, réponses, la *Señora* Rodriguez est en verve, les minutes passent, je commence à m'inquiéter sérieusement et, tout à coup, à la fin d'un commentaire, je lance un retentissant «*¡Feliz Navidad !*» et je me lève.

«Ne vous inquiétez pas, me dit la *Señora* Rodriguez, nous avons tout le temps qu'il faut !» Ce qui nous autorise à bavarder encore dix minutes avant le départ. Il est 16h30.

Trois heures de route jusqu'à l'aéroport de Medellin, où nous devons prendre le vol de 19h30, le dernier en direction de Bogota.

Nous échangeons nos impressions des participants, la *Señora* ayant surtout causé avec les Colombiens, et moi avec les Canadiens. «Savez-vous, me dit-elle, que nous comptons déjà trois cents anciens participants colombiens, répartis dans tout le pays ? Il serait grand temps de les faire se former en association. Ce serait un formidable réseau de jeunes particulièrement dynamiques dans leur milieu.»

Une fois en chemin, ni la *Señora* ni moi ne faisons la moindre allusion au fait que nous allons probablement rater notre avion. Avec une infinie discrétion, je jette un coup d'oeil à ma montre : 19h25. Et l'aéroport n'est même pas en vue ! Notre seule chance, c'est que l'avion soit en retard, ce qui arrive tout de même assez souvent. 19h30. Le chauffeur, qui n'a pas ouvert le bec du voyage, échange quelque mots avec la *Señora* Rodriguez dans un espagnol télégraphique, espérant peut-être que je ne comprendrai pas :

«Sommes à cinq minutes de l'aéroport... dit le chauffeur.

— Bon. Tant mieux. Il y a encore de l'espoir, répond la *Señora* Rodriguez.

— Mais...

— Mais quoi ?

— Réservoir d'essence à sec !»

En effet, l'aiguille marque zéro et, d'un instant à l'autre, notre voiture s'ajoutera à toutes celles qui attendent, en panne, le long des routes de la Colombie.

Mais les dieux sont avec nous : la voiture finit par arriver à l'aéroport. Il est 19h35. Sur le quai, nos deux coordonnateurs affolés brandissent les cartes d'accès à bord : «Vite, l'avion n'a pas encore décollé !» Nous courons, mais il faut tout de même attendre la *Señora* Rodriguez, qui n'est plus à l'âge du *jogging*. Trop tard : on vient juste de fermer les portes de l'avion ! Mes hôtes colombiens parlementent avec toute personne qui a l'air investie de quelque autorité ou qui porte l'uniforme. Rien à faire. Les moteurs tournent. L'avion est techniquement parti même s'il ne décolle qu'à 20 heures. Le moral est au plus bas. Comme il n'y a pas d'autre avion avant demain matin, cela compromet tout le programme des deux prochains jours. Naseem est bouleversée, la *Señora* a perdu sa belle assurance, Jairo s'agite toujours et court à gauche et à droite. Tout à coup, il arrive, triomphant : «Un avion d'une petite compagnie part pour Bogota à 20h30. Il est 20h25. Nous avons une chance.» Nouvelle course d'un bout à l'autre de l'aérogare. Nous maudissons la compagnie *Avianca* qui s'est bien gardée de nous souffler mot, en temps utile, de ce vol d'une compagnie concurrente. On arrive au moment où les portes de l'avion se ferment. Encore une fois, de justesse, nous manquons le vol, et il n'y a plus d'avion sur la piste. Bref, la catastrophe. Les laveurs de plancher se mettent à l'oeuvre, les boutiquiers ferment les volets de leur boutique, les lumières du plafond s'éteignent par longues rangées à la fois, comme pour nous pousser dehors à grands coups de fouet. Nous n'avons plus de voiture et la perspective de deux heures de route cauchemardesque en taxi pour aller dormir à Medellin et en revenir aux petites heures du matin ne réjouit personne... et surtout pas celui dont le coccyx est déjà à vif. Apprenant qu'il y a une petite ville, Rionegro, à quinze minutes d'ici, et que dans cette ville se trouve le seul hôtel des alentours,

*El Oasis*, je suggère qu'on pourrait y aller dormir. Demain, nous prendrons le premier avion pour Bogota. Mes compagnons, à la fois embarrassés de l'erreur commise et aussi épuisés que moi, n'offrent aucune résistance. Je me prends à les faire rêver à cet hôtel au joli nom, peut-être une relique de l'époque coloniale, où l'on boira du vin chaud devant une immense cheminée pendant que la patronne nous préparera une omelette *à la criolla*, bien baveuse. Le moral s'améliore nettement.

En fait, Rionegro est une petite ville coloniale tout à fait charmante et pas encore abîmée par les horreurs modernes en béton armé. Des rues aux maisons basses, sans étage, aux toits de tuiles et aux grilles de bois noir qui se détachent sur la blancheur laiteuse des murs éclairés par la lune et les réverbères discrets. Une seule exception à cette heureuse harmonie architecturale : l'hôtel *El Oasis*, bloc de béton, trois étages, tout simplement hideux. Au moins, il y des chambres libres et même un restaurant où l'on nous sert des plats aux beaux noms espagnols mais absolument immangeables.

Courte nuit sur des lits minuscules et très durs, c'est-à-dire excellents pour la colonne vertébrale de quiconque n'a pas mal aux os.

## 22 décembre

N'ayant pas prévu cette halte à Rionegro, je n'ai évidemment ni rasoir ni brosse à dents, ce qui simplifiera les ablutions matinales. Lever à 5h30. La direction de l'hôtel, ne reculant devant rien pour plaire à sa distinguée clientèle, nous offre un *tinto*, c'est-à-dire un café noir (de Colombie !) avec deux sucres. Il fait encore nuit mais, dans l'aube blafarde, le clignotement nerveux des naïves décorations de Noël et la *caracole* de quelques *campesinos* ivres en quête d'une autre bouteille d'*aguardiente* nous rappellent que dans moins de trois jours, ce sera la *Navidad*.

Cette fois, nous arrivons à l'aéroport de Medellin une heure et demie avant le départ de notre vol, *comme il se doit*, et nous atterrissons à Bogota à 9 heures : l'avion que nous devions prendre pour continuer le voyage est déjà parti. Cependant, nous avons trouvé une solution, sans doute pénible pour mon coccyx, mais qui permettra de sauver la situation et de respecter à peu près l'horaire des deux prochains jours. Au lieu de prendre un avion de Bogota à Butaramanga et, de là, une voiture jusqu'à Pitiguao, village où se trouve un groupe de participants, nous louerons une voiture à Bogota et irons par la route jusqu'à San Gil dans le département de Santander et, de là, en véhicule tout-terrain fourni par ICETEX, jusqu'au village de Pitiguao. En tout, près de *neuf heures* de route.

San Gil est une très jolie ville à l'architecture coloniale intacte ou à peu près. Nous jetons un coup d'oeil rapide sur la *plaza central*, le temps de passer d'une voiture ordinaire à un véhicule tout-terrain, absolument nécessaire pour les deux heures de très mauvais chemins rocailleux qui nous séparent encore de Pitiguao. Ce village de trois à quatre cents habitants survit tant bien que mal grâce à la culture du jute, dont le marché a été durement touché par la concurrence de la fibre synthétique. On cultive un peu de canne à sucre, du *yucca*, un tubercule qui ressemble vaguement à la pomme de terre et qui est la base de l'alimentation.

Les participants de Pitiguao nous en serviront avec fierté pour accompagner le plat traditionnel de la région, une soupe épaisse et sûrement très riche en calories, à base de haricots, de pois, de maïs et de viande.

Encore un beau groupe de participants, plusieurs personnalités fortes, aussi différentes les unes des autres qu'il est humainement possible de l'être. Gina, une Colombienne vive, jolie, enthousiaste, porte un drôle de petit chapeau de paille qui lui va à ravir. Je le lui dis. Quelques minutes plus tard, elle vient me l'offrir avec un mot : «*Especialmente para ti. De Gina. Recuerdo de Colombia*». Un autre participant colombien, Audanago, porte en bandoulière un beau sac de laine, à la mode des *campesinos* de la région. Cette fois, je me garde bien de faire la moindre allusion au sac de laine. Audanago me provoque : «Dites-moi, vous aimez mon sac ? Alors, je vous l'offre.» Avant même que j'aie eu le temps de protester, il le vide de son contenu et me le passe autour du cou : «Après ce que Jeunesse Canada Monde m'a donné, c'est le moins que je puisse faire pour celui qui a eu cette bonne idée». Je ne m'habitue pas à ces témoignages spontanés, et je ne sais jamais quoi dire. Comme par exemple quand Paul Cormak, de Westhill (Ontario), me raconte sa courte vie en deux mots : «D'abord, j'ai eu la chance inouïe d'être participant de Katimavik. Ça m'a complètement transformé. J'ai alors décidé de m'intéresser à l'agriculture, mais au niveau du développement international. C'est pourquoi j'ai tant voulu vivre l'expérience de Jeunesse Canada Monde, surtout en Colombie, où j'ai l'occasion de me familiariser avec les problèmes des petits agriculteurs.

— Et que feras-tu en rentrant au Canada ?

— D'abord, je devrai travailler pour gagner de l'argent, afin de poursuivre mes études. L'été prochain, je m'inscrirai à un programme d'immersion pour me perfectionner en français. Probablement à Rimouski. Grâce à Katimavik, je me débrouille déjà bien en français. Notre groupe avait vécu trois mois à Baie-Saint-Paul, un village absolument merveilleux. Et après, je ferai des études en agriculture tropicale à l'Université de Guelph. Et plus tard, je travaillerai au développement de l'agriculture dans le Tiers-Monde».

Quand, dans un petit village du bout des Andes, j'entends un garçon de vingt ans me raconter des trucs pareils, je sais que les efforts de tous ceux qui ont oeuvré pour Jeunesse Canada Monde (et pour Katimavik !) en valaient la peine.

Je parle encore à Caroline Thibault, de Sherbrooke, qui, elle aussi, a appris l'anglais *et* l'espagnol «en plus de tout le reste» au cours du programme : «Quand je suis arrivée ici et que je me suis retrouvée avec cette famille de *campesinos* dans leur pauvre maison, j'ai eu un moment d'angoisse. Mais je n'ai rien en commun avec ces gens-là !, me disais-je. Absolument rien ! Aujourd'hui, j'ai appris à les connaître et je comprends qu'ils ne sont pas tellement différents de ce que je suis. Ils ont les mêmes préoccupations de base, les mêmes réactions souvent : des êtres comme vous et moi.»

Et il y avait Kathie, de Castelgar (Colombie-Britannique), qui a découvert le programme grâce à la présence dans cette petite ville d'un groupe de Jeunesse Canada Monde (Inde 1985-1986). Elle n'en revient pas quand je lui dis que je connais Castlegar : j'y suis allé l'an dernier avec le général Malothra, visiter le groupe de l'Inde. Le monde de Jeunesse Canada Monde est bien petit, chère Kathie...

Et Laily Kent, de Gloucester (Ontario), et Willa Baker, d'Athabaska (Alberta), et

Neil Burns, l'artiste de Vancouver qui a dessiné le T-shirt de l'équipe et qui n'en est pas peu fier, et Louis-Martin Pepperhall, authentique Québécois, déluré, bien dans sa peau, avec un excellent sens de l'humour qui ne l'empêche pas d'être très sérieux quand il est question du Tiers-Monde ou de la paix universelle.

Naseem distribue à chacun une photo *personalized* comme on dit en anglais, et qui provoque rires et commentaires. J'offre mes livres de poche, des épinglettes de Jeunesse Canada Monde, mais ce qui soulève l'enthousiasme général, c'est un exemplaire de *La Presse* et du *Globe & Mail* d'avant-hier. Depuis plus de deux mois, les participants sont pratiquement sans nouvelles du Canada.

Les visiteurs de Jeunesse Canada Monde et d'ICETEX reçoivent chacun un cadeau, le même : un sac de jute décoré des signatures de tous les participants et contenant un échantillon des produits typiques de la région : un demi-kilo de café vert, un *platano*, un citron sucré, un *yucca*, un demi-kilo de sucre de canne brut, une paire de sandales dont la semelle est taillée dans un vieux pneu, et un demi-litre d'*aguardiente*, l'alcool national.

Vient ensuite ma rencontre plus formelle avec les familles d'accueil. C'est en vain que je tente de leur tirer une remarque critique.

Une femme s'exclame : «Ah ! nous sommes déjà tous très tristes parce que les participants s'en vont dans trois semaines...»

Une autre : «Il nous faudrait plus de participants pendant plus longtemps.»

Un *campesino* au teint cuivré dit : «Grâce à votre programme, notre communauté ne sera plus jamais la même !»

Enfin, une vieille femme déclenche les applaudissements de tous en déclarant : «Nous vous demandons de nous envoyer un autre groupe l'an prochain !»

Quelques musiciens, guitaristes et chanteurs, viennent se joindre au groupe entassé dans une pièce de la maison de la famille de Caroline, bien décorée par les participants : boules de Noël, banderoles, *bienvenidos* écrits en corde de jute, etc.

Comme il n'y a évidemment pas d'hôtel dans ce petit village, on nous a trouvé deux chambres, une pour les femmes et une pour les hommes, dans un minuscule couvent sur la *plaza*. Chacun a droit à un mince matelas, déroulé sur le plancher de béton, et à une couverture de laine. Pas de drap, pas d'oreiller, pas de luxe, on ne pourra pas faire un scandale dans le *Ottawa Citizen* avec mes frais de voyage !

Le seul inconvénient : je ne ferme pas l'oeil de la nuit !

*23 décembre*

Pour une fois, je suis ravi qu'on se lève à 4 heures. Vingt minutes plus tard, nous reprenons la route, plus épouvantable encore dans la nuit sans cesse déchirée par les phares d'un camion qui surgit de nulle part : notre véhicule étant le plus petit, c'est toujours à lui de reculer tant bien que mal jusqu'à ce que la route soit assez large pour permettre à deux véhicules de se croiser.

Pour ajouter encore à l'irréel de cette route où l'accident guette le voyageur dans toutes les courbes, des personnages sinistres surgissent brusquement dans la nuit : les *Años Viejos*, mannequins grandeur nature, sorte d'épouvantails revêtus de vêtements défraîchis, bourrés de paille, farcis de pétards et qui représentent l'an Vieux, 1986, dont on se moque déjà. Le 31 décembre à minuit, on brûlera sur la place publique les effigies de ce lambeau de temps sur lequel on n'a plus aucune prise : l'année qui vient de finir. *El Año nuevo* a droit au bénéfice du doute : il nous apportera peut-être le bonheur, la paix, la prospérité, qui sait ? Et s'il ne remplit pas toutes ses promesses, l'an prochain, on le brûlera en effigie !

Je renonce à expliquer à des Canadiens à quoi ressemble la route entre Pitiguao et San Gil : aucune image ne réussirait à leur donner une idée de la réalité ! Mais peut-être le petit fait suivant : Naseem avait acheté à San Gil une boîte de biscuits fins. En arrivant à Pitiguao, elle s'est empressée d'ouvrir la boîte : il ne restait des biscuits qu'une fine poussière jaunâtre. Vous voyez ce que je veux dire ?

Peu avant d'arriver à San Gil, la route est bloquée par un camion renversé. Pas de victime, mais le véhicule aurait fort bien pu tomber dans le précipice, dont il n'est séparé que d'un mètre : alors, il n'y aurait eu aucun survivant, et on aurait planté encore une petite croix blanche.

Ne sachant dans combien de temps reprendra la circulation, nous décidons de marcher jusqu'à la ville. Une promenade d'une heure sous un ciel d'un bleu profond et par une température idéale : plus ou moins 21°C.

À 8 heures, nous quittons San Gil dans une *Jeep* robuste avec le directeur régional d'ICETEX, Fabio Paez : il adore Jeunesse Canada Monde et, en raison de cela même, il a réussi à obtenir d'ICETEX que des groupes viennent dans son département (Boyaca) trois années de suite.

La route qui va de San Gil à El Ermitano est la plus mauvaise que nous avons connue en Colombie. Résumons la situation en disant qu'il a fallu une heure pour parcourir huit kilomètres.

Une fois de plus, l'effort en valait la peine : c'est une pure joie de faire la connaissance des participants colombiens et des Canadiens, dont Ariane Zurbuchen, une Québécoise qui habite un village dont j'ignorais même le nom : Saint-Georges-de-Clarenceville, Arnold Blackstar, un autochtone, de North Battleford (Saskatchewan), Karen Durling, de Dartmouth (Nouvelle-Écosse), Stéphane Gagnon, de Mont-Joli (Québec), Teri Clark, d'Edmonton, Christine Graves et Brent Homan, tous deux de Gloucester (Ontario).

Les participants nous racontent la vie dans la communauté, avec leur famille respective, leur engagement dans l'organisation des loisirs des enfants. En ce moment, ils travaillent tous à la préparation de la fête de Noël et participent aux *novenas* quotidiennes, cérémonies mi-religieuses, mi-folkloriques.

On a invité toutes les familles d'accueil et les amis à partager le repas qui, bien sûr, met à l'honneur la spécialité de la région, une sorte de grosse saucisse de porc très épicée (la *longahiza*), qu'on mange avec des pommes de terre minuscules frites avec leur pelure. Un délice... dont les estomacs délicats et les végétariens auraient raison de se méfier !

On nous a préparé une vraie fête avec danseurs, diseurs de poèmes populaires et musiciens venus de San Gil. Il n'est que 16 heures et, déjà, il faut quitter ce village de rêve encastré dans les Andes, ces *campesinos* si vrais, si simples, si chaleureux et, bien sûr, nos chers participants.

Mais il y a l'épreuve El Ermitano — San Gil en *Jeep*, les trois heures d'auto entre San Gil et Tunja et, pour finir, les trois heures trente d'autocar entre Tunja et Bogota.

Après ces trois journées mémorables, j'étais plutôt content de tomber dans un vrai lit vers 22h30...

## 24 *décembre*

Petit déjeuner avec Naseem dont je découvre un peu chaque jour les fortes qualités de coeur et d'esprit. Cette toute petite jeune femme, d'une infinie discrétion, presque effacée, possède en réalité beaucoup de caractère et une grande sensibilité.

Ensemble, nous allons rencontrer le Dr Oscar Ibarra, directeur d'une organisation non gouvernementale, la *Fundacion Cultivar*.

Rappelons d'abord que, l'an dernier, l'irruption du volcan Nevado del Ruiz avait perturbé le programme d'au moins un des trois groupes, qui se trouvait en plein dans la zone sinistrée. Les participants furent évacués à Bogota, où ils aidèrent la Croix-Rouge à secourir les sinistrés, particulièrement les enfants.

Le bureau national de Jeunesse Canada Monde avait obtenu un don de 30 000 $ d'Oxfam-Québec dont l'utilisation avait été confiée à deux des agents de groupe canadiens : Jan Gelfano et Douglas Reiner, qui décidèrent de travailler pour les sinistrés pendant quatre mois, *après* le retour de nos participants au Canada.

Un des projets que Jan et Douglas contribuèrent à mettre sur pied : un atelier de menuiserie dont la première tâche fut de fabriquer des meubles pour distribution aux habitants de Cambao qui avaient tout perdu à la suite de l'irruption du volcan. En témoignage de la contribution de nos deux agents de groupe, l'atelier porte le nom de *Taller de Carpinteria JAN-DOUGLAS*.

## 28 *décembre*

Longue promenade dans le vieux quartier colonial de Bogota avec Augusto, ancien agent de groupe colombien, qui connaît merveilleusement bien l'histoire de Bogota. En compagnie de Jody et de Naseem, je découvre un aspect bien agréable de cette ville dure. Grâce à cette promenade, Bogota devient pour moi plus humaine.

Comment croire que ces aimables promeneurs du dimanche, accompagnés de leurs beaux enfants, puissent faire partie d'une des sociétés les plus violentes du monde ? Même en dehors des escarmouches de l'armée et de la guérilla ou des règlements de compte au sein de la mafia des trafiquants de drogue, on se tue plus souvent qu'ailleurs. Certes, la Colombie est une «démocratie», mais une démocratie toujours plus ou moins soumise à la loi martiale, avec des barrages de police sur toutes les routes et une police armée jusqu'aux dents, omniprésente.

Dans certaines provinces, les guérilleros (de gauche ou de droite, ce n'est jamais très clair) tiennent tête au gouvernement central, mais la vraie plaie de ce pays, c'est toujours la production et le commerce de la cocaïne et autres stupéfiants. Les rois de la drogue tiennent tête, eux aussi, au gouvernement, corrompent les politiciens, les militaires et la police, et assassinent ceux qui leur résistent. Il y a de surcroît complicité entre ces deux États dans l'État : les trafiquants de drogue et les guérilleros.

Chaque président, chaque gouvernement promet de tordre le cou aux uns et aux autres, mais par manque de courage politique ou de courage tout court, on ne va jamais assez loin : rien ne change ! À croire que le double problème de la Colombie est carrément insoluble.

Un pays dont la population est sensiblement celle du Canada, un pays riche (pétrole, fer, pierres précieuses, café, coton, riz, canne à sucre, etc.), un pays pauvre (taudis, *gamines* de Bogota, écart toujours grandissant entre possédants et *campesinos*).

Les trois cents anciens participants colombiens de Jeunesse Canada Monde ont du pain sur la planche !

# 4.
# GUYANE

*1987*

Henri Charrière, dit Papillon.

*30 décembre 1986*

Je n'ai rien à faire à Cayenne sauf trouver le moyen d'atteindre par la route la capitale du Surinam voisin, Paramaribo. Comme je ne pouvais arriver trop vite au Brésil, où nos participants s'installent à peine dans leur communauté, il avait été convenu que je m'arrêterais au Surinam, où j'avais pris rendez-vous avec M. K. Texel, sous-ministre des Affaires étrangères, dans le but de discuter de Jeunesse Canada Monde : nous manquerons bientôt de pays en Amérique du Sud !

En arrivant à Cayenne, capitale de la Guyane française, j'apprends que la situation politique s'est brusquement détériorée dans l'ancienne colonie néerlandaise : les compagnies aériennes ne s'arrêtent plus à Paramaribo, et la frontière avec la Guyane est fermée. Catastrophe ! Je songe un instant à devancer mon arrivée au Brésil, mais il n'y a pas de vol en direction de ce pays avant le mien, qui est prévu pour le 5 janvier. Bref, si j'ose dire, me voilà prisonnier à Cayenne!

*1<sup>er</sup> janvier 1987*

Je fête le premier de l'an en solitaire, dans un hôtel anonyme, presque désert. Bon hôtel selon les normes guyanaises, ce *Novotel* serait considéré au Canada comme un hôtel très ordinaire. Mais les prix sont tout de même relativement élevés. Pas de plage : sauf exception, la côte de la Guyane est recouverte d'une boue grise où l'on s'enfonce comme dans des sables mouvants. Même là où il y a du sable, la mer n'est pas attirante : elle est sale, brunâtre, lourde des alluvions des nombreux fleuves qui s'y déversent, dont l'Amazone. Le tourisme n'a pas un grand avenir en Guyane.

Cette ancienne colonie française porte évidemment le nom de département et fait partie de la France... comme jadis l'Algérie ! Un département minuscule (70 000 habitants) où le séparatisme devient à la mode.

Pour réduire les frais de séjour et aussi changer de paysage, je décide de m'évader... en direction d'une modeste auberge (de type espagnol, c'est-à-dire où l'on ne trouve que ce qu'on y apporte), merveilleusement située au milieu de l'île Royale, une des trois îles du Salut, les deux autres étant l'île Saint-Joseph et l'île du Diable, où le célèbre Dreyfus, officier français d'origine juive injustement accusé de trahison, a été incarcéré pendant plus de quatre ans. Seul habitant de l'île, hormis les quelques gardiens bien armés qui le surveillaient nuit et jour sans avoir le droit de lui parler. L'Affaire Dreyfus, qui débuta le 15 octobre 1884, soit au moment de l'arrestation de l'officier du même nom, avait littéralement déchiré la France en deux camps : les Antidreyfusards et les Dreyfusards, le plus célèbre de ceux-ci étant Émile Zola, dont le *J'accuse* avait ébranlé l'Hexagone comme une secousse tellurique.

L'île Royale et l'île Saint-Joseph étaient jadis les prisons du bagne de la Guyane, dont on avait distribué les nombreux pénitenciers le long de la côte, entre le Surinam et le Brésil. On y incarcérait, dans des conditions abjectes, les forçats récalcitrants, ceux qui avaient enfreint quelque règlement stupide ou commis un crime, l'un des plus graves étant évidemment la tentative d'évasion, qui pouvait valoir à son auteur plusieurs *années* de réclusion, parfois dans des sortes de cages où les détenus, à peine nourris, étaient condamnés au silence absolu.

L'île Royale, où je passerai trois jours, est la plus grande des trois, mais elle me semble plus petite que l'île Sainte-Hélène, près de Montréal. On y trouve de nombreux vestiges de l'époque du bagne, qui a duré près d'un siècle, soit de 1852 à 1946. On a du mal à concevoir que la France, pays des révolutions, des libertés et des droits de l'homme, ait créé une institution aussi barbare et l'ait maintenue aussi longtemps. On ne peut croire que plus de 50 000 êtres humains aient été condamnés à pourrir en ce pays malsain, souvent jusqu'à leur mort par épuisement, mauvais traitements, sous-alimentation, maladies tropicales mal soignées, etc. On a appelé ce bagne «la guillotine sèche». Et les Français qui, à juste titre, se sont scandalisés des camps de concentration nazis, ont attendu jusqu'après la guerre pour fermer le bagne. Une tache sur leur honneur. Un crime dont souffre encore cette pénible colonie maintenant appelée département français, colonie dont le développement n'a jamais vraiment démarré, et qui continue de végéter même depuis que la métropole y a installé la base de lancement des fusées *Ariane*. Le siècle du bagne aura à jamais flétri ce coin de terre de l'Amérique du Sud, le seul qui soit toujours sous la coupe d'un pays européen.

C'est tellement vrai que, depuis 1946, les autorités françaises ont fait des efforts pour qu'on oublie cette page infâme de son histoire : on a rasé plusieurs des bâtiments construits par l'administration pénitentiaire de l'époque, c'est-à-dire par les forçats eux-mêmes. On a abandonné le reste, comme dans les îles du Salut, à la végétation tropicale, le plus sûr et le moins coûteux des démolisseurs : les racines de certains arbres font craquer les murs de maçonnerie les plus épais, arrachent de leurs gonds les portes de fer, tordent les barreaux des cellules.

À la fin de ce siècle, il ne serait plus resté grand-chose des vestiges physiques du bagne, et les rares anciens forçats qui survivent encore à Cayenne, à Saint-Laurent du Maroni et ailleurs seraient tous morts et enterrés. Enfin, on oublierait le bagne, et la Guyane pourrait commencer à vivre comme si rien ne s'était passé.

Minute, papillon ! En 1970, un bagnard qui s'était évadé de la Guyane en 1944 publie chez Robert Laffont un livre qui, du jour au lendemain, devient un des plus importants best-sellers. Il est traduit dans toutes les langues; Hollywood en fait un film; l'auteur devient un personnage considérable que tout le monde s'arrache.

Il s'appelle Henri Charrière, et le livre a pour titre *Papillon*, le nom qu'on avait donné à l'auteur dans la petite pègre du Paris d'avant-guerre et qu'il avait évidemment conservé au bagne. Grâce à Papillon, le monde entier redécouvre le bagne de la Guyane, qui aurait tant voulu se faire oublier; on frémit et on s'indigne de la vie infernale imposée aux forçats, quelle que fût l'importance de leur crime; on applaudit aux exploits de l'auteur, qui réussit à s'évader en 1944, après une première tentative avortée qui lui avait valu deux ans de réclusion.

Ce pays serait-il donc à jamais maudit ? Chose certaine, les Guyanais maudissent allègrement Papillon, sans doute un peu par jalousie, parce que son livre en a fait un millionnaire et une célébrité internationale. Officiellement, on lui reproche d'avoir exagéré, voire inventé bien des aventures. Excellent conteur, disons qu'il se laissait un peu emporter par sa verve... Ayant bien connu Papillon lors de son séjour au Canada en 1972 (je dirigeais les *Éditions du Jour* pour lesquelles Robert Laffont avait réalisé une édition canadienne de *Papillon*), j'ai tendance à lui pardonner ce travers. Peut-être parce que j'avais fini par m'attacher à cet homme chaleureux, gouailleur et profondément humain, mais surtout parce que, tout étant dit, il reste indiscutable que Papillon a passé treize ans de sa vie dans le sinistre bagne, dont deux ans enfermé comme une bête dans une cellule de l'île Saint-Joseph. Et il s'est effectivement évadé deux fois au prix de sacrifices et de souffrances qui devraient normalement dépasser les limites de la résistance humaine.

Papillon est mort en 1972 d'un cancer de la gorge; il se trouvait alors en Espagne et était âgé de soixante-dix ans. Quelques semaines plus tôt, il m'avait écrit pour me remercier avec chaleur des sollicitudes que j'avais eues pour lui pendant son séjour au Canada.

Or, voilà que, quinze ans plus tard, je me retrouve en ces lieux qu'il a maudits avec une verve inoubliable...

*3 janvier*

La vie s'écoule avec une douceur exquise dans ce petit paradis qu'est l'île Royale. Je loge dans une chambre où jadis avait vécu un gardien du bagne : quatre murs épais en maçonnerie, des persiennes en bois dur, un toit de tôle ondulée, une douche installée depuis peu sur la véranda. C'est presque monastique, mais quelle beauté partout autour ! Par un sentier, on fait le tour de l'île en une heure dans la lumière verte tamisée par les cocotiers. Végétation inouïe : manguiers, citronniers, bananiers, arbres couverts de fleurs qui tombent en lourdes grappes, bosquets d'ibiscus roses ou rouges qui éclatent comme des feux d'artifices dans la pénombre des sous-bois.

Mais, tout à coup, surgit un édifice en ruine dont les fenêtres aux barreaux rouillés nous disent que des hommes ont été enfermés là-dedans, durant des jours, des mois, des années. Nombreux sont ceux qui y sont morts ou y sont devenus fous. C'est pourquoi, un peu plus loin, il y a la Maison des fous, où les barreaux ne manquent pas non plus.

J'ai souvent l'impression d'être seul dans l'île. Avec quelques fantômes dont ceux des enfants des gardiens, qui mouraient comme des mouches et à qui on avait réservé un cimetière. Même les tortionnaires ne manquaient pas d'occasions de souffrir. Et ce cimetière des enfants en témoigne encore. Je m'approche d'une épitaphe craquelée sur laquelle on peut lire :

*JEAN GIRAULT*
*mort à l'âge de 9 mois*
*le 18 janvier 1925*
*REGRETS*

Dans l'après-midi, visite à l'île Saint-Joseph, plus secrète et plus belle encore que l'île Royale, mais où se retrouvent autant de souvenirs morbides, de constructions infamantes, de cellules et de cages où des hommes ont été avilis par la volonté d'autres hommes.

# 5.
# BHOUTAN

*1988*

Une Bhoutanaise en route vers  le marché.

*11 janvier*

À très basse altitude, nous survolons les belles rizières du Bangladesh, aux formes inégales et aux couleurs variant entre les diverses nuances du jaune, du brun, du vert. Ici et là, des carrés inondés brillent comme des miroirs posés au hasard sur une immense courtepointe... Vol terriblement agité. Sans ceinture de sécurité, j'irais m'assommer au plafond de la carlingue du petit *Twin Otter* à onze places.

Brusquement surgissent de très hautes montagnes qui annoncent le Bhoutan. Nous ne les survolons pas, mais nous insinuons le long des vallées ou des gorges au fond desquelles coulent des torrents qui scintillent comme des rivières de diamants. Tout à coup, un spectacle insolite. Nous volons très près d'une montagne où l'on distingue une petite route en zigzag sur laquelle roule un camion qui ressemble à un *Dinky-Toy*. L'insolite, c'est que le camion circule à une altitude *plus élevée* que notre avion.

Un paysage grandiose, des vallées profondes, des pics parfois veinés de neige, lieu mal indiqué pour un atterrissage forcé. Après une heure et demie de turbulence, nous nous posons fort gentiment au petit aéroport de Paro, un village de deux ou trois mille habitants. M'attendait depuis hier, un représentant du ministère des Affaires étrangères, avec voiture et chauffeur. Un tout jeune homme revêtu du costume national, comme à peu près tout le monde au Bhoutan. Une sorte de kimono en beau tissu de laine à rayures, tissé à la main et qui s'arrête un peu en haut des genoux. Cela semble peu approprié aux rigueurs de l'hiver bhoutanais. Pour ma part, je grelotte avec ma veste de laine, mon veston et mon imperméable boutonné jusqu'au cou. «Nous avons l'habitude !» me dit Ugyen Namgchuck, mon nouvel ange gardien.

Une heure et demie de route d'ici la capitale, Thimpu. Tant mieux ! Je serai si peu de temps dans ce merveilleux petit pays que je veux en savourer les moindres paysages. Très étroite, la route est taillée à même le roc, dans le flanc des montagnes, le long des vallées. Il y a peu de circulation, ce qui vaut mieux car chaque rencontre nous procure de fortes émotions.

Les hautes montagnes, égratignées ici et là par les étroites terrasses où l'on cultive des légumes, du blé ou de l'orge rappellent le Népal tout proche, mais l'architecture très particulière des plus modestes maisons nous parle d'une culture tout à fait différente. Construites en briques et en bois («sans un seul clou !», précise Ugyen), elles ont grande allure. Le rez-de-chaussée est banal, mais l'étage décoré de boiseries peintes est percé de grandes fenêtres à carreaux, souvent sans vitre, et qu'on ferme de l'intérieur au moyen de minuscules volets blancs. Un toit pointu posé sur quatre piliers de bois coiffe l'ensemble. Dans cette sorte de grenier ouvert aux quatre vents, on entrepose le fourrage, les provisions, le bois de chauffage. Les toits sont recouverts de longs bardeaux de bois tenus en place («sans un seul clou !») au moyen de pierres, posées de façon symétrique.

Le long de la route, nous n'avons traversé que des hameaux d'une douzaine de maisons. Enfin, apparaît un gros village... Mais c'est Thimpu, la capitale ! Environ 15 000 habitants. Le long de la rue principale, une belle harmonie de maisons basses, aux boiseries décorées de motifs traditionnels. «Le roi, m'explique Ugyen, examine personnellement les plans de tout nouvel édifice, dont au moins l'extérieur doit respecter les traditions architecturales du Bhoutan.» Vive le roi !

L'hôtel que le ministère m'a désigné, *le Molithang*, sans doute le meilleur, est juché sur une montagne à quelques kilomètres du centre de Thimpu. Le seul inconvénient : nous sommes hors saison et, par conséquent, l'hôtel n'est pas chauffé. On y gèle comme dans un congélateur.

J'ai droit à un appartement immense et «chauffé», c'est-à-dire muni d'une minuscule chaufferette électrique qui fait un louable effort pour maintenir la température au-dessus de 10ºC. J'ai la curieuse impression d'être le seul et unique client de l'hôtel...

Vers 21 heures, un haut fonctionnaire du ministère des Affaires étrangères vient me décrire le programme du lendemain. Il m'a assuré des rendez-vous avec au moins deux ministres pour discuter de Jeunesse Canada Monde.

Tout à coup, je me rends compte que je n'ai pas eu le temps de manger depuis sept heures ce matin à cause de mon départ précipité. J'avise un des rares employés de l'hôtel. Il parle peu l'anglais. Comme il n'est pas question d'ouvrir le restaurant et surtout de le chauffer, on me servira le dîner dans mes appartements, ce qui me convient tout à fait. Un plat de nouilles à la chinoise, à la saveur de gingembre très prononcée, et des légumes dans une sauce aigre-douce.

Je crois bien que je me coucherai de bonne heure... Écrasé sous une masse de couvertures de laine, je dors avec mon peignoir, mes chaussettes... et ma casquette ! Et je gèle.

## 12 *janvier*

Vers dix heures, Ugyen et moi arrivons à l'édifice du gouvernement, construit par le prédécesseur du roi actuel, dans l'admirable style bhoutanais. Devant la porte, les gardes me présentent les armes. *Wow* ! Au milieu d'une vaste cour intérieure, se dresse un haut édifice blanchi à la chaux, manifestement beaucoup plus ancien. «Un monastère de moines bouddhistes», m'explique Ugyen. Cette présence, au milieu des ministères et des bureaux du roi, est une bonne indication de l'influence qu'exerce la religion sur cette société.

J'ai rendez-vous avec Son Excellence Dawa Tsering, ministre des Affaires étrangères. En pratique, il est le Premier ministre du pays, mais le poste a été aboli. Le Bhoutan est une monarchie absolue où le roi exerce tous les pouvoirs.

M. Tsering connaît bien le Canada, où nous avons un ami commun, Maurice Strong. Ce dernier m'avait promis d'annoncer ma visite au ministre, ce que, de toute évidence, il a fait : «Postée il y a un mois, la lettre m'est parvenue hier», me dit M. Tsering en souriant.

Avec chaleur, il me parle d'un Canadien, le Père Mackie, un jésuite de Montréal, qui a consacré la meilleure partie de sa vie à l'élaboration d'un système d'éducation dont le Bhoutan avait le plus grand besoin. Devenu une sorte de légende dans ce pays, il s'est vu conférer les plus hautes décorations par le roi, qui — chose rarissime — l'a fait citoyen d'honneur du Bhoutan. Le ministre se demande pourquoi le Père Mackie n'a pas encore été nommé membre de l'Ordre du Canada. En effet, pourquoi ? J'ai envie de lui dire que les Canadiens ont mis bien plus de temps à découvrir que le Dr Bethune, lui aussi de Montréal, était un grand héros pour un milliard de Chinois...

Et nous parlons de Jeunesse Canada Monde. L'idée semble lui plaire, mail il faudra que j'en discute plus avant avec son collègue Lyondo Tashi Tolgyel, le ministre responsable de l'éducation.

Sa Majesté le roi, Jigme Singye Wangchuk, est un homme jeune (32 ans), dynamique et qui souhaite la modernisation et le développement de son royaume. Il y a quelques années, il l'a même entrouvert au tourisme. En dépit des problèmes de transport et de l'absence de structures hôtelières adéquates, environ deux mille touristes ont visité le Bhoutan en 1987. Mais le roi trouve que c'est déjà trop : «*It was a mistake*, a-t-il déclaré au *Time* (21 décembre 1987). *It has corrupted our people.*»

Il est certain que le tourisme, tout en apportant des devises toujours rares en ces pays perdus, contribue à détruire certaines valeurs culturelles ou religieuses. Hélas ! en quarante ans de voyage, je l'ai souvent constaté et, si j'étais le roi du Bhoutan, il est bien possible que ma réaction ne serait pas différente de la sienne. Comme mesure pratique, il vient d'interdire l'accès à tout étranger aux douze cents monastères et temples du pays, dont c'était la principale attraction. Les experts en tourisme affirment que cette décision royale devrait réduire à deux cents le nombre de touristes qui visiteront le Bhoutan en 1988. Ça devrait limiter les dégâts !

Cette nouvelle tendance isolationniste touchera-t-elle l'activité des rares ONG qui commencent à peine à oeuvrer dans ce pays ? Pas nécessairement.

Je perds quelques heures à faire les démarches habituelles : changer des chèques de voyage, reconfirmer le vol encore incertain de *Druk-Air*, aller à la poste, obtenir un nouveau visa pour le Bangladesh puisque je dois repasser par Dacca jeudi. Par bonheur, il existe une ambassade du Bangladesh à Thimpu. Il y en a seulement *une* autre, celle de l'Inde, pays qui exerce une influence considérable dans ce pays, surtout depuis le traité de 1949 qui oblige le Bhoutan à la «consulter» dans le domaine des affaires étrangères.

Il reste quelques heures de soleil avant que la froidure n'envahisse la pays. J'en profite pour me promener en solitaire dans les montagnes avoisinantes. Elles sont recouvertes d'une dense forêt de pins et, à chaque pas, on est ébloui par un paysage nouveau, dont je ne saurais comment décrire l'invraisemblable beauté.

Vers 17 heures, je reçois la visite inattendue d'une jeune coopérante canadienne du *World University Service of Canada* (WUSC) qui enseigne dans une école située à *trois ou quatre jours* d'ici. Elle est de passage à Thimpu pour y rencontrer son frère, venu spécialement du Canada. Lisa et Nick Mayer sont deux bahaïs, de Welland (Ontario). Ils me rappellent qu'ils m'ont vaguement rencontré à l'occasion d'une conférence que j'ai donnée, il y a quatre ans, à London (Ontario), devant le Congrès international de la jeunesse bahaï réunissant plus de deux mille jeunes. Décidément, le monde est petit ! Mais Thimpu est si petit qu'ils ont tout de suite appris la présence dans les parages du «*Senator*». La foi bahaï m'a toujours paru un concept difficile, peu adapté à la mentalité des jeunes Canadiens. Mais les quelques bahaïs que j'ai rencontrés m'ont fortement impressionné par leur sincérité et leur discipline personnelle. Par exemple, comment ne pas admirer cette jeune Lisa, la seule Blanche dans son village du bout du monde, qui enseigne à des paysans bhoutanais depuis bientôt deux ans, dans des conditions d'une rigueur extrême et pour un salaire symbolique ?

*13 janvier*

Toujours ponctuel, mon jeune fonctionnaire du protocole vient me prendre à 10 heures, comme convenu. Le ministre des Affaires étrangères lui a donné l'ordre de me faire voir les alentours de Thimpu et quelques-uns des plus célèbres monastères bouddhiques, palais royaux et temples.

Ugyen est d'une délicatesse et d'une politesse presque excessive. Ainsi, il me parle à la troisième personne et glisse un *«Your Excellency»* à tous les deux mots : *«May I ask Your Excellency if Your Excellency would care for a cup of tea ?»* J'ai une trop grande sensibilité culturelle pour lui faire perdre la face en lui expliquant que je n'ai pas droit à ce titre réservé dans mon pays au gouverneur général, aux ambassadeurs et aux évêques ! Et puis, ma foi, je finis par m'y habituer !

Les monastères ont souvent l'allure de forteresses. Bâtis sur le sommet de hautes montagnes, badigeonnés de chaux, ils rappellent ceux du Tibet voisin.

Nous nous arrêtons devant une minuscule pagode, ouverte des quatre côtés. Elle abrite un énorme moulin à prière, un cylindre métallique décoré de motifs bouddhiques dont le diamètre doit atteindre un mètre. Les passants les plus pieux s'arrêtent et font vigoureusement tourner le cylindre dans le sens des aiguilles d'une montre. Chaque tour est marqué par le tintement d'une cloche de bronze. «Sept ans et sept quarantaines...»

Nous admirons, de l'extérieur bien sûr, le palais de la reine-mère, qui exercerait une influence considérable sur les affaires du royaume.

On ne peut se lasser des paysages du Bhoutan, de ces jolies maisons décorées de fioritures, parfois de fresques, toujours de bon goût, plantées sur une colline ou accrochées au flanc d'une montagne. Ici et là, scintillent des *stoupas* blancs, à la pointe dorée, comme des toupies renversées. Mais ce qui caractérise le paysage bhoutanais, ce sont les innombrables *dhars* qui battent au vent devant les maisons, au milieu des champs ou en pleine nature. Les *dhars* sont d'étroites banderoles de coton blanc qui peuvent avoir jusqu'à douze mètres de longueur et sur lesquelles on a inscrit des prières à l'intention d'un défunt ou, parfois, d'une personne vivante. La banderole est fixée au bout d'un mât fait d'un jeune sapin. «Dès que le vent agite les *dhars*, m'explique Ugyen, cela constitue une prière». Devant les maisons des paysans, on en voit généralement un seul, installé à la su..e de la mort d'un membre de la famille. Mais tout à coup, sortis de nulle part, on en a planté dix, vingt et même davantage. Sur la crête d'une montagne, j'en compte plusieurs douzaines, alignés comme des soldats. On dirait une frémissante petite armée de Gengis Khan sur le point de fondre sur les villages, au fond de la vallée...

À 19 heures, je dîne avec le ministre des Services sociaux. En fait, il s'agit d'un dîner d'État, à mon hôtel même, propriété du gouvernement. Pour la circonstance, le chauffage central fonctionne. Au moins une quinzaine d'invités, tous des hommes, tous en costume national. Nous nous réunissons d'abord dans un salon entouré de divans sur trois côtés. «Assoyez-vous au milieu, me dit le ministre, afin que tout le monde vous voie bien.» Il me présente chacun des invités, tous des sous-ministres ou directeurs de quelque chose. M. Tsering, le ministre des Affaires étrangères, le «premier» des ministres, vient bientôt nous rejoindre.

Je me sens au bout du monde, un peu incongru...

Et pourtant, après deux apéritifs, on fait des blagues, je raconte quelques anecdotes de voyage, je dis tout le bien que je pense du Bhoutan et, de leur côté, les Bhoutanais me parlent du Canada, ce pays qu'on aime plus qu'il ne le mérite. Ah ! ce que j'entends du merveilleux Father Mackie, de John Hadwen, ancien ambassadeur, de Maurice Strong, des coopérants de *World University Service of Canada*, «les meilleurs que nous ayons !» (Les rares autres sont des Britanniques, des Australiens ou des coopérants de l'ONU.)

À un moment donné, le ministre des Affaires étrangères me dit : «Ah ! J'ai lu un bon petit livre de Maurice Strong sur le Tiers-Monde. C'était plein d'idées nobles, généreuses et non moins pratiques.

— Ah ?

— Oui. Si ma mémoire est bonne, le titre était : *The Great... The Great... something* !

— ...*Building Bee* ?

— Oui justement. *The Great Building Bee.*

— Je connais.»

Un instant, j'hésite. Modeste comme je suis !

«Avez-vous remarqué qu'il y avait... deux auteurs ?

— Oui, peut-être...

— L'autre auteur... Heu...»

Ouf ! Il fallait un minimum de courage... et de vanité ! Mais le résultat en valut la peine. À partir de l'instant où j'étais le co-auteur d'un livre avec Maurice Strong, je cessais d'être un quelconque VIP du Canada : je devenais un ami. Le reste de la soirée a été marqué au coin de l'amitié, les amis de nos amis devenaient nos amis, ce qui finit par inclure mon collègue le sénateur Jack Austin, compagnon de Maurice Strong lors de son récent voyage au Bhoutan.

Les conversations se calment un peu lorsqu'arrive un groupe de musiciens qui nous interprètent de la musique traditionnelle. Ils sont trois. L'un gratte une sorte de guitare dont la tête magnifique est un dragon. Un autre glisse un archet sur les deux cordes d'un très long violon, «qui nous vient du Tibet», précise un des ministres. Le troisième instrument est composé d'une douzaine de cordes fixées sur une planche de bois sculpté. Le musicien frappe les cordes avec deux minces bâtonnets.

Surgissent ensuite six danseurs, dont trois fort jolies Bhoutanaises, les seules que je verrai ce soir.

L'heure du dîner arrivée, nous passons dans une autre pièce chauffée où l'on a dressé un impressionnant buffet : une douzaine de plats bhoutanais, très savoureux, surtout très relevés. Finie la musique bhoutanaise : des haut-parleurs un peu grincheux nous déversent... des valses de Strauss ! Cela ne gêne en rien la conversation, de plus en plus chaleureuse. Dieu merci, il n'y a pas de discours, mais chacun y va de longues déclarations d'amitié entre le Bhoutan et le Canada, où les noms de Father Mackie et de Maurice Strong reviennent souvent. À la fin, le «*Senator Jack Herbert*» fait partie de la famille. M. Tsering, le ministre des Affaires étrangères, va aussi loin qu'il est possible dans les circonstances : «*Sir, you have a real cultural sensivity towards Bhutan. And this is very important to us. Canada World Youth is the type of organization that we would be glad to welcome. When will we greet your young people ? I don't know. But I do hope it will be in the near future.*»

Compte tenu de l'attitude actuelle du Bhoutan vis-à-vis toute influence étrangère, cette déclaration ressemble à une petite victoire. Jeunesse Canada Monde viendra au Bhoutan un jour. Dans un an ? Dans deux ans ? Je n'en sais rien. Mais il est certain que les portes sont ouvertes.

*14 janvier*

Lever à quatre heures du matin. À ma grande surprise, quand je veux régler ma note d'hôtel, j'apprend que je suis l'hôte du gouvernement bhoutanais.

Ugyen m'attend à la porte de l'hôtel. Dans un sens, c'est une grâce que je fasse le trajet Thimpu-Paro de nuit : je ne verrai pas les précipices, à gauche ou à droite de la route. Le soleil se lève timidement au moment où nous arrivons à l'aéroport. Ugyen m'emmène aussitôt dans le petit salon des VIP, où on gèle comme dans un entrepôt frigorifique.

«*Your Excellency...*

— *But we will freeze to death, in this room !*

— *Your Excellency, look...*»

Et Ugyen montre du doigt une toute petite chaufferette électrique dans un coin de la pièce. Cela devrait sauver la situation.

Petit problème : il y a une panne de courant à l'aéroport !

«*Sorry, sorry, Your Excellency...*»

L'avion de *Druk-Air* doit décoller à 7h45. Il est là, tout beau, immobile, entouré de mécaniciens pleins de sollicitude. Une heure d'attente. Par ce froid sibérien, ce sera long. Dieu sait que je ne suis pas amateur de *jogging* ! Surtout pas. Et pourtant, je décide d'en faire. Éperdument ! Par instinct de survie.

L'espace dont je dispose pour évoluer est de trois mètres sur quatre, c'est-à-dire que je tourne en rond comme un ours en cage. Sans témoin, fort heureusement, sauf Ugyen qui vient me réconforter toutes les demi-heures. Tout à coup, on s'agite autour du petit avion de *Druk-Air*; de la main, le pilote fait tourner les hélices, je vois qu'on met ma valise dans la soute à bagages. Triomphant, Ugyen vient me donner ma carte d'accès à bord.

Je continue tout de même mon *jogging*, à chaque tour jetant un coup d'oeil à l'avion. Horreur ! Tout le monde s'éloigne brusquement de l'appareil comme si on venait de trouver une bombe à bord ! Ugyen arrive, tout penaud. «*Your Excellency...*» Le départ est retardé à cause d'un orage, quelque part en Inde.

Les heures passent. Il fait toujours terriblement froid. Je fais du *jogging* avec l'énergie du désespoir.

Vers midi, le pilote réapparaît.

«Alors ?»

Il sourit.

«*The weather is still bad but... we will give it a try !*»

Je n'apprécie guère ce genre de réflexion de la part d'un pilote. Mais j'ai vraiment envie de partir et je me rends compte que cinq heures de *jogging*, c'est à peu près ma limite !

L'avion de *Druk-Air* finit par quitter Paro et nous conduire sans encombre jusqu'à Dacca.

# 6.
# INDONÉSIE

*1989*

Traversée de la rivière de Kota Gadang Pasilihan.

*31 mars*

Lever à 5 heures le matin. Aéroport de Bangkok, trois heures de vol et me voilà à Jakarta, où j'ai mille souvenirs, les plus anciens datant de mon premier voyage, en 1973 : j'étais venu négocier le premier protocole d'entente de Jeunesse Canada Monde avec l'Indonésie. L'ambassade canadienne semblait convaincue que je n'aboutirais à rien, qu'il était presque impossible de réaliser un accord rapide avec les Indonésiens, et blablabla. Or, voilà que je viens aujourd'hui participer aux fêtes marquant le 15$^e$ anniversaire du programme de Jeunesse Canada Monde en Indonésie, vécu par plus de 1 100 jeunes de nos deux pays. Depuis l'an I, nous avons eu des programmes avec une quarantaine de pays du Tiers-Monde, mais aucun n'a duré aussi longtemps et n'a connu un tel succès.

*1$^{er}$ avril*

Au petit déjeuner, je rejoins la délégation de Jeunesse Canada Monde : le président du conseil d'administration, Harold Dietrich, et sa femme Joyce, Norma Walmsley, notre bien-aimée vice-présidente, Jean-Denis Vincent, Robert (Bob) MacRae, de Victoria, notre archidiacre que nous appelons parfois le cardinal, Joanne Bourgeois que j'ai connue aux îles Fidji alors qu'elle était jeune participante en 1973, que j'ai retrouvée, quelques années plus tard, agent de groupe dans un petit village d'Indonésie, et qui est maintenant un des piliers du bureau du Québec. Et, bien sûr, Gary Henkelman, un vieux de la vieille, jadis coordonnateur en Indonésie avant de devenir directeur du bureau de la Colombie-Britannique. Il est responsable de la logistique de notre séjour en Indonésie : nous l'appelons notre «agent de groupe» ...

Comme j'ai une heure ou deux de liberté et que je me méfie du programme sans doute très dense que nous aura préparé l'infatigable Dr Washington Napitupulu, du ministère de l'Éducation, je décide d'aller faire quelques emplettes avec les Dietrich dans un magasin voisin que je connais bien et où l'on trouve d'admirables chemises en batik. Je risque aussi de succomber à la tentation d'un beau masque de Bali...

Ici commence une aventure dont je n'aurais soufflé mot à personne si seulement il n'y avait pas eu de témoins. Hélas ! les Dietrich étaient là, et ce qui, par définition, à cause du caractère personnel pour ne pas dire intime de la chose, aurait dû rester secret est devenu de notoriété publique ! Pis encore, l'événement m'a valu les railleries de mes amis canadiens et indonésiens pendant tout le reste du voyage.

Je prends donc mon courage à deux mains et je résume l'affaire. En toute innocence, je me promenais dans le rayon des sculptures, pour la plupart de Bali, quand j'aperçois soudain *un bananier*. En bois. Sculpté par un sculpteur anonyme de Bali. Grandeur nature. Avec deux régimes de bananes. Oui, deux. C'est le coup de foudre ! J'ai beau m'éloigner, me retirer sagement dans le rayon des merveilleuses marionnettes pour théâtre d'ombres, me changer les idées auprès de *garoudas* admirables, en tek ou en bois de rose, des éventails beaux comme des oiseaux de paradis, il n'y a rien à faire : je reviens toujours à mon bananier. C'est comme si, avec ses larges feuilles vertes, il me faisait des signes. J'essaye de me raisonner : «Bah ! c'est une passade, un flirt sans conséquence, demain je n'y penserai même plus !... Et puis d'ailleurs, comment expédier cette énorme plante de bois à Montréal ? Jamais *KLM* ne se laissera convaincre qu'il s'agit d'une des deux pièces de bagages auxquelles j'ai droit.» Je me rapproche un peu du bananier et, après m'être assuré que personne ne regarde, je caresse délicatement une des feuilles. Mais elle bouge ! Parfaitement. Les feuilles bougent parce qu'elles sont rattachées au tronc au moyen d'une goupille. Donc, elles s'enlèvent ! Ça change tout ! Peut-être... Après avoir arraché quelques feuilles, je constate que le tronc lui-même, sculpté dans une seule pièce de bois, reste une chose considérable. J'hésite encore. Je consulte mes amis Dietrich qui reviennent du rayon des nappes en batik. À mon grand étonnement, ils m'encouragent, d'autant plus que j'ai trouvé un argument tout à fait rationnel : «Vous connaissez la fenêtre en saillie de ma salle à manger, rue Prud'homme ? Il y a là une grosse plante tropicale. Sans doute parce que je ne suis pas souvent à la maison, ma plante s'ennuie, s'étiole et finalement se venge de mon manque d'attention en mourant bêtement. Je dois la remplacer tous les six mois. Ça me coûte une fortune ! Avouez, un bananier en bois me durerait toute la vie et, après ma mort, un de mes enfants, sans doute, etc.»

Homme d'affaires avisé, Harold est tout à fait d'accord. Joyce trouve qu'un bananier s'impose dans le décor tropical de ma salle à manger. Plus d'hésitation. Je passe à la caisse. *American Express.* Tout est réglé en cinq minutes. On fait venir l'emballeur. Longue discussion. Il faudra deux caisses, dont l'une pourrait avoir une forme étrange, le tronc étant muni de deux branches. Je vis un instant de panique : «La boîte, déjà considérable, contenant les feuilles et les deux régimes de bananes, je pourrais toujours la refiler à Jean-Denis Vincent, qui n'a qu'une valise et qui fera le voyage de retour avec moi. Mais le tronc ? Si *KLM* allait le refuser ?» L'emballeur, qui ne parle pas un mot d'anglais, a beau me sourire de toutes ses belles dents blanches, il ne réussit pas à me rassurer. Je fais venir le directeur. Son anglais laisse à désirer. Il court chercher un directeur adjoint, puis un autre, puis un troisième. On discute très longtemps en anglais et en *bahasa indonesia* : «Bah ! me dit enfin le directeur, si *KLM* refuse votre bananier, vous pouvez toujours l'expédier par air-cargo...»

— Ça coûte cher ?

— Je n'en ai aucune idée, mais allons voir.»

Accompagné des trois directeurs adjoints, je le suis jusqu'à son bureau, dans le dédale des arrières-boutiques où l'on n'a pas droit à l'air climatisé. Je transpire à grosses gouttes pendant que le directeur multiplie les appels téléphoniques et martèle sa machine à additionner :

«Ça vous coûtera exactement 1 050 $ US.»

J'ai failli m'évanouir ! Mais c'est insensé ! À ce prix-là, je pourrais me payer une bananeraie entière, quelque part dans l'île de Java, au bord de la mer...

«Vous permettez que je téléphone à *KLM* ? Ils me diront bien si je peux voyager dans leur gros avion avec un tronc de bananier qui mesure, au pis, 1,75 mètre.»

Il est 16h30 et les bureaux sont fermés. Nous partons demain très tôt vers l'île de Sumatra pour ne revenir que dans trois jours.

«Voilà ! Vous gardez mon bananier jusqu'à jeudi, d'autant plus que je l'ai déjà payé. Si *KLM* refuse, vous me rembourserez.»

Pas si simple. Comme j'ai payé avec une carte de crédit, le remboursement sera d'une complication sans nom. S'il n'est pas trop tard, on annulera la transaction et on me gardera tout de même le bananier. Je me résigne... «À jeudi ! Et surtout, n'allez pas le vendre à quelque riche touriste du Texas : le bananier y serait malheureux comme une pierre...»

## 2 avril

Lever à 6 heures. Départ à 8 heures pour l'aéroport, un des plus beaux du monde sur le plan architectural. Nous sommes en route pour Pedang (1h30 de vol), en compagnie de notre très cher Dr Napitupulu, directeur de l'Éducation non-formelle, de la culture et des sports pour l'Indonésie, l'équivalent d'un sous-ministre de l'Éducation de ce pays de 175 millions d'habitants, le cinquième pays du monde quant à la population. Il est depuis toujours un ami de Jeunesse Canada Monde; de tous nos interlocuteurs dans le Tiers-Monde, un de ceux qui a le mieux compris, et compris le plus vite, les objectifs du programme. Comme il a un merveilleux sens de l'humour, on ne risque pas de s'embêter une seconde en sa compagnie.

À Pedang, nous sommes accueillis par une délégation du ministère de l'Éducation et quelques anciens participants indonésiens de la région.

Lunch dans un curieux petit restaurant bâti auprès d'un étang où s'agitent des centaines de beaux poissons noirs ou rouges. On les pêche à l'épuisette et, sous nos yeux, on les écorche, on les nettoie et on les fait frire. Un régal.

## 3 avril

Cette journée, qui devrait être la plus mémorable du voyage, commence à 6 heures le matin. Une heure de route jusqu'à Solok, capitale du district. Nous sommes reçus par le *bupati*, représentant du gouverneur de Sumatra Barat, sans doute l'équivalent d'un sous-préfet en France. Plusieurs anciens participants indonésiens nous accompagnent. Une participante, jolie comme peuvent l'être les Indonésiennes, vient tout juste de terminer le programme dans un village du district. Au nom de son groupe, elle présente au *bupati* un t-shirt aux armes de Vancouver : le groupe a vécu en Colombie-Britannique pendant la partie canadienne du programme. Une carte accompagne le cadeau. Chacun des participants y avait écrit un mot à l'intention du *bupati* : «Tes fils et tes filles ne t'oublieront jamais !» Ou encore : «Nous gardons le *bupati* dans notre coeur !» Un témoignage aussi spontané indique jusqu'à quel point le premier personnage du district a été intimement mêlé à la vie des groupes pendant les mois qu'ils ont vécus dans les villages.

Aujourd'hui, il devait se rendre à Jakarta pour assister au mariage de la fille d'un ami, importante personnalité politique : «J'ai envoyé ma femme à ma place, nous dit-il. Moi, je préfère aller dans les villages avec vous».

Mieux que nous, il savait l'effort physique considérable que représente la visite de quatre villages perdus, reliés à la grand-route par d'incroyables chemins de terre, accessibles seulement aux véhicules tout-terrain. Il y en a quatre devant les bureaux du *bupati*, qui s'installera dans le premier muni d'une sirène et d'un feu rouge clignotant.

Nous traversons une région montagneuse absolument spectaculaire, sans doute une des plus belles de l'Indonésie : hautes montagnes recouvertes jusqu'au sommet d'une végétation luxuriante, douces vallées découpées par des rizières parfois d'un beau vert tendre, parfois ocre quand le riz est mûr, parfois brillantes comme des miroirs si l'eau les recouvre encore. Sur le flanc des collines, les rizières forment des terrasses : on dirait des escaliers aménagés pour les géants.

Après une heure de route de plus en plus mauvaise, le premier village, Tambak Paninggahan, où nos participants ont vécu trois mois il y a déjà *deux ans*. Les villageois s'en souviennent-ils encore ? Nous n'avons pas eu à nous poser la question longtemps. À l'entrée du village, une foule nous attendait pour assister à l'émouvante cérémonie de l'accueil, particulière à cette région. Plusieurs jeunes filles, en costumes de velours rouge décorés de broderies et de paillettes dorées, avancent lentement. L'une d'elles porte un plat contenant des feuilles d'arbres qu'elle nous offre. On en grignote un petit morceau pendant qu'une autre jeune fille nous passe un collier de fleurs autour du cou. Un ensemble de tambourins et de divers instruments à percussion fait vibrer l'air moite. Au nom du village, un jeune garçon nous souhaite la bienvenue. Suivis d'une centaine de villageois, nous marchons jusqu'au centre de Tambak Paninggahan, où tout le monde s'est rassemblé dans la cour de l'école. On a récupéré dans les maisons les meilleurs fauteuils pour les invités d'honneur, assis en rang d'oignons. Le chef du village prononce un long discours en *bahasa indonesia* traduit phrase par phrase par une ancienne participante qui a appris l'anglais quelque part au Canada. Il décrit par le menu tout ce que son village doit aux participants : la construction de toilettes et d'un bain public, d'un bureau pour la mosquée, d'un mur en pierres devant l'école, etc. Les participants ont appris les arts martiaux, les danses, l'artisanat local. Le chef parle aussi de l'amitié qui unit maintenant nos deux pays et nous dit que les anciens participants continuent d'écrire à leurs parents indonésiens, etc.

Suivent les discours du *bupati*, du Dr Napitupulu, du président de Jeunesse Canada Monde, etc. Pendant ce temps-là, nous grignotons des cacahuètes, des épis de maïs, des friandises de riz, et nous sirotons le lait d'une noix de coco.

Après les discours, on nous offre un spectacle de danses traditionnelles et une démonstration d'art martial par les deux champions du village. Au cours d'une des danses, le *bupati* entraîne Norma Walmsley sur la piste. Norma se prête au jeu et, grâce à sa spontanéité et à son sens du comique, elle remporte un franc succès auprès de la foule. Elle est maintenant consacrée «première danseuse» de notre petit groupe.

Je décris ce qui se passe, mais je renonce à décrire ce que nous ressentons en entendant les témoignages émus de ces humbles gens qui ont vécu intensément l'expérience de Jeunesse Canada Monde et qui nous expriment leur reconnaissance par cette fête extraordinaire.

Nous avons l'impression d'être dans un autre monde où l'amitié, l'hospitalité, la gentillesse seraient les valeurs premières. Tous profondément bouleversés, nous avons peine à quitter ces gens merveilleux qui nous parlent de leurs fils et de leurs filles du

Canada, qui nous sourient sans cesse comme si nous étions les vrais parents de leurs lointains enfants.

À quelques kilomètres du prochain village, au sommet d'une haute montagne, se dresse un promontoire d'où on a une vue à couper le souffle sur le grand lac qui s'étale dans la vallée. Avec l'aide des villageois, nos participants ont construit un joli kiosque en béton pour abriter les visiteurs. L'édicule fait maintenant la fierté du village, si bien que, le 13 février dernier, le *baputi* a changé le nom de la montagne qui s'appellera désormais *Tanjung Canada*, c'est-à-dire le Cap Canada...

Après une autre terrible heure de *Jeep*, par une température de plus de 35°C, nous arrivons au village de Balai-Balai Kagang. Nouvelle cérémonie de l'accueil, tambourins, guirlandes d'orchidées jaunes, discours, danses, etc. Les invités d'honneur sont confortablement assis sous un dais, tandis que tous les villageois forment un cercle, debout en plein soleil. En raison des arbres énormes qui nous entourent, on se dirait dans un immense théâtre de verdure.

Le chef du village dit : «Nous sommes vraiment tristes d'être séparés de nos fils et nos filles du Canada, un pays avec lequel nous avons maintenant des liens étroits. Nous leur sommes reconnaissants de ce qu'ils ont bâti ici, dans notre village et dans nos coeurs. Avant l'arrivée des participants, nous étions vraiment isolés, et personne ne venait nous voir. Maintenant, des étrangers viennent admirer nos paysages du haut du Cap Canada. Maintenant le monde nous semble plus proche».

Pour nous prouver que nos participants ont été de bons professeurs d'anglais, un groupe d'enfants nous chante *Your are my sunshine*... Danse, musique, arts martiaux. La fête continue !

Après la cérémonie, on nous emmène au centre du village, où se dresse la tour de l'horloge, récemment construite par nos participants, en plus des toilettes et autres constructions utiles. Sur la tour, on a inscrit les noms des quatorze participants de Jeunesse Canada Monde et des deux agents de groupe.

Les petites rues en terre ont toutes des noms. Le chef du village nous apprend qu'il en a changé plusieurs. La rue principale s'appelle maintenant rue de la Colombie-Britannique, province où s'était déroulée la partie canadienne du programme. Il y a aussi une rue Vancouver, une rue Québec.

À midi, nous sommes les hôtes du chef du village, dont la maison est sûrement la seule qui soit assez grande pour accueillir les 42 convives, tous des hommes, sauf les trois Canadiennes, pour lesquelles on fait exception. Les femmes des invités mangeront *après* les hommes. Nous avons laissé nos chaussures à l'extérieur et nous sommes assis par terre, sur des tapis, autour d'une longue nappe à peu près recouverte de plats : poulet, boeuf, poisson, légumes, fruits et beaucoup de riz. Avant le repas, on procède à une cérémonie locale, au cours de laquelle deux villageois, un à chaque bout de la salle, entreprennent un long dialogue, que même le Dr Napitupulu ne comprend pas. Il sait seulement qu'il s'agit de formules de politesse pour nous souhaiter bon appétit...

En route pour le troisième village, Kota Gadang Pasilihan, sans doute le plus difficile d'accès. Le petit chemin de terre est labouré de crevasses creusées par les récentes pluies. Nous roulons à 15 kilomètres à l'heure. Finalement, les *Jeeps* ne peuvent aller plus loin. On fera le reste à pied. Mais, entre deux montagnes, coule une

large rivière qui nous sépare du village. «Il y a un pont !» nous dit le Dr Napitupulu,
d'un air moqueur, comme s'il allait nous jouer un bon tour. En effet, le pont en question
est plutôt une mince passerelle suspendue où l'on doit marcher à la queue leu leu sur
un treillis de bambou en s'agrippant au fil de fer qui forme un bien sommaire
garde-fou. Norma en tête, nous nous engageons courageusement sur la passerelle qui
oscille comme une balançoire. Jean-Denis Vincent et moi, galants hommes, laissons
d'abord passer les autres. Nous finissons par nous avouer que nous souffrons tous les
deux de vertige...

Les eaux grises de la rivière coulent à seulement dix mètres plus bas. Le courant
est fort.

«Il y a des crocodiles, là-dedans ?» me demande Jean-Denis en riant. Nous rions
surtout pour sauver la face, mais nous avançons avec la plus grande prudence,
regardant nos pieds se poser l'un devant l'autre, sur l'étroit treillis, évitant de jeter un
coup d'oeil en bas. Sur l'autre rive, nous attend un Dr Napitupulu qui crie «Bravo !»
comme si nous venions d'atteindre le sommet de l'Everest ! Il n'est pas le seul : une
centaine de petits scouts en uniformes jaunes et bruns applaudissent à tout rompre.

Nous marchons jusqu'à une grande citerne de béton, oeuvre de nos participants.
Les gens du village expliquent que maintenant l'eau venue de la montagne est
distribuée dans les maisons et dans les jardins; avant, les femmes devaient marcher
des kilomètres, une outre sur la tête, pour aller s'approvisionner à la source.

Même touchante cérémonie d'accueil, avec quelques variantes. Arc de triomphe
en bambou, drapeaux du Canada et de l'Indonésie flottant parmi les palmiers, un chef
de village qui n'en finit plus de décrire les travaux accomplis par nos participants : non
seulement ils ont construit la citerne, mais encore, ils ont refait les rues du village,
aménagé un terrain de volley-ball, reconstruit le petit bureau de la municipalité, etc.

Hélas ! impossible de s'attarder dans ce beau village aux maisons souvent bâties
sur pilotis, aux toits pointus, en cornes de buffles : nous avons déjà deux heures de
retard sur l'horaire et nous pensons aux gens du quatrième et dernier village qui ont
mis autant de soin que les autres à préparer leur fête. Nous nous faisons secouer
pendant une bonne heure avant d'atteindre Pasar Paninjauan, où les cérémonies se
déroulent dans la nuit noire, éclaboussée ici et là par la flamme d'une lampe-tempête.
On nous installe tout en haut d'une estrade en pierre recouverte d'un dais de coton rouge,
dressé devant une petite place où la foule s'est rassemblée. Le chef du village nous parle
de toutes les larmes versées le jour du départ des participants, il y a quelques semaines, de
la fière tour de l'horloge qu'ils ont construite et qui rappellera leur souvenir vingt-quatre
heures par jour, sans parler de l'étang à poissons qu'ils ont creusé, etc.

Il est près de 20 heures quand nous rentrons à Solok. Sales, fourbus et bouleversés
par toutes les émotions de cette journée, une autre page dans l'histoire de Jeunesse
Canada Monde, un petit pas en direction de la paix.

Nous aurions volontiers choisi de nous coucher pour nous remettre de tout cela,
mais comment refuser l'invitation du *bupati* qui nous invite à dîner chez lui ?

*4 avril*

Lever à 6 heures. Comme il n'y a ni douche, ni baignoire, nous nous lavons à la mode du pays, en nous aspergeant d'eau froide.

Arrivons à Padang, juste à temps pour y rencontrer le gouverneur de la province de Sumatra Barat, l'équivalent de nos premiers ministres provinciaux. Il nous fait servir le thé dans son immense bureau orné de boiseries sculptées. Il est parfaitement au courant de l'activité de Jeunesse Canada Monde dans sa province, et insiste pour que le Dr Napitupulu y envoie d'autres groupes l'an prochain. «Ce ne sera pas facile, dit le Dr Napitupulu, plusieurs provinces attendent leur tour...» En d'autres termes, on s'arrache Jeunesse Canada Monde !

Aéroport de Padang. Une heure et demie de vol et nous sommes de retour à Jakarta... et à mon problème de bananier ! Je me rends sans tarder au bureau de *KLM*. Oui, j'ai droit à deux pièces de bagages.

«Peu importe la grosseur ?

— Un instant, je vérifie... Hauteur maximum : 150 centimètres.

— Mais si mon colis avait 151 centimètres... ou un peu plus ?

— C'est contre le règlement. Il faudra discuter avec notre directeur, à l'aéroport même.»

Bah ! J'aime vivre dangereusement ! Accompagné de Norma Walmsley, je me précipite au magasin. Oui, mon bananier est toujours là. Je le repaye. Arrivent l'emballeur, le directeur et les directeurs adjoints, maintenant de vieux amis. On a facilement trouvé une immense boîte pour emballer les feuilles et les régimes de bananes, mais, pour le tronc, ça se complique. Dans tout le magasin, il n'y a pas de boîte assez grande. On en déniche enfin une de belle taille : la moitié du tronc dépasse, sans parler des deux branches ! On en trouve une autre pour emballer le haut du tronc, mais les deux branches dépassent toujours. Le directeur a une idée et part en courant. Il revient avec deux petites boîtes qui protègeront les branches. On enrobe le tout avec un rouleau entier de ruban gommé et on ficelle généreusement avec de la ficelle de nylon vert pomme. On se congratule en admirant l'ouvrage : une boîte unique au monde, qui a exactement 16 côtés !

Je peux bien descendre les trois étages avec l'autre boîte, mais pour le monstre, il me faudra de l'aide. Le directeur me prête un commis minuscule, beaucoup plus petit que la boîte elle-même. Il se l'installe sur le dos et, accompagné d'une Norma qui rit aux larmes, nous descendons jusqu'à la rue en nous frayant un chemin dans la cohue des clients éberlués. Le commis avise un taxi, qui s'arrête mais repart dès qu'il aperçoit l'épouvantable colis. Deuxième taxi. Résolue, Norma s'assoit sur la banquette avant et referme la portière. Quand le chauffeur se rend compte que je veux également monter dans sa voiture avec les deux boîtes, il lève les bras au ciel et demande poliment à Norma de descendre. J'essaye bien de la convaincre de retourner à l'hôtel sans moi, mais elle ne veut rien entendre : l'aventure l'amuse trop pour qu'elle en manque le moindre épisode ! Passent sans même s'arrêter un troisième, un quatrième, un cinquième taxi. Il fait nuit. Le moral commence à flancher... Le petit commis ne s'est jamais trouvé dans une situation pareille, mais il ne se résigne pas à nous abandonner. Il disparaît un instant et revient avec un tout petit agent de police, monté sur une toute petit moto. Il examine la situation, arrête un taxi d'un geste autoritaire, fait installer la boîte «normale» dans le coffre qui, bien sûr, ne se referme pas. Par gestes, j'explique à l'agent que le problème c'est l'étrange boîte à deux bras qui a près de 175 centimètres de hauteur et qui ne peut entrer dans aucun taxi. Il sourit et m'explique qu'il nous suivra jusqu'à l'hôtel en transportant la chose sur sa petite moto. J'éclate de rire devant cette suggestion saugrenue. Avec l'aide des badauds qui s'étaient rassemblés, l'agent fait installer la boîte, en hauteur, sur le selle, derrière lui. Le petit commis s'assoit derrière la boîte, et, avec ses deux bras, la maintient en équilibre. Norma rit tellement qu'elle est sûre d'avoir raté les photos qu'elle a prises de l'invraisemblable spectacle. Et nous partons, taxi, moto, commis, boîtes, Norma et moi en direction de l'hôtel dans la circulation aberrante de Jakarta. Je finis par perdre la moto de vue, à peu près convaincu que l'agent et le commis ont dû échapper mon bananier qu'un autobus aura réduit en éclisses. Mais non, ils arrivent à l'hôtel avant nous, sains et saufs... tous les trois ! Oui, je leur ai donné joyeusement une grosse poignée de roupies...

Je n'ai pas besoin de dire quel fut le sujet de conversation, ce soir-là, au cours du repas chinois qui réunissait les Canadiens. Après le café, ils ont insisté pour m'accompagner à ma chambre et voir de leurs yeux la très bizarre boîte et, bien sûr, se faire photographier auprès d'elle afin de prouver à leurs amis l'authenticité de mon histoire de bananier...

*6 avril*

Vers 10 heures, nous allons retrouver les participants de l'équipe de l'Ontario et de l'équipe de la Colombie-Britannique : ils arrivent à peine de la province de Sulawesi Selatan, située à quelques 1 000 kilomètres de Jakarta, c'est-à-dire à deux jours de bateau. Ils préparent leur petit spectacle de ce soir et se reposent avant le long voyage du retour prévu pour samedi. Comme ils sont une centaine, il est bien difficile de bavarder avec chacun et de retenir les noms. Mais on retiendra sans peine la joie profonde qui les anime tous, joie d'avoir vécu une expérience unique, «qui nous a changés pour toujours», comme me déclare un garçon de Toronto. Un jeune musicien de Vancouver a appris à jouer des instruments traditionnels de son village et il a même formé un groupe : «J'ai mon plan, nous dit-il. Dans trois ans, je reviendrai en Indonésie pour étudier sérieusement la musique indonésienne...» Il y a là le beau mélange habituel : l'Acadien du nord-est du Nouveau-Brunswick, la joyeuse fille de Saint-Jean (Terre-Neuve), le gars d'Edmonton qui n'avait jamais mangé autant de riz dans toute sa vie, etc.

Avec les participants, nous partageons un repas traditionnel : beaucoup de riz, de fines brochettes de poulet à la sauce de cacahuètes, des petits pâtés à la viande et des bananes. Les participants indonésiens nous racontent leurs histoires de Port Hope (Ontario), ou de Summerland (Colombie-Britannique); les Canadiens nous racontent leurs villages du Sulawesi. Une Ontarienne aux cheveux bouclés va chercher son album de photos : «Voici ma mère en train de piler le café... Ça c'est moi, au milieu de la rizière, récoltant du riz... Ah ! mon homologue en costume de sa province ! Elle danse admirablement. Elle se préparait pour le spectacle que nous avons offert aux villageois ce soir-là... Le cabanon, c'est une toilette que ma famille d'accueil avait construite spécialement pour mon homologue et moi. Avant, il n'y en avait pas dans tout le village, mais notre groupe en a construit une grande pour la communauté... Et voici la fête préparée par les gens la veille de notre départ... etc.» On en oublie même de dire aux deux coordonnateurs canadiens, Wayne Lundeberg et Bill Doogan, et à leurs homologues indonésiens qu'ils sont en grande partie responsables de la joie évidente qui règne en cette fin de programme et qui témoigne de sa réussite.

Nous quittons les participants pour les retrouver lors de la superfête de ce soir à Jakarta. Elle se déroule dans une immense salle où plus de 300 personnes prennent place autour de tables rondes décorées d'orchidées. En plus des cent participants de cette année et d'une brochette d'invités de marque, dont l'ambassadeur du Canada, il y a près de 200 participants indonésiens venus à *leurs frais* de presque toutes les provinces de l'Indonésie. L'effet est d'autant plus saisissant qu'ils portent le costume traditionnel de leur région, y compris les participants canadiens, à qui, dès leur arrivée au Sulawesi, le gouverneur avait offert un costume de sa province. Les filles sont particulièrement impressionnantes avec leurs grands colliers et leurs diadèmes dorés.

La cérémonie se déroule selon la tradition indonésienne, c'est-à-dire qu'elle commence avec les discours des représentants du ministère de l'Éducation et de Jeunesse Canada Monde. On a retenu les services d'une speakerine de la télévision qui fera office de maître de jeux. Tour à tour, elle appelle au micro M. Nasrun Azaar, M. Sunario, sous-ministre de la Jeunesse, le Dr Napitupulu, Harold Dietrich et le président fondateur. On parle de fraternité humaine, d'amour, de paix...

On procède ensuite à l'échange de petits cadeaux entre dignitaires indonésiens et canadiens. Suit un buffet plantureux et un éblouissant spectacle traditionnel de danse, de chant et de musique, présenté par une troupe professionnelle. Mais le clou de la soirée fut le spectacle préparé par les participants eux-mêmes. Nous n'étions pas peu fiers de constater que les Canadiens interprétaient des danses de Sumatra ou de Java avec autant de savoir-faire que leurs homologues indonésiens. Sam, un jeune Torontois, a épaté tout le monde par sa maîtrise du tambourin et du *angklung*, un curieux instrument à percussion fait d'une centaine de pièces de bambou. Un autre Canadien, immense et blond, dirige un groupe de participants dans une démonstration des arts martiaux typiques du Salawesi.

Et pour conclure cette mémorable soirée, la belle speakerine invite l'assistance à former une ronde autour de la salle. Un des beaux moments du voyage : trois cents jeunes représentant à peu près toutes les provinces d'Indonésie et du Canada et chantant en choeur une chanson québécoise extrêmement populaire depuis 15 ans dans le programme indonésien... et qui, pour les participants, n'a certes aucune connotation politique : *Gens du pays* de Gilles Vigneault. Ils ont composé un couplet anglais et un autre en *bahasa indonesia* qui alternent avec le couplet original en français, et dont les paroles expriment leur idéal d'amour et de paix :

*«Youth of the world, now is your turn...*
*Walk hand in hand and speak of love.»*
*«Saudaraku giliran mu...*
*Untuk menyatakan cinta.»*

L'émotion atteint une telle intensité que Jean-Denis Vincent n'est pas le seul à écraser une larme. Il se fait tard, il faut se séparer : cela prend plus d'une heure ! On voudrait parler à tous les participants, entendre leurs belles histoires. Un Indonésien dans la trentaine avancée vient se jeter dans mes bras : «Vous vous souvenez de moi ? Je suis un participant de la première année, 1974; vous étiez venu nous rendre visite dans notre village...» Une petite Québécoise m'apporte un bout de papier : «Un poème que je viens d'écrire pour vous... C'est pas du Victor Hugo !» Elle disparaît dans la foule avant que j'aie pu lui demander son nom.

*«Mon* homologue, *ma* famille, *mon* village...
Insérés dans mon coeur pour l'éternité...
L'Indonésie, rêve réalisé, qui a changé mes idées...» etc.

## 8 avril

Le groupe se sépare, car nous ne rentrons pas tous au Canada par le même chemin. Je reviens par Amsterdam en compagnie de Jean-Denis Vincent. Alors que nous survolions le Groenland, il me dit tout à coup : «Je viens de comprendre ce qui m'arrive et pourquoi ce voyage est différent de tous les autres : *il m'a rempli l'âme !*»

Oui, *KLM* a accepté mon bananier. À Mirabel, je m'attendais au pire, mais le douanier m'a vite rassuré : «Comme il s'agit d'une sculpture, d'une oeuvre d'art, cela tombe sous l'article 378, et vous n'avez rien à payer».

Ah ! quand les douaniers sont les amis des arts...

# 7 .
# TOGO

*1989*

Une participante canadienne et son homologue togolaise préparent le repas de la
famille.

*30 décembre 1988*

Première rencontre avec le tout nouveau ministre de la Jeunesse (et des Sports et de la Culture) du Togo, Son Excellence Messan Agbeyome Kodjo, âgé de 35 ans, nommé lors du dernier remaniement ministériel, il y a à peine une semaine. Le ministre déclare à qui veut l'entendre que «nous sommes des amis depuis notre rencontre au Canada». En effet, nous nous étions rencontrés «*of all places*» à Nanaïmo, dans l'île de Vancouver, où je m'étais rendu, la première fois de ma vie, pour prendre la parole devant une conférence internationale réunissant 2 000 jeunes venus de presque tous les pays du monde. C'était au cours de l'été 1986 et, c'est exact, j'y avais rencontré Messan Kodjo... qui était loin de se douter que, deux ans plus tard, il serait ministre de la Jeunesse du Togo et que j'irais discuter avec lui de la reprise des échanges entre son ministère et Jeunesse Canada Monde. Le Togo est situé à 15 000 kilomètres du Canada, Nanaïmo à 5 000 kilomètres de Montréal... Ah ! comme le monde est petit !

À 14 heures, nous partons en direction de Sokodé, une ville du Nord. Nous allons y passer la nuit de façon à pouvoir, demain, rendre visite aux familles d'accueil des deux derniers villages où ont vécu les participants canadiens en 1985 et en 1986.

Le ciel est gris, comme c'est fréquent en cette saison d'hiver, affligée du harmattan : ce vent chaud arrive du lointain Sahara, charriant une fine poussière qui obscurcit le soleil, pollue l'air et fait tousser les Togolais. À cause de l'étrange luminosité, le paysage a quelque chose d'irréel : palmiers, baobabs, teks, manguiers, eucalyptus se découpent comme des ombres chinoises dans le ciel vaporeux. Traversons des champs de maïs ou d'ignames, des plantations de canne à sucre. Comme le long de toutes les routes d'Afrique, défilent des femmes et quelques hommes, marchant très droit, apparemment sans effort, alors qu'ils portent sur la tête de lourdes charges. À cause de la pénurie d'eau dans cette région, les femmes doivent marcher chaque jour jusqu'à 12 kilomètres portant ainsi une amphore de terre cuite ou un seau de métal rempli d'eau. D'autres transportent du bois, des paniers d'ananas ou de bananes, des sacs de charbon de bois.

Nous traversons un vaste plateau où surgissent ici et là d'énormes termitières aux allures de châteaux bavarois ou de cathédrales gothiques. Nous voyons de beaux et calmes villages togolais, aux cases de pisé recouvertes de toits de paille : les plus riches se payent des toits de tôle ondulée, moins jolis mais plus résistants. La vie se déroule comme il y a cent ans, peut-être mille ans. Les femmes pilent le manioc ou les ignames pour faire du *fufu*, base de l'alimentation. Des hommes réparent un mur grugé par les récentes pluies, des jeunes femmes sont assises au bord de la route devant de petits tas de piments, d'oranges, de tomates ou de tubercules de manioc. Dans les rues de terre, bien ratissées, les enfants jouent, poussant devant eux une vielle jante de bicyclette, un petit camion en bois sans doute fabriqué par le père ou le frère aîné. Il y a du bonheur dans ces villages, on y mange à peu près à sa faim, et c'est sans doute sur le plan de la santé, c'est-à-dire de l'hygiène, que l'on pourrait améliorer les choses.

À la tombée de la nuit, nous venons à un cheveu de heurter un énorme sanglier qui traverse la route. Selon le directeur de la jeunesse, M. Batascome, notre *Peugeot* n'aurait jamais plus été la même après une collision frontale avec une pareille bête.

Installation à l'hôtel *Central* de Sokodé, charmante auberge où nous sommes logés dans des pavillons individuels en forme de case, avec toit de chaume.

Apéritif en plein air, sous les palmiers, avec les notables de la préfecture, dont le préfet, le commissaire de police et l'inspecteur de la Jeunesse, c'est-à-dire le représentant du ministère dans cette préfecture, N'Bebi Kome : il fut coordonnateur togolais du programme de Jeunesse Canada Monde en 1984. Autour de la table, quelques autres notables, dont un ancien participant qui nous parle avec affection de la famille d'accueil canadienne avec qui il avait vécu le programme 1984, dans le village de Saint-Hugues (Québec). De son «père», un monsieur Fontaine, il reçoit régulièrement des lettres «et parfois un mandat dans le temps des fêtes».

## 31 *décembre*

Lever à 6 heures. Départ de l'hôtel avec l'adjoint du sous-préfet, le préfet lui-même ayant dû quitter Kokodé à 4 heures le matin pour aller présenter ses voeux à l'occasion de la nouvelle année au président de la République qui se trouve dans sa ville natale, à Kora. Précédés d'un car de police et suivi d'un autre véhicule transportant le reste de la délégation, nous nous mettons en route pour Kparatao, un village qui avait accueilli un groupe de Jeunesse Canada Monde en 1985 et en 1986. Arrêt à Sokodé pour faire le plein d'essence. Nous en profitons pour nous promener au marché. «Étonnez-moi !» criait Diaghilev à Jean Cocteau. À Sokodé, pas besoin de crier : les moindres gestes, les moindres objets nous étonnent. Une jeune fille vend des bouts de branches : il s'agit des brosses à dents locales, très efficaces, avec dentifrice intégré. Ici, un étal minuscule : dix paquets de cigarettes, quelques-uns déjà ouverts puisqu'on vend à l'unité, des savonnettes, et quelques fioles contenant des comprimés. J'en examine quelques-unes :

«Aspirine?

— Oui, dit la vendeuse en souriant.

— Chloroquine contre la malaria ?

— Oui, bien sûr !

— Et ça ?

— Contre le mal de ventre.

— Et celles-là, les rouges ?

— Contre le mal de ventre.

— Et celles-là, les jaunes ?

— Contre le mal de ventre.»

Comme tout expert en sondage le ferait, sans hésiter, je conclus que la population de Sokodé souffre davantage de maux de ventre que de migraine ou de malaria. Enfin, un étal qui devrait plaire aux naturistes : des remèdes absolument naturels, capables de guérir toutes les maladies. Kantoni, mon guide, n'a pas le temps d'identifier chacun des excellents produits qui sont disposés par genre sinon par maladie : des têtes de crapaud, de poisson, de serpent, des oursins, des pattes d'écrevisse.

« On les avale tels quels ?

— Non, on les broie, on les mélange avec d'autres produits, chaque carcasse d'animal pouvant guérir une maladie particulière. Sauf le sida, hélas !»

Arrivée à Kparatao, à quelques kilomètres de la frontière du Bénin. Où que nous soyons dans ce pays filiforme et invraisemblable, créé par les fantaisies des puissances coloniales des temps jadis, il y a toujours une frontière à deux pas : celle du Ghana à l'ouest, celle du Bénin à l'est, sans parler du Burkina Faso au nord.

En liesse, toute la population de Kparatao nous attend à l'entrée. Le chef du village nous souhaite la bienvenue dans un tintamarre incroyable : les joueurs de tam-tam et de clochettes, et les youyous. Nous serrons la main à au moins cinquante notables, magnifiques dans leurs plus beaux atours d'inspiration musulmane, puisque nous sommes dans un village totalement dominé par la foi islamique.

Sur la place du village, à l'ombre d'un énorme baobab et de quelques manguiers, on a disposé une rangée de fauteuils pour les invités d'honneur.

Un groupe de joueurs de tam-tam martèlent l'air sec et empoussiéré par le harmattan. La foule, sans doute composée de tous les habitants du village, forme un carré dont un des côtés est fermé par les fauteuils des notables. Il y a là des centaines de personnes, peut-être plus de mille, les hommes et les femmes dans des costumes splendides, aux couleurs brillantes, tous uniques.

Le programme consiste en un joyeux mélange de folklore et de blablabla. Sauf exception, les propos de circonstance prononcés en ces occasions ne valent par cher le kilo. Et pourtant, je suis absolument touché par les paroles de l'adjoint du préfet, qui lit son discours, écrit à la main, sans doute la veille puisque ma visite ici a été organisée à la dernière minute. Je le remercie de l'accueil exceptionnel qui m'est réservé : «Cela n'est rien après ce que Jeunesse Canada Monde a fait pour nous, Togolais. Cent jeunes Togolais ont vécu le programme. C'est extraordinaire. Votre présence ici, comme celle des jeunes Canadiens, constitue une victoire remportée sur la distance qui sépare les hommes. Grâce à Jeunesse Canada Monde, des jeunes de nos deux pays apprennent à se connaître, à vivre ensemble, à s'aimer et à considérer le monde comme une famille».

Au milieu de la place s'agite une sorte d'animateur. Avec force gestes, il invite la foule à répondre à ses slogans. On en retient un ou deux : «L'amitié du Canada et du Togo, toujours...» Et la foule répond : «En avant !»

« Le Général Gnassingbé Eyadèma[1], toujours...

— Au pouvoir !

— Le sénateur Jacques Hébert, président fondateur de Jeunesse Canada Monde, toujours...

— En avant !», répond la foule.

Suit un groupe de danseurs et de danseuses absolument remarquables. Difficile de comprendre le sens de chacun des gestes, de chaque mouvement des corps, mais il y a un soupçon d'érotisme qui ne trompe personne.

---

1        Président du Togo.

Au milieu de la place, on a planté, très près l'un de l'autre, deux mâts. Flottent un drapeau togolais et l'unifolié. Au cours de mon petit discours, comment résister à la tentation d'une belle envolée à la togolaise : «Avec la complicité du vent, nos deux drapeaux se serrent la main, même se prennent par le cou !» C'est un peu gros, mais ça me vaut un grand éclat de rire et un tonnerre d'applaudissements...

Au nom de la communauté, le chef du village m'offre un costume national en coton produit, filé et tissé ici même. C'est le *agbara* qui fait de moi «un fils du village». J'endosse la large blouse, au grand plaisir de la foule. Une vieille femme m'invite aussitôt à danser une danse folklorique locale, ce qui doit bien être le clou de cette fête improvisée. Mais non, encore cinquante danseurs vêtus d'une tunique blanche et coiffés d'un tarbouche rouge se frayent un chemin à travers la foule, nous donnent un extraordinaire spectacle et soulèvent une fine poussière rousse en martelant le sol de leurs pieds nus. Ils sont accompagnés d'un groupe de sept musiciens qui battent des tam-tam de dimensions diverses. Entre deux danses, le porte-parole du chef du village y va d'un autre discours : «Ce fut une joie et un honneur pour le village de Kparatao d'avoir accueilli sept jeunes Canadiens venus travailler avec nous dans un climat de paix et de fraternité. Nous avons admiré le courage et la détermination de vos jeunes, garçons et filles, qui allaient aux champs et qui ont construit des foyers améliorés. Ces constructions demeurent un témoignage de leur passage dans notre village. Vive l'amitié Canada-Togo ! Vive la jeunesse !»

Encore une danse par les jeunes de l'école coranique, encore un discours, et c'est le temps de reprendre la route, non sans avoir parlé avec chacune des familles d'accueil de nos participants de 1984 et 1985. Au nom des autres, un des «pères» nous dit : «Depuis le départ de nos enfants du Canada, nous n'avons jamais cessé de penser à eux et nous prions le sénateur de tout faire pour qu'ils reviennent un jour nous rendre visite. Au début, nous avons été étonnés de voir vos filles insister pour aller aux champs et faire même les travaux traditionnellement réservés aux hommes. Nos filles ont suivi leur exemple. Et maintenant, conclut l'homme en riant, ma femme exploite son propre lopin de terre !»

Il est 11 heures, et on nous convie à un déjeuner bien arrosé dans la maison d'un notable : riz, *fufu*, viande très relevée, etc. Nous étions loin de nous douter qu'une heure plus tard nous étions attendus à une réception et à un grand repas togolais à la résidence officielle du préfet de Tchaoudjo.

Il est 14h30 quand nous quittons Sokodé en direction de Lama-Tessi, un autre village qui avait accueilli un groupe de participants de Jeunesse Canada Monde. Ici comme à Kparatao, ma visite donne lieu à une grande fête populaire, où alternent les danses, les chants, les discours et les slogans scandés par la foule entière. Trois joueurs de flûte, «en petit bonhomme», sautillent jusqu'à moi et, pendant quelques minutes, ne semblent jouer que pour moi seul. Beau discours du chef du village en gandoura blanche, coiffé d'un casque noir orné de paillettes dorées qui scintillent au soleil. Au nom du village, il m'offre un pic, une pioche et un grand panier en vannerie : «Les objets utilisés par vos participants quand ils venaient planter, sarcler ou récolter le manioc.» Rencontre avec les familles d'accueil des participants. Les mères me parlent avec grande émotion de leurs «enfants» du Canada. Elles se souviennent de leurs noms : «Dominique, John, Lise, Mike...» Quelques-unes me disent qu'elles ont donné le prénom de leur participant ou de leur participante au premier enfant né après son départ...

*2 janvier*

Avant de quitter Lomé, je signe un nouveau protocole d'entente avec le ministre de la Jeunesse... mon pote de Nanaïmo ! Après quatre ans d'absence, Jeunesse Canada Monde reviendra au Togo dès cette année.

«Jeunesse Canada Monde, toujours...

— ... en avant !»

# 8.
# THAÏLANDE

*1992*

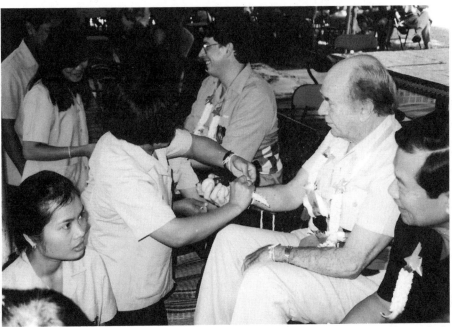

La cérémonie de l'accueil dans le village de Tambon Banlao, dans le nord de la Thaïlande.

*3 janvier*

Mon histoire d'amour avec la Thaïlande a commencé il y a quarante ans, quand je traversai ce doux pays en *Jeep* au cours d'un voyage autour du monde. N'ayant guère eu le temps de m'y attarder, je m'étais promis de revenir à la première occasion.

L'occasion se fit attendre, et c'est seulement en 1985 que je devais revoir la Thaïlande, non pas pour m'y balader en touriste, mais pour proposer Jeunesse Canada Monde aux autorités thaïlandaises. On fit si bon accueil à l'idée que, dès l'année suivante, nous avions un programme qui, depuis sept ans, a connu un remarquable succès. Près de 300 jeunes y ont déjà participé, dont la moitié des jeunes agriculteurs venus de tous les coins de la Thaïlande. Pour la plupart, comme on me le répétera souvent au cours des prochains jours, ils sont devenus des leaders dans leurs communautés et des agents de développement particulièrement dynamiques.

Accueil à l'aéroport par les deux coordonnateurs : Philip White et Jain, son homologue thaïlandais.

Jain est un garçon merveilleux — c'est le premier adjectif qui me vienne à l'esprit quand je pense à lui — au sourire désarmant, ce qui d'ailleurs est une caractéristique des Thaïlandais. Au cours des sept dernières années, il a été deux fois agent de groupe avant de devenir coordonnateur de programme.

Quant à Philip, c'est ce que nous appelons un «vieux de la vieille». Participant il y a dix ans, il a été agent de groupe en Uruguay et au Yémen avant d'être coordonnateur en Thaïlande. Il m'apprend qu'il a épousé l'an dernier Sarah Whitehead, ancienne participante que j'ai connue au Zaïre en 1986.[2] Comme il est petit, répétons-le, le monde de Jeunesse Canada Monde !

Quelques heures de joyeux bavardages avec Philip avant le dîner officiel offert par le directeur général du CDD (*Community Development Department*), service du ministère de l'Intérieur responsable du programme de Jeunesse Canada Monde. Le directeur général est en poste depuis peu, mais il est clair qu'il est vivement intéressé par le programme. Et pour m'en donner la preuve, il m'accompagnera au cours de la visite des trois villages où se trouvent nos participants.

*6 janvier*

Lever à 4h30. Il faut partir tôt pour se rendre à l'aéroport avant que la circulation de Bangkok ne devienne catastrophique. Il fait nuit, mais déjà l'activité est intense. Le long des trottoirs, les vendeuses de nouilles servent leurs premiers clients. Les autres petits vendeurs s'affairent autour de leurs branlants étals.

Une heure d'avion et nous arrivons à Ubonratchatani, grande ville du nord-est de la Thaïlande. Accueil à la porte de l'hôtel par une délégation du ministère. Sur la

---

2     Voir l'interview de Sarah Whitehead à la page 94.

marquise, une immense banderole jaune sur laquelle il y a une inscription en beaux caractères thaïlandais que me traduit Jain, l'homologue de Philip : «Bienvenue au sénateur Jacques Hébert». J'avais insisté pour que ma visite soit aussi peu formelle que possible, mais cela est impensable pour les Thaïlandais, d'autant plus que je suis accompagné par le directeur général du CDD, personnage considérable dans la hiérarchie administrative du pays.

Trois heures de route en direction de la frontière du Laos. Région de rizières où pataugent quelques buffles. Jolis villages aux maisons légères bâties sur pilotis à cause des inondations occasionnelles pendant la saison des pluies.

Deux voitures de police, les feux rouges en bataille, nous précèdent, bientôt rejointes par un motard. Inutile de dire que les autres voitures s'écartent rapidement de la route pour nous laisser libre passage. Seuls quelques buffles patauds et tout luisants de boue ne se laissent pas si facilement impressionner. Hélas ! à un carrefour, notre escorte manque un virage et fonce tout droit alors qu'il fallait tourner à gauche. Dans le minibus, on éclate de rire et, quelques minutes plus tard, les agents de police nous rattrapent, penauds.

Au village de Tambon Banlao, nous sommes accueillis par le gouverneur de la province, les notables, les fonctionnaires du CDD, les participants de Jeunesse Canada Monde, leurs familles d'accueil et bon nombre de badauds qui ne veulent rien manquer de la grande fête qu'on prépare depuis longtemps. On me passe au cou plusieurs guirlandes de fleurs parmi lesquelles des jasmins au parfum profond et des orchidées bleues.

Devant le temple bouddhique, on a dressé un immense dais capable d'abriter plusieurs centaines de personnes. C'était à peine nécessaire puisque nous sommes sous une voûte de verdure formée par des manguiers et des tamariniers. Le directeur général et moi prenons place au premier rang, devant un arrangement de fleurs monumental et qui servira à la cérémonie d'accueil. Derrière, à peine visible, s'installe une sorte d'officiant laïque tout de blanc vêtu. Il s'assoit par terre et récite une longue prière chantée, «pour me purifier l'âme»… ce dont j'avais le plus urgent besoin !

À genoux, le vieil homme s'approche de moi et me met dans la main deux oeufs et une portion de riz enveloppée dans une feuille. Il me frotte l'avant-bras avec une cordelette de coton blanc qu'il finit par nouer autour de mon poignet. Ce geste devrait m'assurer que j'aurai toujours à manger le reste de ma vie. Une douzaine de vieilles femmes et les participants de Jeunesse Canada Monde le suivent à genoux avec chacun une cordelette à nouer à mon poignet.

Après la cérémonie quasi-religieuse suivent les discours, l'échange de petits cadeaux, le tout entrecoupé d'applaudissements automatiques mais très brefs. Les participants sont assis bien sagement au premier rang de l'assistance de plusieurs centaines de personnes, tout beaux dans leur chemise bleu ciel réglementaire (règlement des Thaïlandais !). Après plus de deux mois en Thaïlande, ils ont l'habitude des longues cérémonies officielles qu'on adore dans ce pays, particulièrement dans les villages. Je les regarde de loin (ils sont à une centaine de mètres) et je risque parfois un sourire en croisant le regard de l'un d'eux, sans trop savoir si c'est tout à fait convenable.

Au milieu de la belle envolée d'un puissant orateur, un grand chien maigre et galeux traverse tranquillement la scène en regardant les distingués invités d'un oeil dégoûté.

Un notable vient nous parler du village, fondé il y 175 ans par des réfugiés du Laos voisin. Il en rappelle les efforts de développement et la contribution des participants. Ceux-ci ont désigné un porte-parole pour décrire l'activité du groupe au cours des derniers mois : Craig Candler, garçon d'Edmonton, excellent participant qui, en deux mois, a réussi à apprendre le thaïlandais. Je glane quelques phrases en anglais : *«Through interaction with the group and the communities we have learned leadership and self-confidence. Dealing with the many challenges has developed in us patience and tolerance of others...*

*«Everyone of us has been given the chance to develop acceptance and open-mindedness... so that we might learn from each other's differences and improve ourselves and our knowledge as a result... Upon our return to Canada, we will try to share with others our understandings, and try to encourage them in the development of themselves, and their awareness of others, and their understanding of world issues...»*

Suit un spectacle de danses traditionnelles au rythme d'un ensemble d'une dizaine de musiciens locaux. Aucun des instruments ne m'était familier. Pendant cette très longue cérémonie, on nous gave de thé et de petits biscuits. Du haut de mon perchoir, je fais un clin d'oeil à Catriona Campbell, pour au moins lui signifier que j'ai hâte que tout cela finisse et que je rencontre enfin les participants.

Mais reste encore l'inauguration du terrain de jeux pour les enfants du village que les participants ont construit avec des matériaux de fortune. Une plaque commémorative surmonte la porte de l'enclos : elle rappellera aux générations futures le passage dans ce village perdu de huit jeunes venus de tous les coins du Canada et de huit autres venus de différentes provinces de la Thaïlande. Une vingtaine d'enfants n'ont pas attendu l'inauguration et s'en donnent à coeur joie sur les balançoires.

Ensuite, nous allons visiter quelques-unes des familles d'accueil, chacune hébergeant un participant canadien et un Thaïlandais. Sherron Soo, de Vancouver, est d'origine chinoise : «On me prend souvent pour une Thaïlandaise, me dit-elle en riant. Ça donne lieu à des situations cocasses...» Sa famille habite une jolie maison traditionnelle en bois, bâtie sur pilotis. On y a accès par une échelle plutôt raide : une seule chambre fermée qu'on a réservée aux deux participantes, le reste de la famille de cinq dormant sur des nattes dans une vaste pièce. Avec des nattes de paille tressée, la famille a construit un petit abri pour que Sherron et son homologue puissent se laver en toute discrétion... avec l'eau froide contenue dans une grosse urne en terre cuite. Sherron me montre le coin cuisine : un petit réchaud où fument quelques charbons de bois : «Du riz trois fois par jour, des légumes, un peu de poisson, quelquefois de la viande». On sent qu'elle est parfaitement heureuse et, comme tous les autres participants, elle est affolée à l'idée que dans quelques semaines elle devra quitter sa famille, son village et la Thaïlande.

Vient enfin la rencontre familière avec les participants, sous un immense tamarinier qui tamise agréablement les rayons du soleil. Un moment privilégié qui me remet d'un seul coup de toutes les fatigues du voyage. Au bout d'une heure et demie de conversation à bâtons rompus, alors que j'ai cessé de confondre Craig et Gordon, Eleonore et Caroline, Philip m'annonce qu'il faut partir. Trois heures de route pour retourner à Pratumrat, où le directeur général et moi sommes les hôtes d'un dîner qui rassemble plus de deux cents personnes.

*7 janvier*

Lever à 5h30. Arrivons au village de Tambon Puay à 9h30, comme prévu au programme, organisé dans les moindres détails.

À l'entrée du village, un immense panneau-réclame me souhaite la bienvenue tandis que la grand-rue est pavoisée sur au moins un kilomètre : d'un côté des drapeaux canadiens, de l'autre des drapeaux thaïlandais.

Une foule de plus de quatre cent personnes nous attendait dans une grande salle communautaire. D'un côté, les invités d'honneur, de l'autre, nos participants à qui je ne pourrai parler avant plusieurs heures...

La salle est décorée d'une multitude de drapeaux canadiens, de toutes les tailles, fabriquées par les femmes du village. Les feuilles d'érable ont des formes étonnantes... et les tiges prennent parfois l'allure de troncs d'arbre.

La cérémonie, longue autant que touchante, ressemble à celle d'hier à quelques nuances près. Par exemple, les danses traditionnelles ne sont pas exécutées par des professionnels, mais par les participants eux-mêmes, les Canadiens montrant autant d'habilité que les Thaïlandais dans ces danses où les bras, les mains et les doigts ont plus à faire que les jambes. Particulièrement remarquable fut la performance du grand Dave Bronsard, Québécois d'Aylmer, et celle de Jos Lauzon de Windsor (Ontario).

Il est clair que les participants sont très appréciés par les villageois. Un notable m'explique que, tous les matins, un haut-parleur situé au milieu du village diffuse un «bulletin de nouvelles locales». Il est chaque fois question de quelque activité des participants.

Lunch en plein air sous un manguier et rencontre informelle (enfin !) avec les participants à l'ombre de fromagers géants qui donnent au petit parc des allures de cathédrale. Comme d'habitude, on se raconte de belles histoires...

Visite de quelques familles de participants, dont celle de Jos Lauzon, qui élève des vers à soie. Jos connaît tout du long procédé par lequel on obtient la soie, un fil interminable qui enrobe les cocons. «Pour que le fil se détache, il faut d'abord faire cuire les cocons. Quant au ver lui-même, on le mange bouilli ou frit. Ce n'est pas mauvais et c'est très nourrissant.» Il me présente un plat de vers fraîchement bouillis.

«Essayez, vous allez voir...

— Heu... Je les préfère frits !»

Jos me désigne un tout jeune veau, encore mal assuré sur ses frêles pattes : «Il est né avant-hier. Et c'est moi qui ai aidé la vache à accoucher : j'avais appris la technique dans ma première famille d'accueil, en Ontario, avec mon homologue.»

La «mère» de Jos, qui devine ce que raconte son grand fils blond, approuve en riant.

Quelque part en Ontario, un fermier ignore que, grâce à lui, un garçon de Windsor a contribué à la naissance d'un veau à Tambon Puay, petit village dans le nord-est de la Thaïlande.

*8 janvier*

Lever à 5 heures. Aujourd'hui, nous allons rendre visite à un ancien participant thaïlandais à Tambon Banrai, petit village d'une province de l'ouest, en direction de la Birmanie, que le régime actuel préfère appeler le Myanmar.

Le long de la route, nous faisons un détour par un village lacustre, renommé pour son marché flottant. Comme le programme d'aujourd'hui n'est pas très chargé, mes hôtes thaïlandais ont voulu m'offrir quelques heures de détente. On n'aurait pu mieux trouver : assis dans une barque, nous glissons doucement sur les eaux brunes d'un grand canal entre les centaines de barques chargées de fruits, de légumes ou de fleurs. Barques longues et minces, aux deux bouts relevés, comme ceux des haricots, manoeuvrées à la pagaïe par une femme, souvent d'un certain âge, coiffée d'un chapeau de paille aux larges bords.

Pas un bruit de moteur, pas un éclat de klaxon, seulement le clapotis de l'eau et les voix des femmes qui se proposent leurs produits, d'une barque à l'autre. D'étroites et longues corbeilles de fruits s'entrecroisent en se frôlant à peine : bananes, ananas, pastèques, oranges, citrons verts, papayes, noix de coco. Plus modestes, les légumes suivent à la queue leu leu : laitues, choux, carottes, gingembre, herbes fraîches... Une barque nous frôle, remplie jusqu'au bord de fruits multicolores, bizarres, exotiques, dont j'ignore les noms, mais dont les parfums lourds arrachent un vague souvenir à ma jeunesse voyageuse. Il y a souvent des embouteillages, mais cela ne gêne personne. On prend le temps de commander un plat de nouilles à une barque-cantine au milieu de laquelle fume un minuscule réchaud au charbon de bois.

Pour nous reposer de tout ce mouvement, de toutes ces couleurs, notre barque enfile un canal voisin plus étroit et plus paisible, entouré de jolies maisons de bois juchées sur pilotis. Puis un autre canal plus étroit encore, à peine assez large pour une seule barque, débouche sur un paradis de plantes et d'arbres tropicaux où les seuls bruits sont le chant des oiseaux.

Après ces quelques heures de paix et de joie, nous reprenons la route de Tambon Barai, où nous attend Winit Limman, l'ancien participant, garçon dans la vingtaine, au sourire éclatant.

Il nous offre du lait de noix de coco, bien frais, et nous raconte une histoire. Choisi comme participant en 1987, il avait vécu trois mois dans une ferme laitière de Salmon Arms en Colombie-Britannique.

«Je ne connaissais rien des vaches laitières, car il n'y en a guère dans cette région de mon pays. Grâce à ma famille de Salmon Arms, j'ai tout appris. Et grâce à Jeunesse Canada Monde, j'ai maintenant ma petite ferme à moi. Venez voir mes vaches...»

Il a quinze belles vaches et sept veaux. Et une sorte d'écurie ouverte aux quatre vents, «une adaptation de mon écurie de Salmon Arms.»

Tout cela a été facilité par un emprunt que lui a consenti un petit fonds créé par le CDD avec l'aide de Jeunesse Canada Monde. Winit a déjà remboursé son prêt, et le succès de son entreprise constitue un exemple très stimulant pour tout le village.

«Grâce à ce que j'ai appris pendant le programme de Jeunesse Canada Monde, j'ai fait autre chose que de bâtir ma propre ferme laitière :

«1. J'ai fondé le *Cow Raisers Club* dont je suis le président et qui compte 30 membres.

2. J'ai enseigné à 300 hommes du village les méthodes d'élevage apprises à Salmon Arms.

3. J'ai vacciné 60 vaches de mes voisins.

4. J'ai préparé un projet pour créer un petit centre d'insémination artificielle, autre technique apprise au Canada.»

Indiscutablement devenu un leader dans sa communauté, Winit nous décrit ses réalisations et ses projets en toute simplicité, mais avec une belle assurance.

Il nous montre les photos qu'il vient de recevoir de sa famille d'accueil de Salmon Arms : «Voici la ferme où j'ai appris tant de choses. Mais quand j'y étais, elle n'était pas recouverte de neige comme sur la photo... Heureusement !»

Il nous parle de Patrick, son homologue canadien, avec qui il est toujours en contact : «Il vient d'écrire à notre famille d'accueil thaïlandaise, dans le village de Kon Kain dans le nord-est du pays.

— Mais cette famille ne doit pas savoir lire l'anglais ?

— Patrick a écrit sa lettre en écriture thaïlandaise !» dit-il, assez fier d'avoir eu un homologue aussi calé...

Voilà une belle histoire à raconter à ceux qui croient que Jeunesse Canada Monde, tout en étant très valable pour les jeunes Canadiens, le serait moins pour les jeunes des pays d'échange.

*9 janvier*

Encore un lever matinal, encore un long voyage en minibus vers la province de Singburi, où se trouve le troisième groupe de participants.

Accueil traditionnel. Guirlandes de fleurs. Drapeaux. Thé et petits cadeaux. Et plusieurs discours. Un des notables, qui se débrouille assez bien en anglais, me présente en ces termes : «C'est un grand honneur de recevoir le président fondateur de Jeunesse Canada Monde, un honorable sénateur du Canada. En fait, vous êtes la première personne honorable à visiter notre village...»

Comme moi, le directeur général de CDD a fait comme s'il n'avait pas entendu !

Longue réunion avec les participants dans une des vieilles maisons de bois sur pilotis, celle de la famille de Mélanie Doyon, Franco-Ontarienne de Sudbury. Une échelle très raide donne accès à une grande pièce recouverte de nattes de paille tressée. Assis par terre, à la mode du pays, nous bavardons pendant près de deux heures. Chacun raconte ses expériences, ses aventures, ses rêves d'avenir. On rit beaucoup, mais une certaine nostalgie envahit soudain la pièce quand un participant mentionne que, dans seulement deux semaines, ce sera la fin du programme. «Il y en aura des larmes, le jour du départ, s'exclame Heather McLean de Kamloops (Colombie-Britannique).» En disant cela, elle saisit la main de son homologue thaïlandaise... et toutes les deux fondent en larmes !

M. Jake Buhler, de l'ambassade du Canada, qui nous accompagnait et dont c'était le premier contact avec Jeunesse canada Monde, était plus ému et plus bouleversé que moi... qui en ai vu d'autres depuis vingt ans !

M. Buhler est responsable du fonds dont dispose l'ambassade pour financer de petits projets de développement. Sur le chemin du retour, inutile de dire que je lui ai parlé de Winit Limman, de ses 15 vaches, de ses 7 veaux et, surtout, de son projet d'établir un petit centre d'insémination artificielle. Il nous promet d'aller voir Winit d'ici quelques semaines...

# 9.
# JORDANIE

*1992*

Au doux pays de Lawrence d'Arabie.

*3 janvier*

Après trois jours de démarches à Amman et de discussions intenses sur l'opportunité d'établir un programme de Jeunesse Canada Monde en Jordanie, j'apprends que mon dernier rendez-vous avec le ministre de la Jeunesse est fixé à jeudi. Quelques jours de liberté, le temps de me payer des vacances. À mes frais, il va sans dire.

Vers 7 heures, je prends un minibus à destination de Pétra. Quatre heures de route dans une région semi-désertique, d'abord plate puis agréablement vallonnée. Dans les replis des collines — quelle horreur ! — de la neige... Cela n'empêche pas les jeunes bergers de faire paître leurs petites chèvres noires. L'oeil dédaigneux, quelques dromadaires efflanqués bouffent des plantes desséchées, rares et poussiéreuses, pas du tout appétissantes.

À peu près à mi-chemin, on quitte la grand-route d'Aqaba pour s'engager dans un chemin étroit qui serpente dans les montagnes, de plus en plus importantes. Et brusquement apparaissent les étranges formations calcaires caractéristiques de Pétra et de ses alentours. On dirait une mer en furie qui se serait soudainement figée, une mer rousse aux moutonnements fantasmagoriques.

Pétra est un lieu unique au monde. Un haut lieu de l'histoire de l'humanité. Les plus spectaculaires vestiges sont ceux de la capitale des Nabatéens, ancien peuple arabe qui a réussi à construire une ville, il y a 2 000 ans, dans les tourbillons de cette mer figée, où tout est crevasses, pitons, défilés étroits. En fait, au lieu de construire, on a souvent sculpté les rochers pour les transformer en temples ou en mausolées, et creusé dans le calcaire des lieux capables d'abriter des centaines de personnes.

Pétra s'étalant sur une grande distance, on loue un petit cheval guidé par son maître, celui-ci peut parfois n'avoir qu'une douzaine d'années. Pour atteindre le premier monument de quelque importance, la Porte du Trésor, on doit faire cinq kilomètres dans un défilé si étroit que parfois deux chevaux ont peine à se rencontrer, et si profond que le soleil n'y pénètre jamais. En levant la tête, on finit par apercevoir une mince effilochure de ciel bleu. Ces cinq kilomètres resteront gravés dans ma mémoire. Une des beautés naturelles les plus spectaculaires que j'aie vue dans ma vie, qui n'en a pas été privée.

Je laisse mon petit cheval blanc et continue à pied. Une promenade de deux heures, mais il en faudrait mille pour voir toutes les admirables façades des tombeaux nabatéens, sculptées dans le roc, et nombre d'autres monuments plus anciens, certaines ruines de l'âge de pierre, vieilles de 9 000 ans, en passant par des vestiges de la période de l'empire romain, de l'empire byzantin, jusqu'aux plus récentes forteresses des Croisés.

Dès 16 heures, les touristes, surtout italiens, reprennent le car d'Amman. Pour ma part, je croirais faire injure à Pétra si je n'y passais pas la nuit.

*4 janvier*

Interminable, épuisante et merveilleuse promenade dans ce paysage qu'a connu T.E. Lawrence. Un Bédouin, fils de l'ancien cheik, m'en parle comme s'il l'avait connu, pour enfin m'expliquer que Lawrence avait été l'ami de son grand-père : «Un des princes arabes dont il parle dans *Les sept piliers de la sagesse*...» Je suis évidemment ravi de rencontrer un Bédouin instruit qui a lu et aimé ce livre admirable qui m'avait envoûté à 20 ans...

*Lawrence d'Arabie*, film dont Peter O'Toole et Omar Al-Sharif sont les vedettes, a été tourné, en partie, tout près d'ici... et mon Bédouin a évidemment très bien connu Peter !

J'avais le choix entre prendre l'autobus d'Aqaba à 5h30 ce matin, ou jouir de Pétra jusqu'à 13 heures et prendre un taxi qui me coûterait 37,50 $ (150 kilomètres, deux heures de route). Bah ! Au diable la dépense ! (Puisque ce n'est pas Jeunesse Canada Monde qui paye...)

À Aqaba vers 15 heures. Je ne me rappelle plus combien de semaines ou de mois il avait fallu à Lawrence pour y arriver, en 1917, avec ses fiers guerriers arabes, à dos de dromadaire. Mais sa joie a dû être plus intense que la mienne, la prise d'Aqaba ayant été l'ultime victoire contre les Turcs, alliés des Allemands, et le début de la fin de l'Empire ottoman.

Je descends dans un hôtel modeste, genre motel des années 1950 en Abitibi, mais ma petite chambre donne sur la plage, au bord de la mer Rouge. Aujourd'hui, l'eau n'est même pas bleue, mais d'un gris sinistre. Je comptais sur Aqaba pour réchauffer mes vieux os, je rêvais d'une bouffée de chaleur avant Islamabad, souvent glaciale en cette saison, sans parler de l'humidité impitoyable de la Nouvelle-Delhi en janvier. À Aqaba, il fait à peine 10 °C. Au moins, je n'aurai pas à *raconter* Jeunesse Canada Monde vingt fois dans la même journée.

*5 janvier*

Le ciel est toujours gris. Vent très vif. Je m'habille comme je le ferais en novembre à Montréal, et je pars à la découverte d'Aqaba, toute petite ville, coincée entre l'Arabie saoudite d'un côté et Israël et l'Égypte de l'autre. Une première promenade me conduit presque à la frontière israélienne, où commence le port d'Eilat, comme une soeur d'Aqaba. Quand le vent souffle dans notre direction, on entend des voix... qui ne sont pas arabes ! Des Israéliens qui, eux aussi, sans doute, pestent contre le mauvais temps...

Je marche pendant près de six heures, ce qui suffit largement à visiter toute la ville, son port, le seul débouché sur la mer de la Jordanie, sa belle plage, ses amusantes boutiques et ses quelques ruines, dont celles d'une forteresse arabe datant du Moyen-âge. Partout, la présence des montagnes arides, aux arêtes aiguës, d'une belle couleur d'ambre, au milieu desquelles Aqaba est comme encastrée.

Bien emmitouflé, assis au bord de la mer, où quelques cargos rouillés attendent leur tour d'accoster, où pas un baigneur ne se risque par un temps pareil, je me tape les *Mémoires d'outre-tombe* de Châteaubriand, que je n'avais pas encore lues à l'âge de 69 ans, ce qui en dit long sur le genre d'éducation que j'ai reçue.

*6 janvier*

Mes vacances sont temporairement interrompues par l'arrivée d'une voiture venue me prendre pour aller visiter le centre local du *Queen Alia Jordan Social Welfare Fund*, ONG qui souhaiterait recevoir quelques participants de notre programme *Partenaires dans le travail*. On ne m'épargne rien : garderie, cours d'informatique pour les enfants, classes de dessin, ateliers de couture et de tricotage mécanique. Une tasse de café, curieusement suivie par une tasse de thé, et une longue discussion avec la directrice, Palestinienne en exil, comme il y en a légion dans ce petit pays de 3 200 000 habitants.

Dans l'après-midi, tout à coup, une percée de soleil. La mer, jusque là d'un gris acier plutôt déprimant, se met à scintiller comme une folle. Ça ne devait pas durer, mais il fait tout de même 17°C, ce qui n'est pas la misère.

Je repars à l'assaut d'Aqaba, dont le quartier du marché fourmille de petites boutiques bourrées de marchandises qui débordent sur le trottoir. Le simple achat d'un crayon ou de deux mandarines permet souvent des rencontres intéressantes.

Par exemple, j'entre dans une boutique minuscule en quête d'un chapelet musulman, que la plupart des Arabes égrènent sans arrêt. Pas toujours pour prier : «Une façon très efficace de relaxer», m'avait expliqué l'ami musulman d'Ottawa à qui je veux rapporter un modeste souvenir. Le boutiquier est un bel homme dans la cinquantaine, le visage barré d'une solide moustache noire, comme en portent à peu près tous les Jordaniens. Avant même de parler «affaires», Rafik Alewah se présente, me souhaite la bienvenue à Aqaba et m'offre du thé bouillant et très sucré dans un tout petit verre, heureusement pourvu d'une anse. Un bon moyen d'accrocher le client, mais aussi un geste d'hospitalité coutumier.

Je finis par lui dire ce que je cherche. Il étale sur le comptoir au moins deux douzaines de chapelets de toutes les couleurs et de tous les prix. Des pierres semi-précieuses à la verroterie la plus kitch.

«Ah ! c'est pour un ami musulman ? Dans ce cas, j'ai ce qu'il vous faut», me dit Rafik en sortant un autre chapelet d'un tiroir.

«C'est en nacre de perle. Importé de Jérusalem, la ville sainte. Votre ami appréciera...»

À ce moment-là, le muezzin d'une mosquée voisine lance ses déchirants appels à la prière... aidé par de puissants haut-parleurs !

«Puisque vous avez un ami musulman, vous comprendrez que je dois faire ma prière. Prenez encore un verre de thé. J'en ai pour cinq minutes.»

Rafik déroule son tapis de prière au milieu de la boutique, s'agenouille en direction de la Mecque et s'absorbe dans ses oraisons comme si le reste du monde avait cessé d'exister.

J'en profite pour regarder diverses photos du tournage de *Lawrence d'Arabie*, qui couvrent tout un petit mur. L'une d'elles nous montre deux Arabes en costume traditionnel et qui se ressemblent comme des frères. La légende m'apprend qu'il s'agit, à gauche, d'Omar Al-Sharif, le grand comédien d'origine égyptienne, et à droite, de sa doublure... Rafik Alewah lui-même !

Sa prière terminée, il s'empresse de me confirmer qu'il a bel et bien été la doublure de l'acteur, surtout pendant les dangereuses cavalcades à dos de dromadaire, sabre au clair. Le gros du tournage a été fait tout près d'ici, en 1962, dans le désert spectaculaire de Wadi Rum. Certaines scènes ont été tournées en Arabie saoudite et même en Espagne, à Séville.

Rafik a mille anecdotes à raconter au sujet de ces huit mois exceptionnels de sa vie, au cours desquels il a frayé avec des vedettes internationales, dont Lollobrigida. «Huit mois et sept jours», précise-t-il, avec une nostalgie certaine.

«Maintenant, je ne suis qu'un petit boutiquier d'Aqaba, mais un homme heureux. Et de temps en temps, je regarde ça !» me dit-il en brandissant la cassette-vidéo de la nouvelle version de *Lawrence d'Arabie* que lui a fait parvenir le producteur.

# 10.
# GABON

*1993*

Un sourire de Libreville, au Gabon.

*24 juin*

Il n'était pas question que je fasse partie de la délégation de parlementaires canadiens à l'assemblée générale de l'Assemblée internationale des parlementaires de langue française (AIPLF) — ouf ! — qui doit se tenir à Libreville, au Gabon, du 26 juin au 3 juillet 1993. À la dernière minute, un sénateur se désiste, et je ne réussis à convaincre aucun de mes collègues des charmes de Libreville en juillet. Il a donc fallu que je me dévoue...

Et puis, autant le dire, j'ai toujours eu un besoin quasi physiologique d'aller respirer, au moins tous les trois ans, l'air humide, chaud et lourd de l'Afrique tropicale. On est comme on est. Par-dessus le marché, ce voyage allait me donner l'occasion de me retrouver, hors du Sénat, pour ainsi dire en toute liberté, avec deux collègues qui sont aussi des amis : le sénateur Gildas Molgat, un très sympathique Franco-Manitobain, et le sénateur Peter Stollery, un bien drôle de Torontois puisqu'il parle couramment l'espagnol et le français !

*28 juin*

Convaincu que plusieurs sénateurs et députés rédigeront de sérieux rapports, avec tous les pénibles détails de chaque longue journée de l'assemblée elle-même, je n'en dirai rien. Ou presque...

D'ailleurs, les souvenirs qui m'en restent sont devenus assez confus. Je me souviens vaguement d'une interminable séance d'ouverture où d'importants parlementaires de divers pays francophones ont joué à qui ferait le discours le plus long, le plus farci de lieux communs et de phrases creuses sur les mérites infinis de la francophonie, bref, le plus assommant.

Par bonheur, les Gabonais eurent l'idée d'inviter les enfants des écoles de Libreville à nous chanter un chant «de circonstance». En voici un couplet :

«Ils sont venus du monde entier
les députés
Ils sont venus pour travailler
les députés
Pour travailler dans l'unité
les députés
Et assurer la pérennité».

Et les sénateurs, alors ? Ils sont pourtant là, eux aussi, venus du monde entier, pour travailler...

On a travaillé, en effet, dans les diverses commissions, et on peut espérer que la francophonie s'en portera mieux... et qu'en sera assurée «la pérennité» !

Le sénateur Molgat étant membre du bureau, son horaire est infiniment plus chargé que celui des simples délégués, comme le sénateur Stollery et moi. Nous le retrouvons cependant, avec sa merveilleuse femme Allison, au petit déjeuner que nous prenons tous les matins au *Pamplemousse*, petit café africain pas cher, à deux pas de l'hôtel cinq étoiles où logeaient les délégations.

On dit que Libreville est la ville où le coût de la vie est le plus élevé au monde, après Yokohama, au Japon. Petit pays d'un million d'habitants, le Gabon a connu un essor économique considérable jusqu'en 1985, surtout à cause de l'exportation de pétrole, de manganèse, d'uranium et de bois précieux. Ici comme ailleurs, la chute du prix du pétrole a eu des effets désastreux sur l'économie. Il n'en reste pas moins que le Gabon me semble être un pays avec lequel Jeunesse Canada Monde pourrait éventuellement organiser un programme d'échange. J'avais donc demandé à l'ambassadeur du Canada de me fixer, entre deux séances de travail de l'AIPLF, un rendez-vous avec la ministre de la Jeunesse, madame Bike qui, malheureusement, est en dehors du pays.

Je verrai donc le ministre de l'Habitat, du Cadastre et de l'Urbanisme, M. Adrien Nkoghe Essingone. Le ministre a tenu à inviter à la rencontre les principaux collaborateurs de sa collègue de la Jeunesse.

Entretien d'une heure qui me permet de conclure que le Gabon accueillerait avec joie une proposition formelle de Jeunesse Canada Monde qui, par ailleurs, pourrait compter sur l'appui enthousiaste de notre ambassadeur, M. Maurice Dionne.

## 1$^{er}$ juillet

À l'occasion de la Fête du Canada, agréable réception dans les jardins de la résidence de l'ambassadeur; nous y retrouvons les délégués «venus du monde entier». Manque à l'appel : le député péquiste de la délégation du Québec qui a refusé l'invitation d'un «pays étranger». L'autre jour, bien entendu, il avait assisté à la réception offerte par l'ambassadeur de France...

Avant le départ d'Ottawa, j'avais convaincu mon collègue, le sénateur Stollery, de m'accompagner au cours d'une excursion que j'avais envie de faire en Guinée équatoriale, pays voisin du Gabon. Il avait accepté sans hésiter, car il aime bien bourlinguer... Presque autant que moi ! «Jacques, aime-t-il à dire, nous sommes de vieux broussards !» Les pages du Sénat étaient assez intrigués par les messages que Broussard I (moi, bien sûr !) envoyait à Broussard II pour le tenir au courant de l'évolution du projet «Guinée équatoriale».

Comme il n'y a aucun moyen d'organiser un voyage entre le Gabon et la Guinée à partir du Canada, j'avais demandé conseil à M. Maurice Dionne, notre ambassadeur à Libreville. De *fax* en *fax* (oui, je sais, il faut dire «télécopie» !), l'ambassadeur m'apprenait qu'on ne pouvait se rendre par la route de Libreville à Bata, la principale ville de la Guinée équatoriale, qu'il ne recommandait absolument pas l'unique avion guinéen, minuscule, déglingué et peu sécuritaire, qui prétend assurer une liaison hebdomadaire, etc.

J'étais sur le point de renoncer à ce petit pays inaccessible quand l'ambassadeur m'apprend qu'une de ses collaboratrices, responsable des petits projets de développement financés par l'ambassade (accréditée en Guinée) devra se rendre au moins jusqu'à la petite ville de Cogo, de l'autre côté du fleuve Rio Muni, qu'on traversera en pirogue. Si cela nous convient, il y aurait de la place pour Broussard I et Broussard II.

Stollery et moi sommes évidemment ravis et, l'assemblée de l'AIPLF terminée, nous nous intégrons à l'expédition dirigée par une jeune femme à la fois énergique et charmante, Mme Gaby Velghe, d'origine belge.

# 11.
# GUINÉE ÉQUATORIALE

*1993*

L'auteur trinquant avec Lord Peter dans la pirogue sur le Rio Muni.

*3 juillet*

Départ de Libreville à 6h30 le matin. Les membres de l'expédition se répartissent entre les deux véhicules tout-terrain de l'ambassade. Dans le premier : Gaby Velghe, son mari Olivier Sherpereel, économiste de la Société française de conseil en développement, Alain Richard, historien français, et un chauffeur gabonais. Dans l'autre véhicule : Nicholas Dionne, le jeune fils de l'ambassadeur, sa copine canadienne Christine et, bien sûr, *Broussard I* et *Broussard II*.

Deux heures de route, à peu près convenable, jusqu'à Cocobeach, sur l'Atlantique, à l'embouchure du Rio Muni. En dépit de son nom frivole, Cocobeach n'a rien à voir avec un quelconque Club Méditerranée : petit port de pêche assez austère, à la plage jonchée de détritus, où s'alignent les pirogues des pêcheurs qui, d'un geste noble et lent, réparent leurs filets, assis à l'ombre des palmiers.

Attendons pendant une heure *notre* pirogue, plus grosse que les autres et munie d'un puissant moteur hors-bord. À notre groupe s'ajoute ici Maria-José, infirmière espagnole qui sera notre hôte à Cogo, où elle s'occupe d'un petit dispensaire subventionné par l'Espagne, dont la Guinée équatoriale est une ancienne colonie.

Nous quittons Cocobeach et le Gabon vers 9h30 : au cours des deux prochains jours, nous passerons le plus clair de notre temps en pirogue, sur les eaux tranquilles du fleuve Rio Muni, dans un décor digne des films de Tarzan. Nous déjeunons de sandwichs, mais aussi, puisqu'il y a des Français à bord, de pâté, de saucisson et de vin rouge.

Le camarade Stollery — que j'appelle tantôt *Broussard II*, tantôt Lord Peter —s'avère un ornithologue amateur étonnant. Il m'en met plein la vue dès qu'un oiseau tropical vient frôler notre pirogue. «Mais voilà un grand calao à casque noir !» s'écrie-t-il, triomphant. Je ne l'aurais pas trop pris au sérieux si Olivier Scherpereel, qui, lui aussi, connaît très bien les oiseaux de la région, n'avait confirmé les observations de *Broussard II*.

Sans les connaissances de nos deux amis, j'aurais à peine remarqué les beaux oiseaux qui enchantent ces lieux. Je n'aurais jamais pu me vanter d'avoir vu autant d'aigles pêcheurs, de calaos siffleurs, de perroquets gris du Gabon à queue rouge, de hérons, d'aigrettes, de martins-pêcheurs, d'anhingas, de guêpiers à gorge rouge, etc.

Vers 15h30, escale à Elon, où nous accueille le chef du village. Nous venons voir un fumoir à poisson, d'un type nouveau, construit grâce à une subvention de l'ambassade du Canada. Nous distribuons des cahiers et des crayons aux enfants de l'école, modeste cabane au toit de tôle ondulée. L'instituteur fait un discours en espagnol, langue officielle de ce petit pays de 300 000 habitants, où l'on parle aussi plusieurs langues locales. Nous demandons à *Broussard II* de répondre puisqu'il prétend parler l'espagnol, ce qui s'avère. Il se fait d'abord prier, mais une fois lancé, rien ne semble pouvoir l'arrêter... ce qui rappelle ses interminables discours contre la TPS au Sénat !

Le chef du village nous ramène chez lui, dans la seule maison d'Elon construite «en dur», c'est-à-dire en béton. Il insiste pour nous offrir une bière, à la température de la pièce, c'est-à-dire très chaude.

Plus tard, *Broussard II* et moi essayons d'imaginer l'histoire de notre hôte, depuis l'époque toute récente où les Espagnols étaient encore les rois et maîtres du pays, soit jusqu'en 1968, année de l'indépendance.

J'hésite un peu à vous révéler le genre d'histoires que nous avons racontées dans la pirogue, devant l'auditoire captif de nos camarades d'expédition. Jusqu'à ce jour, ils doivent s'inquiéter de l'équilibre mental de ces deux sénateurs farfelus...

Bah ! Tant pis ! La réputation des sénateurs étant ce qu'elle est en ce moment, je ne vois pas comment je pourrais la noircir davantage en vous citant, *verbatim*, un inénarrable monologue de *Broussard II*, entrecoupé d'interventions de *Broussard I*. Un peu de courage ! Allons-y !

*Broussard II* : Savez-vous comment ce brave chef de village, qui nous a servi la bière chaude, est parvenu à son haut rang dans la société guinéenne ?

*Broussard I* : Bien sûr, nous le savons. Mais puisque ça te démange de nous le raconter, vas-y !

*Broussard II* : Merci, *Broussard I*. Je te revaudrai ça. Ce brave homme, à la bière chaude comme de la pisse de jument, s'appelle Antonio Bobolasso. *We must admit he has class*. Il a aussi deux femmes, huit enfants, cinq poules et deux canards.

*Broussard I* : Bon. Ça va ! On sait compter.

*Broussard II* : Mais saviez-vous que le brave Antonio, maintenant chef de village, avait zigouillé son maître espagnol le jour même de l'indépendance ? *What about that ?*

*Broussard I* : Bien sûr, mais il faut au moins préciser que le maître en question, Don Carlos, était un colon dégueulasse, raciste et exploiteur...

*Broussard II* : Oui, un dégoûtant personnage. Un putain de patron qui bottait le cul de ses employés guinéens depuis 40 ans.

*Broussard I* : Quarante et un ans !

*Broussard II* : Bon. 41 ans. C'est juste. Merci, *Broussard I*. Ça ne change rien à l'histoire, mais vaut mieux être précis. Se faire botter le cul une année de plus, ça doit compter. Quarante et un ans. Oui. C'est bien ça. *Thank you, Broussard I. Gracias.* Qu'est-ce que je disais quand j'ai été brutalement interrompu ?

*Broussard I* : Antonio...

*Broussard II* : Ah oui ! Antonio. Il était le contremaître de Don Carlos, mais ce titre ne le mettait pas à l'abri des coups de pied au cul.

*Broussard I* : Bien au contraire !

*Broussard II* : Bien au contraire, en effet. Quand un employé de Don Carlos faisait une énorme sottise, comme par exemple voler une bouteille de rhum ou tordre le cou à un poulet du maître, il n'avait rien de mieux à faire que d'aller se cacher en forêt pendant quelques jours. Les coups de pied au cul qu'il avait mérités, c'est le malheureux Antonio qui les encaissait. À la fin de la journée, il pouvait à peine s'asseoir, et sa femme Esperanza lui badigeonnait les fesses avec de l'huile de palme à l'eucalyptus. Antonio hurlait comme un porc qu'on égorge. Putain ! Fallait entendre ça ! Et Esperanza essayait de le calmer en lui parlant de l'indépendance de la Guinée équatoriale, qui finirait bien par arriver un jour, comme c'était déjà le cas pour le Nigeria, ancienne colonie anglaise...

*Broussard I* : Vive la reine Elizabeth II !

*Broussard II* : Les Anglais ont compris avant les autres qu'ils n'avaient plus rien à foutre de leurs colonies...

*Broussard I* : ... et qu'il valait mieux exploiter des pays «indépendants» !

*Broussard II* : Exactement ! Les Français ont mis plus de temps à comprendre. Quant aux Espagnols... ils s'accrochaient misérablement. Bref, Antonio, tout en complaisance pour son postérieur endolori, rongeait son frein.

*Broussard I* : Comme le chien d'or...

*Broussard II* : Quoi ? Quoi ? Qu'est-ce qu'un chien vient faire là-dedans ? Si on ne cessait de m'interrompre, je pourrais terminer mon histoire, d'ailleurs véridique, appuyée sur des documents historiques indiscutables. Alors, *Mister Herbert*... On se passerait de votre chien d'or !

*Broussard I* : Si Lord Peter avait quelque culture, il trouverait au contraire mon intervention tout à fait pertinente puisqu'elle rappelle un autre fait historique...

*Broussard II* : Peuh !

*Broussard I* : D'ailleurs, une taverne de la ville de Québec s'appelle *Le Chien d'or* et, sur l'enseigne en bois sculpté, on peut lire ce message qui exprime bien le sentiment d'Antonio :

«Je suis le chien qui ronge l'os.

En rongeant je prends mon repos.

Un jour viendra qui n'est pas venu

Où je mordrai qui m'aura mordu».

*Broussard II* : Bon, bon, je veux bien. *What the hell* ! Je peux continuer ?

*Broussard I* : Je ne vois pas comment quiconque pourrait arrêter pareille machine à parole !

*Broussard II* : Toujours est-il qu'Antonio continua de ronger son os pendant 40 ans.

*Broussard I* : Quarante et un !

*Broussard II* : D'acc ! Arriva enfin le jour béni de l'Indépendance. Tout le village était en liesse, on dansait sur la place publique qui puait le gros rhum de la liberté. Don Carlos et les autres grands propriétaires trouvaient ça moins drôle et se demandaient s'ils n'auraient pas dû faire une croix sur leur belle plantation et retourner en Espagne... «Que me réservent ces misérables nègres ? se lamentait Don Carlos en sirotant son *Black Label*. Ils me doivent tout...»

*Broussard I* : Y compris quelques coups de pied au cul !

*Broussard II* : «Ils me doivent tout, mais ils l'oublieront vite maintenant qu'ils sont citoyens de la République de la Guinée équatoriale, un pays libre, qu'ils croient, les caves...» Don Carlos ne savait pas si bien dire. De son côté, Antonio finissait une première bouteille de rhum avec trois ou quatre de ses ouvriers.

*Broussard I* : Ils étaient quatre...

*Broussard II* : C'est juste. Ils étaient quatre. Merci, *Broussard I*, pour une fois que tu apportes une précision utile. Alors donc, Antonio dit : «Un jour viendra qui n'est pas encore venu...» Le gros Pancho, saoul comme une barrique...

*Broussard I* : Bourrique !

*Broussard II* : Saoul comme tu voudras, Pancho interrompit Antonio — comme tu ne cesses de le faire ! — et dit : «Depuis que les cloches de l'église se sont mises à sonner, à midi juste, le pays est officiellement indépendant. Le jour est donc, hic ! arrivé...» Antonio ouvrit une autre bouteille de très mauvais rhum et on la vida d'une manière quasi solennelle, mais néanmoins très vite. Et, sans plus d'explications, les quatre hommes se dirigèrent d'un pas tranquille vers la maison du maître, où Don Carlos venait lui-même d'avaler la dernière gorgée de sa bouteille de *Black Label*.

*Broussard I* : Les cinq hommes.

*Broussard II* : Comment ? Mais c'est toi qui a précisé tout à l'heure qu'ils étaient quatre. Comment peut-on rester crédible quand on tripote les faits historiques comme vous le faites, *Señor Herbert* ?

*Broussard I* : Calme-toi ! Vite, un Valium ! Oui, j'ai bien dit *quatre* hommes, mais avec Antonio, ça fait cinq.

*Broussard II* : C'était pourtant évident ! L'auditoire aurait rectifié de lui-même ! Mais si tu insistes pour fendre les cheveux en cinq... Où est-ce que j'en étais ? Putain ! *¡Madre de Dios* ! Ah oui ! Antonio et ses hommes s'approchèrent de la véranda où Don Carlos venait d'allumer un gros cigare, geste extrêmement dangereux compte tenu qu'il était imbibé d'alcool. D'un ton grave, Antonio lui annonça la terrible nouvelle : «Don Carlos, votre coq noir est mort». De rouge qu'il était, le maître devint blanc comme un seuil de lin.

*Broussard I* : Un linceul !

*Broussard II* : «C'est pas possible ! hurlait Don Carlos. *¡Hombre de Dios* ! Un si fier zoiseau...»

*Broussard I* : *Oiseau*. Un noiseau, des zoiseaux.

*Broussard II* : «... que toutes mes poules respectaient... Je ne vous crois pas. Ce matin encore, il était tout fringant...»

*Broussard I* : «Alors venez voir vous-même dans le poulailler», dit Antonio.

*Broussard II* : Exactement ! Mais tu veux raconter l'histoire toi-même, ou quoi ? Vas-y ! Je me tais.

*Broussard I* : J'aimerais voir ça : Lord Peter qui se tait !

*Broussard II* : J'en serais parfaitement capable, mais le récit de cette belle page de l'histoire de Rio Muni, devenue la République de la Guinée équatoriale, est sur le point d'arriver à son terme. Titubant comme une barrique ou une bourrique, Don Carlos se rendit au poulailler, suivi des quatre, pardon, des cinq hommes, aussi bourriques que lui. Quand tout le monde furent à l'intérieur...

*Broussard I* : Le monde, c'est singulier. Très singulier...

*Broussard II* : Quand tout le monde *fut* à l'intérieur, — Ah ! tu m'emmerdes, à la fin ! — Antonio referma vivement la porte de l'odoriférant ridicule.

*Broussard I* : Édicule !

*Broussard II* : «Mais il est vivant mon coq !» cria Don Carlos. «Peut-être, répondit Antonio. Mais toi, tu ne le seras pas longtemps. L'heure est venue de payer pour les milliers de coups de pied au cul que tu nous as distribués depuis quarante ans...»

*Broussard I* : C'est pourtant 41 ans qu'il aurait dû dire...

*Broussard II* : Putain ! On s'acharne ! On veut pas que je raconte ! À peine Antonio eut-il prononcé le mot *ans*, d'une voix d'ailleurs pâteuse, que les quatre hommes (les quatre autres) se saisirent de Don Carlos, le ligotèrent et le pendirent par les pieds à un crochet vissé au plafond. Sortant de sa poche un rasoir à la poignée en corne finement ouvragée, Antonio trancha la gorge de son maître — Slouch ! D'un seul coup. Slouch ! — qui est mort en criant «*Wawa ! Wawa ! Wawa !*», un mot bizarre, inconnu du petit auditoire pourtant attentif. On vida une dernière bouteille de rhum avant d'enterrer le malheureux Don Carlos derrière le poulailler, sous un énorme tas de crottes de poule.

*Broussard I* : La seule chose déplorable, c'est qu'on n'ait pas pris la peine de planter une croix, même modeste, sur le tas que l'on sait, à la mémoire d'un homme qui fut pourtant un grand colon.

*Broussard II* : Pendant 41 ans !

On ne saura jamais qui, ce soir-là, a plus ou moins cru à cette histoire, sans doute étonnante mais néanmoins véridique...

Nous quittons le village d'Elon vers 16h30 en empruntant un bras plus étroit du Rio Muni, comme un petit canal, qui circule dans une jungle exubérante, dont les arbres énormes forment presque une voûte de verdure. À moitié déracinés par l'érosion, ils finissent par s'écraser dans l'eau, assommant à l'occasion un hippopotame trop confiant. Des fougères incroyables, des bosquets de bambous vert tendre qui semblent exploser dans le soleil couchant comme des pièces pyrotechniques. Tout cela rempli d'oiseaux que Peter et Olivier ne manquent pas d'identifier, parfois en latin !

Nous nous payons une panne de moteur, mais qui oserait se plaindre d'une panne en plein paradis terrestre ! La nuit tombe d'un coup, comme un rideau de scène, mais le machiniste nous gratifie d'une pleine lune qui fait scintiller le Rio Muni, où l'on croise de minces pirogues, dont les passagers filiformes se découpent sur le ciel comme des marionnettes de théâtre d'ombre.

Arrivée à Cogo en pleine noirceur, vers 20 heures. À l'époque de Don Carlos, le village avait l'électricité, voire une douzaine de coquets réverbères. Quelques années après la mort atroce du brave colon dans le sinistre poulailler, la génératrice s'est éteinte, on dirait pour toujours : manque de pièces de rechange, manque de carburant.

À la queue leu leu, dans le noir, nous gravissons un sentier abrupt jusqu'au sommet d'une colline, où se dresse le petit dispensaire de Maria-José; il dispose d'une génératrice d'électricité qui fonctionne toujours grâce à la sollicitude de l'ancienne mère-patrie, la lointaine Espagne. Le médecin espagnol étant en vacances, Maria-José est la seule Blanche à des kilomètres à la ronde. Notre visite l'enchante, d'autant plus qu'Olivier, qui a tous les talents, préparera le repas du soir pendant que nous prenons l'apéritif... et que Lord Peter se lance dans un de ses invraisemblables récits qui le met aux prises avec quelques dangereux *narcotraficos* de Colombie ou des durs de durs de la Légion étrangère qu'il a pratiquée jadis à Sidi-bel-Abes.

On en prend, on en laisse. Je m'amuse à l'interrompre, à le contredire ou, encore, à en remettre quand il exagère au-delà de ce que pourrait avaler la plus candide des Petites sœurs des pauvres. Bref, on ne s'embête pas à Cogo. Après avoir fait honneur à la boustifaille préparée par Olivier, sa femme, la merveilleuse Gaby, nous entraîne à la «discothèque» de Cogo, une cabane en planches où se trémoussent une douzaine de jeunes Cogolais, tous des garçons, les filles n'ayant évidemment pas le droit de s'aventurer dans pareil lieu de perdition. Il est resté quelque chose de l'éducation des bonnes sœurs espagnoles... Gaby, qui aime bien danser, devient la reine de la soirée. Broussard I et Broussard II n'attendent pas qu'elle soit épuisée avant de rentrer sagement au dispensaire.

### 4 juillet

Dimanche. La quelque centaine d'habitants de Cogo, endimanchés comme il se doit, se retrouvent dans l'imposante église, qui tombe en ruine mais que transfigurent les beaux chants, plus africains que catholiques, qui inondent la nef, vaguement gothique.

Après la messe, je visite Cogo qui, jadis, devait être un joli petit centre administratif. Il en reste des lambeaux de mairie, une petite fabrique abandonnée, des fils électriques qui pendouillent ici et là, quatre vieilles pompes à essence rouillées, qui se dressent comme les monuments pathétiques d'un passé révolu : il n'y a plus d'essence, il n'y a plus d'autos, il n'y a plus de routes. Seul le Rio Muni et ses pirogues relient encore Cogo au reste du monde.

Mais les gens sont d'une gentillesse exquise. Je fais la connaissance du percepteur des impôts : un petit homme qui ne ressemble pas du tout à un percepteur d'impôts. Il me fait visiter sa maisonnette (deux pièces), il me présente sa femme et ses trois enfants et veut absolument m'offrir une oie vivante. J'aime bien l'oie aux marrons, mais j'essaie de lui expliquer que son oiseau me poserait quelque problème à la douane, à Mirabel...

Je pèle des pommes de terre avec Maria-José, qui est une sorte de mystère. Que fait cette jeune infirmière espagnole à Cogo ? Elle pourrait se la couler douce à Madrid ou à Séville... Elle se prend pour Mère Teresa, ou quoi ? Je ne découvre pas grand-chose, mais je me sens un peu plus près de Maria-José... à cause des pommes de terre !

Adieux à Cogo. Retour dans la pirogue. Arrêt obligatoire à Acalayon, poste frontière, où nous faisons viser nos passeports, *à la fois* pour entrer et pour sortir de la Guinée équatoriale, ce qui devrait rassurer le président de la république, sans doute un dictateur comme il y en a partout en Afrique. Ou presque...

Cocobeach, Gabon. Vers 20 heures, nous rentrons à Libreville, où notre ambassadeur, M. Maurice Dionne, nous attend à la résidence, avec les pizzas de l'amitié. Un homme hors de l'ordinaire, immense, sympathique et jovial, qui voulait évidemment tout savoir de notre excursion. Lord Peter ne s'est pas trop fait prier...

# 1 2.
# ALBANIE

*1993*

Skanderbeg, grand héros national de l'Albanie. «Sa statue ne sera *jamais* déboulonnée!»

*21 juillet*

«Quoi ? Vous allez en vacances en Albanie ? Mais vous êtes fou !»

Voilà le genre de réflexions que me valait l'aveu du projet bien innocent de me payer de petites vacances en Albanie, ce parent pauvre de l'Europe, voire même de l'Europe de l'Est, qui n'en mène pas large ces temps-ci.

S'il m'arrivait de m'enquérir des raisons de leur étonnement, mes interlocuteurs — qui, bien sûr, n'avaient jamais mis les pieds en Albanie ! — n'en manquaient pas : «D'abord, les touristes ne vont pas en Albanie. Point ! On y trouve deux hôtels à peine convenables dans la capitale, Tirana. Quant au reste, c'est la brousse ! On n'y accepte ni les cartes de crédit, ni les chèques de voyage. Seulement des billets verts américains ou d'autres monnaies fortes. Impossible de sortir de Tirana. Il n'y a pas de voitures de louage, et les autocars, fort décrépits, sont toujours bondés, et on ne peut réserver sa place. Premier arrivé, premier servi ! On mange très mal en Albanie, et les magasins sont vides. Mais que diable allez-vous faire dans cette galère ?»

Notre ambassadeur auprès de l'Albanie, M. Rodney Irwin — qui d'ailleurs résidait à Belgrade jusqu'à ce que les événements que l'on sait le forcent à déménager à Vienne — m'avait charitablement prévenu de l'aventure que constitue un séjour en Albanie, mais sans toutefois me décourager. Heureuse coïncidence, son deuxième secrétaire, Ms. Shelley Whiting, allait se trouver en Albanie en même temps que moi. Si j'étais disposé à concilier mon itinéraire avec le sien, elle se ferait un plaisir de m'accompagner. Et comment donc !

J'arrive à Bari à 19h18, les trains de l'Italie étant plus ponctuels que les Italiens eux-mêmes. Quinze minutes plus tard, je suis à la gare maritime où je cherche en vain le beau navire décrit dans le dépliant en couleurs remis par mon agent de voyage. À coup de *prego* et de *grazie*, l'essentiel de mon vocabulaire italien, je finis par apprendre que le *Palladio* est maintenant affecté à un itinéraire plus prestigieux (Bari-Grèce), et que je devrai me contenter du *Expresso Venizia*, navire beaucoup plus vieux et moins confortable. Tant pis !

La simple formalité de m'inscrire et de faire viser mon passeport prend la bagatelle de deux heures, dans une gare maritime torride, sujette à des pannes de courant toutes les dix minutes. Je traîne mes valises jusqu'au bateau et, ensuite, jusqu'à ma cabine, qui a la dimension d'une cabine téléphonique. Pas de hublot. La tambouille de la cafétéria ne me disant rien qui vaille, je dîne d'un bout de fromage et d'un quart de vin. On quitte le quai une heure et demie en retard, le temps de laisser monter à bord une centaine de voitures et de camions.

Je me rends bientôt compte que je suis le seul *touriste* parmi les quelques deux cents passagers, les autres étant pour la plupart des travailleurs albanais en mal de vacances dans leur pays après avoir gagné de bonnes devises étrangères en Italie, en Allemagne, en Suisse ou ailleurs. Quelques Italiens qui font des affaires avec l'Albanie, deux missionnaires suisses...

*22 juillet*

Dès 7 heures, de puissants haut-parleurs nous invitent à nous lever, en italien. On aperçoit le port de Durres, mais nous attendons une heure avant qu'un pilote albanais nous aborde pour guider le navire jusqu'à quai. Les officiers d'immigration albanais montent à bord pour viser les passeports. La queue est interminable. J'aperçois un Italien taciturne qui sirote un cappucino, à l'écart, affalé dans un fauteuil.

«Vous n'allez pas faire viser votre passeport ?

— Non, me répond-il d'un air dégoûté. Comme je viens en Albanie une semaine chaque mois — je m'occupe d'une petite usine, — j'ai appris qu'il ne valait pas la peine de faire la queue pendant trois heures...

— Trois heures ?

— Quand ça n'est pas quatre ! Alors, je me détends en prenant un café, et je passe le dernier».

Il a raison. Je commande un cappucino et m'assois à ses côtés. Mais ce drôle d'Italien, qui baragouine le français, n'est pas bavard. De peine et de misère, je lui arrache quelques réflexions, toujours désobligeantes, sur l'Albanie : «Un pays impossible... Presque toutes les usines sont fermées... De l'eau courante trois heures par jour... La pagaille...»

Je m'inquiète de cette pauvre Ms. Whiting de l'ambassade du Canada qui doit me rencontrer au débarcadère. Elle m'attendra pendant quatre heures, en plein soleil, avec le chauffeur de notre ambassade à Belgrade, Milos Nedié, un Serbe.

En apercevant Ms. Whiting sur le quai, agitant un petit drapeau du Canada, je me rends compte de l'infinie reconnaissance que je dois à l'ambassadeur Irwing. Et, bien sûr, àMs. Whiting ! Comme il n'y a ni taxi, ni autobus en vue, j'imagine un peu les petites misères d'un voyageur isolé qui voudrait se rendre à Tirana de quelque manière, sans connaître un mot d'albanais, langue qui ne ressemble à aucune autre.

Bien calé dans la *VW Passat* de l'ambassade, je me détends en admirant mes premières images d'Albanie, toute vallonnée et verdoyante. Une incongruité dans ce paysage bucolique : la présence d'innombrables casemates de type *pill box*, en béton armé, que le dictateur communiste Enver Hodja avait fait construire dans toute l'Albanie, après que ce pays se fut d'abord brouillé avec les frères soviétiques, avant de renier les frères chinois... jugés trop révisionnistes ! Ce fier petit pays décida qu'il avait raison envers et contre tous, et que l'ennemi, c'était le reste du monde. Il fallait donc protéger l'Albanie contre l'envahisseur éventuel en multipliant les bunkers et surtout les petites casemates.

Il y en aurait 700 000 dans ce pays minuscule, grand comme la moitié de la Nouvelle-Écosse. C'est à peine croyable : 700 000 monuments à la bêtise humaine ! De grosses verrues grisâtres, laides autant qu'inutiles et inutilisables.

À Tirana, nous descendons à l'hôtel *Dajti*, comme tout étranger qui se respecte. Soixante-dix dollars U.S. par jour, petit déjeuner compris. L'autre hôtel, le *Tirana*, est plus grand mais encore moins bien. Au déjeuner, je constate que certaines critiques étaient fondées : on mange plutôt mal dans le meilleur hôtel de la ville...

À ma requête, un ami albanais de Ms. Whiting me trouve un guide qui m'accompagnera durant la longue promenade que je me propose de faire dans la petite capitale (200 000 habitants). Mon guide sera une jeune étudiante en médecine (20 ans) qui s'appelle Brunilda Basha. Elle est toute petite, mignonne, et son anglais est à peu près compréhensible.

Au cours d'une promenade sans but précis, je me fixe souvent un objectif puéril, qui parfois peut changer le cours des choses. Je décide, par exemple, de trouver un petit canard pour la collection de ma nièce Marie... Dans *Albanie* (*La petite planète* des Éditions du Seuil), j'apprends qu'il existe encore à Tirana des bottiers qui font des souliers sur mesure à très bon compte. Brunilda s'étonne. J'insiste. Et nous voilà en quête des bottiers de Tirana, ce qui nous entraîne dans d'invraisemblables ruelles où, autrement, mon guide n'aurait jamais songé à me conduire. Enfin, nous en trouvons un, enchanté de me faire une paire de souliers. Hélas ! je les voudrais noir et il n'a plus que du cuir brun : «Vous ne trouverez pas mieux ! Je suis le dernier bottier de Tirana qui puisse faire des souliers à votre mesure».

Mais il ment. Dans la ruelle voisine, je fais la connaissance de Bilal Toska, vieil homme aux cheveux blancs qui a grande allure, qui pourrait être un poète, comme il y en a beaucoup en Albanie. Il nous reçoit chez lui, dans le living-room de sa maison, attenant à une boutique minuscule. «Café ?» Il va chercher un ventilateur électrique pour que nous soyons bien à l'aise pendant la discussion.

J'explique que mon pied gauche est un peu plus gros que le droit (on ne peut pas être parfait !) et que des souliers faits sur mesure me combleraient d'aise.

«*Po, po, po, po* !» répète-t-il sans cesse, ce qui veut dire «Oui, oui, je comprends, d'accord».

Petit problème : M. Toska part demain vers le sud, près de la frontière de la Macédoine, pour assister au mariage de son neveu. Une énorme fête en perspective. Et il compte profiter de l'occasion pour faire quelques emplettes de l'autre côté de la frontière, dans cette Macédoine mieux pourvue, jusqu'à récemment partie de la Yougoslavie. Je dois quitter Tirana mardi midi, le jour où il revient du mariage.

«Bah ! j'essaierai de faire vos souliers d'ici là ! *Po, po, po...*»

Sur une feuille blanche, il dessine le contour de mes pieds et prend diverses mesures...

Montrant du doigt les pauvres malheureux souliers que je porte, il me dit : «Je serais heureux de vous les réparer gratis, en prime...» Pas question. J'ai l'intention de les jeter à mon retour à Montréal ! Nous convenons du prix : 18 $ U.S. J'en suis presque gêné... Au Canada, une paire de souliers faits à la main, dits orthopédiques, coûtent près de 500 $...

Brunilda m'avoue que, grâce à mes souliers, elle a découvert une réalité de Tirana dont elle ignorait tout jusque-là.

Elle est musulmane. «Mais je ne pratique pas. Je ne vais pas à la mosquée. Après avoir été élevée sous un régime communiste, il me manque l'éducation religieuse qui pourrait me motiver. L'Albanie, ne l'oubliez pas, était un État officiellement athée.

— Est-ce aussi l'attitude des catholiques (10 p. cent de la population) et des orthodoxes (20 p. cent) ?

— Oui, très certainement, chez les jeunes.

— Et vos parents ?

— Ils ne pratiquent pas non plus.

— Vos grand-parents ?

— Ah oui ! Ils vont à la mosquée chaque semaine. Pour tout vous dire, j'ai plus de sympathie pour la religion des catholiques et des orthodoxes.

— Pourquoi ?

— Parce que je suis plus intéressée par les valeurs de l'Occident que de l'Orient.

— Le christianisme vient aussi d'Orient.

— Peut-être. Mais c'est la religion des Occidentaux...»

Quand je lui demande de voir un des monuments importants de Tirana, église ou mosquée, Brunilda me conduit jusqu'à une église catholique très quelconque, alors qu'à trois coins de rue se dresse la belle mosquée d'Hadji Ethem Bey, construite en l'an 1211 de l'hégire...

Nous passons, dans la grande avenue, devant un socle barbouillé de graffiti : «Une statue de Lénine se dressait jadis sur ce socle. Elle est *kaput*, de même que la statue de Staline qui en était le pendant, de l'autre côté de l'avenue.»

Sur le socle en pierres grises, diverses inscriptions dont deux en langue anglaise : «*Pink Floyd Wall Brake Down*» et celle-ci, plus intelligible : «*Let The Sun Shine — 10-12-1992*».

Mais une statue équestre de Skanderbeg domine encore la perspective.

«Et celui-là ?

— Skanderbeg est notre grand héros national. Sa statue ne sera *jamais* déboulonnée !»

## 23 juillet

À ma demande, notre ambassadeur m'avait ménagé un rendez-vous avec le ministre de la Culture, de la Jeunesse et des Sports, M. Dhimiter Anagnosti.

Je n'ai évidemment aucun mandat de Jeunesse Canada Monde pour négocier quoi que ce soit, l'Albanie n'étant pas un pays du Tiers-Monde avec qui nous pourrions organiser un programme, bien qu'il soit moins développé et infiniment plus pauvre que des pays d'Amérique latine, d'Asie et même d'Afrique avec lesquels nous avons des programmes d'échange.

Cependant, il est certain qu'il existe au Canada et ailleurs en Occident une velléité, sinon une volonté politique d'aider les anciens pays communistes à sortir de leur marasme actuel. Notre ministère des Affaires étrangères a même créé un fond spécial dans ce but. Or, je suis persuadé qu'un programme inspiré de Jeunesse Canada Monde ferait merveille dans ces pays. Toutefois, il ne faudrait pas les accueillir au détriment des pays du Tiers-Monde.

Le ministre est un homme dans la quarantaine qui s'exprime assez bien en anglais. Il est ravi de rencontrer enfin un premier parlementaire canadien et de parler des problèmes de la jeunesse d'Albanie, pays où la moyenne d'âge est de 27 ans. Compte tenu du désarroi économique actuel, on imagine le nombre ahurissant de jeunes chômeurs. «Ils traînent les rues, me dit le ministre, ils s'adonnent à l'alcool et à la drogue, ils désespèrent. Il faudrait en envoyer des milliers au Canada pour qu'ils puissent découvrir vos valeurs, voir la démocratie en action et s'initier à vos méthodes de travail. À leur retour, ils seraient des agents de changement, ce dont nous avons le plus urgent besoin.»

En quelques mots, j'explique au ministre le programme de Jeunesse Canada Monde. Il m'écoute avec intensité, le regard épanoui.

«Ah ! qu'il serait merveilleux d'organiser un tel programme avec des jeunes Canadiens et des jeunes Albanais ! Croyez-vous que ce soit possible ?»

J'aimerais pouvoir lui dire oui. Au moins, je l'assure que le Canada n'est pas insensible à la crise que traversent l'Albanie et les autres anciens pays communistes.

«Pour bâtir l'avenir, il faut passer par la jeunesse !» conclut le ministre.[3]

Ms. Whiting n'ayant pas de rendez-vous officiel avant lundi, elle me propose un week-end à la campagne et la visite de quelques lieux historiques. Par surcroît, en dehors de Tirana, hôtels et restaurants coûtent beaucoup moins cher.

Nous retournons d'abord à Durres, par une autre route. Étroite, raboteuse et encombrée de camions, de vieilles voitures pétaradantes, de bicyclettes, de charrettes tirées par des boeufs ou de tout petits chevaux, d'ânes croulant sous les énormes sacs de farine, de troupeaux de vaches ou de moutons, sans parler des oies, des dindes et des chiens. Nous roulons le plus souvent à 30 kilomètres à l'heure, ce qui nous permet d'admirer à notre aise le doux paysage mamelonné, aux collines recouvertes d'oliviers, aux vignobles frémissants, aux champs de maïs ou de tomates. Hélas ! il y a partout les tristes et ridicules casemates...

Ici et là, quelques usines abandonnées, des derricks rouillés, la production de pétrole ayant chuté misérablement. Les villages sont agréables avec leurs petites maisons de pierres aux toits de tuiles rouges, entourées de curieuses meules de foin de forme conique. On traverse une grande rivière qui sépare le pays en deux régions très différentes, le Nord et le Sud, où, près de la frontière de la Grèce, on trouve une importante population d'origine grecque.

Déjeuner (salade de tomate et spaghetti au fromage) à l'hôtel *Adriatika*, au bord de la mer, hôtel réservé naguère par le régime communiste aux très rares touristes étrangers (Autrichiens, Allemands ou Scandinaves) qui venaient ici se payer des vacances à la mer à très, très bon compte. Sur la plage, on croit reconnaître trois ou quatre étrangers, les autres baigneurs étant de toute évidence des Albanais. Selon nos standards, un hôtel de troisième catégorie, mais on y mange assez bien pour 4,50 $.

Au milieu de l'après-midi, sous un ciel d'un bleu intense, nous apercevons enfin la haute colline plantée de cyprès et d'acacias, au sommet de laquelle se dresse l'ancien monastère d'Ardenica, qui sera notre refuge au cours des deux prochains jours. Les

---

3    Depuis ce voyage en Albanie, l'idée a fait son petit bonhomme de chemin : Jeunesse Canada Monde
     a organisé des programmes d'échange spéciaux avec la Pologne et la Hongrie en 1994-1995. Un
     autre pays de l'Est, l'Estonie, s'est ajouté en 1995-1996.

moines orthodoxes ont depuis longtemps quitté le monastère, mais un pope des alentours s'occupe toujours de la vieille église byzantine qui se dresse au milieu de la cour intérieure. On a transformé les bâtiments où logeaient les moines en auberge; elle accueille les voyageurs rarissimes qui ont eu le bonheur d'entendre parler de ce lieu paradisiaque. De tous les côtés, une vue sur la plaine fertile, découpée en damier, aux carreaux verts ou or. Nos chambres sont immenses, modernes, avec salle de bain, eau chaude : on se croirait dans quelque bonne auberge des Laurentides... avec la différence que cela nous coûte 25 $ par jour !

L'église, qui date du XIᵉ siècle, est ornée de fresques splendides et d'icônes d'époque. Bref, nous sommes au paradis !

Nous dînons sur une terrasse caressée par le vent du soir, alors que le soleil descend derrière la colline, empourprant la moitié du ciel. Une dizaine de dîneurs albanais discutent ferme et rigolent. Tout à coup, surgit un personnage patibulaire, moustachu, armé d'une impressionnante carabine. Le genre qu'on ne souhaiterait pas rencontrer dans un lieu désert... Soudain, il se lève et se dirige droit vers notre table, la carabine dans une main et, dans l'autre, un beau melon... Il nous l'offre avec un large sourire qui laisse voir deux incisives en or. On s'essaie à dire merci en albanais, ce qui n'est pas une mince affaire : «*Falemindérit* !» Mais le langage non-formel sauve la situation : tour à tour, Ms. Whiting, le chauffeur Milos et moi humons le beau fruit rond en exagérant un tantinet notre plaisir olfactif. Notre nouvel ami est au comble du ravissement...

Nous finirons par apprendre que l'homme à la carabine est le gardien de nuit dont la mission principale sera de protéger notre voiture contre les voleurs.

## 24 juillet

Nous faisons la grasse matinée — paradis oblige ! — et nous quittons notre beau monastère pour aller en découvrir un autre, dont on dit qu'il est l'édifice byzantin le plus important du pays et, surtout, les ruines récemment excavées de la ville gréco-romaine d'Apollonia. Les petits chemins raboteux mettent la voiture de l'ambassade à rude épreuve...

Le second monastère est encore plus impressionnant que le premier. Depuis le départ des moines, on l'a transformé en musée qui abrite, sous les arcades aux colonnes de pierre, des bas-reliefs et des statues antiques trouvées dans les ruines d'Apollonia, à deux pas d'ici.

Apollonia date de 588 av. J.-C. Elle fut bâtie par des colons venus de Corinthe, au bord du fleuve Aoos, alors navigable, donnant ainsi un accès à la mer.

En l'an 229, Apollonia passa sous la vassalité de Rome et devint très prospère. Cicéron lui-même en parle comme d'une grande ville, une ville de poids : «*Magna urbis et gravis...*» Au IIIᵉ siècle après J.-C., un puissant tremblement de terre changea le cours du fleuve Aoos, privant ainsi Apollonia de son débouché vers l'Adriatique. Ce fut le début d'une décadence, finalement consommée par les invasions barbares. Ce n'est qu'au début de notre siècle que les archéologues découvrirent les ruines d'Apollonia.

Nous passons quelques heures délicieuses à la recherche des monuments excavés :

un mausolée manière Parthénon, un tout petit odéon de 600 places, des promenades à colonnades, etc. On nous avait parlé de la fontaine de Céphise. Nous la chercherons en vain pendant une heure, ce qui nous a entraînés sur une colline voisine qui, à notre grande surprise, est farcie de bunkers, de couloirs et de refuges souterrains pouvant abriter des centaines de personnes : une autre oeuvre immortelle du dictateur communiste Enver Hodja. Dans mille ans, peut-être, des archéologues redécouvriront ces indestructibles horreurs en béton armé et s'affligeront avec raison de la bêtise congénitale des hommes de tous les temps.

*25 juillet*

Prochaine étape : Berat, petite ville fortifiée que l'UNESCO a classée monument historique du patrimoine universel, ce qui en assure la restauration et la conservation.

À l'entrée et à la sortie des villes, il arrive qu'un policier nous fasse signe d'arrêter. Avec la plus grande courtoisie, il commence par nous serrer la main à tous. Mais dès que Milos a dit la formule magique : «Diplomate Canada», l'agent nous fait signe de continuer notre route. Il répète le mot «Canada» plusieurs fois, avec une sorte de ravissement. Pour lui, le Canada est un bon et merveilleux pays. Il ignore tout de son indifférence certaine à l'égard de cette insignifiante Albanie, perdue on ne sait trop où, dans ces impossibles Balkans.

Berat est une pure merveille. Construite sur la rivière Osum, ses jolies maisons blanches aux toits de tuiles rouges sont accrochées en gradins sur le flanc d'une haute colline au sommet de laquelle se dresse une citadelle protégée par une douzaine de tours carrées. Une petite route en gros pavés nous permet d'aller en auto jusqu'à l'une des portes qui percent la muraille. À l'intérieur, de belles maisons de pierre s'entremêlent en un invraisemblable labyrinthe où l'on se perd avec joie dans les ruelles et les passages parfois si étroits que, les bras étendus, on touche les maisons de chaque côté.

Au hasard de la promenade, on découvre de belles petites églises de l'époque byzantine, dont l'église de la Sainte-Trinité, qui date du XIIIe siècle. Celle de Saint-Nicolas, transformée en musée, est remplie d'icônes, d'objets du culte orthodoxe en argent et surtout de peintures d'Onuphre, célèbre peintre religieux albanais du XVIe siècle. Enfin, pur chef-d'oeuvre, l'église elle-même avec son autel et sa chaire en bois sculpté.

Nous rentrons doucement à Tirana en faisant un détour par Elbassan, ville nouvelle et morne, flanquée d'un immense complexe industriel construit avec l'aide des Chinois. On dit qu'il fonctionne encore à 10 p. cent... Difficile à croire. Les usines, les raffineries de pétrole, les aciéries, tout est immobile, rouillé, déglingué, comme mort.

D'Elbasan à Tirana, la route serpente au milieu de hautes montagnes très caractéristiques de l'Albanie. Certaines atteignent plus de 2 000 mètres. Paysage à vous couper le souffle.

*26 juillet*

Pendant que Ms. Whiting s'occupe des affaires de l'ambassade, je me promène dans les rues de Tirana. Sans doute, les trottoirs sont pleins de trous, le crépi des maisons s'écaille, même les locaux des ministères ressemblent à des édifices abandonnés. Et pourtant, la ville a son charme, sans doute à cause des arbres magnifiques, bruissants d'oiseaux, qui camouflent assez bien la misère des habitations.

Sous le régime communiste, il n'y avait que des magasins tenus par l'état. Premiers balbutiements de la nouvelle religion, la libre entreprise, d'innombrables et minuscules boutiques ont surgi partout. Une cabane est devenue un magasin de souliers (j'en compte une douzaine de paires, fabriquées en Égypte), un kiosque est transformé en café où l'on vend de la bière et des eaux gazeuses importées de Grèce. Il y a même du *Coca-Cola* : du vrai et du faux. De loin, une bouteille de faux *Coke* a toute l'apparence du vrai, tant on a bien imité l'étiquette rouge et blanche. En y regardant de plus près, on voit que le fabricant, à la fois prudent et spirituel, appelle son produit *Joy Cola*, et la célèbre marque de commerce *Coke* est devenue *Joke*...

C'est la saison des pastèques : on en trouve des monticules, par terre, au coin des rues. Mais les fruits et les légumes, qui devraient se trouver en abondance au plein coeur de l'été, se font rares : tomates pâlottes, oignons minuscules, pommes de terre, aubergines et pêches. Ici et là, sur une nappe étendue à même le trottoir, de petits tas d'oranges importées de Grèce ou des bananes venues de la lointaine Colombie.

Un trou dans un mur : en y passant la tête, on se trouve nez à nez avec une vendeuse de cigarettes : au paquet ou à l'unité...

Une belle rue bordée d'arbres où les maisons sont mieux entretenues. Dans l'une d'elles, quelqu'un joue la *Sonate à la lune* de Beethoven. Une magnifique maison abandonnée est décorée d'une plaque où l'on dit qu'en 1942, ce lieu servait de rendez-vous aux partisans qui combattaient le régime fasciste, installé en Albanie par l'envahisseur italien.

Au milieu d'un parc, je tombe sur une librairie : une trentaine de livres usagés bien rangés sur le gazon. Des oeuvres d'auteurs albanais mais aussi des traductions d'ouvrages étrangers dont le *Mizantropi* d'un nommé *Molier*, l'*Odiseja* d'un certain *Homeri* et, plus près de nous, *Tëmjerët* du regretté *Viktor Hygo*...

# 13.
# INDE

*(1996)*

Le Premier ministre Jean Chrétien causant avec des participants canadiens et indiens à Mumbai, en janvier 1996.

*10 janvier*

Dès que j'ai appris que le Premier ministre Chrétien songeait à organiser une visite d'Équipe Canada pour promouvoir en Inde le commerce et les investissements canadiens, me vint l'idée audacieuse d'une éventuelle rencontre entre la douzaine d'éminentes personnalités politiques de la délégation... et un groupe de modestes participants de Jeunesse Canada Monde ! Comme par hasard, il y en avait dans trois villages du Marahastra, État où se trouve Bombay[4], première étape de la mission d'Équipe Canada.

L'idée plut tout de suite au Premier ministre. Il était même disposé à aller visiter un des villages, si possible. Hélas ! après avoir étudié les problèmes de logistique énormes qu'aurait posés ce voyage, alors que le programme des deux journées à Bombay-Mumbai était déjà fort encombré, il a fallu renoncer au projet. Cependant, si les participants pouvaient se rendre à Bombay, le Premier ministre se ferait un plaisir de les rencontrer. Bon, puisque la montagne ne vient pas à Mahomet...

Grâce toujours à la gentillesse du Premier ministre, j'ai pu l'accompagner jusqu'à Bombay à bord de l'avion d'Équipe Canada, ce qui m'a permis de pousser ma petite propagande auprès des sept premiers ministres provinciaux qui faisaient partie du voyage : s'ils n'étaient pas des familiers de Jeunesse Canada Monde, ils le seront dorénavant, jusqu'à la fin de leurs jours ! Mais je n'avais rien à apprendre au Premier ministre de la Nouvelle-Écosse, John Savage, dont la fille Sheilagh a été participante du programme avec la Malaysia en 1977.

«Cette expérience unique l'a complètement changée», me dit-il.

«Et pour le mieux !» renchérit Madame Savage avec un sourire.

En fait, depuis Jeunesse Canada Monde, Sheilagh Savage n'a cessé de se battre sur tous les fronts du développement communautaire et du développement international. Elle a été agent de projet dans plusieurs pays avant d'être nommée, tout récemment, directrice du bureau régional de Jeunesse Canada Monde pour les provinces de l'Atlantique.

Ce matin à 9 heures, je participe au briefing de la délégation officielle. Comme la rencontre avec les participants de Jeunesse Canada Monde a lieu à 10 heures dans un jardin de l'hôtel, on m'invite à donner quelques explications à ces messieurs-dames.

J'explique donc que les 25 participants indiens et les 25 participants canadiens ont quitté hier matin leurs trois villages de l'intérieur du Marahastra et se sont joyeusement tapé huit heures de mauvaises routes en autocar pour participer à cette

---

4    Les gens qui se piquent de «rectitude politique» devraient dire Mumbai, vrai nom de Bombay au moment de l'arrivée des Britanniques... qui ont toutes les qualités du monde, mais sûrement pas le don des langues ! Incapables de prononcer Mumbai, ils avaient décrété que cela s'appellerait Bombay. Corrigée le 1er janvier dernier, l'erreur a duré plus de deux siècles... et perdurera quelque temps encore !

rencontre «historique». Après avoir vécu et travaillé ensemble pendant plus de trois mois dans trois communautés de la Colombie-Britannique (le Premier ministre Harcourt affiche un large sourire), les participants viennent de passer trois mois dans leurs villages du Marahastra, où ils ont vécu dans des familles, se sont admirablement intégrés dans la communauté, tout en menant à bien le projet communautaire qui leur avait été proposé.

Au cours des derniers jours, chacun des trois groupes de seize a préparé une petite «présentation» qui aura pour but, au moyen de pantomimes, de sketches et de chansons, d'illustrer les principaux éléments du programme : la coopération entre les deux homologues, l'Indien et le Canadien, la vie dans les familles, l'expérience de travail, les journées d'étude, etc.

Cela devrait durer une quinzaine de minutes. J'insiste sur le fait que la partie la plus intéressante de l'événement devrait être les entretiens particuliers que les premiers ministres auront avec les participants de leur province. Dans ce groupe, comme c'est la règle, toutes les régions du Canada, sinon toutes les provinces, sont représentées. Hélas ! le hasard ne faisant pas toujours parfaitement les choses, il n'y a pas de participants de l'Île-du-Prince-Édouard, de Terre-Neuve et du Manitoba. Je m'en excuse auprès des premiers ministres Catherine Callbeck, Gary Filmon et Clyde Wells... qui promettent de s'occuper des participants des trois provinces dont les premiers ministres n'ont pas jugé bon de se joindre à Équipe Canada, soit l'Alberta, la Saskatchewan et le Québec. Quant au Premier ministre Chrétien, il aura l'embarras du choix !

«Au cours de votre séjour en Inde, osai-je dire en manière de conclusion, vous allez rencontrer des tas de gens importants, vous contribuerez à la ratification de contrats s'élevant globalement à des centaines de millions de dollars, vous verrez le Taj Mahal, le Qutad Minar, le Fort Rouge, et quoi encore ? Cependant, je suis convaincu que cette simple rencontre avec les jeunes participants de Jeunesse Canada Monde restera l'un de vos plus beaux souvenirs.»

Amen !

Dix heures approchent. J'ai un peu le trac. Sans doute un effet d'un décalage horaire de dix heures ! Pourquoi m'inquiéter de la qualité de la «présentation» des participants ? Au cours de ma vie, j'en ai vu des douzaines et des douzaines, et jamais je n'ai été déçu. Le coordonnateur canadien, Robert Todhope, un vieux routier, m'a d'ailleurs rassuré plus tôt ce matin : «Ça devrait aller !» me dit-il avec un sourire confiant.

Le Premier ministre Chrétien en tête, nous arrivons enfin au jardin où l'on a aménagé un petit tréteau décoré d'énormes gerbes de fleurs. Vue superbe sur la mer d'Arabie. Nous sommes accueillis par *mon* homologue, le lieutenant-général Mohan, directeur général du NCC, notre interlocuteur en Inde. En grand uniforme, la poitrine bardée de médailles. Je l'en félicite. «J'en ai d'autres, me dit-il en riant, mais il n'y avait plus de place !»

Plusieurs invités sont déjà là, dont Roy McLaren, ministre du Commerce international, et Raymond Chan, secrétaire d'État pour l'Asie et le Pacifique. Ce dernier est un ami indéfectible de Jeunesse Canada Monde depuis qu'il a visité un groupe dans un village de la Thaïlande, l'an dernier.

Enfin, je retrouve avec joie deux collègues du *caucus* libéral, nos deux seuls députés d'origine indienne : Gurbax Singh Malhi, de Toronto, un Sikh qui fait toujours grand effet avec son magnifique turban (rouge, bien entendu !), et mon joyeux complice de la mémorable délégation parlementaire à Cuba, Herb Dhaliwal, de Vancouver.

Les participants, cravatés pour la circonstance, et les participantes dans leur sari du dimanche (souvent prêté par leur «mère» dans le cas des Canadiennes), nous attendent avec des guirlandes de fleurs qu'ils passent au cou des invités, selon la belle coutume locale. Arrachés seulement depuis hier à la vie simple de leurs villages, ils sont de toute évidence un peu intimidés par tout ce beau monde de la ville.

Très brefs discours du lieutenant-général Mohan et du président fondateur que l'on sait. Et la fête commence ! Comme prévu, chacun des trois groupes fait son numéro avec un enthousiasme communicatif. J'observe les regards des premiers ministres et autres ministres : ils ont l'air ravis et, à l'occasion, émus, surtout au moment de la scène finale où chacun des participants vient poser la main sur un globe terrestre (humble chose empruntée à l'école d'un des villages). La terre finit par disparaître presque, sous un enchevêtrement de mains blanches et brunes, pendant que cinquante jeunes du Canada et de l'Inde chantent la paix et l'amitié entre les peuples.

Ce sera d'ailleurs le thème du petit discours du Premier ministre Chrétien.

La glace est brisée, les participants entourent chacun des invités, souvent le Premier ministre de leur province. Je me tiens à l'écart, sachant que tout à l'heure, je pourrai bavarder à loisir avec les participants au cours du déjeuner prévu à cet effet. Les photographes et les caméras de la presse s'en donnent à coeur joie. Le jeune Mathieu Trépanier, de Roberval (Québec), qui parle maintenant fort bien l'anglais, est interviewé à la fois par la télévision de Radio-Canada et de CBC.

La presse indienne fera sûrement écho à cet événement... peut-être plus important pour les relations entre l'Inde et le Canada que la signature, cet après-midi, de contrats évalués à 444 millions de dollars !

Qu'en sera-t-il de la presse canadienne ? «Une bonne nouvelle n'est pas une nouvelle», diront peut-être les chefs de nouvelles qui auront à choisir entre une photo de Jean Chrétien s'entretenant avec le Premier ministre de l'Inde, et une photo du même en grande conversation avec Mario Losier, petit Acadien de Tracadie.

Je vais discrètement d'un groupe à l'autre. Michael Harris blague avec les cinq participants ontariens. Il me lance en riant : «Aux prochaines élections, ça me fera cinq électeurs de plus !»

Frank McKenna a l'air de bien s'amuser avec les deux participants acadiens du Nouveau-Brunswick.

Le Premier ministre Chrétien est évidemment très entouré. À un moment donné, il demande à un jeune fonctionnaire du ministère des Affaires étrangères, Keith Fontain, ce qu'il pense de Jeunesse Canada Monde. Je ne peux m'empêcher d'intervenir... peut-être pour marquer encore un point !

«Monsieur le Premier ministre, je dois vous avertir que ce jeune homme ne peut pas vous donner une réponse objective.

— Vraiment ?

— Keith est lui-même un ancien participant de Jeunesse Canada Monde ! C'est sans doute son expérience au Sri Lanka, alors qu'il avait à peine vingt ans, qui aura décidé de sa carrière dans la diplomatie. Le monde de Jeunesse Canada Monde étant petit, je l'ai retrouvé il y a trois ans à Islamabad, où il était troisième secrétaire au haut-commissariat du Canada et, plus récemment, à notre ambassade de Varsovie, où il m'a aidé à établir un premier programme d'échange de jeunes avec la Pologne.» Ne jamais rater une occasion ! Merci, Keith.

Bref, comme on pouvait s'y attendre, nos participants ont parfaitement réussi cette opération «charme» improvisée. Grâce à eux, nous comptons de nouveaux amis parmi les personnages politiques les plus importants du Canada. Tous sont venus me dire, avec insistance, qu'ils étaient enchantés de cette rencontre... et que j'avais eu raison d'affirmer (avec quelque témérité !) que ce moment compterait sans doute parmi les souvenirs les plus émouvants de leur voyage en Asie.

L'événement ne devait pas durer plus d'une heure, l'horaire de la journée étant très chargé. Au bout d'*une heure et demie*, il a bien fallu qu'on se quitte. Les derniers à partir furent le ministre Chan, le Premier ministre Savage (et pour cause !) et le ministre Roy McLaren, qui a pourtant la réputation d'être un homme sévère, plus près des hommes d'affaires que de la jeunesse exaltée. Ça ne doit pas être vrai, car son témoignage reste un des plus éloquents que j'aie entendus aujourd'hui :

«Jacques, cette rencontre fut une merveilleuse idée. Les échanges commerciaux entre deux pays, c'est bien, mais ce que fait Jeunesse Canada Monde pour rapprocher, sur le plan humain, l'Inde et le Canada, c'est peut-être mieux. Chose certaine, ces deux actions se complètent admirablement. Et vos jeunes participants sont épatants !»

Je félicite avec chaleur notre coordonnateur Robert Todhope, un vieux de la vieille que je connais depuis longtemps. Rencontré la première fois il y a 15 ans, alors qu'il était jeune participant au Sri Lanka. Revu ici même, en Inde, en 1991, déjà agent de projet. Il le fut encore dans le même pays en 1992, puis en Égypte en 1993.

Après les émotions des dernières heures, et toujours assommé par le manque de sommeil et l'effet du décalage horaire, je suis Robert, comme un automate, dans les rues infernales de Bombay : nous marchons jusqu'à un restaurant du voisinage où nous rejoignons les participants, encore éberlués par l'événement qu'ils viennent de vivre. Je mange un plat à une table, je transporte mon assiette à une autre, et ainsi de suite jusqu'à ce que j'aie échangé quelques mots avec chacun.

Hélas ! au bout d'une heure, je dois partir pour aller participer au programme d'Équipe Canada... dont je suis membre encore pour quelques heures !

À 13h45, cérémonie de signature des fameux contrats de 444 millions de dollars.

À 14h45, rencontre avec le personnel du consulat canadien à Bombay.

À 16h20, départ pour le stade Brabourne, où le Premier ministre du Canada prononcera une importante allocution devant plusieurs centaines d'hommes d'affaires indiens et canadiens. Précédée des inévitables motards, la délégation quitte l'hôtel dans *quatorze* limousines, la première étant naturellement celle du Premier ministre. Je monte dans la onzième...

En soirée, j'ai encore une séance de travail de deux heures avec notre coordonnateur, Robert Todhope, suivie d'une autre avec notre interlocuteur indien, le lieutenant-général Mohan.

Ah ! une sacrée journée !

*12 janvier*

Au cours des prochains jours, j'irai visiter l'autre équipe de Jeunesse Canada Monde dans l'État de Karnataka, plus au sud.

Autre rude journée en perspective. Lever à 3h30. Départ de Bombay pour Bangalore à 6h30. Accueil à l'aéroport vers 8 heures par les représentants locaux du NCC. En route pour Mysore. Notre voiture officielle, munie d'une puissante sirène de police, se fraye un chemin dans les rues de la ville, débordantes de véhicules tous plus invraisemblables les uns que les autres, depuis les camions énormes qui crachent une épaisse fumée noire, jusqu'aux minuscules taxis à trois roues et aux innombrables bicyclettes souvent écrasées sous d'énormes sacs de riz ou plusieurs douzaines de poules vivantes. À travers tout cela, des chèvres, des chiens errants, des vaches sacrées et des piétons souvent aussi chargés que les cyclistes. Notre sirène n'impressionne pas outre mesure... Près de quatre heures de route raboteuse, agrémentées par une crevaison en pleine nature.

À Mysore nous attendaient les deux coordonnateurs : Scott Beveridge et son homologue indien, Sudhir Dautam. Compte tenu de la courte durée de mon séjour au Karnataka, nous irons visiter aujourd'hui même le groupe de Kadakola, petit village heureusement tout près.

Les participants sont en rang d'oignons devant la petite salle communautaire pour procéder à la cérémonie traditionnelle de l'accueil. Une participante indienne me décore d'une belle guirlande de jasmins et de roses rouges, mais c'est une participante canadienne, Erin Davidge, d'Ottawa, qui me marque le front du *tilak*, une pâte rouge sang. Elle arrose ensuite de pétales de fleurs mon crâne dégarni... qui a grand besoin de protection contre les ardeurs du soleil de midi !

Après un briefing en règle sur le village de Kadakola et l'activité des participants, tout le groupe se retrouve pour le déjeuner dans la famille d'accueil de Julie Landry, une Acadienne de Petit-Rocher, au Nouveau-Brunswick, et de son homologue indienne Manasi Majumder, qui vient du Bengale oriental. On a choisi cette maison parce que c'est la seule avec une pièce assez grande pour accueillir notre groupe d'une vingtaine de personnes. On s'assoit par terre sur des nattes de jonc tressé. Devant chaque convive, on dépose une feuille de bananier fraîchement cueillie qui servira d'assiette pour les nombreux plats végétariens qu'on vient jeter par petits tas multicolores sur la feuille verte. On dirait une grande palette de peintre. On mange avec la main droite, usant de prudence avec les tas les plus petits, toujours terriblement épicés.

Pour égayer le repas, les participants me chantent quelques balades. D'abord une chanson acadienne, en français, «Le monde a bien changé», une chanson en anglais, «The Lion Sleeps Tonight» et, naturellement, une chanson en hindi, «Chalte, Chalte».

Tournée du village. Chaque participant canadien et son homologue m'emmènent dans leur famille d'accueil pour me présenter leur «père» (*aja*) et leur «mère» (*ama*), sans parler de leurs nombreux frères et soeurs. Pour témoigner de la diversité religieuse de l'Inde, on a choisi une famille musulmane, une famille chrétienne, une famille hindoue et des familles jaïnes.

Partout, on peut constater les liens étroits qui se sont établis entre les membres de la famille d'accueil et les deux participants. Cela est particulièrement évident dans la famille musulmane, celle de Jo-Annick Proulx, de Saint-Agapit (Québec), et de son homologue Montoo, qui vient du lointain État de Gujarat. Une famille en grand deuil à la suite de la mort accidentelle récente d'un fils qui avait l'âge des participants. Par égard pour cette terrible épreuve, on a songé un instant à trouver une autre famille d'accueil pour Jo-Annick et Montoo, mais l'*aja* et l'*ama* ont tenu à garder leurs deux fils adoptifs, qui ont donc vécu intensément le drame familial. Cette situation difficile a même contribué à rapprocher encore davantage les deux homologues, devenus, me disent-ils, des amis pour la vie. Jo-Annick écrit des lettres aux parents de Montoo, qu'il ne connaît évidemment pas, et de même Montoo écrit aux parents de Jo-Annick. Ils sont toujours en relation avec leur famille d'accueil de Blenheim, en Ontario. «Avant même d'aller retrouver ma propre famille à Saint-Agapit, me dit Jo-Annick, j'irai revoir ma famille de Blenheim, d'autant plus facilement que nous rentrons par Toronto. Quand je les ai quittés en octobre dernier, mes «parents» m'ont donné une clé de la maison, indiquant par là que je pouvais y revenir quand je voudrais.»

Les participants de Kadakola sont fiers, et à juste titre, de leur projet communautaire : la construction d'une nouvelle classe pour l'école du village. Nous allons admirer l'humble édifice de béton qui sera terminé d'ici une semaine.

En plus de cette activité de groupe et des journées éducatives, chaque participant fait un travail dit individuel, généralement auprès d'un artisan local. Par exemple, Bill Spensely, de Victoria, et son homologue, Narender Khatri, de l'État d'Upper Pradesh, ont travaillé avec une famille qui tisse des nattes en utilisant les roseaux de la rivière. Ils m'avouent prendre dix fois plus de temps que les artisans pour tisser une natte avec les métiers rudimentaires, constitués de bouts de bois plantés dans le sol. «Péniblement tissée, me dit Bill, ma première natte a tout de même été vendue au marché avec les autres.»

Barbara Gravel, de Desbiens, (Québec), et Sandhya Shetty, du Maharashtra voisin, travaillent à la minuscule boulangerie du village (8 mètres sur 9), qui produit entre 600 et 1 000 petits pains chaque jour.

Enfin, tout le groupe se rassemble pour une longue séance de questions et réponses : le moment de grâce ! Hélas ! à cause du manque de sommeil et des effets du décalage horaire qui perdurent, je suis presque à bout de force ! Mais comment ne pas répondre aux questions pressantes des participants ? Comment ne pas être ému par leurs témoignages spontanés qui, pour la millième fois, donnent la preuve que Jeunesse Canada Monde vaut bien tous les efforts qu'on lui consacre, et très certainement l'argent qu'il coûte ?

Peter Ruttan, de Stoney Creek (Ontario), dit : «Jeunesse Canada Monde m'a changé. Mes perspectives ont changé. Mes objectifs dans la vie ont changé. Et je le dois beaucoup à mes échanges avec mon homologue Praveen. Maintenant, je veux passer à l'action en utilisant tout ce que j'ai appris au cours du programme. Et mes options sont tellement plus nombreuses !»

Quant à lui, Praveen déclare sans hésitation : «Jeunesse Canada Monde m'a donné une confiance en moi que je n'avais pas. Il m'a appris la patience. Avant, je n'écoutais pas beaucoup les autres, ce que je fais maintenant. J'écoute et je comprends mieux les autres : cela fera partie de mon nouveau mode de vie».

Quand il est arrivé dans ce village, Travis Anderson, de Regina, en Saskatchewan, a été complètement abasourdi par le dénuement, la pauvreté des gens qui, à son point de vue, manquaient de tout. «Puis, j'ai compris qu'il y avait différentes manières de vivre. J'ai découvert de la beauté dans les choses les plus simples. Les enfants, surtout, ont été pour moi une révélation constante, et j'ai compris qu'à leur manière ils étaient heureux.»

Praveen, un participant indien, nous dit que son séjour à Blenheim, en Ontario, l'a aidé à mieux comprendre son propre pays : «Je suis revenu en Inde avec la volonté d'apprécier davantage notre culture, tellement riche. À la suite de mon expérience avec Jeunesse Canada Monde, je suis donc devenu plus fier de mon pays, de sa culture, de ses traditions et de ses valeurs».

J'en passe, et des meilleures, sans doute, car j'ai un mal fou à me concentrer et à écouter comme il conviendrait ces garçons et ces filles qui ont tant de choses à dire.

Avec une frustration certaine, je quitte ce beau groupe, conscient de ne pas lui rendre justice, faute de temps... et à cause de ce maudit décalage horaire !

Retour à Mysore vers 18 heures. Je ne rêve qu'au grand lit à baldaquin qui m'attend dans l'extraordinaire hôtel où mes hôtes du NCC m'ont logé, en dépit de mes protestations les plus vives. Il s'agit d'un ancien palais du maharajah de Mysore datant de l'époque encore récente où, grâce à la complicité de leurs maîtres britanniques, une pléthore de sultans, maharajahs et autres rajahs faisaient semblant de régner.

Mais nos amis du NCC avaient prévu un grand dîner en mon honneur dans un autre hôtel de Mysore. On veut me présenter quelques notables, dont le vice-doyen de l'université, M. Madaiah, grand ami de Jeunesse Canada Monde à qui il a rendu mille services.

J'avoue qu'il m'a fallu un effort surhumain pour jouer mon rôle au cours d'un dîner pourtant merveilleux, servi dans un jardin débordant de fleurs, de bougainvillées et, bien sûr, de palmiers dont la chevelure folle découpait en fines effilochures le ciel presque noir.

### 13 janvier

Ce matin, c'est au tour du village de Palahalli, situé à moins d'une heure de Mysore. Accueil traditionnel par le groupe de Claire Rochefort, de Toronto, et de son homologue Sandhya.

J'ai d'abord droit à un petit «spectacle culturel», sans doute des extraits du spectacle plus important présenté à la communauté, il y a quelques jours à peine, et qui avait attiré des milliers de personnes, c'est-à-dire pratiquement toute la population.

Deux participants francophones, Geneviève Soucy, de Cap-Chat, au Québec, et Pierre Chrétien, de Gaspé, me décrivent la vie dans le village au moyen d'une chanson en français dont ils ont écrit les paroles. Chaque participant canadien et son homologue indien viennent ensuite parler de leur famille d'accueil et de leur projet de travail.

Dave Thompson, de Timmins, en Ontario, mince comme un haricot (il a perdu 8 kilos !), et son homologue Srijeet décrivent avec enthousiasme leur projet de travail collectif : la construction d'une petite bibliothèque dont le village avait le plus urgent besoin. «Nous sommes vraiment fiers de notre bibliothèque, déclare Dave. C'est pas le Taj Mahal, mais nous l'avons bâtie avec nos mains. Tout ce beau béton, il a passé par nos mains...»

Suivent une suite de sketches et de pantomimes qui décrivent tous les aspects du programme. Et pour démontrer leur habileté linguistique, le groupe me chante quatre chansons, chacune dans une langue différente : anglais, français, *hindi* (langue nationale de l'Inde) et *kannada* (langue locale).

Visite du village guidée par Meghan Masterson, de Montréal : elle m'apprend qu'elle habite mon quartier, à quelques rues de chez moi ! Voyons d'abord cette fameuse bibliothèque, qui sera inaugurée dans quelques jours, avant le départ du groupe. À travers la grille d'une fenêtre, qui attend d'être posée sur un mur extérieur, gît une plaque en marbre sur laquelle on a fait graver les noms de tous les participants indiens et canadiens qui ont contribué à la construction.

Au hasard de la promenade dans les petites rues de terre poussiéreuses, inondées d'un soleil blanc, nous nous arrêtons dans les familles d'accueil. Thé parfumé au cardamome et petits biscuits. Les participants me présentent leur *aja* et leur *ama*, et souvent une grand-mère et, toujours, un bon nombre d'enfants beaux et rieurs. Pierre Chrétien me montre la petite chambre qu'il partage avec son homologue Francis, un garçon du Tamul Nadu. Ils dorment sur des nattes de jonc tressé, comme tout le monde. Leur unique fenêtre donne sur la cour intérieure où les trois vaches de la famille ruminent à longueur de journée.

Pour aller visiter les lieux de certains projets de travail, on doit utiliser un camion du NCC, dans lequel je m'empile joyeusement avec les participants, sur les dures banquettes, au grand désespoir des dirigeants locaux du NCC, qui voudraient me voir partager leur voiture officielle. Une façon discrète de dire que ce qui compte d'abord et avant tout à Jeunesse Canada Monde, ce sont les participants. Tout le reste : employés, cadres, personnel du terrain, membres du conseil d'administration n'existent que pour rendre possible l'expérience unique offerte aux participants.

À quelque distance du village, nous nous arrêtons devant une installation rudimentaire où on extrait le jus de la canne à sucre produite aux alentours, au moyen d'une machine brinquebalante... sans doute en usage depuis un siècle ou deux ! C'est le projet de travail individuel de Michael Bendszak, de Toronto, et de son homologue Mehrai Dube de l'État du Media Pradesh. Ils me montrent les grands chaudrons où le jus de canne bout pendant des heures. Le sirop, d'un brun foncé, est coulé dans des moules en bois. Les pains de sucre brut ainsi obtenus sont mis dans de grands sacs de jute pour être expédiés à une raffinerie.

Prochain arrêt : une ferme avicole où caquettent plus de mille poules blanches, dont s'occupent Dave et Srijeet. Enfin, c'est au tour de Cheryl Loeb, de Comox Valley, (Colombie-Britannique), et de son homologue Niyati, du Gujarat, de nous présenter à un sculpteur sur bois avec lequel elles travaillent quand la construction de la bibliothèque le leur permet. L'artisan se spécialise dans la sculpture de bas-reliefs sur bois de rose, dont il fait des portes et des linteaux d'une grande beauté. Les deux participantes me montrent les petits bas-reliefs qu'elles ont elles-mêmes sculptés avec les outils rudimentaires de leur maître : une étonnante réussite pour des débutantes.

Retour au centre du village. Arrêt à la boulangerie, où il fait une chaleur d'enfer, ce qui n'empêche pas Geneviève et Archana d'y travailler plusieurs heures par jour.

Après cette exténuante demi-journée, nous nous retrouvons tous dans un coin de paradis : un sanctuaire d'oiseaux situé à quelques kilomètres de Palahalli. Végétation exubérante où éclatent, ici et là, des bosquets d'énormes bambous. De mignons petits singes jouent à cache-cache dans les banians aux grosses branches tordues, qui ressemblent à des muscles pour géants verts.

Dans l'ombre fraîche d'un kiosque, nous dévorons le pique-nique préparé par les sept familles d'accueil, chacune ayant fourni un plat. Ça ne manque ni de variété... ni de piquant !

Pour digérer, une balade en chaloupe sur la rivière qui traverse ce doux royaume des oiseaux. Il y en a plein le ciel et sur les deux rives, perchés sur les arbres par centaines. Ici, un manguier dont les fleurs sont des oiseaux blancs au long cou qui arrivent de Sibérie (on les comprend !). Là, des arbres immenses aux branches lourdes de gros fruits bruns : des chauves-souris géantes, accrochées par les pattes. Leurs corps pendouillent, frileusement enveloppés dans leurs ailes poilues, comme dans un édredon.

Ici et là, sur des rochers à fleur d'eau, des crocodiles se font chauffer au soleil, la gueule ouverte. On comprend pourquoi on nous avait prévenus de résister à la tentation de laisser tremper nos doigts dans l'eau.

Retour au kiosque. Échange de propos légers ou sérieux avec les participants. Bien sûr, leurs témoignages m'en rappellent d'autres à peu près semblables, entendus hier à Kadakola, ou l'an passé... ou il y a vingt ans !

Malgré tout, je ne puis m'empêcher d'être ému en entendant le grand Dave déclarer devant tous ses camarades : «Jamais, dans toute ma vie, je ne m'étais fait des amis comme ceux-là !» Et son regard attendri va d'un bout du kiosque à l'autre.

Niyati, l'homologue de Cheryl : «Depuis que nous sommes dans ce village, Cheryl et moi partageons absolument tout : nos choses et nos idées. Nous nous parlons souvent dans la journée, mais, le soir venu, il nous est impossible de nous endormir sans parler encore... jusqu'à l'épuisement ! Autrement, le sommeil ne vient pas !»

Lakshmi, du Kerala, l'homologue de Caithlin McArton, de Winnipeg : «Grâce à ce programme, j'ai enfin appris à prendre mes responsabilités !»

Menraj, l'homologue de Michael : «J'ai acquis une maturité que je n'avais pas. Ah ! et j'ai appris l'anglais !»

Il n'est pas le seul si l'on en croit notre flamboyante Geneviève de Cap-Chat : «En arrivant à Jeunesse Canada Monde, je ne savais pas un traître mot d'anglais. *And now, I think I speak it pretty well !*» conclut-elle en éclatant de rire.

N'en mettez plus, la cour est pleine !

«Mais enfin, dis-je, il doit bien y avoir quelque chose que vous n'aimez pas dans ce programme ?»

Après un long silence, l'interminable Dave déplie sa carcasse amaigrie et lance :
«Oui, il y a quelque chose que je n'aime pas et qui me fait mal : c'est l'obligation de
s'arracher trop souvent à ceux qu'on aime. D'abord la famille d'accueil au Canada,
dans cinq jours ma famille de Palahalli, nos amis du village et, dans quelques semaines,
à Toronto, il me faudra quitter ce groupe. C'est dur, c'est très dur...»

*14 janvier*

Kennalu, 5 500 habitants : dernier village avant mon retour au Canada.
«Un village plus riche que les autres, m'explique Leela Acharya, de Toronto,
l'agent de projet. Les villageois ont tous des lopins de terre et cultivent la canne à
sucre, le riz, la noix de coco.»
À l'entrée du village nous attendent le maire de Kennalu, le député à l'assemblée
législative de l'État de Karnataka et autres notables. Un petit ensemble musical fait
grand bruit : deux flûtistes, dont les instruments étranges poussent de longs cris de
joie, un peu grinçants tout de même, accompagnés par un tambour qui nous mitraille
avec une admirable ardeur.
Une participante me glisse autour du cou une guirlande de fleurs aux parfums
puissants qui me font un peu tourner la tête. Le soleil plombe. Pas le moment de
m'évanouir ! La cérémonie du *tilak*, d'inspiration religieuse, est confiée à la grande et
belle Terri Sundin, de Thunder Bay, (Ontario). Drapée dans un sari de princesse, elle
prépare la pâte rouge pour me marquer le front; elle y colle quelques grains de riz,
tandis que son homologue Shubhra balance devant mon visage une petite lampe à
l'huile dont la fumée se mélange aux effluves du jasmin.
Le chef du village fait un signe aux musiciens qui doivent précéder notre cortège
jusqu'à la nouvelle bibliothèque, construite par nos participants (avec l'aide des
villageois) et qui scintille, là-bas, au bout de la rue principale, fraîchement peinte en
jaune citron. C'est moi qui aurai l'honneur de l'inaugurer officiellement. (Attention à
la peinture : le dernier coup de pinceau date d'hier soir !)
Devant la porte du petit édifice, une femme procède à une cérémonie religieuse
très complexe, mais essentielle pour chasser à jamais les mauvais esprits et attirer les
bons. Avec de l'eau, elle délaie trois petits tas de poudre de couleurs différentes posés
sur une feuille de bananier, à même le sol. Elle trempe un doigt dans la pâte ainsi
obtenue et dessine une série de barres parallèles à la base de la porte. Les mauvais
esprits n'ont plus qu'à bien se tenir ! Pour vraiment s'assurer de la chose, la femme
fait encore éclater une noix de coco sur le seuil bétonné. Dans une moitié, elle dépose
un morceau de camphre qu'elle laisse brûler en faisant des moulinets avec cette lampe
inattendue. Elle allume ensuite une grosse poignée de bâtons d'encens dont la fumée
odorante m'arrive en pleines narines alors même que je commençais à m'habituer aux
lourds parfums de mon collier de boutons d'or et de jasmin.
Les mauvais esprits enfin chassés, le représentant de l'État de Karnataka me tend
une paire de ciseaux et me fait signe de couper les deux rubans, un rouge et un vert,
qui barrent encore la porte. *Snip ! Snip !* La foule, maintenant forte de plusieurs
centaines de villageois, applaudit à tout rompre. On m'invite alors à visiter la chose :

trois pièces en béton où, bien sûr, il n'y a pas encore l'ombre d'un livre.

On n'a pas eu le temps de poser la plaque commémorative, mais on peut y lire l'inscription suivante :

*DEDICATED TO THE PEOPLE OF KENNALU FOR THEIR LOVE AND COOPERATION FOR THE INDO-CANADA YOUTH EXCHANGE PROGRAM BY SENATOR JACQUES HÉBERT*

Suivent, gravés dans le marbre pour la postérité, les noms de tous les participants indiens et canadiens.

Le moment n'est pas encore venu de parler avec les participants : une inauguration n'en serait pas une sans les vibrants discours du chef du village, du représentant du district, de l'État, du NCC, sans oublier le député. Nous passons donc sous une immense marquise, aux couleurs chaudes, installée à grands frais pour la circonstance. Une rangée de chaises pour les notables et, bien entendu, deux microphones qui fonctionnent à l'occasion. Le maître de cérémonie est Shridnar Reddy, participant indien du Tamul Nadu, l'homologue de Hon Lu, Torontois d'origine vietnamienne.

Je m'attendais à parler le dernier, ce qui m'aurait donné le temps de préparer mon petit discours. Le malheureux Shridnar m'appelle le premier ! Je me débrouille comme je peux, la traduction de chacune de mes phrases en *kannada*, la langue locale, me permettant de songer à la phrase suivante. Mon discours fut très, très court, mais ce bon exemple n'a pas été suivi par les autres orateurs, qui voulaient en donner pour leur argent aux centaines de villageois entassés sous la marquise, assis par terre sur des nattes. Tout de même, de chaque côté des notables, il y a de petites chaises en fer pour les membres des familles d'accueil de nos participants. Ici et là, on reconnaît ceux-ci à leur chemise blanche et à leur cravate du dimanche. Pour les participantes, c'est plus délicat puisqu'elles portent le sari, comme toutes les femmes du village.

Sans contredit, la vedette du jour sera Anabelle Boulanger, de Laval, (Québec). Avec l'assurance tranquille d'une fille qui aurait inauguré des bibliothèques toute sa vie, elle s'approche du micro, superbe dans son sari rouge vin, liseré d'or. Son discours de plusieurs pages est dans la langue locale ! Ça doit être intelligible puisque les gens applaudissent à plusieurs reprises. Elle reprend ensuite le discours en anglais (avec quelques clins d'oeil en français à mon intention) pour ceux qui ne comprennent pas le *kannada*, dont les participants indiens eux-mêmes qui, cependant, parlent tous *au moins* trois langues : l'anglais, l'*hindi* et la langue de leurs États respectifs.

Anabelle invite ensuite chacun des participants canadiens et son homologue indien à décorer d'une guirlande de fleurs leur «père» et leur «mère», fièrement assis au premier rang.

La longue cérémonie terminée, les participants m'entraînent jusqu'à la maison où habitent Christopher Chapman, de Halifax, et son homologue Sushil Rai, qui vient des lointains Territoires du Nord-Est, la région la plus pauvre de l'Inde.

Les participants s'assoient à l'indienne devant des napperons de fête, en feuilles d'arbre, sur lesquels on dépose des échantillons d'une grande variété de plats végétariens. Assis à mes côtés, Christopher m'explique la composition de chacun, avec précision et autorité.

Allons prendre le thé dans la famille de Vivien Lo, de Saskatoon, et de son homologue Meenakshi Venkatesan du Tamil Nadu. Elles me font visiter leur chambrette : «Nous sommes des privilégiées», me dit Vivien en riant. Elle ouvre les volets de la petite fenêtre qui donne... sur la bibliothèque ! «Nous pouvions flâner jusqu'à la dernière minute... Dès qu'on voyait Leela (l'agent de projet) s'emmener au chantier de construction, nous n'avions qu'à traverser la rue pour y être avant elle !»

Par petits groupes, nous partons à la découverte du village, suivis d'une nuée d'enfants qui interpellent par leurs noms les participants, maintenant de vieux amis. Nous nous arrêtons sans cesse. Ici pour saluer une famille d'accueil, là un artisan qui a appris les rudiments de son métier à deux participants.

Ghyslain Plourde, de Saint-Hubert (Québec), me dit tout à coup : «Un jour, c'est absolument certain, je reviendrai dans ce village pour y revoir mes "parents" et mes amis. Et je regarderai la bibliothèque avec fierté, en me disant que c'est un petit peu grâce à moi qu'elle existe...»

La rencontre plus formelle avec tous les participants se tient dans une salle de l'école. Comme il se doit, ils chantent quelques chansons, un mince échantillon du spectacle culturel qu'ils ont présenté à la population avant-hier et que, à la demande générale, ils reprendront ce soir.

Leur grand succès a été une chanson dont ils avaient écrit les paroles. Un sujet éminemment d'actualité puisqu'il concerne la lutte amère qui oppose en ce moment toute la population du Karnataka et celle du Tamil Nadu, l'État voisin, où on souffre d'une grave pénurie d'eau. Elle lui vient pour une part de la rivière Cauvery qui, justement, traverse le village. En temps normal, la rivière se gonfle pendant la période des moussons. Le Karnataka, qui en contrôle la source, laisse alors couler ses surplus vers le Tamul Nadu. Cette année, les pluies ont été peu abondantes et le niveau de la rivière a baissé dangereusement, ce qui a convaincu les autorités de l'État de cesser d'approvisionner le Tamul Nadu. «Charité bien ordonnée...» Alors a commencé une dispute héroïque entre les deux voisins. Menacé par la sécheresse, le Tamil Nadu a fait appel au gouvernement central à Delhi, qui a tranché la question en sa faveur. Aux élections prochaines, il en coûtera cher au parti du Premier ministre Rao, car toute la population du Karnataka est furieuse. Il y a même eu des actes de violence.

Dans leur chanson, les participants ont évidemment pris parti pour *leur* État, ce qui explique le triomphe qu'ils ont connu l'autre soir. L'auditoire a même réclamé qu'ils la chantent une deuxième fois !

Chacun à leur tour, les participants témoignent de leur expérience. Il est fascinant de voir ce qui s'est passé dans le coeur et l'esprit de ces jeunes, en moins de sept mois. J'ai des pages de notes que je relirai à l'occasion. Mais, pour épargner quelques arbres, je me résignerai à citer seulement quatre des quatorze participants. Que les autres me pardonnent !

Anabelle Boulanger, de Laval (Québec) : «Il y a un monde entre le groupe du début et celui d'aujourd'hui. Nous avons fait un sacré bout de chemin... Et nous avons fini par apprendre à coopérer, à travailler ensemble. Pour ma part, j'ai acquis un sens du leadership. J'ai appris l'anglais et un peu de *kannada*, la langue du village. Mes projets d'avenir ont changé : je songeais à devenir médecin, mais je suis maintenant attirée par le journalisme, ou par des sciences plus créatrices. Aujourd'hui, je sais que *tout* est possible, que je peux changer le monde !»

Shalakaka Patkar du Manarashtra, l'homologue d'Anabelle : «J'ai appris à respecter les différences. Et, croyez-moi, je n'ai pas trouvé facile de m'adapter dans ce village, alors que j'avais vécu toute ma vie dans une grande ville. En fait, j'ai eu moins de problèmes à m'adapter à la vie canadienne ! Grâce à Jeunesse Canada Monde, j'ai enfin découvert comment vivent les Indiens de nos villages. (Soixante-quinze p. cent de la population de l'Inde !) Cela a changé ma façon de voir les choses, mes horizons se sont élargis infiniment...»

Leigh Manikel, de Winnipeg : «En tant que *Westerner*, j'avais certaines idées préconçues sur le Québec, notamment à cause du référendum. Au cours du programme, j'ai eu l'occasion de discuter en toute franchise et en toute amitié avec les francophones de mon groupe. Je me suis rendu compte que, dans ma province, nous manquons souvent de tolérance et ne jugeons pas nos compatriotes du reste du Canada à leur juste valeur».

Christopher Chapman, de Halifax : «Quand j'ai appris que la phase canadienne du programme avec l'Inde se déroulerait en Ontario, je fus franchement déçu. *The worst province to be in !* Maintenant, j'ai changé d'avis. À Strathroy, j'ai vécu dans une famille canadienne d'origine iranienne de la première génération. Mes "parents" avaient plus de questions à me poser sur la vie au Canada qu'à mon homologue indien sur son pays ! Pour moi, ce fut un défi, mais aussi une expérience très enrichissante».

Et c'est ainsi que, grâce à l'Iran, Christopher s'est réconcilié avec l'Ontario !

Laissons le mot de la fin à une jeune Indienne, Shalaka Patkar, l'homologue d'Anabelle : «Oui, on a enfin compris que le monde est petit. Pour moi, jusqu'ici, le Canada était une partie de ce monde. Mais ce n'était pas *notre* monde. À la suite de l'expérience que je viens de vivre, je sais maintenant que le Canada est une partie de *mon* monde.»

# Index des noms

# TABLE DES MATIÈRES

## TROISIÈME PARTIE : Bonjour, le monde !

ACHEVÉ D'IMPRIMER
CHEZ
MARC VEILLEUX,
IMPRIMEUR À BOUCHERVILLE,
EN AVRIL MIL NEUF CENT QUATRE-VINGT-SEIZE